Markus Heitz
Der Orden der Schwerter

SERIE
PIPER

Zu diesem Buch

Der junge Prinz Lodrik wird neuer Herrscher von Tarpol. Entschieden will er Ausbeutung und Korruption bekämpfen. Doch die Großbauern und Adligen wehren sich gegen die Reformen, mit denen Lodrik die einfache Bevölkerung unterstützen will. Überdies besagt die alte Prophezeiung, dass Lodrik das Schicksal der Welt entscheiden wird; eine Weissagung, die Neider und Machthungrige gleichermaßen anzieht. Immer mehr finstere Gestalten versammeln sich um den Herrscher, der ihre Hilfe annehmen muss, um gegen die Intriganten und Feinde zu bestehen. Und die Rückkehr der Dunklen Zeit wirft ihre düsteren Schatten voraus ...

Markus Heitz, geboren 1971, lebt als freier Autor in Zweibrücken. Seine Bestseller um die »Zwerge«, alle bei Piper erschienen, sind das Fantasy-Phänomen des neuen Jahrtausends und wurden in acht Sprachen übersetzt. Markus Heitz gewann bereits sechsmal den Deutschen Phantastik Preis, dreifach allein im Jahr 2007, u. a. für  seinen Roman »Die Mächte des Feuers« – ein einzigartiger Erfolg. Wenn er nicht schreibt, erfindet er köstliche Backrezepte.

Markus Heitz

DER ORDEN DER SCHWERTER

ULLDART – DIE DUNKLE ZEIT 2

Piper München Zürich

Zu den lieferbaren Büchern von Markus Heitz bei Piper siehe Seite 496.

Originalausgabe
1. Auflage November 2004
9. Auflage Januar 2008
Erstmals erschienen:
Ullstein Heyne List GmbH & Co. KG, München 2002
© 2004 Piper Verlag GmbH, München
Umschlagkonzept: Büro Hamburg
Umschlaggestaltung: Nele Schütz Design, München
Umschlagabbildung: Ciruelo Cabral, Barcelona
Autorenfoto: Arne Schultz
Karten: Erhard Ringer
Satz: C. Schaber Datentechnik, Wels
Papier: Munken Print von Arctic Paper Munkedals AB, Schweden
Druck und Bindung: Clausen & Bosse, Leck
Printed in Germany   ISBN 978-3-492-28529-2

www.piper.de

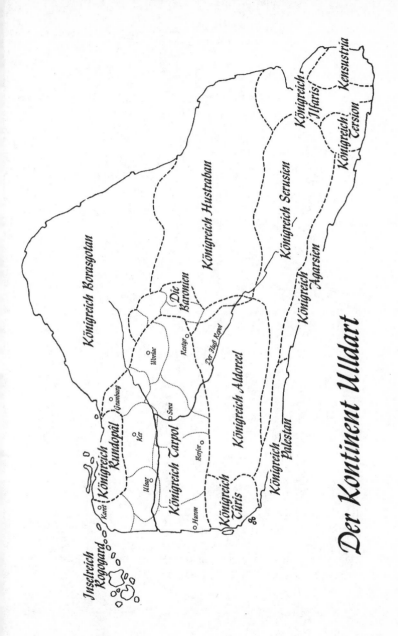

Der Kontinent Ulldart

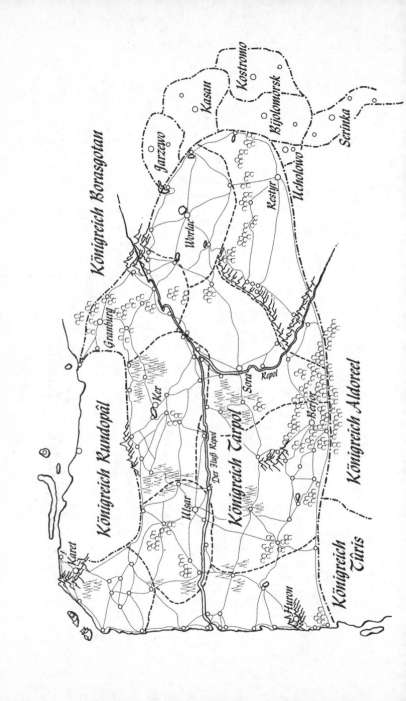

Ulldart, Königreich Ilfaris, Herzogtum Turandei, Königspalais, Winter 442/443 n. S.

Das Besteckgeklapper im Speisezimmer hatte aufgehört. Abgenagte Entenknochen lagen akkurat geordnet auf dem Abfallteller, die Schüsseln und Töpfe, die vor einer Stunde noch bis an den Rand gefüllt waren und den kleinen Tisch mit ihrer Last beinahe in die Knie gezwungen hatten, waren leergeräumt. Nur eine einsame Kartoffel befand sich als einzige Überlebende des Abendessens auf der Silberplatte, immer noch jungfräulich unangetastet, mit Butter, Salz und Kräutern appetitlich bestreut.

König Perdór, ein gemütlicher Mensch in bestem Mannesalter mit langen, grau gelockten Haaren, buschigen Augenbrauen und einem lockigen Vollbart, ließ die Nachricht sinken, die ihm vor wenigen Minuten überbracht worden war.

»Er wird es sehr schwer haben, der junge Kabcar.« Behutsam legte er das Papier zur Seite, die Stirn zog sich in Falten. Scheinbar gedankenverloren nahm er die Serviette ab, die seinen teuren, bunten Brokatrock vor Flecken schützen sollte.

»Man muss kein Prophet sein, um das vorherzusagen.« Der dünne Hofnarr an seiner Seite wiegte übertrieben den Kopf, und seine Schellen an der farbenfrohen Kappe klingelten in unterschiedlichsten Tönen. »Ich setze mein Monatsgehalt darauf, dass ihn der Rat der Brojaken innerhalb eines Monats absägt und sie einen ihrer Hara¢s als Platzhalter einsetzen.«

»Mein guter Fiorell, diese Wette verlierst du.« Der Herrscher von Ilfaris lächelte. »Du vergisst, dass die Bardri¢-Dynastie immer einen gewaltigen Vorteil gegenüber den Großbauern hatte, und der nennt sich ›Garnisonen‹. Das Militär war bisher stets auf der Seite der Kabcare, ebenso wie das Volk. Von daher sehe ich keine allzu große Gefahr, dass die Machthungrigen in Tarpol wirklich an die Macht gelangen.«

Fiorell, wie immer in einem farbigen, rautenverzierten Trikot gekleidet, setzte eben zu einer Erwiderung an, doch Perdór wandte sich zur Seite und zog an der Klingelschnur neben sich.

Sekunden darauf erschienen drei Bedienstete und brachten den Nachtisch.

»Ah«, sagte der König gedehnt und rieb sich die Finger. »Kirschgrießpudding mit einer Sauce aus Beerenkompott. Kandiertes Obst mit Schokoladencreme und«, sein Blick blieb an einem mit einer Haube verdeckten Teller hängen, »was ist das?«

»Ein neues Werk von unserem Pralinenkreateur, Hoheit«, antwortete einer der Diener und verbeugte sich. »Er nennt sie ›Wärmende Wintersonne‹.« Theatralisch zog er den Sichtschutz weg und gab den Blick auf einen kleinen Berg Konfekt aus dunkler Schokolade frei.

Perdór fischte sich mit leuchtenden Augen eine der Süßigkeiten aus dem Stapel, steckte sie in den Mund und schloss erwartungsvoll die Augen.

Der Hofnarr kannte die Zeremonie zur Genüge. Es würde Minuten dauern, bis der König wieder gewillt war, etwas zu sagen. Also wartete Fiorell geduldig, bis die Sinne seines Herrn wieder zurück in die Gegenwart kamen.

»Köstlich«, seufzte der König nach einer Weile und öffnete langsam die Augen. »Ganz köstlich. Halbbitterschokolade mit süßem Orangenlikör, einem Stück Orange und Marzipan. Das zergeht auf der Zunge und gibt nach und nach sein Aroma frei. Diesen Meister, nein, diesen begnadeten Künstler, diese Ausgeburt an höchster Kreativität in meine Dienste zu nehmen, war die beste Idee seit langem.« Er nahm sich eine weitere vom Tablett. »Solch ein Genuss wäre mir fast einen Krieg wert.«

»Dann sind wir ja bei der richtigen Materie angelangt«, unterbrach der Hofnarr die schwärmerischen Ausführungen, während er sich ebenfalls eine Praline griff, sie in die linke Backentasche beförderte und höchst ungenießerisch zerkaute. »Mh, wirklich nicht schlecht.«

Missmutig sah Perdór zu seinem Spaßmacher hinüber. »Du ehrst das Können des Pralinenmeisters keinesfalls angemessen, Bursche. Du zelebrierst nicht, du stopfst.«

»Eure Gäste ehren meine Künste auch eher selten, Hoheit«, gab der Hofnarr zurück. »Wie soll ich demnach das für andere aufbringen, was mir vorenthalten wird? Ich fühle mich nicht sehr geschmeichelt, wenn man mir eine Katze zuwirft, während ich jongliere, nur um zu sehen, ob ich das Tier zusammen mit den Bällen in der Luft halten kann.«

Der Herrscher schmunzelte. »Du hast es aber geschafft.«

»Vielen Dank. Die Biss- und Kratzspuren verheilen auch allmählich«, grummelte Fiorell. »Ich wollte aber auf den Krieg zurückkommen.«

Perdór entließ die Diener, stand auf und ging zu seinem massiven Arbeitspult hinüber.

Er öffnete eine Schublade mit Hilfe eines kleinen, filigranen Schlüssels, den er an einer Kette um den Hals trug, und drückte den verborgenen Knopf im Inneren.

Ächzend schwenkte ein Teil der schweren Wandvertäfelung an der langen Seite des Saales zurück. Meterhoch stapelten sich dahinter Bücher, Schriften, Ordner und andere Papiere, fein säuberlich nach Königreichen und Anfangsbuchstaben in Regalen geordnet.

Aus einer Nische zog der König eine Trittleiter und bedeutete Fiorell, nach oben zum Buchstaben ›B‹ zu klettern. »›Borasgotan‹, wenn ich bitten darf. Hopp, hopp!«

Gehorsam hüpfte der Hofnarr die Sprossen hinauf, schnappte sich den Einband und machte einen eleganten Sprung zurück auf den Boden.

»Hier, Majestät.« Er schlug das Buch auf. »Und das sind die neuesten Nachrichten aus dem Reich, heute Morgen per Eiltaube eingetroffen. Sie wäre fast erfroren bei den Temperaturen. Ein Eisvogel, sozusagen.«

Ohne auf die Bemerkung einzugehen, las Perdór den Bericht eines Spions, der unerkannt in den Reihen der borasgotanischen Verwaltung saß und immer, wenn sich etwas Wichtiges ergab, Ilfaris sofort in Kenntnis setzte.

Solche wachsamen Menschen hockten zu Hunderten in allen Ländern Ulldarts, in Verwaltungen, Gilden, lebten unerkannt als Handwerker, Bauern oder Adlige.

Es hatte Ilfaris Zeit und noch mehr Geld gekostet, um aus den vielen Fäden und Stricken ein dichtes Netzwerk zu flechten, aber die Mühe lohnte sich. Oft erreichte die Nachricht über ein wichtiges Ereignis den ilfaritischen König schneller als den Herrscher des betreffenden Reichs. Und dieses Wissen wurde gegen viel Geld an andere weiterverkauft – wenn es im Interesse Perdórs lag.

Das riesige Speisezimmer war das geheime Schatzkästlein des Königs und nur eines von vielen Archiven. Die anderen waren im übrigen Palais verstreut, wurden von vertrauenswürdigen, ausgesuchten Männern verwaltet, die jede noch so scheinbar winzige und belanglose Mitteilung sammelten. Von Wirtschaft und Zöllen über Steuern und Garnisonen, Schlagkraft von Scharmützeleinheiten bis zu Gerüchten, es fand sich alles.

Ein schwarzes Loch blieb aber auf der Landkarte: Kensustria. Dort war es Perdór und all seinen Vorgängern nicht gelungen, auch nur eine einzige Nachrichtenquelle langfristig zu verankern. Sie versiegten unvermittelt nach ihrer Entsendung, nie wieder hörte man etwas von den ausgesandten Männern und Frauen.

»Das sieht alles sehr nach einem drohenden Unheil aus«, sagte Perdór nach einer kurzen Pause, legte den linken Arm auf den Rücken und begann, im Saal auf und ab zu schreiten. Dabei überflog er immer wieder die Nachricht. »Wieso erhalte ich die Neuigkeiten erst jetzt?«

»Ihr wart mit dem Frühstück beschäftigt. Da seid Ihr zu nichts zu gebrauchen.« Fiorell zwinkerte, machte einen Handstand und erklomm kopfüber die Stufen der Trittleiter, als ob es nichts Einfacheres auf der Welt gäbe.

Oben angekommen, sprang er in die Hocke, balancierte sich auf einem Bein auf der Spitze der Leiter aus und jonglierte mit drei Pralinen. Dann warf er sie hoch in die Luft, und eine nach der anderen verschwanden sie in seinem Mund.

»Wir könnten sie doch dem jungen Kabcar zukommen lassen«, schlug er vor und schluckte geräuschvoll. »Er wäre gewarnt und könnte Borasgotans Absichten zunichte machen, indem er …«

»Ilfaris hat noch nie Wissen verschenkt, und ich gedenke nicht, eine Ausnahme zu machen«, fiel ihm der König ins Wort. »Es muss nicht ein Krieg gegen Tarpol sein, auch wenn sich die innenpolitische Lage vielleicht gerade anböte. Alle Länder haben den Tausendjährigen Friedensvertrag unterschrieben.«

»Was sollen aber dann die vielen Erzlieferungen, die verstärkte Eisenproduktion, die Rodungen und die Aushebungen von ›Freiwilligen‹ unter dem Vorwand,

man würde Scharmützelkommandos heranziehen?«
Der Hofnarr machte eine Pirouette, drückte sich ab und
kehrte Glöckchen klingelnd auf den Marmorfußboden
zurück. »Sicherlich, man könnte aus dem Material auch
Zahnstocher mit Eisenspitzen herstellen.«

»Vielleicht wollen sie ihre Flotte verstärken?«, schlug
Perdór wenig überzeugt vor.

»Und Agarsien und Palestan den Zahnstocherhan-
delskrieg erklären, Hoheit? Ich bitte Euch, ich bin von
uns beiden der Narr, vergesst das nicht.« Schelmisch
blitzten die dunklen Augen auf. Solche Worte durfte er
sich nur erlauben, wenn die beiden Männer alleine waren. Und diese Gelegenheiten nutzte er sehr gerne.

»Wohl wahr. Und deshalb kann ich dich köpfen lassen und nicht du mich, vergiss das nicht. Hier steht etwas von Waffenlieferungen an die Provinz Worlac«,
lenkte der Herrscher ab. »Worlac wurde erst vor kurzem von Grengor Bardriç befriedet, und der geheimnisvolle, fast überall unbekannte Gouverneur Pujur Vasja
hat in Granburg für Ruhe gesorgt. Er scheint ein sehr
junges Talent zu sein, was man so hört, der sich gegen
den alten, korrupten Fuchs Jukolenko durchgesetzt hat.
Warum sollte es in nächster Zeit also zu Unruhen kommen? Es sah friedlich aus.«

»Ihr wisst doch, was passiert, wenn man einer betagten Dame das Mieder abnimmt?« Fiorell zog den Bauch
ein und ließ ihn dann hervorschnellen. »Solange das
Mieder da ist, hat sie eine tadellose Figur. Nimmt man
es ab, dehnt der Körper sich aus. Und genauso wirkt
vielleicht das Ableben des Kabcar auf die Provinzen.
Bardriç hat sie zusammengehalten, in seine Form ge-
presst und gestaltet. Es wird sich zeigen, ob der Tras-
Tadc eine gleichwertige Korsage wie sein Vater sein
wird oder ob seine Schnüre und Miederstangen reißen.
Worlac hat außerdem in den letzten Jahren mit Borasgotan geliebäugelt.«

»Wie immer bist du ein weiser Narr, lieber Fiorell«, sagte Perdór. »Ich hatte gerade den gleichen Gedanken. Ich vermute, dass Borasgotan die Vorbereitungen vielmehr als Druckmittel einsetzt, um bei anstehenden Verhandlungen einen Vorteil zu haben. Säbelrasseln gehört zum Geschäft. Und dazu kommt der Dauerzwist mit Hustraban um die Baronie Kostromo. Auch dieses Reich will nun testen, ob der neue Kabcar widerstandsfähig genug ist. Es braust gewaltig im Norden, wie mir scheint. Da wird sich bald viel Geld mit Informationen verdienen lassen.«

»Wenn der kalte Wind im Norden bleibt und nicht uns um die Nase weht, soll es mir recht sein«, meinte der Hofnarr nachdenklich.

»Wie sollte er das anstellen?« Eine weitere Praline verschwand im Innern des Königs.

»Den Wind sollte man niemals unterschätzen, Hoheit. Er bläst plötzlich von allen Seiten, und ohne dass man weiß wieso, steht man überrascht im Sturm.«

»Bisher sieht es nach einem Sturm im Wasserglas aus, bester Fiorell. Du klingst derzeit kein bisschen nach Narr, eher nach düsterem Prophet, wenn ich es mir so überlege. Solltest du nicht für eine lustige Unterhaltung sorgen, anstatt das Unheil an die Wand zu malen?« Er klopfte mit der Hand auf den Tisch. »Trotzdem, du hast im Grunde Recht. Wir werden den Spionen sagen, die sollen doppelt nach Auffälligkeiten Ausschau halten.«

»Was wird nun mit dem jungen TrasTadc, der bald zum TrasKabcar wird? Wollen wir ihn in sein Unheil laufen lassen?« Der Hofnarr kniff die Augen zusammen. »Es wäre nicht sehr geschickt von uns, die Hände in den Schoß zu legen. Ich denke da an die Zukunft des Kontinents, wenn Ihr wisst, was ich meine.« Er senkte die Stimme. »Die Prophezeiung, Majestät.«

Sinnierend nahm Perdór eine Praline zwischen Daumen und Zeigefinger und beobachtete, wie sich die

Schokolade langsam verflüssigte. »Arrulskhán der Sechste von Borasgotan ist zwar ein bisschen barbarisch, wenn ich an seine Essgewohnheiten denke«, der Mann schüttelte sich angewidert, »aber nicht dämlich. Er würde, vorausgesetzt unsere schlimmsten Befürchtungen würden wahr, dem Kabcar kein Haar krümmen. Ich gehe außerdem davon aus, dass auch Tarpol über einen Geheimdienst und Spione verfügt, die von den umfangreichen Vorbereitungen in Borasgotan gehört haben.« Er lächelte. »Aber wir werden dem Kabcar vielleicht zu seiner Krönung, die wohl bald stattfinden wird, ein Geschenk machen, eine gute Geste von Herrscherhaus zu Herrscherhaus. Deshalb möchte ich genaueste Auskünfte und Berichte. Aktiviere alle unsere Männer und Frauen, die wir in Borasgotan haben. Jede noch so kleine Bewegung soll gemeldet werden. Falls der verehrte Arrulskhán eine Invasion plant, will ich vor ihm wissen, wann und wo sie stattfindet.«

»Ich hetze die nächsten Tauben sofort auf den Weg, Hoheit.« Fiorell verbeugte sich. »Hoffen wir, dass sie ankommen, ohne sich in einen gefiederten Eiszapfen verwandelt zu haben.«

»Ach, einen Moment«, rief ihn der König zurück. »Was ist eigentlich aus dem Gerücht geworden, der Tadc würde sich in einer Provinz der Tzulani verstecken? Haben unsere Leute schon herausgefunden, wo das sein könnte?«

Der Hofnarr schüttelte den Kopf und macht ein Gesicht wie sieben Tage Regenwetter. »Ich bin untröstlich, Majestät. Sicher ist, dass er die Hauptstadt Ulsar verlassen hat und gegen Norden zog.«

Perdór kam ein äußerst interessanter Gedanke. »Und wenn er der neue Gouverneur wäre? Du weißt, der junge Mann, der in Granburg so furchtbar unter dem Adel gewütet hat?«

»Bei diesem voreiligen Schluss bin ich ebenfalls angelangt, aber die äußeren Umstände sprechen dagegen«, sagte Fiorell und lehnte sich an die Tür. »Es ist ein junger, tatkräftiger, engagierter und schlanker Jüngling, der in Granburg zu Werke geht. Kampferfahrung scheint er ebenso zu haben, immerhin hat er mehrere Anschläge überlebt, die auf Jukolenkos Geheiß geschahen. Und das sind alles Eigenschaften, die nicht auf den dicken TrasTadc zutreffen, wenn ich mich richtig entsinne. Einzig und allein das blonde Haar passt bei beiden. Vasja ist der Sohn irgendeines unbedeutenden Verwaltungsbeamten, der kürzlich durch einen Reitunfall starb, wie man mir sagte, also keine falschen Annahmen, Majestät. Ich lasse es aber bereits überprüfen. Den genauen Aufenthaltsort kennt nur noch Oberst Mansk und vielleicht der Tadc selbst, wenn er ab und zu zwischen den Essen aufsteht und aus dem Fenster sieht.«

»Es wäre auch zu einfach gewesen, nicht wahr, lieber Fiorell?«, seufzte der Herrscher. »Und es wäre das einzige Mal, dass ich eine Neuigkeit für mich behalten hätte. Im Interesse des Kontinents.« Er nahm die letzte Praline vom Teller. »Und jetzt geh. Veranlasse alles, wie besprochen.«

Der Hofnarr imitierte weit übertrieben einen militärischen Gruß, schlug dabei die Hacken der Schnabelschuhe zusammen, dass die Glöckchen an der Kappe hüpften, und lief klingelnd wie ein Schellenbaum hinaus.

»So, meine Wintersonne. Du bist die Letzte deiner Art und wirst mich nun innen mit mildem Feuer wärmen«, sagte Perdór leise zu dem Konfekt und steckte es in den Mund.

Langsam zerfloss die Schokolade und ließ den Likör entweichen, der sich wie warmer Honig auf der Zunge verteilte. Ganz vorsichtig lutschte er auf dem Orangenstück herum, dann kaute er andächtig den fingerkuppengroßen Brocken Marzipan zusammen mit den Resten des Likörs, des Obsts und der Schokolade.

»Ach, wie inspirierend. Die Sinne veranstalten Freudenfeste bei so viel Wonne in meinem Gaumen. Wer nicht genießen kann, ist ein Nichts«, sinnierte er halblaut mit geschlossenen Augen, während er sanft durch die Nase ausatmete. »Nicht einer meiner besten Aussprüche, aber er gefällt. Und nun, Perdór, an die Arbeit. Hustraban und die Geschäfte rufen.«

Ohne Zögern schlug er das dicke Buch über das Königreich auf und begann, die Einträge, Nachrichten und Gerüchte des letzten Jahres zu lesen.

I.

»*Taralea, die Allmächtige Göttin, die schon von Anbeginn der Zeit existiert, schuf in ihrer Gnade unsere Welt aus den Elementen Feuer, Wasser, Luft und Erde.*

Sie formte einen Fladen Landmasse aus der Erde, schob und drückte ihn, damit die Oberfläche nicht so langweilig sei, versah in mit Tiefen und Höhen. Aber sie hatte noch ein wenig von dem Fladen übrig. Sie zerteilte ihn in kleine Stücke, formte sie ebenfalls zu runden Fladen und legte sie zur Seite. So entstanden die fünf Monde.

Dann goss Taralea große Mengen Wasser über ihr Werk. Das Wasser sammelte sich in den Vertiefungen und Rillen. So entstanden das Meer und die Kontinente mit ihren Flüssen und Seen.«

DIE LEGENDE VON DER ERSCHAFFUNG DER WELT,
Kapitel 1

Lodrik zog den schweren Exekutionssäbel langsam aus der Scheide. Mit einem ganz leisen, schleifenden Geräusch kam die Waffe millimeterweise aus ihrer Hülle zum Vorschein, zeigte Stück für Stück ihrer Gravuren und aufgeschmiedeten Bannsprüche.

Wie die meisten Hinrichtungswerkzeuge war auch sie bedeckt mit einer Unzahl von Motiven, Formeln und Zeichen, die zur Abschreckung böser Geister dienen und für eine ruhige Hand bei dem blutigen Geschäft sorgen sollten.

Die Menschen erzählten sich Geschichten über die Waffen berühmter Henker, deren Schwerter, Beile oder Äxte Zauberfähigkeiten besaßen. Manche fraßen die Seelen der Gerichteten, um zu verhindern, dass sie als Spuk zurückkehrten, andere versetzten die Opfer in einen ruhigen Zustand, damit sie beim Schlag des Scharfrichters den Kopf nicht bewegten.

Prüfend hielt der junge Mann, Tadc und zukünftiger Kabcar Tarpols, die Klinge vor seine Augen. *Sollte es wirklich so sein, dass der Säbel mehr vermochte, als es den Anschein hatte?*

Die untergehende Sonne warf einen rötlichen Lichtschein durch die breite Fensterfront des Fechtsaales und erzeugte auf der Schneide die Illusion von zähfließendem Blut.

Einen Moment lang flackerte die Erinnerung an Jukolenkos Hinrichtung auf: das erstaunte Gesicht des ehemaligen Gouverneurs und die Menge, die Lodrik nach dem Tod des Adligen zugejubelt hatte.

Sanft fuhr er über die Klinge und berührte eine der Gravuren.

Ein heißer Schauer rann ihm den Körper hinab. Die

Fingerspitzen kribbelten, als würde eine Horde Ameisen durch sein Fleisch wandern, ein stechender Schmerz brannte plötzlich hinter seinen blauen Augen. Keuchend ließ Lodrik den Säbel fallen und schlug die Hände vors Gesicht.

Das Stechen ließ nach einer Weile nach, es blieb ein dumpfes Pochen im Hinterkopf.

Der Gouverneur atmete tief ein und ließ die Hände sinken, ging in die Hocke und fasste die Waffe am Griff, um sie wieder in der Scheide zu verstauen.

»Welches Geheimnis verbirgst du vor mir?«, fragte er den Säbel leise, der harmlos an seiner Seite baumelte und keinerlei Anstalten machte, einen Hinweis zu geben.

»Herr, was macht Ihr hier?«, dröhnte Waljakovs Stimme durch den Saal. »Ihr solltet Euch mit Miklanowo treffen, um den neuen Gouverneur zu bestimmen, anstatt jetzt an Kampfübungen zu denken.«

»Ich weiß, Waljakov, ich weiß«, seufzte Lodrik, fuhr sich mit den Fingern durch die blonden Haare und wandte sich seinem hünenhaften Leibwächter zu. »Ich bin einfach … Ich weiß nicht, was ich bin.«

»Durcheinander?«, half der Mann. Die eisgrauen Augen ruhten auf dem Gouverneur. »Verwirrt? Soll ich einen Cerêler holen lassen?«

»Ich glaube nicht, dass er mir helfen könnte«, lehnte der Tadc ab. »Es ist etwas im Gange mit mir.«

»Herr, Ihr werdet zum Kabcar von Tarpol gekrönt, das ist im Gange und sonst nichts.« Waljakov kam näher. »Und die Krönung sollte bald geschehen, meint Stoiko. Sonst würden sich alle möglichen Gerüchte über den Nachfolger verbreiten, die die Menschen im Reich nur unnötig in Aufregung versetzen.« Er stellte sich neben seinen Schützling. Lodrik nahm den schwachen Geruch von Öl wahr, mit dem der Leibwächter seinen Brustharnisch regelmäßig behandelte. »Da kann ich ihm nur zustimmen. Es wird ohnehin eine lange Reise, bis wir in Ulsar angekommen sind. Hoffentlich behalten die Minister und Räte einen kühlen Kopf, bis Ihr in Amt und Würden seid. Eine überschnelle Reaktion auf eine Drohung Borasgotans wäre verheerend.«

Lodrik lehnt sich an die Wand und schaute auf seine Stiefelspitzen.

»Und wie soll ich auf eine Drohung Borasgotans reagieren? Eine Provinz zu regieren ist eines. Aber ein ganzes Königreich? Ich wäre manchmal wirklich lieber jemand anderes. Ein Bauer. Oder doch lieber ein Adliger.«

»Ihr seid der Tadc und der zukünftige Kabcar, Herr«, sagte Stoiko von der Tür. »Euer Wort hat mehr Gewicht als das aller Adligen zusammen.« Der Vertraute durchschritt den Saal, die braunen Haare wehten hinter ihm her. »Du wirst nachlässig, Waljakov. Ich hätte ein Attentäter sein können.«

Der Leibwächter grinste böse. »Dann hätten deine Schritte anders geklungen, als du vor der Tür auf und ab gegangen bist.«

»Du hast uns belauscht?« Lodrik funkelte den Mann mit dem gewaltigen Schnauzer an.

Stoiko hob abwehrend die Hand. »Nicht wirklich belauscht. Nur mitgehört.«

»Und bist dabei hin und her gelaufen«, ergänzte Waljakov, der die mechanische Hand an den Säbelgriff legte und fröhlich vor sich hin feixte. »Ich kenne deine Schritte sehr gut.«

»Wollt ihr mich dafür vor ein Tribunal stellen? Ich habe mir nur Sorgen gemacht, und Miklanowo sucht Euch ebenfalls, Herr«, verteidigte sich der Vertraute. »Wir müssen nach Ulsar, die Feierlichkeiten durchführen und Tarpol jetzt so schnell wie möglich einen Kabcar geben, damit Borasgotan nicht glaubt, es habe leichtes Spiel mit einem führungslosen Land. Der ganze Hof sucht vermutlich nach dem verschwundenen Nachfolger. Und das Letzte, was wir brauchen können, sind Gerüchte vom Ableben des Tadc. Hoffentlich macht Oberst Mansk alle Zweifel im Ansatz zunichte.«

Lodrik gab sich einen Ruck und richtete sich auf. »Also schön. Wollen wir das Unvermeidliche nicht länger hinauszögern und einen Gouverneur einsetzen. Sind die Gäste alle erschienen?«

Stoiko nickte. »Friedlich wie Lämmer sitzen sie im Audienzzimmer und harren der Dinge. Und wie mir die Diener versichert haben, sind alle überrascht, weshalb die Provinzversammlung einberufen wurde. Apropos überrascht: Wo ist eigentlich unser guter Hetrál abgeblieben?«

»Er hat mich um Urlaub gebeten«, erklärte Lodrik die Abwesenheit des turîtischen Meisterschützen. »Er muss noch etwas in seiner Heimat regeln. Was genau, darüber wollte er mir keine Auskunft geben. Er meinte nur, er sei im Frühjahr am Hof in Ulsar.«

»Der Mann ist der beste Schachspieler, den ich kenne. Treffsicher mit Pfeilen und mit Schachzügen. Schade, gerade jetzt im Winter hätte ich gerne die ein oder andere Partie mit ihm geschlagen«, bedauerte der Vertraute.

»Er ist von angenehmer Ruhe«, lobte Waljakov.

»Natürlich ist er ruhig«, lachte Stoiko. »Er ist stumm.«

»Was manch anderen hin und wieder auch nicht so schlecht bekommen würde«, murmelte der Leibwächter. »Wir sollten gehen.«

Die drei Männer verließen den Fechtsaal und gingen über den Paradeplatz zum Gouverneurspalast, der, seines Blattgoldes vollständig entledigt, weit weniger spektakulär aussah: ein großer, grauer Kasten mit einem mächtigen Balkon und martialischen Marmorfiguren rundherum, die an die kriegerischen Zeiten des Königreichs erinnerten.

Lodrik hoffte beim Anblick der steinernen Zwei-kampfnachbildungen, nie wieder in solcher Art Aus-einandersetzungen verwickelt zu werden. Weder per-sönlich noch als Herrscher von Tarpol. Ein eiskalter Wind pfiff ihnen auf dem Weg zum Eingang um die Ohren.

»Es wird ohne Zweifel Miklanowo sein, der Euch in Granburg vertreten wird, oder?«, schätzte Stoiko beim Betreten der Eingangshalle. Hart knallten ihre Absätze auf den Marmorfußboden.

»Um ehrlich zu sein, ich hatte einen Moment lang an Norina gedacht«, gestand der Gouverneur.

»Was? Das meint Ihr doch nicht ernst, Herr«, brach es aus Waljakov hervor.

»Keine Angst«, wehrte der junge Mann grinsend ab. »Da ich mir diese Wirkung sehr gut bei den anderen Brojaken und bei der Bevölkerung vorstellen konnte, wenn eine junge Frau an die Stelle eines Gouverneurs tritt, habe ich diesen Gedanken ganz schnell wieder fal-len lassen.«

Der Leibwächter atmete hörbar aus, rückte seinen Sä-bel zurecht und schloss für eine Sekunde dankbar die Augen.

Stoiko lachte laut auf. »Du magst ein guter Leibwäch-ter sein, Waljakov, aber Diplomat wärst du niemals ge-worden.«

»Nein, wäre ich niemals«, sagte er. »Ich kann schlecht lügen.«

»Soll das heißen, dass alle Diplomaten Lügner sind?«, hakte der Vertraute nach, seine Augen leuchteten amü-siert.

»Nun, die meisten von ihnen jedenfalls«, wich der Kämpfer aus. »Von Amts wegen. Und nun lassen wir das. Das Streitgespräch ist beendet.«

Stoiko lächelte den Gouverneur an. »Was wären wir nur ohne die Stimme der Vernunft, Herr, nicht wahr?

Der gute Waljakov, immer bereit für einen ehrlichen Meinungsaustausch.«

Der Leibwächter brummte etwas, was sich entfernt wie eine Verwünschung anhörte.

»Lass es gut sein, Stoiko«, griff Lodrik ein und schüttelte den Kopf. »Keinen Streit. Nicht jetzt.« Er überprüfte den Sitz der grauen Gouverneursuniform mit den aufwändigen grünen Stickereien und den silbernen Kordeln, Bändern und Ketten. »Später, wenn ihr möchtet, aber nicht jetzt. Geht es so?«

»Tadellos«, lobte Stoiko das Erscheinungsbild. Waljakov nickte.

Sie erklommen die Stufen und betraten das Audienzzimmer, in dem sich die letzten beiden Adligen und acht Brojaken Granburgs versammelt hatten. Das Feld der Mächtigen in der Provinz hatte sich nach der aufgedeckten Verschwörung gegen den Gouverneur und dank der Exekutionen beträchtlich gelichtet.

Zur linken Seite des Kopfendes saß Ijuscha Miklanowo, der einzige Brojak, der den unerfahrenen Gouverneur von Anfang an unterstützt hatte.

Aus der Unterstützung war so etwas wie Freundschaft geworden. Der vollbärtige Mann hatte Lodrik beigebracht, die Mentalität der Menschen in der Provinz zu verstehen und sich dem Volk zu nähern, Ängste und Sorgen der einfachen Leute zu sehen. Ohne die Hilfe des freundlichen Großbauern wäre es für den Tadc wesentlich schwieriger gewesen, etwas zu bewegen. Und, was für Lodrik nicht weniger wichtig geworden war, Miklanowo hatte die hübscheste Tochter auf dem ganzen Kontinent.

Aber nicht nur freundliche Gesichter sah der Gouverneur. Unter den Gästen entdeckte Lodrik auch die markante Raubvogelnase von Tarek Kolskoi.

Der Haraç wirkte zwischen all den gut genährten Männern wie eine dürre Vogelscheuche, die viel zu weite und teure Kleider trug. Trotzdem zweifelte der Gouverneur nicht eine Sekunde daran, dass sich keine einzige Krähe auf dem Feld niederlassen würde, auf dem Kolskoi stand. Die stechenden braunen Augen des Adligen gingen durch Mark und Bein.

Er war der einzige, von dem jeder wusste, dass er an der Verschwörung beteiligt gewesen war, aber der sichere Nachweis seiner Schuld fehlte. Und ausgerechnet er war als ranghöchster Adliger der Sprecher der Provinzversammlung. Ein Gremium, das bisher noch nie einberufen worden war, weder zu Jukolenkos Zeiten noch unter Lodriks Führung.

Kolskois Kopf zuckte herum. Einen Moment lang lag blanker, unverhohlener Hass in seinen Augen, der innerhalb eines Wimpernschlags einer falschen Freundlichkeit wich.

»Werte Herren, steht auf«, rief er und erhob sich. »Der Gouverneur von Granburg, Hara¢ Vasja, gibt sich die Ehre.«

Die Adligen und Brojaken sprangen fast in die Höhe, nur um sich dann tief vor dem Stellvertreter des Kabcar zu verneigen.

Lodrik schritt den Tisch entlang und begab sich an das Kopfende, dicht neben ihm ging ein aufmerksamer Waljakov. Stoiko, nachdem er den Bediensteten an der Tür Anweisungen gegeben hatte, folgte mit ein wenig Abstand.

Der Gouverneur blieb für einen Moment an seinem Platz stehen, musterte die Runde und setzte sich. Erst jetzt ließen sich die Gäste nieder, wie es die Etikette vorsah.

»Schön, Euch zu sehen, Ijuscha«, begrüßte Lodrik seinen Freund leise. »Seid Ihr bereit für den großen Auftritt?«

Der Brojak schmunzelte. »Ich bin auf die Gesichter hier gespannt.«

»Ich muss schnell noch etwas nachlesen, dann können wir anfangen. Habt Ihr das Buch dabei, um das ich Euch gebeten habe?« Miklanowo reichte es ihm herüber.

Diener brachten Becher und Krüge mit Bier, während Lodrik einen dicken Band mit Akten wälzte und sich scheinbar in Paragrafen vertiefte, als interessierten ihn die Männer um ihn herum nicht.

Nach einiger Zeit hob er den Kopf, klappte das Buch zu und stützte die Ellbogen auf die Tischplatte.

»Es freut mich außerordentlich, dass so viele meiner Einladung gefolgt sind. Ich habe mehrere Sachen zu verkünden, über die sich die meisten von Euch, werte Herren, sehr freuen werden.«

»Der Gouverneur beliebt zu scherzen, vermute ich.« Kolskoi machte ein misstrauisches Gesicht. »Etwa noch mehr Vergünstigungen für die Bauern? Ich weiß inzwischen nicht mehr, wie ich meinen Haushalt bestreiten soll, so wenig liefern sie mir ab.«

Lodrik sah ihn mit seinen blauen Augen ruhig an. »Nein, das hatte ich nicht vor, Harac. Ich werde die Provinz verlassen müssen.« Gemurmel setzte ein. »Zumindest für eine Weile. Der neue Kabcar will mich sehen.«

»Und wer leitet die Geschäfte in Eurer Abwesenheit?«, wollte einer der Brojaken vorsichtig wissen.

»Das Amt übernimmt normalerweise der höchste Adlige der Provinz, wie es sich gehört«, antwortete Kolskoi, in seiner Stimme schwang gehässige Freude mit. »Also ich, wenn ich den Sachverhalt richtig betrachte, oder, Gouverneur? Oder habt Ihr bei Eurer Säuberung jemanden übersehen?«

»Darüber reden wir gleich. Zunächst aber liefere ich die Erklärung, weshalb ich die Provinzversammlung wieder ins Leben gerufen habe.« Er legte die rechte Hand auf den Bucheinband. »Sinn und Zweck des Gremiums ist es, ein regelmäßiges Treffen all derer zu ermöglichen, die in der Provinz das Sagen haben. Man tauscht sich aus, redet über Schwierigkeiten und versucht, eine für alle zufrieden stellende Lösung zu finden.«

Keiner der Männer am Tisch machte ein begeistertes Gesicht.

»Welche Art von Schwierigkeiten meint Ihr damit, Gouverneur?«, fragte einer der Großbauern.

»Nun, wenn es Probleme mit den Bauern geben sollte oder Unsicherheiten aufkommen, wie etwas zu regeln sei«, meinte Lodrik vage. »So konkret kann ich das nicht sagen, es wird sich schon etwas ergeben, das man in einem größeren Kreis bereden kann.«

»Wir regeln unsere Schwierigkeiten alleine ganz gut, wie ich finde«, begann Kolskoi nach einer Weile des Schweigens. »Wenn wir uns treffen wollen, tun wir das. Aber eine Provinzversammlung? Ich weiß nicht, Gouverneur, ganz überzeugt bin ich von Eurer Idee nicht. Ich sehe keinen …«

»Vorteil?«, fiel ihm Lodrik ins Wort. »Ich weiß, wie sehr Ihr auf Euren Vorteil bedacht seid, Hara¢. Aber in diesem Fall läge der Vorteil bei allen, nicht bei einem Einzelnen. Es wird keine Diskussionen über die Provinzversammlung geben, sie wird einmal im Monat stattfinden, und zwar immer am Ersten. Wer nicht persönlich erscheinen kann, sendet einen Beauftragten und hundert Waslec als Strafe. Ich bin mir sicher, werte Herren, Ihr alle werdet das Gremium bald zu schätzen wissen.«

Kolskoi lehnte sich demonstrativ auf seinem Stuhl zurück und schaute auf seinen Becher, die Unterkiefer mahlten.

»Und nun habe ich ein anderes, außerordentliches Vergnügen. Wie die werten Herren sehen können, ist ein Stuhl an der Tafel frei geblieben. Das ist durchaus keine Unachtsamkeit der Diener, sondern so von mir vorgesehen.« Der Gouverneur nickte den Bediensteten an der Tür zu, die den Eingang öffneten. Neugierig wandten sich die Brojaken und Adligen um.

Auf der Schwelle stand Norina.

Sie trug ein bodenlanges, dunkelrotes Kleid mit goldenen Stickereien, dazu passende schwarze Stiefel. Das lange, schwarze Haar floss um ihre Schultern und umrahmte ihr hübsches Gesicht. Das Amulett mit dem schwarzen Stein, das ihr Lodrik geschenkt hatte, lag auf ihrer Brust. Ihre leicht mandelförmigen, braunen Augen schauten kühn in die Männerrunde, ihr Kopf war leicht empor gereckt und verriet ihre Entschlossenheit, keinen Fuß breit zurückzuweichen.

Wenn man der jungen, hoch gewachsenen Frau die Aufregung auch nicht ansah, so bemerkte der Gouverneur doch, dass die kleine Narbe an ihrer rechten Schläfe deutlicher zu erkennen war. Ihr Herz schlug also schneller als gewöhnlich.

»Werte Herren, Ihr kennt Norina, die Tochter des Brojaken Miklanowo«, sagte Lodrik und stand auf. Er ging zu der jungen Frau hinüber und führte sie an den freien Platz, auf dem sie sich niederließ.

»Was«, zischte Kolskoi, »soll das bedeuten? Eine Frau? Hier?«

»Hervorragend beobachtet, Hara¢«, lobte Stoiko und strich sich mit todernstem Gesicht über den Schnauzbart.

Ein paar der Brojaken grinsten, andere husteten krampfartig.

»Norina Miklanowo ist, wie alle in diesem Raum wissen, die Verwalterin der Gebiete, die einst den Verschwörern zugehörig waren«, erklärte ein amüsierter Lodrik. »Und als solche hat sie einen Anspruch darauf, in diesem Gremium zu sein. Ich werde sie in den Stand eines Brojaken erheben.«

»Mit Verlaub, jetzt geht Ihr entschieden zu weit, Gouverneur!« Kolskoi sprang von seinem Stuhl auf, stützte die Hände auf den Tisch und lehnte sich nach vorne. Die stechenden Augen schienen Lodrik durchbohren zu wollen. Waljakovs Hand lag am Säbel. »Ihr habt schon oft ... Ideenreichtum bewiesen, aber das hier werde ich nicht hinnehmen. Eine Frau als Brojak ist unvorstellbar und ohne Beispiel in der Geschichte Tarpols. Es gibt nicht einmal eine ordentliche Bezeichnung für eine solche Position.«

»Brojakin«, sagte Norina freundlich und lächelte den aufgebrachten Adligen an.

»Sagt Eurer Tochter, sie soll den Mund halten, wenn Erwachsene reden«, fauchte Kolskoi Ijuscha an.

»Sagt es Ihr selbst, Hara¢«, antwortete der bärtige Mann gelassen. »Ihr seid alt genug.«

Langsam drehte sich Kolskoi zu der jungen Frau um. »Ihr solltet ganz schnell wieder zurück zum Gut Eures Vaters reisen und die Hühner füttern, wie es sich für Euch gehört. Was Ihr hier tut, verstößt gegen alle Gesetze.«

»Da irrt Ihr Euch«, meldete sich Lodrik und schlug auf das Buch. »In keinem der Statuten Tarpols steht, dass eine Frau diese Stellung nicht einnehmen darf. Es ist zwar nur von Männern die Rede, aber ein Verbot gegen Frauen ist nicht zu finden.«

»Das kann nicht sein«, widersprach der Adlige.

»Wollt Ihr etwa damit sagen, ich, Gouverneur und Königlicher Beamter, Stellvertreter des Kabcar, wäre ein Lügner?« Die Augen blitzten auf. »Oder habe ich Euch falsch verstanden?«

»Ich wollte damit sagen, dass Ihr bestimmt nicht genau gesucht habt.« Die Flügel der Raubvogelnase blähten sich. »Oder etwas übersehen habt, Gouverneur. Ihr wollt so große Ländereien allen Ernstes auf immer einem unerfahrenen Mädchen in die Hand geben? Die Bauern werden ihr auf der Nase herumtanzen.«

»Ich verwalte bereits seit langem große Teile des Besitzes meines Vaters«, sagte Norina. Wieder lächelte sie nett, eine Hand auf das Amulett gelegt. »Ich weiß, auf was es zu achten gilt.«

»Gar nichts wisst Ihr«, bemerkte Kolskoi abfällig.

»Haltet Euch im Zaum, Hara¢«, sagte Miklanowo. »Ihr redet mit meiner Tochter, nicht mit Euren Leibeigenen.«

»Und Ihr seid ein Brojak, kein Adliger, also denkt daran, mit wem Ihr redet, Miklanowo. Ihr habt das Glück, einflussreiche Freunde zu haben, sonst würdet Ihr es gar nicht wagen, einen solchen Ton mir gegenüber anzuschlagen.«

»Und Euer Einfluss ist seit einer Exekution, die noch nicht allzu lange her ist, im wahrsten Sinne des Wortes gestorben«, erwiderte der Brojak.

»Meine Herren«, Lodrik hob die Arme, »mäßigt Euch. Lasst uns das weniger laut bereden.«

»Ich habe nur eine Frage an Euch, Gouverneur«, sagte Kolskoi, die Augen wurden schmal. »Ihr wollt das Mädchen wirklich in unsere Reihen einordnen?«

Der Gouverneur hielt dem Blick stand und nickte. »Das habe ich gerade eben. Trotz Eures Protestes.«

»Das wird Konsequenzen haben, die Euch das Amt kosten«, versprach der Hara¢ leise und setzte sich. Mit einem Mal wirkte er völlig ruhig und gelassen, als habe der Streit eben gar nicht stattgefunden.

Lodrik war irritiert, Stoikos Gesicht verriet Überraschung und Sorge.

Im Raum war es still. Keiner der Männer wagte es, sich zu bewegen, zu trinken oder einen Ton zu sagen.

»Gut.« Der junge Mann fasste sich wieder. »Kommen wir zu einer weiteren Überraschung. Wie ich bereits gesagt habe, werde ich die Provinz verlassen, um mich mit dem angehenden Kabcar zu treffen, der einen ausführlichen Bericht über die Aufstände und die Verschwörung wünscht. Und damit die Provinz nicht ohne Aufsicht bleibt, setze ich einen Vertreter ein.«

Kolskoi legte die Fingerspitzen zusammen, beugte sich zu seinem Nachbarn hinüber und begann eine leise Unterhaltung.

»Ich werde einen fähigen Mann an meiner statt die Geschäfte verwalten lassen, der mir viel geholfen hat.« Lodrik stand auf und legte seine Hand auf die Schulter Miklanowos. »Ijuscha wird stellvertretender Gouverneur Granburgs für die Dauer meiner Abwesenheit sein.«

Wortlos und als habe er nur darauf gewartet, stand Kolskoi auf, löste einen Beutel von seinem Gürtel und warf ihn auf den Tisch. Dann drehte er sich auf dem Absatz herum und verließ das Audienzzimmer. Der andere Adlige stellte ebenfalls einen Beutel auf dem polierten Holz ab und folgte dem Hara¢.

»Das hat nichts Gutes zu bedeuten«, murmelte Stoiko und sah den beiden Männern hinterher.

»Immerhin wissen wir nun, wie klar die Fronten sind.« Lodrik wechselte einen schnellen Blick mit Norina und hob seinen Becher. »Auf den neuen Stellvertreter und den neuen Kabcar. Möge Ulldrael ihnen ein langes Leben geben!«

Die Brojaken stießen an und leerten die Gefäße, während der Vertraute Kolskois Säckel öffnete und umstülpte. Waslecmünzen verteilten sich klingelnd auf dem Tisch.

»Hundert Stück, vermute ich?«, fragte Lodrik und wischte sich den Mund ab.

Stoiko nickte.

Der Tross näherte sich Warst für Warst seinem Ziel.

An der Spitze ritt eine breite Gestalt auf einem mächtigen Apfelschimmel, Kopf und Körper waren mit dicken, kostbaren Pelzen behangen. Dahinter folgten fünf weitere Männer, die sich in ähnlicher Weise gegen die beißende Kälte schützten. Auch ihre Körper wirkten von ihren Ausmaßen her fast mehr als doppelt so kräftig wie die durchschnittlicher Menschen.

In kurzem Abstand dahinter rauschten zwei Schlitten, in dem einen saßen zwei weitere Reisende, der andere schien Proviant und Ausrüstung unter dem Segeltuch zu transportieren. Den Schluss bildeten fünfzehn weitere Reiter. Wimpel, Fahnen oder Ähnliches suchte man vergebens, ein zufälliger Beobachter erhielt keinerlei Hinweise, mit wem er es zu tun hatte. Eines war jedoch sicher: Die Reisenden gehörten nicht zu den Armen des Landes.

Auf einen knappen Befehl hin verschärfte die Spitze das Tempo, und die Schlitten legten an Geschwindigkeit zu. Hoch flog der Schnee unter den Hufen empor, die Kufen zischten über das Weiß. Der Himmel färbte sich dunkelgrau, die Nacht senkte sich allmählich auf das Land nieder.

Matuc zog den Schal weiter in sein Gesicht, dann rückte er die Fellkapuze zurecht, bis nur noch die braunen Augen zu sehen waren. Die Mühe war vergeblich. Die tarpolische Kälte schien sich immer irgendwo einen Weg durch die Kleidung zu suchen. Selbst die vier Lagen Decken und Pelze, in die er sich eingewickelt hatte, brachten nur bedingt eine Verbesserung der Lage. Der schon etwas ältere, ehemalige Vorsteher eines Ulldrael-

Klosters presste die Zähne aufeinander und fragte sich, ob die Pferde das Tempo lange mitmachen würden.

Sie lagen weit hinter ihrem Zeitplan zurück, aber es war auf der Reise auch wirklich alles daneben gegangen, was hätte daneben gehen können.

Hatte Matuc zuerst tapfer versucht, die Strecke von Kuraschka bis nach Granburg auf dem Rücken eines Pferdes hinter sich zu bringen, fiel er am dritten Tag aus dem Sattel und brach sich bei seinem Sturz den Arm. Eine Woche war er ohne Besinnung gewesen.

Als er wieder im Stande war, sich auf den Weg zu machen, kam der Tross in den tarpolischen Herbst mit den reichhaltigen Regengüssen, die alle Straßen in Schlammstrecken verwandelten. Verdorbenes Futter ließ vier Pferde elend zu Grunde gehen. Belkala, die junge Priesterin des Gottes Lakastra aus Kensustria, wurde auf Grund des ungewohnt kalten Klimas krank und litt mehrere Wochen an einer furchtbaren Erkältung. Während dieser Zeit wich der Mönch nicht von ihrer Seite.

Der einzige, der allem Unbill wie ein Fels trotzte, war Nerestro von Kuraschka, Mitglied des Ordens der Hohen Schwerter. Der muskulöse Krieger in der schwersten Rüstung, die Matuc jemals in seinem Leben gesehen hatte, schien eine unerschütterliche Natur zu haben. Ohne sein Durchhaltevermögen und die eiserne Disziplin seiner Leute wäre die ganze Reise schon lange zum Erliegen gekommen.

Dank der vielen Unterbrechungen würden sie Granburg spät erreichen. Viel zu spät, wie Matuc fand.

Der Tross absolvierte einen abrupten Schwenk und steuerte ein einzelnes Gehöft an. Durch den Richtungswechsel erwachte Belkala aus ihrem leichten Schlaf.

»Was ist denn?«, fragte sie leise. »Warum haben wir den Hauptweg verlassen?«

Matuc versuchte mit den Schultern zu zucken, was

ihm aber wegen der vielen Pelze nicht gelang. »Ich habe keine Ahnung, aber vermutlich wird es dem Ritter zu dunkel.«

Die Reiter und Schlitten kamen näher und verlangsamten ihre Geschwindigkeit. Aufmerksame Hunde bellten und warnten die Bewohner des Hauses vor den Ankömmlingen.

Ein besorgter Bauer trat aus dem Haus, hinter sich mehrere junge Männer versammelt, die Stöcke in den Händen hielten und den Besuchern feindselig entgegenblickten.

Nerestro hielt an und schlug die Kapuze zurück.

»Ich grüße dich, Bauer. Ich bin Nerestro von Kuraschka, Ritter des Ordens der Hohen Schwerter des Gottes Angor. Wir brauchen eine Unterkunft für die Nacht. Also stell uns deine Behausung zur Verfügung, und du sollst eine Belohnung für deine Freundlichkeit erhalten.«

Der Mönch seufzte leise. Wie immer klang der Ritter herrisch und selbstverständlich, wenn er etwas sagte, als akzeptiere er eine Weigerung nicht.

»Irgendwann wird er lernen, dass er nicht der Kabcar von Tarpol ist«, raunte Belkala Matuc zu, die seine Gedanken erraten hatte.

Der Bauer kniff die Augen zusammen. »Und wenn ich nun keinen Platz hätte, Herr?«

Nerestro stellte sich in die Steigbügel. Das Schwert an seiner Seite war nun deutlich zu sehen. »Dann würden wir uns eben welchen schaffen, Bauer. Ich bin weit geritten, meine Männer und die Tiere sind erschöpft. Ich habe keine Lust, mich mit dir auf ein langes Wortgefecht einzulassen.«

Diesen Hinweis konnte man nun verstehen wie man wollte, fand der Mönch.

Die jungen Männer fassten die Knüppel fester, aber der Bauer nickte. »Wir wären Euch ohnehin unterlegen, wenn Ihr uns übel wolltet. Tretet also ein. Bringt die Pferde in die Scheune.«

»Danke. Deine Mühe und deine Weisheit sollen am Tag unserer Abreise belohnt werden«, versprach der Ritter und schwang sich aus dem Sattel.

Jetzt erst stiegen auch die anderen fünf Begleiter ab, leichtes, metallisches Klappern war bei ihren Bewegungen zu hören. Belkala und Matuc standen mit steifen, durchgefrorenen Gliedern auf und staksten aus dem Schlitten.

Der Innenraum des Gehöfts füllte sich mit Menschen.

Ein paar Scheite Holz wurden auf das Feuer gelegt, die große Wohn- und Schlafstube erwärmte sich zusehends und ließ die Müdigkeit der Reisenden stärker werden.

In einer Mischung aus Neugier und Misstrauen beobachteten die Bauernsöhne die Fremden, die sich in ihrem Zuhause breit machten, Kälte und Schnee von draußen mit herein brachten und sich selbst das Gastrecht erteilt hatten.

Die Pelze der Neuankömmlinge fielen zu Boden, und zum Vorschein kamen sechs sorgfältig gearbeitete Metallrüstungen mit aufwändigen Gravuren. Für eine einzige dieser Rüstungen könnte man zehn solcher Bauernhäuser mit Vieh und Bediensteten kaufen.

»Was hast du zu essen, Bauer? Wir sind hungrig. Eine heiße Suppe sollte uns völlig genügen, um die Wärme in den Körper zurückzubringen«, sagte Nerestro, der sich zu Belkala und Matuc vor den Kamin gestellt hatte und die Hände gegen das Feuer hielt, um die Finger auf eine normale Temperatur zu bringen.

»Ich werde sehen, was ich tun kann, Herr«, antwortete der Mann. »Eine Suppe müsste zu beschaffen sein, trotz unserer geringen Vorräte.«

Die Tür öffnete sich, und einige Knappen kamen in den Raum, die auf einen Wink des Ritters begannen, die

Kämpfer von ihrem Metallpanzer zu befreien. Schnallen und Riemen wurden geöffnet, Bänder durch Ösen gezogen und Nieten entfernt. Die Prozedur nahm eine gewisse Zeit in Anspruch. Die Bauernsöhne verfolgten die Bewegungen und Vorgänge mit wachsendem Erstaunen.

Schließlich stand Nerestro, nur noch mit einem wattierten Waffenrock bekleidet, vor den Flammen. Leicht bewegte er die mächtigen Schultern, ließ den kurzgeschorenen Kopf kreisen und dehnte die muskelbepackten Arme.

Belkala hatte sich in der Zwischenzeit einen Stuhl an den Kamin gestellt und sich ganz nahe an die Wärme gesetzt. Ihre dunkelgrünen Haare erregten das Interesse der Bauernsöhne, die tuschelnd in einer Ecke verharrten. Matuc lehnte mit dem Kopf an der Wand und schien im Stehen zu schlafen.

»Wir werden morgen in Granburg sein«, versprach der Ritter der Frau und strich sich über den langen, blonden Bart, der wie ein dünnes Goldseil von seinem Kinn auf die Brust baumelte. »Dann wird Bruder Rotwein seine Mission zu Ende führen können.«

»Um anschließend in Eurer Burg ein Jahr Haft abzusitzen«, fügte die Kensustrianerin hinzu. »Keine sehr schönen Aussichten für ihn.«

»Die hat er sich selbst zuzuschreiben, würde ich meinen. Und ich denke nicht im Traum daran, dem Mönch auch nur einen einzigen Tag Erlass zu gewähren.« Er sah sie an, die Flammen des Kamins spiegelten sich in seinen Augen. »Überlegt Euch, Ihr wärt wegen seiner Sauferei gestorben. Nicht auszudenken. Welche Verschwendung an Schönheit.«

»Vielen Dank.« Sie neigte leicht den Kopf.

»Und so hat mir Angor befohlen, Bruder Rotwein zu begleiten, und wenn mein Gott diese Pflicht verlangt, dann werde ich sie ausführen.« Er versetzte Matuc einen leichten Tritt, dass der Ulldraelmönch erschrocken hochfuhr. »Und? Wann erzählst du uns von deiner wichtigen Aufgabe, die so bedeutend ist, dass Angor persönlich dir einen seiner besten Kämpfer an die Seite stellt?«

Der einstige Klostervorsteher rieb sich die Augen, nahm am Tisch Platz und seufzte tief. »Ich habe es Euch schon mehrmals gesagt, und ich tue es nun wieder: Wenn wir in Granburg sind, werdet Ihr es erfahren.« Er sah auf den Holzteller, den ihm die Bäuerin hingestellt hatte. »Und benehmt Euch mir gegenüber etwas anständiger, wie es sich für einen Ritter gehört.«

Nerestro lachte laut. »Ich benehme mich, wie es sich für ein Mitglied des Ordens der Hohen Schwerter gebührt, wenn er einem verurteilten Gefangenen gegenüber steht.« Seine Stimme troff vor Hohn und Abscheu. »Angor hat mir nicht befohlen, dich zu mögen, sondern dich dorthin zu bringen, wohin du möchtest, Bruder Rotwein. Ich werde diese Aufgabe erfüllen, nicht mehr.«

Die Kensustrianerin legte ein Scheit Holz ins Feuer. Seit sie unterwegs waren, kamen diese Reibereien der beiden Männer ständig vor. Insgeheim bewunderte sie die Ruhe und Gelassenheit, mit der Matuc die ständigen Anfeindungen des Kriegers ertrug. Er schien es als Teil seiner Strafe zu sehen.

Nerestro machte keinen Hehl aus seiner Abneigung, die zuweilen an die Grenzen der Feindschaft stieß. Ganz im Gegensatz dazu stand sein zuvorkommendes Verhalten, wenn er sich mit ihr beschäftigte. Kein lautes Wort, keine Zurechtweisungen und keine doppeldeutigen Anspielungen auf ihren Gott Lakastra.

Sie hoffte nur, dass Matuc irgendwann nicht der Geduldsfaden riss und er dem Ritter die Meinung sagen würde. Geschähe das, würde der Mönch vermutlich in einzelnen Stücken nach Granburg gebracht werden müssen.

Bevor es zum nächsten giftigen Wortwechsel kommen konnte, brachten die Töchter des Bauern einen dampfenden Kessel in die Stube und verteilten den Inhalt in die bereitgestellten Teller. Nachdem die Herrschaften sich wortlos gestärkt hatten, wurde der bauchige Behälter in die Scheune getragen, wo sich die Knappen über ihren Anteil des Essens hermachten.

»Ulldrael, der Weise und Gerechte, möge dir für deine Großzügigkeit danken und dich für deine Mühe entlohnen«, bedankte sich Matuc. »Der Segen Ulldraels sei mit dir.«

Die ältere Frau lächelte schüchtern.

»Lakastra, der Gott des Südwindes und des Wissens, sei mit dir und deinem Haus. Er gebe dir eine reiche Ernte«, sagte Belkala freundlich, legte die rechte Hand aufs Herz und reichte ihr die andere.

Etwas verwirrt schaute die Bäuerin nun zu der Kensustrianerin, nahm aber die Hand und schüttelte sie vorsichtig, ohne die Fremde aus den Augen zu lassen. Offenbar fürchtete sie einen Angriff.

»Angor, der Gott des Krieges und Kampfes, der Jagd, der Ehrenhaftigkeit und der Anständigkeit, hat dein Haus auserwählt, um dich mit der bloßen Anwesenheit eines seiner Diener zu beglücken. Fühle dich geehrt.« Nerestro nickte huldvoll mit dem Kopf, während er sich über die Bartsträhne strich und die Füße unter den Tisch streckte.

Die Bäuerin verneigte sich und verschwand in der Küche nebenan.

»Genau das ist der Unterschied zwischen unseren Göttern«, sagte der Mönch unvermittelt in Richtung des Ritters. »Ihr glaubt, über alles und jeden bestimmen zu können, nur weil Ihr Angor auf Eurer Seite wisst. Das macht Euch überheblich und nicht gerne gesehen beim einfachen Volk.«

»Hast du wieder getrunken, Bruder Rotwein?«, meinte der Kämpfer spöttisch. »Meine Landpächter sind sehr zufrieden mit der Art, wie ich mit ihnen umgehe.«

»Die vielleicht schon. Aber was ist mit den Leuten hier?« Matuc schaute sich in der verrauchten Stube um. »Wir haben uns einquartiert, weil wir sie dazu gezwungen haben, nicht weil wir eingeladen wurden. Ihr habt der Familie sogar gedroht. Was hättet Ihr gemacht, wenn sie uns die Scheune verweigert hätten?«

Belkala stützte den Kopf auf die Hände und wartete die Antwort des Ritters ab.

Nerestro umfasste den Schwertknauf. »Sie hätten uns aber nicht das Nachtlager verwehrt.«

»Das war nicht die Frage, Nerestro von Kuraschka«, schaltete sich die Priesterin ein. »Was wäre geschehen, wenn der Bauer den Mut besessen und sich geweigert hätte?«

»Ich bin ein Ordenskrieger und höheren Zielen verpflichtet.« Das Gesicht des Mannes verfinsterte sich. »Wenn ich dich in der Kälte erfrieren ließ, hätte ich versagt und meinen Gott enttäuscht, der mir persönlich diese Aufgabe übertragen hat. Und das käme niemals in Frage.« Das Ende der Schwertscheide wurde auf den Boden geschlagen. »Wir wären heute Nacht in diesem Haus untergekommen, auf die eine oder andere Weise. Mehr sage ich nicht dazu. So, wie es sich entwickelt hat, ist es aber für alle besser.«

»Ihr seid anmaßend«, spie Matuc aus. »Ihr hättet ihnen tatsächlich Leid angetan.«

Nerestro lächelte böse. »Und du bist der Grund, weshalb wir hier sind. Müsste ich jemanden töten, hättest du Mitschuld, vergiss das nicht, Mönch. Dein Gott und der meinige scheinen sich, aus welchem Grund auch immer, abgesprochen zu haben. Ich hoffe, ich erfahre es irgendwann.« Er stand auf, kehrte den beiden den Rücken zu und stellte sich vor den Kamin.

»Es tut mir Leid«, sagte Belkala leise.

Matuc wandte ihr erstaunt das Gesicht zu. »Was tut Euch Leid?«

»Wie er Euch behandelt. Es ist so herabwürdigend.« Sie brach sich ein Stück Brot ab und kaute langsam darauf herum. Sanft ruhten ihre Augen auf dem Mönch.

»Ich bin sein Gefangener und habe mich eines üblen, widerlichen Verbrechens schuldig gemacht«, sagte er nach einer Weile. »Ich verstehe ihn schon und mich immer noch nicht, wie mir das damals passieren konnte. Ich denke, ich habe seine Behandlung verdient.«

»Verdient habt Ihr, dass man Euch nicht zu gut behandelt. Aber ein freundlicherer Umgangston würde die Stimmung auf der Reise wesentlich verbessern. Es ist ohnehin schon so viel schief gegangen, dass auch ich allmählich Bedenken bekomme. Entweder, Ulldrael, Lakastra oder Angor sehen es nicht ein, uns auch nur einen Hauch Unterstützung zu gewähren, oder etwas sehr Mächtiges legt uns auf die ein oder andere Weise Steine in den Weg.«

Die Augen des Mönchs wurden schmal. »Was könnte mächtiger sein als Ulldrael? Oder drei Götter zusammen?« Er fuhr sich mit den Händen durchs Gesicht. »So etwas gibt es nicht.«

»Ich weiß nicht«, entgegnete die Priesterin vorsichtig. »Nachdem, was ich von Euch gehört habe, ist diese Bedrohung, die den ganzen Kontinent ins Verderben stürzen wird, auf dem Weg, oder? Wenn es nun Vorboten sind? Wenn, was auch immer dabei ist, seine Kraft zu sammeln, uns zu bremsen versucht?« Sie umfasste die Hände des erstaunten Matuc. »Wir müssen uns beeilen. Und wir dürfen uns durch nichts aufhalten lassen.«

»Ihr meint also wirklich, unsere ganzen Schwierigkeiten, die Krankheiten, der Sturz vom Pferd, die über alle Maßen schlammigen Wege, das soll das Werk einer bösen Macht gewesen sein?« Noch immer klang er nicht überzeugt. Ihre Berührung verwirrte ihn zusätzlich. Wie kühler Samt fühlte sich ihre Haut an, das Bernstein ihrer Augen drang tief in sein Bewusstsein, wie damals im Kerker der Burg. Sein Herz schlug schneller.

»Ich weiß es nicht.« Sie ließ ihn los. »Wenn es so ist, dann müssen wir verhindern, dass es noch stärker wird.«

»Ich muss mich hinlegen, ich bin müde«, stammelte der Mönch und ging zur Tür. »Gute Nacht.«

Belkala hob grüßend die Hand, Nerestro starrte weiter in die Flammen.

Die beiden waren nun die Einzigen im Raum. Eine seltsam unruhige Stille breitete sich aus. Leise knackte das Holz im Feuer, aus den Stallungen klangen das Gemurmel der Männer und die Laute des aufgeweckten Viehs.

Die Kensustrianerin beobachtete den Ritter. »Ich wünschte, Ihr wärt ein wenig netter zu Matuc.«

»Und ich wünschte, mein Gott hätte mir diesen Auftrag nicht erteilt«, entgegnete Nerestro, ohne sich umzudrehen. »Ich ziehe mit wehenden Fahnen in den Kampf, ich stürze mich kopfüber ins Gefecht, aber den Lebensretter für den zu spielen, der eigentlich in den Kerker gehört, das ist mir zuwider. Der Mönch hat sogar darauf bestanden, dass wir ohne Standarten durch das Land ziehen. Wie arme Bettler. Wenn ich einem meiner Ordensbrüder begegnen sollte, wird er mich auslachen.«

»Vielleicht hat sich Angor deshalb diese Prüfung für Euch ausgedacht?«, meinte sie freundlich. »Eine Aufgabe, die nicht jeder Eures Ordens besteht.«

Der Ritter wandte sich nun doch um. »Sehr geschickt von Euch, Belkala. Und nun sagt mir, was Ihr über die geheimnisvolle Sache von Bruder Rotwein wisst. Ich denke, er hat Euch eingeweiht.« Er kreuzte die Arme vor der breiten Brust. Als er versuchte, sie zu fixieren, wich sie seinem forschenden Blick aus.

»Er hat mir nichts Konkretes gesagt«, antwortete sie zögerlich. »Er sucht wohl jemanden in Granburg.«

Triumph zeigte sich in dem kantigen Gesicht des Kämpfers. »Ich wusste es!« Seine Hände wanderten an den breiten Gürtel und umfassten die silberne Schnalle. Wie ein Berg stand er vor der zierlich wirkenden Kensustrianerin und schaute auf sie herab. Dann lächelte er. »Er sucht also jemanden. Um was zu tun?«

Sie zuckte langsam mit den Achseln. »Das wollte er mir nicht sagen. Er hält sich sehr zurück.«

Nerestro machte einen Schritt nach vorne und ging in die Hocke, um sich auf die gleiche Augenhöhe mit Belkala zu bringen. »Sagt Ihr mir auch bestimmt die Wahrheit, Priesterin aus einem märchenhaften Land? Ich werde das Gefühl nicht los, dass Ihr mir etwas verheimlicht.«

Sie schaffte es, einen verwunderten Ausdruck in ihr Gesicht zu zaubern. »Das würde ich niemals wagen. Dazu habe ich viel zu viel Angst vor Eurer … großen Milde, sollte mein Schwindel entdeckt werden.«

»Ich Euch bestrafen? Wie kommt Ihr denn darauf?« Er fuhr mit einer Hand über ihre Wange. »Das könnte ich niemals tun. Dafür seid Ihr mir zu sehr ans Herz gewachsen. Ich wünschte, ich müsste Euch an Stelle seiner beschützen.« Er stand auf, setzte sich an den Tisch und zog die aldoreelische Klinge.

Die Schneide schimmerte im Schein des Feuers, die Edelsteine funkelten und glänzten überirdisch. Vorsichtig führte Nerestro die flache Seite an den Mund, küsste die Blutrinne und sprach ein leises Gebet. Bedächtig verstaute er die Waffe wieder.

Belkala hatte den Mann bei seinem Tun nicht aus den Augen gelassen. Sie studierte das religiöse Verhalten ganz exakt, um einen Eindruck von den Gewohnheiten anderer Glaubensangehöriger zu bekommen.

Seit ihrer Abreise wiederholte der Ordensritter dieses

Ritual vor dem Schlafengehen. Die Worte waren stets die gleichen, auch der Tonfall änderte sich nie. Theoretisch hätte sie mit ihm beten können, so gut kannte sie inzwischen den Ablauf.

Matuc dagegen, als Anhänger von Ulldrael, sprach über den Tag verteilt zu seinem Gott, bedankte sich bei ihm für dieses und jenes, erteilte Tarpolern den Segen oder versprach den Beistand seines göttlichen Schutzherrn.

Die Kensustrianerin beschränkte sich auf die Übermittlung der guten Wünsche Lakastras, was schon ausreichte, um in Tarpol Verwunderung auszulösen.

Die meisten Menschen hielten das Land am südlichen Ende von Ulldart immer noch für eine Märchenerzählung großspuriger Händler und Aufschneider, die angeben wollten. Dass nun aber plötzlich eine Unbekannte vor ihnen stand, die dazu noch den Segen eines unbekannten Gottes erteilen wollte, war manchen mehr als unheimlich. Sie wusste nicht genau, ob Übergriffe von Dörflern nur deshalb ausblieben, weil sie eine Frau oder in Begleitung eines waffenstarrenden Trosses war.

»In Gedanken seid Ihr wohl zu Hause?«, sagte Nerestro hinter ihr. »Ich könnte das verstehen. Man sagt, Kensustria sei ein mildes, warmes und sehr schönes Land.«

»Wer sagt das?« Die Priesterin wandte sich um, lächelte und zeigte ihre spitzen Eckzähne. »Ich kann mich nicht erinnern, dort viele Fremde gesehen zu haben.«

»Euer Land war auch in der Vergangenheit nicht das freundlichste, wenn Ihr Euch zurückbesinnt.« Der Ritter hatte in ihrem Rücken Platz genommen und schenkte dampfenden Tee in ihre Becher. »Die Kriegerkaste hatte die Grenzen vollkommen abgeriegelt, Fremde vertrieben oder getötet, wenn es stimmt, was man sich in Tarpol erzählt hat.«

Sie nahm den Becher und nippte daran. »Ja. Das war eine sehr schlimme Zeit für Kensustria. Ihre Kaste ist zwar immer noch an der Spitze, aber sie haben sich beruhigt. Kensustria darf wieder von anderen betreten werden. Wir haben sogar schon Handwerker aus Aldoreel angesiedelt.«

»Und trotzdem bleibt Euer Land geheimnisumwittert bei den Völkern von Ulldart. Ihr wisst, was man sich in Tarpol über die Kensustrianer erzählt?« Er lehnte sich etwas vor. »Deshalb wundert es mich eigentlich, dass Ihr hier allein unterwegs seid.«

Ihre Augenbrauen zogen sich zusammen. »Matuc hat einmal etwas angedeutet, aber richtig erfahren habe ich es nie.«

»Oh, dann haltet Euch fest. Die Menschen in den nördlichen Gebieten stehen den Kensustrianern normalerweise misstrauisch, wenn nicht sogar feindselig gegenüber. Habt Ihr das nicht auf Eurem Weg bemerkt?«

»Doch, schon. Aber ich dachte, es hinge mit der Gottheit zusammen.« Sie strich sich durch ihre dunkelgrünen Haare und blies über die heiße Flüssigkeit.

»Nein, da habt Ihr Euch getäuscht. Ihre Legende vom Aufstieg der Kensustrianer besagt, dass sie frühe Mischungen aus Vampiren und Menschen sind. Ihr großes Wissen hätten sie von den Opfern aus anderen Kontinenten, die sie ausgesaugt und vernichtet haben. Deshalb ist Kensustria fortschrittlicher als alle anderen.«

»Wie abscheulich!« Belkala schüttelte sich. »Das erklärt die Blicke der Bäuerin. Lakastra hat mich vermutlich öfter beschützt als ich annahm.«

»Es scheint so, ja. Und wenn ich Eure spitzen Eckzähne in Eurem bezaubernden Mund sehe, könnte das mit den Vampiren vielleicht nicht so ganz abwegig sein, oder? Aber Märchen interessieren mich nicht. Ihr versteht, dass ich mich mehr für das Kriegshandwerk interessiere. Ich habe schon viel über Eure Kämpfer und ihre merkwürdigen Waffen gehört.« Er nahm einen Schluck, die andere Hand legte er auf den Tisch. »Wie kämpft man bei Euch? Ich würde mich gerne mit einem der Euren messen.«

Sie lachte freundlich. »Das kann ich mir sehr gut vorstellen, Nerestro von Kuraschka. Ihr würdet einen hervorragenden Zweikampf erleben. Aber im Allgemeinen habe ich die Nähe zu den Kriegern vermieden. Sie sind eine seltsame Gruppe, voller Überheblichkeit und Arroganz gegenüber allen anderen.« Die Kensustrianerin sah den Ritter an.

»So wie ich, wollt Ihr mir sagen, oder?« Nerestro grinste. »Ihr werdet wenig Glück haben, wenn Ihr auf eine Diskussion gehofft habt. Ich bin nicht Matuc.«

»Ich weiß«, seufzte sie, »ich weiß es nur zu gut.«

»Er könnte Euch auch nicht so beschützen, wie ich es tue.« Er legte seine Hand auf ihre. »Ich glaube, Ihr wärt der einzige Grund, weshalb ich noch in den Tod gehen würde, außer für Angor.«

Belkala zog ihre Hand vorsichtig zurück. »Ich hoffe für uns alle, dass Angor das nicht gehört hat.«

»Vielleicht hat er sich gerade mit Lakastra unterhalten und nichts von unserem Gespräch mitbekommen? Und wenn sich die Götter schon so gut verstehen, dann sollten sich die beiden Gläubigen auch näher kommen, finde ich«, meinte der Ritter und griff erneut nach ihrer Hand. »Wir sollten die Gelegenheit nutzen.«

»Ihr meintet, *Ihr* wollt die Gelegenheit nutzen«, verbesserte sie. »Matuc hatte Recht: Ihr seid anmaßend.« Ihre bernsteinfarbenen Augen glühten empört. Sie sprang auf und verließ den Raum.

»Nehmt einen Mantel mit. Draußen ist es kalt«, rief Nerestro hinterher. Er stützte beide Hände auf den Schwertknauf und richtete den Oberkörper auf. »Ich werde sie schon noch zähmen«, versprach er sich leise. »Früher oder später gehört sie mir.«

In aller Frühe brach der Tross nach einem kurzen Frühstück auf. Der Ordensritter überließ dem Bauer einen Beutel mit fünfzig Waslec als Bezahlung für die erzwungene Unterkunft.

Natürlich spendeten Matuc und Belkala den Segen ihrer Gottheit, während Nerestro wie üblich die große Güte Angors für denjenigen unterstrich, der einen seiner Krieger hier übernachten ließ. Dann ging es mit verschärftem Tempo in Richtung der Provinzhauptstadt.

Der Himmel war eisblau, die klirrende Kälte ließ den Atem fast gefrieren. Ohne Wolkendecke sanken die Temperaturen noch tiefer als das bisher der Fall gewesen war. Unwillkürlich rückten die Priesterin und der Mönch enger im Schlitten zusammen, um so viel gegenseitige Wärme wie möglich voneinander zu erhalten.

Matuc war die ungewohnte Nähe sichtlich unangenehm.

»Ich mache das nur, damit wir nicht erfrieren«, sagte er nach einer Weile. »Nicht, dass Ihr das falsch versteht.«

»Habe ich mich etwa darüber beschwert?«, fragte sie sanft. »Ich bin für jede Wärme dankbar.« Die Frau rückte noch näher heran. »Versteht das nicht falsch. Ich mache das nur, damit wir nicht erfrieren.«

Ihr dunkelgrünes Haar, das unter der Kapuze durch den Fahrtwind herauswehte, kitzelte an Matucs Nasenspitze. Mit großer Überwindung schaffte er es, seinen rechten Arm um sie zu legen.

Insgeheim überlegte er, ob die Priesterin ein Teil seiner Prüfung war, die ihm Ulldrael aus irgendeinem Grund auferlegt hatte. Vom Alter her könnte er der Vater der Kensustrianerin sein, trotzdem fühlte er sich auf seltsame Weise zu ihr hingezogen. Er schob es auf die Dankbarkeit, weil sie ihn aus dem Kerker des Ritters befreit hatte, indem sie ihren Gott um Beistand bat. Sollte es allerdings mehr sein als Dankbarkeit, wusste er nicht, wie er damit umzugehen hatte.

Matuc spürte, wie sein Kopf rot wurde. Schnell zog er den Schal weiter ins Gesicht und die Fellkappe tiefer. Seine Verlegenheit ging niemanden etwas an. Und er fürchtete den beißenden Spott des Ordenskriegers.

Das Gefährt verlangsamte seine Geschwindigkeit. Vor ihnen tauchte ein breiter Fluss auf, der nur zur Hälfte zugefroren war. Glitzernd schoss das Wasser auf einer Breite von zehn Pferdelängen in der Mitte entlang, rechts und links davon wuchs immer dicker werdendes Eis. In ein paar Wochen würde der Fluss ohne Gefahr selbst für schwere Schlitten überquerbar sein. Jetzt stellte er ein Hindernis dar.

An beiden Ufern waren Stege vorhanden, ein armdickes Tau spannte sich mittels Pfosten über das Wasser. An diesem breiten Seil lief normalerweise ein Fährfloß entlang, das nun aber vereist am anderen Ufer lag und von hier aus nicht loszubekommen war. Der Ritter ließ absitzen und stapfte zum Schlitten.

»Es hat keinen Sinn, einen anderen Übergang zu suchen, wir kennen uns zu wenig in der Gegend aus«, berichtete er. »Ich werde Knappen am Tau entlang hangeln und das Floß losschlagen lassen. Danach brechen wir uns eine Fahrrinne und setzen über. Eine zeitaufwändige Vorgehensweise, aber es geht nicht anders.«

Matuc versuchte, seinen Arm so unauffällig wie möglich von der Schulter der Priesterin zu entfernen, was ihm aber nicht gelang. Belkala hatte seinen Arm eingeklemmt.

»Störe ich vielleicht bei etwas?«, erkundigte sich Nerestro, der die Bemühungen sehr wohl mitbekommen hatte. »Bruder Rotwein hat in seinen alten Tagen wieder Leben im Schritt, was?« Er klopfte dem Mönch an den Kopf. »Pass auch, dass dir bei so viel Frau in deinen Armen dein Herz vor Aufregung nicht stehen bleibt. Dagegen könnte ich nichts tun, und Angor wäre sehr böse mit mir.« Er wandte sich um und erteilte Befehle. Mehrere Knappen machten sich auf den Weg.

Böse schaute Matuc die Priesterin an. Die schenkte ihm wiederum einen unschuldsvollen Blick ihrer faszinierenden Augen.

»Das habt Ihr mit Absicht getan«, sagte er und befreite sich mit Schwung.

»Was habe ich mit Absicht getan?«, wollte sie wissen, ihre Stimme klang zuckersüß.

»Meinen Arm einzuklemmen war nicht sehr nett. Habt Ihr gesehen, wie Nerestro mich angesehen hat?« Der Mönch rutschte demonstrativ ein wenig zur Seite.

»Ja, habe ich. Und ich muss sagen, ich fand es äußerst aufschlussreich.« Sie rückte nach. »Mir wird kalt, Matuc.«

Er wich wieder ein Stück aus. »Was sollte das eben? Wollt Ihr, dass er mich erschlägt?«

»Das würde er nie tun. Ihr steht unter dem Schutz von drei Göttern. Ich wollte ihm nur zeigen, dass er nicht alles bekommt, was er will.« Sie folgte ihm. »Jedenfalls so nicht.«

Wieder versuchte er, Distanz zu schaffen, was aber an der Wand des Schlittens scheiterte. »Ihr macht ihn auf meine Kosten eifersüchtig?«

»Wo möchtet Ihr denn hin, Matuc? Wollt Ihr aus dem Schlitten fallen?« Belkala rückte die Pelze zurecht und sah nach vorne, wo Nerestro mit gleichgültiger Miene die Bemühungen seiner Knappen verfolgte. Sie war sich sicher, dass er sie aus den Augenwinkeln beobachtete. »Ich will ihn nicht eifersüchtig machen, sondern ihm nur eine Lehre erteilen«, fügte sie leiser hinzu. »Er denkt, er kann sich mehr erlauben, als ihm zusteht.«

Matuc begriff. »Er hat Euch belästigt? Wann?«

»Nein, nein. Beruhigt Euch. Na, sagen wir, er hat versucht, Wirkung auf mich auszuüben«, untertrieb sie, um zu verhindern, dass sich der Mönch heldenhaft auf den Kämpfer stürzte, um ihn zur Rede zu stellen. »Und nun mache ich ihm deutlich, dass ich nichts von ihm will.« Sie bemerkte den fragenden Ausdruck. »Oh, keine Angst. Von Euch möchte ich auch nichts, lieber Bruder Matuc.« Sie stieg aus, um sich den Fluss anzusehen.

Der Mann seufzte. »Ich dachte mir, dass du nichts von einem alten Mann wissen willst«, murmelte er. Dann kletterte er umständlich aus dem Gefährt und folgte ihr.

Die Knappen waren inzwischen auf der anderen Seite angekommen und schlugen vom Floß aus mit Äxten auf das Eis ein. Das gefrorene Wasser gab die Fähre Stück für Stück frei.

»Sie arbeiten schnell«, sagte Nerestro zufrieden. »Wir werden in einer Stunde auf der anderen Seite sein.« Er wandte sich zu Matuc. »Wäre es nicht langsam an der Zeit, mir zu sagen, was uns genau in Granburg erwartet? Was hast du dort zu tun?«

Der Ulldraelmönch kniff die Lippen zusammen. »Ich kann nicht. Es ist besser, wenn nur ich von der Aufgabe weiß, die mir mein Gott gestellt hat. Bitte, fragt nicht weiter.«

»Ist meine und deine Aufgabe mit der Ankunft in Granburg beendet? Was erwartest du von mir, dass ich tue? Und was wirst du tun, Bruder Rotwein? Beten? Singen? Einen Mord begehen?«

Matuc zuckte unwillkürlich zusammen, hatte sich aber nach einem kurzen Blick zu Belkala wieder im Griff. Er hoffte, dass der Ritter nichts von seinem Schreck bemerkte.

»Bringt mich sicher nach Granburg, das ist alles. Von mir aus könnt Ihr dann zurück zu Eurer Burg gehen. Ich folge Euch, sobald ich das mir Aufgetragene erledigt habe.«

»Das würde dir passen.« Der Ordenskrieger spuckte aus. »Ich werde dich nicht aus den Augen lassen. Woran erkenne ich, dass du deine Aufgabe vollendet hast?«

Der Mönch überlegte einen Augenblick. »Wenn ich zu Euch sage ›Angor sei Dank für die Unterstützung‹ wisst Ihr, dass Ihr Eurer Aufgabe entbunden seid, egal was hinterher geschieht.«

»Der Wortlaut gefällt mir nicht«, sagte Nerestro misstrauisch. »Was soll das heißen ›Egal was hinterher geschieht‹? Rede, Mönch!«

»Herr, es kommen Reiter«, schrie einer der Knappen von der anderen Seite, um das reißende Wasser zu übertönen.

»Ist das wirklich eine gute Idee?«, erkundigte sich Lodrik bei seinem Vertrauten. »Wenn wir den Weg nehmen, machen wir aber einen Umweg.« Der Schlitten zischte über den knirschenden Schnee und transportierte die beiden Insassen quer durch die weiße, granburgische Provinz. An der Spitze des sich rasch vorwärts bewegenden Zuges ritt wie immer Waljakov mit acht der Leibwachen, der Rest der zwanzig Mann starken Truppe hatte sich um den Schlitten verteilt.

Stoiko legte zwei Kohlestückchen in den Kessel des Reisesamowar, ließ sich dann den aufgekochten Tee und das heiße Wasser in die Tasse laufen. Dann gab er eine Prise Zucker hinein und rührte um.

»Ich denke, dass Waljakov mit seinen Bedenken Recht hat«, antwortete er ruhig. »Kolskoi hat nach seinem Auftritt in der Provinzversammlung einen zu gelassenen Eindruck gemacht. Und da ich ihn nicht unbedingt für einen guten Verlierer halte, wird er sich etwas ausgedacht haben. Seine Spione sitzen nach wie vor überall. Also wird es ein Leichtes gewesen sein, unsere Reiseroute herauszufinden. Sicher ist sicher. Und ohne die Standarten und Insignien erregt unser gerüsteter Haufen etwas weniger Aufmerksamkeit als mit dem üblichen Tamtam. Wenn wir schnell genug sind, kann uns nichts passieren.« Er reichte Lodrik die Tasse. »Vorsicht, er ist heiß. Wer auch immer sich diese praktische Teemaschine ausgedacht hat, er sollte einen Orden erhalten.«

Dankbar nahm der junge Mann das dampfende Getränk. »Glaubst du, dass er es versuchen wird?«

»Euch umzubringen?« Stoiko schenkte sich selbst ein. »Um ehrlich zu sein, ich halte den Adligen für unberechenbar. Er ist gewieft, hinterhältig und so schlüpfrig wie ein Aal.«

Der Tadc nickte. »Ja, und genau das macht ihn umso gefährlicher für Miklanowo.«

»Ihr meintet ›für Norina‹, oder, Herr?«, sagte der Vertraute. »Keine Sorge, die beiden werden ihre Sache sehr gut meistern. Die größere Sympathie haben sie auch auf ihrer Seite. Und inzwischen auch das meiste Geld, nach dem Ende ihrer Gegner.«

Lodrik lachte. »Wenn Kolskoi und sein Freund Hurusca jedes Mal in der Versammlung fehlen, werden sie von selbst arm, und wir sind alle unsere Sorgen los.« Er schlürfte an seinem Tee und blickte über die weißen Ebenen, die sich scheinbar endlos bis zum Horizont erstreckten. »So viel Land. So viele Menschen. Ich bin in wenigen Tagen der Kabcar, Stoiko. Glaubst du, ich schaffe es, die Verantwortung auf mich zu nehmen? Ich bin anders als mein seliger Vater.«

»Ulldrael sei Dank«, entwich es dem Mann. »Oh, ich meine, Ihr seid nicht dieser starrsinnige Militärkopf. Aber man soll nichts Schlechtes über Tote sagen, und ich habe viel zu großen Respekt vor Eurem Vater. Er hat einiges mit seiner starken Hand zusammengehalten, ganz nach dem Vorbild der Linie Bardriç. Ihr hingegen werdet die Sachen anders angehen. Es wird aber eine schwere Zeit werden, bis Ihr Euch etabliert habt und die Mächtigen des Landes verstanden haben, dass Ihr nicht mehr der hilflose TrasTadc von einst seid.«

»Keksprinz«, flüsterte Lodrik. »Das Wort habe ich schon lange nicht mehr gehört.«

»Und Ihr werdet es auch nicht mehr hören, glaubt mir. Schaut Euch an: von oben bis unten ein kräftiger junger Mann, voller Tatendrang und den Kopf voller guter Ideen.« Stoiko stieß mit ihm an. »Auf den Kabcar und die blühende Zukunft von Tarpol.«

»Möge die Dunkle Zeit niemals zurückkehren«, setzte der junge Mann hinzu und nahm einen Schluck. Dann schaute er wieder in die Landschaft.

»Werdet Ihr sie sehr vermissen? Ihr denkt doch gerade an Norina, oder?«, fragte der Vertraute, als er den verträumten Ausdruck des zukünftigen Kabcar sah. »Ihr seid euch näher gekommen, oder? Trotz der wachsamen Augen Waljakovs?«

Lodrik stützte den Kopf in die Hand. »Du hast Recht. Wir sind uns tatsächlich näher gekommen.« Die rechte Augenbraue des Vertrauten wanderte in die Höhe. »Nein, nicht so. Auf geistiger Ebene. Wir verstehen uns sehr gut.«

»So gut, dass Ihr der jungen Frau ein Geschenk gemacht habt? Das Amulett um ihren Hals ist doch von Euch, nicht wahr?« Stoiko blinzelte verschmitzt.

»Du bist ein Fuchs«, sagte der Gouverneur. »Kann sein, dass ich es ihr geschenkt habe, ja«

»Vielleicht ein Liebespfand?«, setzte Stoiko in einem harmlosen Tonfall hinzu und gab beiläufig etwas Teegewürz in sein Getränk.

»Bin ich hier vor Gericht?«, sagte der junge Mann. »Seit wann bist du so neugierig?«

»Ich war schon immer neugierig, Herr, aber früher habt Ihr mir alles freiwillig erzählt, das war der Unterschied«, erklärte der Vertraute listig.

»Sagen wir einfach, Norina und ich, wir mögen uns.« Er sah Stoiko ins Gesicht. »Und wenn ich eines Tages deinem Rat nachkommen sollte, dann wundere dich nicht zu sehr.«

Der Vertraute runzelte die Stirn. »Ich weiß im Moment nicht, was Ihr meint, Herr.«

»Du hast mir geraten, sie zu heiraten, erinnerst du dich nicht mehr? Ich denke, dass sie eine sehr gute, kluge, schöne Ehefrau und Kabcara wäre. Mit ihr und dir würde mir die Regentschaft über Tarpol gewiss leichter fallen. Ich habe in den vergangenen Monaten viel gelernt, trotzdem würde ich gerne vertraute Menschen um mich herum haben und nicht nur die verlogenen Hofschranzen, die immer um meinen Vater herumscharwenzelten. Und soweit ich weiß, hat er sich auch nie viel um deren Ratschläge geschert.«

»Der Hof wird mit Sicherheit eine Umstellung für Euch bedeuten«, stimmte Stoiko zu. »Viele Günstlinge, die sich in der Aufmerksamkeit des Kabcar sonnen wollen und auf Privilegien hoffen. Dass Ihr nicht allzu alt seid und damit als unerfahren gelten werdet, macht die Sache in ihren Augen noch einfacher. Aber gut für uns, wir wissen es besser.«

Die blauen Augen Lodriks blickten entschlossen. »Ja, wir wissen es besser.« Seine rechte Hand lag kurz am Griff des Hinrichtungssäbels.

Der ältere Mann hatte die Geste bemerkt, ignorierte sie aber absichtlich. Stattdessen fuhr er sich über den Schnauzer und rieb sich das Kinn. »Da werden einige Leute am Hof ganz schön Augen machen, wenn sie Euch wieder sehen. Vom dicken Jammerlappen zum jungen Mann, mit Verlaub, Herr. Kampferprobt und gerissen, doch ehrlich und Ungerechtigkeit hassend. Glaubt mir. Ihr habt alle Anlagen zu einem guten Herrscher. Mit der entsprechenden Diplomatie machen wir das Ganze perfekt und Euch zum beliebtesten Regenten auf Ulldart«, schwärmte Stoiko.

»Als Erstes stehen die Beerdigungsfeierlichkeiten, danach die Krönungszeremonie an, danach kümmere ich mich um den Säbel rasselnden Nachbar Borasgotan und erkläre Hustraban, dass es sich seine Ansprüche auf die Baronie Kostromo und das Iurdum an den Hut stecken kann. Auch wenn ich froh wäre, meine verehrte Cousine los zu sein, politisch darf ich es nicht zulassen. Danach werde ich Norina heiraten und mit ihrer Hilfe einiges an der Regierungsart von Tarpol ändern.« Er lächelte. »Du siehst, ich weiß ziemlich genau, was ich möchte.«

»Donnerwetter, ich bin beeindruckt«, gestand der Vertraute und schlug sich auf den Oberschenkel. »So lobe ich mir das. Und weiß Norina Miklanowo schon von ihrem Glück?«

»Nein«, gestand Lodrik und schaute in die Tasse, die fast leer war. »Sie weiß ja nicht einmal, dass ich der Kabcar bin … werde. Sie denkt immer noch, ich sei der Sohn eines Hofbeamten. Ich will sie, sobald alles wieder in normalen Bahnen verläuft, in den Palast einladen und bitten, mich zu besuchen. Dann werde ich sie als Kabcar von Tarpol überraschen.«

»Na, diese Überraschung wird Euch sicherlich gelingen, Herr«, schätzte Stoiko. »Ich bin überzeugt, Ihr werdet überhaupt ziemlich viele Leute überraschen. Dass Ihr mir bei allem Tatendrang bloß nicht die Prophezeiung vergesst.«

»Wir werden das Jahr 444 nach Sinured überstehen, ohne dass nur ein Anzeichen von der Dunklen Zeit zu spüren sein wird«, versprach Lodrik ernst. »Ulldrael wird uns beistehen und die Menschen des Kontinents vor der Gefahr schützen. Ich lasse nicht zu, dass wegen mir Unheil geschieht.« Er hielt seinem Schlittengenossen die leere Tasse hin. »Nachfüllen, bitte.«

»Wenn Ihr nicht schon der Kabcar werden würdet«, meinte Stoiko, »ich würde Euch sofort für das Amt vorschlagen. Ihr versteht es, überzeugend zu klingen.« Heißer Tee plätscherte in das Gefäß.

»Ich klinge deshalb überzeugend, weil ich mir sicher bin«, erklärte der junge Mann. »Vergiss den Zucker nicht.« Zufrieden lehnte er sich in die Pelze.

In einiger Entfernung wurden der Fluss und die Stelle erkennbar, an der sie mit der Fähre auf die andere Seite übersetzen wollten.

Nur noch ein oder zwei Warst, dann würden sie die Reise auf der anderen Seite fortsetzen und so schnell wie möglich Abstand zwischen sich und das Einflussgebiet Kolskois bringen.

Eine Gruppe von zwanzig bewaffneten Reitern und ein Schlitten tauchten am oberen Rand der Böschung gegenüber auf. Sie trugen keine Wappen, keine Wimpel oder Fahnen, nur ihre durchaus teure Ausstattung ließ erahnen, dass es sich um vermögende Leute handeln musste, die wohl mit den gleichen Absichten an den Fluss gekommen waren wie Matuc, Belkala und Nerestro mit seinen Männern.

Die Knappen hatten aufgehört zu arbeiten und warteten darauf, dass die Unbekannten etwas sagten. Drei Reiter lösten sich aus dem Verband und ritten zur Fähre. Es folgte eine kurze Unterhaltung.

»Herr, sie wollen vor uns übersetzen!«, brüllte der Knappe hinüber. »Sie wären in Eile.«

»Auf keinen Fall!«, schrie der Ordenskrieger zurück. »Wir waren zuerst hier, wir haben uns die Mühe gemacht, also haben wir Anspruch, das Floß als erste nutzen zu dürfen. Und in Eile sind wir auch.«

»Lasst sie doch herüberfahren«, sagte der Mönch beruhigend. »Wir kommen noch früh genug auf die andere Uferseite. Oder wir wechseln uns ab.«

»Ich weiß nicht, ob das Tau die dauernde Belastung aushält«, gab Nerestro leiser zurück. »Von mir aus können die absaufen, aber wir nicht.« Er bedeutete seinen Knappen, mit der Arbeit fortzufahren. »Wir sind zuerst an der Reihe, danach könnt ihr so oft über den Fluss fahren wie ihr wollt!«, rief er hinüber.

Argwöhnisch sah Lodrik auf die andere Flussseite hinüber. Die Schar bestand aus ebenfalls zwanzig Mann, mindestens die Hälfte sah nach erfahrenen Kämpfern aus, und der Rest konnte mit Sicherheit eine Armbrust bedienen.

»Glaubst du, Kolskoi hat sie geschickt?«, fragte er Waljakov, der nicht weniger nachdenklich aussah.

»Nein. Am Ufer stehen eine junge Frau und ein älterer Mann, die nicht unbedingt aussehen, als würden sie mit einer Waffe umgehen können. Unter den Pelzen glaube ich so etwas wie Roben, eine grüne und eine braune, ausmachen zu können. Die sechs um sie herum dagegen tragen Rüstungen. Sehr starke Rüstungen, wie es von hier aus den Anschein hat. Solche Rüstungen kosten viel Geld und werden nur noch von ganz wenigen Kriegern getragen. Sie sind unpraktisch.« Seine Augen huschten von einem zum anderen. »Ich schätze, sie gehören einem der drei Angor-Orden an. Und wenn Kolskoi Mörder ausgeschickt hätte, würden sie nicht so offensichtlich in der Gegend herumstehen und Schwierigkeiten machen. Im Gegenteil, ich vermute, sie hätten uns zuerst übersetzen lassen, um uns dann bequem in die Zange zu nehmen ...«

»Tatsache ist, dass der unhöfliche Mensch uns nicht hinüberlassen möchte.« Stoiko sah verdrossen aus. »Wir haben den langen Umweg nicht gemacht, damit wir uns mit diesen Leuten in die Haare bekommen. Was glaubt der, mit wem er es zu tun hat?«

»Vermutlich denkt er, er hat es mit einem Adligen zu tun«, meinte der zukünftige Kabcar. »Die Gouverneursinsignien und die Uniform trage ich ja im Moment nicht. Woher soll er es also wissen?« Er nickte seinem Leibwächter zu. »Ich denke, ein wenig Autorität ist gefragt. Waljakov, reite hinunter und erkläre den Männern, wer ich bin. Unsere Zeit ist zu kostbar.«

Ein gewaltiger Mann mit einem Brustpanzer trabte auf einem schwarzen, breiten Schlachtross die Böschung hinab. Vom Pferderücken herunter verhandelte er mit Nerestros Untergebenen.

»Er sagt, sein Herr wäre der Gouverneur von Granburg und wir hätten zu gehorchen.« Der Knappe klang etwas unsicher.

»Macht weiter, bringt die Fähre rüber, und dann komme ich persönlich ans andere Ufer, damit er mir das selbst sagen kann«, ordnete der Ordenskrieger an. »Ohne legitime Standarten, wie es sich gehört, glaube ich gar nichts.«

Matuc durchfuhr ein Schauer. Wenn das auf der anderen Seite wirklich der Gouverneur und somit der Tadc sein sollte, dann war er seinem Ziel schneller näher gekommen, als ihm lieb war.

Auch die Priesterin sah alarmiert aus. Glücklicherweise beschäftigte sich der Ritter so mit den anderen, dass er ihre Reaktionen nicht bemerkt hatte.

Der Mönch fühlte sich wie gelähmt. Er wusste nicht, was er tun sollte. Er trug keine Waffe, er hatte keine Vorstellung, wie er sich dem Tadc nähern, geschweige denn an den zwanzig Wachen vorbeikommen sollte. Er starrte einfach nur auf den Schlitten am anderen Ufer, die Gedanken überschlugen sich.

In seiner Hand lag es, die Dunkle Zeit abzuwenden. Dort drüben, nur einen kräftigen Steinwurf entfernt, wartete das Verderben für den Kontinent in Form eines jungen Mannes, und nur er und Belkala wussten davon. Wenn er doch nur den Ordensritter eingeweiht hätte. Mit der kleinen Streitmacht an der Seite wäre der Weg schnell frei geworden.

Die Kensustrianerin berührte ihn sachte an der Schulter und schob ihm etwas Hartes, Schlankes in die Manteltasche. Matuc spürte einen schmalen, zierlichen Dolch.

»Nehmt ihn. Ein einziger Kratzer, und Euer Gegner stirbt«, raunte sie. »Die Waffe ist vergiftet.«

Der Mönch wurde blass, die Umgebung begann sich vor seinen Augen zu drehen, und er spürte eine drohende Ohnmacht. Zu groß war die Aufregung und die Verantwortung, die auf ihm lastete. Schwer plumpste er in den Schnee.

»He, Bruder Rotwein! Hast du wieder einen Schluck zu viel?« Nerestro lachte, dann wandte er seine ganze Aufmerksamkeit wieder den Unbekannten zu. »Ich wette, dass es ein aufgeblasener Adliger ist, der sich wichtig machen will.«

Besorgt kniete Belkala neben Matuc und rieb sein Gesicht mit Schnee ab. Die Kälte verscheuchte die drohende Bewusstlosigkeit. »Reißt Euch zusammen«, flüsterte sie leise.

»Ich weiß nicht, was ich tun soll«, stammelte er.

»Denkt an den Kontinent, an die vielen Menschen. Er wird hier vorbeikommen, Ihr werdet ihm den Segen Ulldraels erteilen und dabei zustoßen.«

»Dann wird es zu einem Kampf kommen.« Er wischte sich das Weiß aus den Augen. »Und Ihr könntet dabei verletzt werden, Belkala.«

»Das ist egal. Denkt an die Zukunft.« Die Kensustrianerin zog ihn am Ellbogen in die Höhe.

»Ich erkläre es euch jetzt ein letztes Mal. Das da oben ist der Gouverneur von Granburg, Exzellenz Vasja und sein Berater. Ich bin sein Leibwächter. Und kraft seines Amtes erklärt er hiermit seinen Vorrang vor eurem Herrn. Habt ihr das verstanden?« Die eisgrauen Augen Waljakovs ruhten bedrohlich auf dem vordersten der Knappen. »Er ist der Stellvertreter des Kabcar. Sich ihm in den Weg zu stellen bedeutet, sich dem Herrscher von Tarpol in den Weg zu stellen. Und was das wiederum bedeutet, muss ich euch Wichten wohl nicht erklären.«

»Und Ihr habt unseren Herrn sehr wohl vernommen«, gab der andere trotzig zurück und klammerte sich an der Axt fest. »Und …«

»Euer Herr mag ein Ordensritter sein, aber er unterliegt den Gesetzen des Kabcar, Angor hin oder her«, fiel ihm der Hüne hart ins Wort. »Wenn ihr nicht auf der Stelle das Floß freigebt, erobere ich es mir.« Die Finger der mechanischen Hand schlossen sich klackend um den Säbelgriff. Das massige Pferd schnaubte und tänzelte auf sie zu.

Der Mann rückte mit dem schwarzen Schlachtross vor und drängte die Knappen weiter auf dem Floß zurück. Nur noch wenig Holz trennte sie von den eiskalten Fluten, die mit Sicherheit den Erfrierungstod bedeuteten. Erst in letzter Sekunde verstauten sie die Äxte auf dem Rücken, ergriffen einer nach dem anderen das Tau und kehrten zurück.

Nerestro tobte, als er sah, dass die andere Gruppe sich die Fähre gesichert hatte. »Wäre ich doch bloß dort. Ich hätte ihn in Stücke gehauen!«

Matuc umklammerte den Griff des Dolches und wartete zitternd, was passieren würde. Hoffentlich würde er keinen Fehler machen. Ein gedankliches Stoßgebet folgte auf das nächste. Die verscheuchten Knappen sprangen an Land.

Die ersten Reiter machten sich bereit, um auf das Floß zu gehen.

Die Augen des Ordenskriegers verengten sich. »So nicht«, murmelte er. »Dann kommt eben keiner von uns auf die andere Seite.«

»Was habt Ihr nun wieder …«, begann Belkala aufgebracht, aber Nerestro handelte bereits.

Mit einer fließenden Bewegung zog er die aldoreelische Klinge, drehte sich einmal um die eigene Achse und durchschlug den Pfosten von der Dicke eines mittleren Baumstammes so leicht, als glitte die Waffe durch Butter.

Das abgetrennte Holz und das Tau schossen sirrend durch die Luft und landeten mit einem hörbaren Klatschen in der Mitte des Flusses, wo sie von der Strömung weggetragen wurden.

Die Fähre neigte sich leicht zur Seite und begann, ihrer Führung beraubt, abzutreiben. In letzter Sekunde retteten sich die acht Reiter von dem in der Strömung tanzenden und hüpfenden Floß.

Lautes Fluchen tönte von der anderen Seite herüber, Fäuste wurden geschüttelt und Drohungen ausgestoßen.

Der Ritter lachte lauthals und freute sich sichtlich; seine Männer stimmten in das Jubeln mit ein, als hätten sie einen Krieg gewonnen.

Er warf die Pelze ab und zeigte die schimmernde Rüstung. »Ich bin Nerestro von Kuraschka, Ritter des Ordens der Hohen Schwerter, Gläubiger des Gottes Angor«, rief er über das Wasser. »Niemand erlaubt sich, mir ungestraft meine Rechte zu nehmen.«

Aus dem Schlitten oberhalb der Böschung erhob sich ein junger Mann.

»Und ich bin Gouverneur Pujur Vasja, Königlicher Beamter und Stellvertreter des Kabcar, Herrscher von Tarpol. Sollten wir uns eines Tages wieder sehen, werde ich mich an Euch zu erinnern wissen, Herr Ritter, das sei Euch gesagt.«

Der Junge setzte sich wieder, und der Tross rückte ab.

»Eine Ungeheuerlichkeit«, erregte sich Stoiko unentwegt, »so ein unglaublich anmaßender Kerl ist mir noch nie unter die Augen gekommen. Da hatten ja Jukolenko und Kolskoi mehr Anstand. Uns das Tau zu kappen, uns und Euch, dem Gouverneur! Ha, ich habe mir seinen Namen aufgeschrieben, Herr. Wenn Ihr möchtet, dann könnt Ihr ...«

Lodrik hob die Hand. »Lass es gut sein. Was geschehen ist, kann man nicht mehr rückgängig machen. Aber du hast Recht, ich werde mich um ihn kümmern, sobald ich meinen Titel angenommen habe.«

»Aber noch vor der Hochzeit, Herr.« Der Schnauzer des Vertrauten zitterte immer noch.

»Es gibt wichtigere Dinge als einen Ritter, dessen Orden bekannt für die nicht gerade tolerante Haltung anderen gegenüber ist, abzustrafen für etwas, was dann mehrere Wochen zurückliegt. Vielleicht lasse ich es auch ganz bleiben.« Er warf einen Blick nach hinten, konnte die andere Gruppe aber nicht mehr sehen. »Das Schicksal meines Landes hat Vorrang.«

Waljakov ließ sich etwas zurückfallen, um sich in das Gespräch einzumischen. »Ich werde ihn zu einem Zweikampf herausfordern, Herr. Angor-Ritter lieben Herausforderungen, und ich werde eine sein, der er nicht gewachsen ist.«

»Siehst du, Stoiko, so kommen alle zu ihrem Vergnügen.« Der Gouverneur und angehende Kabcar lehnte sich in die Pelze. »Und nun ab nach Ulsar. Die Beerdigung sollte nicht länger hinausgezögert werden.«

»In spätestens drei Wochen sind wir in der Hauptstadt.« Der Leibwächter setzte sich wieder an die Spitze und verschärfte das Tempo.

»Ihr und Euer verdammter Stolz«, zischte Belkala Nerestro an.

Nerestro steckte das Schwert in die Scheide. »Ich habe nur getan, was recht und billig war. Und wenn es sich wirklich um den Gouverneur handelte, hätte er sich zu erkennen geben müssen. Behaupten kann so etwas jeder. Aufsitzen und einsteigen. Wir werden uns einen anderen Übergang suchen. Das wird ja wohl nicht die einzige Fähre in Granburg gewesen sein.«

Ohne auf die beiden anderen zu achten, legte er seinen Pelz an und schwang sich in den Sattel.

Matuc blieb fassungslos. Noch immer stand er an der Stelle, wo er sich mühsam aus dem Schnee erhoben hatte, und schaute der Gruppe des Gouverneurs hinterher, die den Fluss in westlicher Richtung entlangfuhr.

Sein Zittern ließ allmählich nach, die Spannung fiel von ihm. Einerseits fühlte er Erleichterung, andererseits blieb der schale Beigeschmack, ganz knapp eine unwiederbringliche Gelegenheit verpasst zu haben.

»Was, wenn wir ihn nun nie mehr sehen?« Seine Lippen bewegten sich kaum, seine Stimme klang brüchig, verzweifelt. »Wenn es kein weiteres Mal mehr gibt?«

»Kommt, wir müssen in den Schlitten«, sagte die Priesterin beruhigend und zog den Mönch zum Gefährt, das in der Zwischenzeit gewendet hatte. »Und sprecht leiser.« Sie schob ihn in den Schlitten und deckte ihn zu.

»Ich hätte versagt.« Unter der Decke reichte er ihr den Dolch zurück.

Sie drückte ihn ihm wieder in die Hand. »Behaltet ihn. Wir werden dem Gouverneur mit Sicherheit erneut begegnen. Wir haben den Beistand von drei Göttern, vergesst das nicht.«

»Ich vergesse es nicht.« Er sank in den Pelzen und Decken zusammen. »Aber vielleicht haben die Götter uns vergessen. Soll Ulldart untergehen? Ist das die Absicht der Götter?«

»Sch, sch, sch«, machte Belkala beruhigend. »Wenn die Götter das wollten, könnten sie es einfacher haben. Wir sehen ihn wieder. Ich bin mir sicher. Und gemeinsam werden wir die Gefahr abwenden. Nun schlaft, bis wir in Granburg sind.«

Augenblicklich versank Matuc in angenehme, entspannende Dunkelheit, während die Reisegruppe ihren Weg fortsetzte.

II.

»*Doch die großen Erhebungen wollten nicht richtig in Form bleiben, deshalb nahm die Allmächtige Göttin vom flüssigen Feuer und trocknete die heraussteheneden Spitzen, bis sie hart und massiv waren. So entstanden die Gebirge.*

Ein paar Tropfen Feuer allerdings gingen der Allmächtigen Göttin dabei verloren, sickerten durch ihre Hände und blieben rot glühend an den Bergen hängen. Manche Feuertropfen erkalteten sofort, andere brannten sich ihren Weg durch den Berg und brodelten in der Tiefe weiter, wieder andere brennen noch heute und für die Ewigkeit. So entstanden die Vulkane.

Doch Taralea war noch nicht zufrieden.

Sie nahm aus ihren unendlichen Vorräten Samen von Bäumen, Gräsern und Pflanzen aller Art. Dann entfachte sie enorme Winde, wie sie heute noch auf unserer Welt vorkommen, gab ihnen die Samen mit und überließ ihnen die Verteilung der Pflanzen.«

DIE LEGENDE VON DER ERSCHAFFUNG DER WELT,
Kapitel 2

»Die Wintermonate sind die besten, wenn es um die Astronomie geht. Die Nächte sind klarer, heller, denke ich.« Farron, ein junger, glatt rasierter Gelehrter mit dunkelgrünem Haar, raffte die zusammengerollten Pergamente zusammen, balancierte die Schreibtafel mit dem Papier, Tinte sowie der Feder auf seinem Kopf aus und ging vorsichtig zur Tür, hinter der sich der Aufgang in die Observationskammer befand.

Einhundertachtundneunzig Stufen musste er gleich mit seiner Last erklimmen, bevor er sich an seinem Ziel befand. Da er das aber täglich und seit mehreren Jahren praktizierte, kam er selten dabei ins Schwitzen.

»Mh, ich stimme dir zu, Farron.« Am Tisch saß Ollkas, sein etwas älterer Gelehrtenkollege, der um einige Grade weiter in der Ausbildung fortgeschritten war. Im Gegensatz zu seinem Freund hatte er eine Glatze, die er unter einer wärmenden Haube verbarg. Die Kappe war reich bestickt, die Zeichen für einen Meister der Astronomie glänzten kurz im Licht der Kerzen auf. »Es liegt mit Sicherheit an der Kälte.« Er blätterte die Unterlagen der letzten Observation durch, die aber keine neuen Erkenntnisse gebracht hatte. Dabei wünschte er sich wie alle Astronomen so sehr, einen neuen Stern am Himmel zu entdecken. »Sie macht die Luftschichten durchsichtiger.«

»Wie kalt muss es wohl im Norden des Kontinents sein?« Farron öffnete die Tür. »Wenn wir schon unter den Temperaturen zu leiden haben, was machen die Menschen in Rundopâl oder Borasgotan?«

»Vermutlich erfrieren«, schätzte Ollkas. Gähnend streckte er sich. »Ich bin unserem Gott dankbar, dass unsere Ahnen sich den Süden ausgesucht haben, als sie an Land gingen.« Er stand auf und bewegte sich auf sein karges Bett zu. »Ich werde mich ein wenig hinlegen. Die Sterne haben mich ganz müde gemacht.« Er warf sich auf die Strohmatratze, verschränkte die Hände hinter dem Kopf und schloss die Augen. »Und vergiss nicht, die Bahn der Planeten Betos zwölf und Ketos eins-sechs-drei neu zu berechnen. Wir hatten eine Abweichung in der letzten Konstellation von mindestens einem achtel Grad«, wies er seinen Mitarbeiter an. »Wenn es deine Schlamperei gewesen sein sollte, verbessere dich. Sonst wirst du es nie zum Meister der Astronomie bringen.«

»Ja, Ollkas. Ich werde mich bessern.« Der Junggelehrte wandte sich um und stieg die Stufen hinauf.

Höher und höher schraubte sich die Wendeltreppe, alle paar Meter hingen Öllämpchen an der Wand und beleuchteten die Granitstiegen, die alle in der Mitte leicht ausgetreten waren.

Mechanisch hoben und senkten sich die Füße, während er in Gedanken bei der Entdeckung eines neuen Sterns war, das großartigste Erlebnis für jeden Observator überhaupt.

Aber der Himmel über Ulldart war perfekt katalogisiert, in Bereiche, Wendekreise und Zyklen eingeteilt, dass nichts, aber wirklich nichts verborgen blieb. Und das seit einundfünfzig Jahren.

Oben angekommen, legte er die Rollen auf den großen Kartographietisch, stellte die Schreibtafel sowie die übrigen Utensilien ab und durchquerte den Raum. Die Steinwände schmückten unzählige Karten über Sterne und deren Wanderungen im Laufe eines Jahres, übriges Dekor suchte man vergebens.

Zielstrebig lief Farron zum kompliziert anmutenden Flaschenzug, bewegte in einer bestimmten Reihenfolge Ketten, Hebel und Winden, bis sich das große, hölzerne Kuppeldach über ihm vollständig geöffnet hatte und den Blick für das gewaltige, acht Manneslängen große Fernrohr in der Mitte der Kammer freigab.

Der Gelehrte legte sich Papier, Tinte und Feder zurecht, zwängte sich in den Sessel am Fernrohr und schaute durch die Linse. Insgesamt sorgten zweiundvierzig verschieden geschliffene Gläser, die in drei rotierbaren Karussellen angebracht waren, für unterschiedliche Ansichten, von ganz nah bis zur Totalansicht. Justieren und schwenken ließ sich das immense Fernrohr über eine Drehlafette und ein ausgeklügeltes System von Gewichten und Gegengewichten, die der Observator über Fußrasten bediente.

Farron suchte in der Totalen zunächst nach groben Auffälligkeiten wie Kometen oder Sternschnuppen. Dann begann er wie üblich, die einzelnen Bereiche abzusuchen, kontrollierte den Stand der größten Planeten und Sonnen anhand der Karten im Raum und überprüfte die berechneten Bahnen auf ihre Stimmigkeit.

Nach drei Stunden brannten seine Augen vom ständigen Schauen und Vergleichen, aber es war alles in Ordnung. Das Firmament folgte seinem gewohnten Winterzyklus.

Will denn kein einziger neuer Stern für mich erscheinen?, seufzte er in Gedanken, während er das Fernrohr über die Fußrasten langsam hin und her schwenkte.

Er passierte gerade den Wendekreis eines langweiligen Planeten, als ihm etwas auffiel. Es war mehr eine Ahnung als Wissen. Seiner Empfindung nach hatte sich in kürzester Zeit etwas am Himmel verändert.

Sein Interesse erwachte. *Das wollen wir doch mal genauer ansehen. Lakastra, verleihe mir besondere Aufmerksamkeit.* Sorgfältig stellte er eine andere Linsenkombination ein und suchte erneut, auch wenn er nicht genau wusste, was.

Dann bemerkte er es.

Das kann nicht sein. Ich bin vielleicht zu müde. Farron

rieb sich die Augen, schüttete sich eiskaltes Wasser ins Gesicht und heftete seinen Blick auf die Entdeckung.

Doch er sah das Gleiche wie vor wenigen Lidschlägen.

Das, das muss ein Trugbild sein, eine fehlerhafte Linseneinstellung. Aufgeregt kontrollierte er alles, doch er konnte keinen Fehler an der Mechanik ausmachen.

»Das kann nicht sein«, sagte er halblaut zu sich selbst. »Unmöglich! Das widerspricht allen Gesetzen der Astronomie!«

Er sank in dem Sessel zurück. Geistesabwesend starrte der Gelehrte ins Nirgendwo, bis er plötzlich aufsprang und die Stufen hinunter eilte, um Ollkas zu wecken.

»Was ist los?«, murmelte der Gelehrte verschlafen.

»Ich hoffe, es ist mehr als wichtig. Wenn nicht, wirst du alle Linsen putzen. Mit deiner Zunge, ungestümer Freund.«

»Komm und sieh selbst, was ich nicht glauben kann und will.« Farron zerrte den Meister aus dem Bett. »Es widerspricht allem, was ich gelernt habe.«

Jetzt war Ollkas beunruhigt. Sein junger Kollege mochte nicht der beste Rechner sein, aber die Grundzüge der Sternenkunde beherrschte er einwandfrei.

Keuchend hastete er Farron hinterher und klemmte sich atemlos in den Sessel.

Nach dem ersten Blick zog er den Kopf ruckartig zurück, blinzelte mehrmals, rieb sich ungläubig die Augen und kippte sich das restliche Nass, das Farron im Glas gelassen hatte, über.

»Siehst du, Ollkas, was ich gesehen habe?« Nur mit Mühe unterdrückte er den triumphierenden Unterton in der Stimme. Endlich hatte er etwas entdeckt, was noch keiner vor ihm gesehen hatte. »Es ist doch … ausgeschlossen!«

Ohne den Blick von der Linse zu nehmen, deutete der Glatzköpfige zur Tür. »Lauf los und besorge mir von irgendwoher ein Buch der ulldartischen Mythologie. Rasch!«

»Sofort«, rief Farron und rannte davon. Nach einer halben Stunde war er wieder da, in der Hand *Die Legende von der Erschaffung der Welt*. Der Einband zeigte dicke Abdrücke.

Noch immer starrte Ollkas bewegungslos durch das Fernrohr, der Mund stand weit offen. Erst als sich der Zurückgekehrte räusperte, zuckte der Observator herum.

»Warum hat das so lange gedauert?« Missmutig sah er den jungen Mann an. »Und wie sieht das Buch überhaupt aus?«

»Ich habe es als Stütze für den Kartenschrank benutzt«, gestand Farron ohne große Reue, dafür war er zu aufgewühlt. »Und? Hat sich etwas getan?«

Ohne auf die Frage einzugehen, riss ihm Ollkas das Buch aus der Hand und überflog Seite für Seite, bis er auf eine Stelle schlug.

»Da! Da steht es! O Lakastra, hilf uns, damit wir es verstehen.« Sein Auge kehrte zurück an das Okular. Der andere Gelehrte las den Abschnitt.

»Taralea, die Allmächtige Göttin, suchte ihren Sohn Tzulan, kämpfte mit ihm und zerriss ihn in kleine Stücke, die sich über alle Kontinente verteilten. Seine glühenden Augen heftete sie zu den Sternen an das Himmelsgewölbe und nannte sie Arkas und Tulm, die einzigen Sterne, die sich nicht drehen und für alle Zeiten am Firmament stehen.«

Langsam hob er den Kopf und schaute in das Meer von stecknadelkopfgroßen Lichtern. Arkas und Tulm, die Augen Tzulans, waren leicht zu entdecken.

»Die sich nicht drehen und für alle Zeiten am Firmament stehen«, wiederholte Farron flüsternd den Wortlaut der Legende. »Aber … aber sie bewegen sich nun.« Lauter an seinen Mentor gewandt, sagte er: »Sie haben ihre Position verändert, Ollkas, nicht wahr? Ich habe mich nicht getäuscht.«

Der Observator sah ihn nachdenklich an. »Ja. Aber nicht nur das. Sie werden größer, ich habe es eben nachgerechnet.«

»O Lakastra, was hat das zu bedeuten?«, fragte der junge Gelehrte und setzte sich auf den Tisch, ungeachtet der wertvollen Karten, die er mit seinem Gewicht niederdrückte und knickte.

»Ich weiß es nicht«, antwortete der blasse Ollkas voller Ratlosigkeit, »ich weiß es nicht. Aber ich denke, es ist nichts, worüber wir uns freuen sollten. Ich werde unsere Geschichtswissenschaftler sofort unterrichten.«

**Ulldart, Königreich Tarpol, Provinz Granburg,
elf Warst vor der Stadt Granburg,
Winter 442/443 n. S.**

»Ich weiß nicht, ob wir sie einholen werden. Mein Gewährsmann hat mir zuerst eine falsche Route genannt.« Der bärtige Mann stellte sich in die Steigbügel, damit ihn jeder seiner Leute sehen und hören konnte. »Passt auf, wir werden jetzt den anderen Weg nehmen. Der Gouverneur hat einen großen Vorsprung, den wir aufholen müssen, und wenn uns dabei die Pferde krepieren. Denkt an die Bezahlung: fünfzig Waslec für jeden von euch, wenn der Gouverneur die Provinz nicht lebend verlässt.« Die fünfzig gerüsteten Söldner nickten knapp. »Also, los!«

Der Trupp preschte den verschneiten Weg entlang und den Hügel hinauf. Dort oben hielten sie auf einen Wink ihres Anführers, Ruidin, ein bulliger Kämpfer mit Vollbart und einigen Jahren Kampferfahrung, an.

Die etwas mehr als vier Dutzend Söldner stammten aus dem Kontingent, das ursprünglich von Jukolenko angeheuert worden war. Auf Bitten seiner Witwe hatten sie sich nach einem halben Jahr wieder auf Schleichwegen in Granburg eingefunden, um einen weiteren Auftrag anzunehmen. Dieses Mal sollte der junge Gouverneur sterben. Endgültig.

Die Tat selbst bereitete Ruidin weniger Kopfzerbrechen als der Umstand, dass der junge Mann über exzellenten Schutz verfügte. Den sorgsam gelegten Hinterhalt mussten sie aufgeben, da ihr Informant sich mit der Reiseroute vertan hatte.

Nun versuchte Ruidin, die Gruppe des Statthalters von hinten zu überraschen. Es würde mit Sicherheit schwere Verluste geben, aber die Bezahlung hatte er für fünfzig Leute ausgehandelt. Sollten einige sterben, bekämen die anderen, und vor allem er, mehr.

Ruidin wollte eben das Signal zum Weiterreiten geben, als er in geschätzten fünf Warst Entfernung eine Reisegruppe entdeckte.

»Ho! Das Schicksal ist uns gnädig. Schlitten und zwanzig Reiter«, zählte er. »Das müssen sie sein. Aber warum kehren sie um?«

»Das kann uns doch egal sein«, meinte sein Stellvertreter Tyzka zufrieden. »Vielleicht haben sie etwas Wichtiges vergessen. Wenn man zum Kabcar reist, sollte man alle sieben Sachen beisammen haben.«

»Es erleichtert uns die Sache auf alle Fälle ungemein. Und die Pferde werden geschont.« Ruidin bedeutete seinen Söldnern umzudrehen. »Du bleibst hier als Posten und meldest, wann sie in etwa hier sind«, befahl er dem Mann an seiner Seite. »Ich reite mit den Männern zurück und bereite in dem kleinen Waldstück einen Empfang vor. Es gibt von hier aus nur diesen Weg nach Granburg.«

»Hinterhalte sind eine sehr feine Angelegenheit«,

sagte der andere. »Sie erleichtern einiges. Und ersparen unnötige Verluste.«

»Verluste sind immer unnötig. Stoße zu uns, sobald sie am Fuß des Hügels sind.« Ruidin wendete sein Pferd. »Ich werde mir in der Zwischenzeit etwas für den Milchbart ausdenken.«

Nerestro trabte neben dem Schlitten her, in dem Belkala und der schlafende Matuc saßen. Noch immer trug er den gut gelaunten Ausdruck, der sich seit der Begebenheit an der Fähre nicht verändert hatte, im Gesicht.

Die Kensustrianerin hatte den Kopf des Mönchs an ihre Schulter gelegt und mit ihrem Muff weicher gebettet. Ihre bernsteinfarbenen Augen wanderten hinüber zum Ordensritter.

»Ihr seid doch nicht etwa immer noch stolz, weil Ihr einen Pfosten zerteilt habt?«, erkundigte sie sich etwas spöttisch. »Oder bildet Ihr Euch ein, Eure kindische Handlung am Fluss wäre besonders edel gewesen?«

Der Mann grinste unverhohlen. »Sie war nicht edel, aber sie hat mir in der Seele gut getan. Und Ihr müsst schon zugeben, Priesterin, dass es ein ziemlich gewaltiger Pfosten war, den meine Klinge durchschlug. Hätte das einer Eurer Kämpfer auch fertig gebracht?«

Belkala schnaubte. »Ich wusste doch, dass Ihr Euch etwas darauf einbildet.«

»Nein, ich habe mich nur königlich über die Gesichter dieser Leute amüsiert, die sich ihrer Sache so ungebührlich sicher waren«, stellte Nerestro richtig. »Wir hatten das Recht, zuerst überzusetzen. Wer anderer Meinung ist, musste mit meinem Missfallen und Unmut rechnen.«

»Durch den wir aber einen Umweg von mehreren Stunden in Kauf genommen haben«, fügte die Frau mit den dunkelgrünen Haaren hinzu. »Ich bin völlig durchgefroren, Herr Ritter. In meinem Land ist es warm.

Selbst im Winter. Wir könnten seit Stunden in Granburg sein und heiße Gewürzmilch trinken.«

»Soll ich Euch wärmen kommen?«, bot er an, die Augen blitzten erwartungsvoll auf. »Der alte Mann an Eurer Schulter scheint dazu nicht in der Lage zu sein. Wie kann man überhaupt in den Armen einer so bezaubernden Dame an Schlaf denken?«

»Ich weiß, woran Ihr denkt, das genügt mir vollkommen«, winkte die Priesterin dankend ab. »Ihr verderbt Euch alle Aussichten mit Eurer arroganten, überheblichen Art von selbst.«

»Oho!«, rief der Ordensritter. »Soll das heißen, ich hätte durchaus mit Eurer Zuneigung rechnen dürfen?«

»Schlagt es Euch aus dem Kopf«, erstickte sie jeglichen Hoffnungsschimmer. »Ihr habt es Euch selbst zunichte gemacht. Ich fand Euch anfangs in der Tat interessant.«

»Alles kehrt wieder. Vielleicht auch eine Gelegenheit für mich«, gab sich Nerestro betont gleichgültig. Doch die Augen verrieten seine Enttäuschung. Die gute Laune war verflogen. »Dafür ist Bruder Rotwein in Eurer Gunst gestiegen, was?«

Belkala antwortete nicht, sondern schaute geradeaus.

»Pah!« Der Kämpfer machte eine verächtliche Geste und gab seinem Pferd die Sporen, um an die Spitze zu gelangen.

»Ihr wart wirklich an ihm interessiert?«, fragte Matuc ungläubig und schlug die Augen auf.

Belkalas Kopf wurde eine Spur bronzefarbener. »Ihr habt zugehört?«

Der Mönch richtete sich auf. »Ihr habt euch laut unterhalten. Ich konnte nicht anders.«

»Er machte einen guten Eindruck auf mich. Vergesst nicht, er hat mir das Leben gerettet«, erinnerte sie ihn. »Vielleicht habe ich die Dankbarkeit falsch gedeutet.«

»Ein Glück für Euch«, meinte Matuc, »dass Ihr es

noch rechtzeitig bemerkt habt.« Er zog sich den Pelz zurecht. »Wartet eigentlich jemand in Kensustria auf Euch?«

Belkalas Augen verengten sich, ein Lächeln huschte über ihr ansprechendes Gesicht. Dann zeigte sie dem Mann die spitzen Eckzähne. »Bruder Matuc! Ihr stellt sehr persönliche Fragen, wisst Ihr das? Nein, es wartet niemand zu Hause auf mich.« Nach kurzem Zögern fügte sie hinzu: »Und ich beabsichtige auch nicht, jemanden mit nach Hause zu nehmen. Höchstens Besucher.«

Der Mönch verstand den Hinweis. »Ja. Verzeiht, wie töricht von mir.«

Sie schaute ihn an. »Versteht es nicht falsch. Ich schätze Euch sehr, ich mag Euch, Matuc, aber mehr wird es niemals werden. Ich möchte Euch keine falschen Hoffnungen machen. Wenn ich Euch unbewusst glauben ließ, ich verspürte mehr als freundschaftliche Zuneigung, dann tut es mir Leid.« Sie gab ihm einen Kuss auf die Wange. »Ich danke Euch für die Sorge um mich, als ich krank war. Nehmt meine Freundschaft, wenn Ihr möchtet. Die ehrliche Freundschaft einer Priesterin und Kensustrianerin.« Sie legte die rechte Hand auf ihr Herz und streckte ihm die Linke hin. »Ihr dürft mich gerne in mein Land begleiten, wenn wir alles geschafft haben. Ich werde Euch führen und Euch alles zeigen, was Ihr sehen wollt.«

Matuc nahm die Hand, umfasste sie mit seinen beiden Händen und drückte sie an seine Brust. »Ich verspreche Euch, ich werde immer für Euch da sein.« Sie neigte den Kopf. »Und gemeinsam werden wir unser Ziel erreichen. Wohin fahren wir eigentlich?«

»Ihr macht mir Spaß. Immer noch in Richtung Granburg«, antwortete sie. »Ich dachte, wir sollten uns etwas ausruhen, bevor wir uns an die Verfolgung des Gouverneurs machen.«

Der Mönch sank zurück und grübelte eine Weile. »Ja, es ist besser so. In der Zeit können wir uns auch eine Ausrede für unseren Ritter Aufbraus überlegen, wenn wir unverrichteter Dinge aus der Stadt abziehen und weiterreisen. Wohin mag der Gouverneur gereist sein?«

»Wir werden es in Granburg erfahren.« Belkala schaute in die Gegend. »Es sieht hübsch aus, mit dem vielen Schnee auf den Bäumen und dem Land. Wie ein kalter Zuckerguss.«

»Oder ein weißes Leichentuch«, meinte der Ulldrael-mönch lakonisch.

»Was für ein böser Vergleich.« Die hübsche Kensus-trianerin schüttelte den Kopf. »Ich finde es sehr bezaubernd. In Kensustria haben wir nie Schnee.«

»Wer in den Wintern Tarpols nicht vorgesorgt hat, stirbt. Es trifft oft unvorsichtige Wanderer oder arme Bauern, die die kalten Monate nicht überstehen. Deshalb der Vergleich mit dem Leichentuch«, erklärte er ihr. »Die Unglücklichen werden erst wieder im Frühling gefunden, wenn sie nicht vorher von Tieren oder Ungeheuern gefressen werden.«

Die Pferde kämpften sich einen kleinen Hügel hinauf, der Schlitten wurde etwas langsamer, bis sie auf der Kuppe angekommen waren.

In weiter Entfernung sah man nun die Provinzhauptstadt, umgeben von einer starken Mauer, die allen Angriffen trotzen konnte, sollten Sumpfbestien einen Aufstand wagen, wie einst vor vielen hundert Jahren. Bindfadendicke Rauchsäulen stiegen aus den Kaminen der klein wirkenden Häuser, und inmitten des Gewirrs aus Gassen, Sträßchen und Wegen erhob sich ein klobiges, kastenförmiges Gebäude, das alle anderen überragte.

»Das muss der Gouverneurspalast sein«, schätzte Matuc.

»Und wir werden schon bald in einem der Gasthäuser sitzen und uns die kalten Knochen wärmen«, sagte die Frau und warf sich die Kapuze über den Kopf. Tief zog sie den Stoff ins Gesicht, um sich vor dem Wind zu schützen, der auf dem Hügel besonders frisch wehte.

Der Tross trabte die Anhöhe hinunter und näherte sich einem kleinen Wäldchen, durch das der Weg verlief. Der Mönch wunderte sich, dass die Strecke noch so häufig genutzt wurde, zeigten sich doch Hufspuren etlicher Pferde im aufgewühlten Weiß.

Sie befanden sich bereits einige Meter zwischen den schneebedeckten Nadelbäumen, als Nerestro den Zug anhalten ließ.

Vor ihnen liefen drei herrenlose Pferde auf dem Weg, am Boden lagen die dazugehörigen Reiter, gespickt mit mehreren Pfeilen. Um sie herum färbte sich die schmale Straße rot.

Der Ordensritter packte seinen Schild fester und bedeutete dreien seiner Kämpfer, nach den Männern zu sehen. Vorsichtig und nach allen Seiten Ausschau haltend, ritten sie nach vorne und umringten die Toten. Im Wald war es absolut still, nur der Wind rauschte durch die Wipfel.

»Was hat das zu bedeuten?«, flüsterte Belkala dem Mönch zu. »Räuber?«

Matuc zuckte mit den Schultern. »Es könnten Sumpfbestien gewesen sein. Der Winter wird sie aus den Sümpfen jagen, wenn sie Hunger haben und Ausschau nach Essen halten.« Ihm kam die Sache sehr mysteriös vor. Auch der Ritter wirkte mehr als angespannt.

»Einer von ihnen lebt, Herr.« Der erste der drei stieg ab und kniete sich neben dem schwer Verwundeten hin, auch die anderen beiden saßen nun ab. Der Unbekannte versuchte zu sprechen und griff zitternd nach dem Aufschlag des Pelzmantels.

Etwas zischte durch die Luft und bohrte sich in den Nacken des zuletzt reitenden Knappen, der nach dem

Treffer ohne einen Laut nach vorne aus dem Sattel stürzte. Dann folgte ein Schauer von Armbrustbolzen, der weitere fünf Männer das Leben kostete.

Nerestro brüllte einen Befehl und galoppierte zum Schlitten, während der Rest seiner Leute ihre Waffen zogen. Plötzlich brachen dreißig Angreifer aus dem Wald und attackierten den Schluss des Trosses, wo die leichter Gerüsteten saßen.

Matuc zog den Dolch und kauerte sich zusammen mit Belkala auf den Boden des Schlittens, damit sie nicht von umherfliegenden Bolzen getroffen wurden.

Um sie herum begann ein blutiger Kampf.

Ruidin lag auf dem Weg und tat weiterhin, als wäre er verletzt. Nach dem Angriff seiner Leute aus dem Hinterhalt kümmerten sich die drei schwer gepanzerten Männer nicht mehr um die vermeintlich Verwundeten und wollten in die Sättel steigen, um einzugreifen. Schafften sie das, würden sie mit ihrer überlegenen Ausrüstung durch den Kampf reiten, wie Steine durch ein Feld rollen, und alles zermalmen, was ihnen im Weg stand. Es wurde Zeit, dass er eingriff.

»Jetzt!«, zischte er, und die beiden anderen an seiner Seite sprangen mit ihm auf.

Zielsicher stießen seine Begleiter mit ihren Dolchen von hinten in die Gelenkteile der Rüstungen, die Schwachstelle der metallenen Schützung.

Ruidin jagte seinem Gegner die schmale Klinge unterhalb des Ohres bis um Heft in den Hals, drehte die Schneide etwas und zog sich sofort zurück, um sich aus der Reichweite des Schwertes zu bringen, sollte der Mann die Attacke überlebt haben.

Doch er hatte gut gezielt. Nach einem Lidschlag brach der Mann scheppernd zusammen und lag zuckend im Schnee.

Der Anführer der Söldner wandte sich um, um zu

sehen, wie der Kampf der anderen beiden stand, und musste feststellen, dass nur einem der heimtückische Angriff geglückt war. Der stand dem offensichtlich nur verletzten dritten Ritter gegenüber, der zuerst den zweiten Mann getötet hatte und ihn mit Hieben immer weiter zurückdrängte.

Der überraschte Söldner verlor den Stand, rutschte weg und konnte dem nächsten Schlag nicht mehr ausweichen. Tief fraß sich der Stahl durch die leichte Panzerung und trennte den Arm zur Hälfte aus dem Gelenk.

Schreiend fiel der Getroffene hin, während sich der Ritter Ruidin zuwandte.

Der Söldnerführer unterlief den kommenden Schlag und stach zwei Mal mit dem Dolch in die weniger gepanzerte Stelle unter der rechten Achsel. Sofort schoss Blut in Sturzbächen aus der Wunde.

Ruidin grinste böse und rannte zum Schlitten. Er müsste sich nicht mehr um den Mann kümmern, er würde innerhalb kurzer Zeit verbluten.

Im Laufen zog er sein Jagdhorn und gab das Signal für den zweiten Trupp.

Die Leibwache des Gouverneurs verteidigte sich wie ein wütender Kullak, und trotz der anfänglich beigebrachten Verluste hatten sich die Reihen der Verteidiger nicht wesentlich gelichtet. Ganz im Gegensatz zu seinen Männern. Von der ersten Welle standen nur noch zehn Angreifer.

Aber die Verstärkung donnerte bereits von vorne heran und stürzte sich auf die Wachen, die um den Schlitten standen und alles mit den Schilden abwehrten, was in ihre Richtung kam.

Ruidin sah, dass er auf direktem Weg nicht zum Gefährt des Gouverneurs gelangte. Also nahm er Anlauf, warf sich in den Schnee und rutschte unter den nervösen Pferden durch, um unter dem Kutschbock zu landen. Zwei schnelle Griffe, ein Ruck und er befand sich neben dem überraschten Kutscher, den er mit einem gezielten Stich ins Auge tötete.

Noch hatte ihn keiner bemerkt, die Wachen standen mit dem Rücken zu ihm und wehrten seine Söldner ab, die immer weniger wurden. Wer auch immer diese Kämpfer ausgebildet hatte, sie waren zu gut.

Mit einem kurzen Sprung beförderte er sich in den offenen Schlitten und zerrte die ihm nächste Gestalt auf die Beine, den Dolch hielt er stoßbereit in der Hand.

Vor ihm stand ein älterer Mann, der mit einem kleinen Messer äußerst unsicher nach ihm stach.

Elegant wich Ruidin zur Seite aus und rammte dem Mann den Ellbogen ins Gesicht. Klirrend fiel dessen Waffe auf den Holzboden.

»Lass mich zum Gouverneur!«, schrie er ihn an, packte ihn am Kragen und setzte ihm den Dolch an den Hals.

Hinter dem vor Schreck erstarrten Mann tauchte eine junge Frau mit dunkelgrünen Haaren auf und schlug ihm so schnell ihre Faust auf die Nase, dass er nichts mehr tun konnte.

Ruidin schossen die Tränen in die Augen, er taumelte einen Schritt zurück. Aus den Augenwinkeln bemerkte er, dass es einem weiteren seiner Söldner gelungen war, sich einen Weg in den offenen Schlitten zu erkämpfen. Er stand im Rücken der Frau.

»Nerestro! Hilfe!«, schrie sie. »Sie sind auf dem Schlitten!«

Der eindrucksvollste der Ritter wirbelte mit seinem Pferd herum und nahm brüllend Kurs auf das Gefährt, in seiner Hand glänzte eine blutverschmierte aldoreelische Klinge.

Vor Ruidin erhob sich wieder der ältere Mann und fuchtelte mit dem Messer. »Zurück! Hier gibt es keinen Gouverneur. Wir sind …«

»Los!«, befahl er seinem Untergebenen und sprang vor, auf die Kehle des Gegenübers zielend.

Nerestro hörte Belkalas verzweifelte Stimme durch den dröhnenden Kampflärm und wendete das Pferd auf der Hinterhand.

Zwei der Angreifer hatten es irgendwie geschafft, den Verteidigungswall aus Leibern und Schilden zu überwinden. Die Kensustrianerin bemerkte den Mann hinter sich anscheinend nicht, sondern machte sich bereit, dem Mönch beizustehen, der seinem Gegner wie ein kleines Kind gegenüberstand und hilflos mit einem Dolch fuchtelte.

Brüllend stieß der Ritter seinem Tier die Sporen in die Flanken und setzte zu einem kurzen Galopp an, um der Attacke zuvorzukommen.

Voller Entsetzen sah er, wie sich der Angreifer hinter der Priesterin ebenfalls bereit machte.

Schlagartig wurde ihm bewusst, dass er beiden gleichzeitig nicht helfen konnte.

»Angor!«, schrie er verzweifelt und holte zu einem gewaltigen Schlag aus.

Groß und übermächtig erschien der Ritter seitlich des Schlittens, das Schwert durchschnitt pfeifend die Luft und traf den Mann vor Matuc in der Vorwärtsbewegung.

Wieder glitt die aldoreelische Klinge durch Sehnen, Muskeln und Knochen, als bestünde ein Mensch aus Papier. Selbst die Rüstung hielt die Schneide nicht auf, gehärtetes Leder, Schnallen und Riemen boten kein Hindernis und wurden ebenso zerteilt wie der Oberkörper des bärtigen Angreifers, den sie schützen sollten.

Dann hörte Matuc hinter sich den qualvollen Schrei Belkalas.

Sofort wirbelte er herum und fing die stürzende Kensustrianerin auf. Mit dem Gesicht nach vorne fiel sie gegen ihn und warf ihn um. Dadurch ging der zweite Stoß des anderen Feindes knapp an der Schulter des Mönchs vorbei.

Zu einer weiteren Attacke kam der Mann nicht mehr, ein Armbrustbolzen in die Brust machte seinem Leben ein Ende. Stöhnend sank er nach hinten.

»Belkala«, keuchte Matuc entsetzt. »Ist alles in Ordnung?«

Die Priesterin stützte sich ein wenig auf und lächelte schwach. »Ich glaube nicht.«

Ein dünner Blutfaden sickerte aus ihrem Mundwinkel, gefolgt von einem gewaltigen Schwall Rot, der sich auf seine Brust ergoss.

»Ulldrael der Gerechte, nein!« Panisch legte er den Kopf der Frau in seinen Schoß und fuhr ihr beruhigend über das Haar. »Halte durch, Belkala. Es wird dir gleich jemand helfen.« Seine andere Hand, mit der er sie auf dem Rücken berührt hatte, war voller dunklem Blut. Herzblut.

Matuc sah sich gehetzt um, erblickte aber nur schreiende, fluchende Männer, die um ihr eigenes Leben kämpften. Selbst Nerestro musste sich wieder gegen Angreifer zur Wehr setzen.

Keiner von seinen Begleitern war in der Lage, dem Mönch und der Verletzten behilflich zu sein.

Matuc spürte diese völlige Machtlosigkeit, die er damals beim sterbenden Visionär Karadc empfunden hatte. Erinnerungen und neue Verzweiflung mischten sich, Tränen liefen ihm die Wangen hinab und tropften auf das Gesicht der Frau, in dem sich ihre Schmerzen widerspiegelten.

»Ulldrael, nicht schon wieder!«, rief er. »Ich will nicht noch einmal jemanden in meinen Armen sterben lassen.«

Die Priesterin fuhr ihm über die Wange. »Ich werde

es nicht schaffen, Matuc. Denkt an die Aufgabe, die auf Euch wartet.«

»Ich gebe einen Dreck auf meine Aufgabe«, rief der Mönch wütend und schaute in den Himmel. »Ulldrael, tu etwas! Tu etwas, wenn dir etwas am Schicksal des Kontinents liegt.«

Belkala schloss für einen Moment die Augen und sammelte ihre letzten Kräfte. Matuc glaubte zunächst, sie sei tot. Dann blickte sie ihn wieder an.

»Ich möchte, dass du mich hier beerdigst. Merke dir: ein drei Fuß tiefes Grab, eine Lage Steine oben drauf.« Sie drückte ihm einen Gegenstand in die Hand. »Dieses Amulett zerbrichst du und legst die Teile auf das Kopfende. Es wird Lakastra zeigen, wo eine seiner Gläubigen liegt. Er wird kommen und sich meiner annehmen.« Ihre bernsteinfarbenen Augen schienen kurz aufzuglühen. »Versprich es mir, Matuc.«

Der Mann kämpfte gegen einen Weinkrampf an. »Ich … ich will nicht, dass du stirbst. Wir brauchen dich, um unsere Aufgabe zu erfüllen.« Er drückte ihre Hand. »Ich brauche dich. Ich lasse nicht zu, dass ….

Das Leuchten ihrer Augen wurde intensiver. »Versprich es mir. Ich flehe dich an!«

Matuc nickte zögerlich.

Das Bernstein ihrer Augen flackerte, wurde schwächer und schwächer, bis es schließlich ganz erlosch. Langsam entspannte sich der Körper der Kensustrianerin.

»Belkala?« Vorsichtig tastete der Mönch an ihrem Hals nach der Lebensader. Er spürte nichts. Schnell legte er den Kopf an ihre Brust, aber auch das Herz schwieg. Kein Klopfen, keine Atmung.

»Nein«, flüsterte er, »nein.« Matuc drückte die leblose Frau an sich. »Ich wärme dich, bis die anderen Zeit haben, nach dir zu sehen. Du wirst sehen, es ist nur eine kleine Verletzung.« Langsam wiegte er die Priesterin hin und her. »Nur eine kleine Verletzung, Belkala. Du hast schon Schlimmeres überstanden. Die Erkältung war viel gefährlicher als der Kratzer.«

Leise summte er ein Lied und bemerkte nicht, dass der Kampflärm um ihn herum immer leiser wurde. Die Angreifer waren besiegt oder in die Flucht geschlagen.

»Sie ist tot«, sagte die belegte Stimme des Ritters in seinem Rücken.

»Nein, ist sie nicht. Wir müssen sofort einen Cerêler finden. Sie ruht sich nur aus. Und seid gefälligst etwas leiser, sonst weckt Ihr sie auf«, antwortete Matuc sanft und legte sie auf die Polster des Schlittens. Behutsam deckte er sie zu.

»Mönch, sie ist tot«, wiederholte Nerestro, diesmal energischer.

Wütend drehte sich der Ulldrael-Gläubige um. »Nein!«, schrie er ihn an. »Ist sie nicht!« Unbewusst hob er die Fäuste.

»Du siehst das Blut auf dem Boden?« Der Kämpfer deutete mit dem Schwert auf die Lache und das Rot, das nun von der Bank auf das Holz tropfte. »Sie ist tot. Sie atmet nicht mehr.«

»Und du bist schuld!« Matuc holte aus und schlug nach dem Ritter. »Du hast sie nicht beschützt, obwohl du konntest! Ich habe es genau gesehen!« Voller Hass, der ihn blind für die Überlegenheit seines Gegners machte, stürzte er sich auf Nerestro.

Der Ritter wich einen Schritt zur Seite und schlug dem Mönch die geballte Faust mitten ins Gesicht.

Halb besinnungslos stürzte der Mann in den Schnee und sah auf die Spitze der aldoreelischen Klinge, die auf seine Kehle zielte und nur eine Handbreit entfernt war.

»Du, Bruder Rotwein, hast sie getötet.« Breitbeinig stand Nerestro über dem Liegenden. »Du und dein verdammter Auftrag. Sie wäre noch am Leben, wenn ich

dich nicht hätte beschützen müssen, wie es mir aufgetragen wurde.« Er zog das Schwert auf die Seite und
beugte sich hinunter, bis der Mönch seinen Atem
spüren konnte. »Ich würde dich am liebsten töten,
Mönch. Jetzt und hier.« Voller Abscheu und Feindselig-
keit verzog sich das Gesicht des Ritters zu einer Fratze.
Er packte Matuc bei den Aufschlägen und riss ihn in die
Höhe. »Aber ich darf nicht.« Abrupt ließ er ihn los und
drehte sich um. »Nicht eher, bis du deinen Auftrag erfüllt hast.«

Matuc schluckte. Langsam kehrten seine klaren Gedanken zurück.

Mit beiden Händen fuhr er sich durch das Gesicht
und bemerkte erst danach, dass noch immer das dunkle
Blut Belkalas an den Fingern haftete.

Hass stieg in ihm hoch, während er seine Handflächen betrachtete. Hass gegen den Ritter, Hass gegen
seinen Auftrag, gegen den Gouverneur und nicht zuletzt gegen seinen Gott, der das alles von ihm verlangte.

Und gegen sich selbst. Der Ritter hatte Recht mit
dem, was er eben gesagt hatte. *Ohne mich würde Belkala
noch leben.* Er fasste einen Entschluss.

»Nerestro«, sagte er halblaut. Der Ritter blieb stehen
und sah über die Schulter. »Wenn ich alles erledigt
habe, möchte ich, dass Ihr mich tatsächlich umbringt.«

Der Ordenskrieger nickte. »Ich nehme dich beim
Wort. Verlass dich darauf.« Schweigend ging er zum
Schlitten und küsste die Stirn der Toten.

Eine Stunde später legten Nerestro und Matuc die Kensustrianerin in ihr Grab.

Genau nach der Anleitung der Frau hatten sie die
Grube ausgehoben, die gefrorene Erde zuerst mit einem
großen Feuer aufgetaut und den noch feuchten, heißen
Sand mit bloßen Händen zur Seite geworfen.

Stumm standen die Männer um die Ruhestätte und

sahen auf die hübsche Frau, die sie bis jetzt auf ihrem Zug durch Tarpol begleitet hatte.

Matuc hoffte bis zuletzt auf ein Wunder. Es war ihm dabei gleichgültig, welcher Gott die Priesterin zurück ins Leben rief, egal ob Lakastra, Ulldrael oder Angor. Doch keiner der drei schien willens zu sein, das Geschehene ungeschehen zu machen.

Der Mönch zuckte zusammen, als Nerestro begann, die Erde über der Toten aufzuhäufen.

»Nein, nicht. Vielleicht ...«, begann er, verstummte aber, als er den Blick des Ritters sah. »Verzeiht. Ich wollte nur ...« Ein tiefer Seufzer drang aus seiner Brust, dann half er Nerestro bei der Arbeit.

Bald war ihr Körper vollständig von Erde bedeckt. Die Knappen türmten die in der Zwischenzeit gesammelten Steine auf das Grab.

Als sie fertig waren, schritt Matuc zum Kopfende und zerbrach fast andächtig das augengroße Amulett, das aus einer unbekannten, porösen Legierung bestand. Es zeigte merkwürdige Symbole und vermutlich kensustrianische Schriftzeichen, die er nicht verstand. Er hoffte inständig, dass Lakastra seine Dienerin finden würde.

Vorsichtig platzierte er die Hälften. *Ich weiß nichts über ihr Leben nach dem Tod*, kam es ihm. *Ich weiß gar nichts.*

Nerestro kniete am anderen Ende, die Schwertspitze in den Boden gerammt, die Augen geschlossen. Seine Lippen bewegten sich in lautlosem Gebet.

Danach stand er auf, schickte Matuc einen anklagenden Blick hinüber und wandte sich den Ruhestätten seiner gefallenen Ritter zu. Auch dort betete er, diesmal laut und weithin hörbar. Es war ein Lobrede auf ihre Tapferkeit, ihren Mut und ihre Entschlossenheit.

»Angor, auch wenn sie nicht in einem ehrenvollen Kampf starben«, endete er, »so starben sie in deinem

Namen und auf dein Geheiß. Nimm sie gnädig in die Reihen der Ehrenwerten auf und gewähre ihnen all das, was auch dem tapfersten Turnierkrieger gebührt. Wir werden sie niemals vergessen. Niemals.« Der Tross machte sich abreisefertig, Nerestro schwang sich in den Sattel.

Zärtlich fuhr Matuc über die Amulettstücke. Schnell wischte er sich eine Träne weg, küsste seine Fingerspitzen und legte sie auf das Metall.

»Ich bringe die Sache das nächste Mal zu einem endgültigen Abschluss. Das verspreche ich dir, hörst du? Der Tadc wird sterben.« Nachdenklich betrachtete er die Symbole. »Und danach sterbe ich.«

»Komm«, rief der Ordenskrieger. »Wir haben genug Zeit verloren.«

»Ja, sofort.« Der Mönch nickte und ging langsam zum Schlitten. Die Reisegruppe setzte sich in Bewegung und galoppierte in Richtung Provinzhauptstadt.

Zurück blieben neun Gräber, auf die sich frischer Schnee, der in dicken, grauen Flocken aus dem Himmel fiel, senkte.

Wie ein weißes Leichentuch. Matuc erinnerte sich an seinen Vergleich noch vor wenigen Stunden.

**Ulldart, Königreich Tarpol, Provinz Ulsar,
Hauptstadt Ulsar, Winter 442/443 n. S.**

Die Reise von Lodrik, Stoiko und Waljakov war ohne weitere Schwierigkeiten verlaufen. Die restlichen Warst hatten sie dank eines schnellen Schiffs auf dem breiten Strom Repol zurückgelegt, dessen Ufer sich für einen unbedarften Betrachter mehr und mehr in brüchiges Milchglas verwandelten. Nur in ganz besonders harten, grimmigen Wintern geschah es, dass der Repol vollständig zufror, ansonsten war er zu breit, als dass die üblichen kalten Temperaturen sein Wasser erstarren ließen.

Unterwegs nutzte Lodrik die Zeit an Bord, um sich wieder mit dem Hofzeremoniell vertraut zu machen, und bewies, jedenfalls nach Ansicht seiner beiden Vertrauten, nun eine Anmut in den Bewegungen, die er vorher nicht an den Tag gelegt hatte.

Lodrik übte Verbeugungen, Handzeichen mit und ohne Taschentuch, kleine und große Gesten, Huldvolles und Abwertendes, bis ihm der Rücken wehtat und die Taschentücher zum Wedeln ausgingen. Es dauerte eine Weile, bis er sich an das ständige Tragen der leidigen Perücke gewöhnt hatte, danach funktionierte es wieder sehr gut. Er zog sie nicht mit herunter, wenn er den Hut lüpfte.

Umso mehr genoss er als Ausgleich die täglichen Fechtstunden mit seinem kahlen Lehrer, der zum Leidwesen des jungen Mannes immer wieder neue Fehler in Angriff und Verteidigung fand, auf die er gnadenlos hinwies, und den Tadc nicht eher ruhen ließ, bis es sich gebessert hatte. »Feinschliff« pflegte Waljakov das zu nennen.

Noch immer reisten sie unerkannt durch das Königreich. Weder als Gouverneur Vasja noch als Tadc und zukünftiger Kabcar gab sich der Thronfolger seinen Untertanen, die unterwegs dem Tross begegneten, zu erkennen. Sie alle empfanden es als besser, wenn die Rückkehr erst dann bekannt wurde, wenn ausreichend Sicherheitsvorkehrungen zum Schutz Lodriks getroffen waren. Auf der Reise trugen sie weiterhin teure, aber nicht sehr aufwändig gearbeitete Kleider, die sie als besser Situierte auswiesen. Die Gouverneursuniform lag zusammengefaltet in einem der unzähligen Koffer.

Mehr und mehr änderte sich die Landschaft. Es

tauchten vor allem größere Dörfer auf, unberührte Weiten oder stille Wälder kamen nicht mehr vor. Die Abgeschiedenheit und Einsamkeit, wie sie Lodrik aus Granburg kannte, verflog innerhalb der letzten Reisewoche gänzlich. Spätestens beim Anblick der mächtigen Mauern von Ulsar, der Königsstadt, wusste der Tadc, dass die Stunde der Verantwortung unmittelbar bevorstand.

»Das große Problem, das ich sehe, wird sein, glaubhaft zu zeigen, dass wir den Tarpolern wirklich ihren TrasTadc zurückbringen«, meinte Stoiko nachdenklich, während der Schlitten auf des Hauptor zuhielt. »Man könnte glauben, es sei ein anderer Mensch, der da aus den Tiefen Granburgs zurückkehrt.«

»Ach was. Äußerlich mag ich mich zwar sehr zu meinem Vorteil verändert haben, aber im Großen und Ganzen bin ich der gleiche geblieben. Nur etwas erfahrener«, widersprach der Thronfolger und winkte ab.

Stoiko ordnete seinen Schnauzer und musterte seinen Schützling, der sich im letzten Jahr ganz erstaunlich entwickelt hatte. Die blauen Augen wirkten nun jederzeit hellwach, mit Verschwinden der Leibesfülle bekam auch das Gesicht eine neue Kontur, zusätzlich hervorgehoben durch den gleichmäßig wachsenden, blonden Bart, den er kurz getrimmt trug. An Stelle von Fett saßen nun Muskeln an seinem Körper, nur noch wenig von den breiten Fettwülsten um Hüfte und Bauch war übrig geblieben, was ein guter Schneider, eine Bauchbinde und ein aufrechter Gang mit Leichtigkeit vergessen ließen.

Schneider! zuckte es dem Vertrauten siedend heiß durch den Kopf. »Bei Ulldrael!«, entfuhr es ihm erschrocken. »Ich habe völlig vergessen, dass Euch nicht ein einziges Kleidungsstück mehr passen wird!«

Auch Lodrik machte ein verblüfftes Gesicht. »Daran habe ich auch nicht mehr gedacht. Na, bis zu den Zeremonien ist es noch ein wenig hin, die Beerdigung meines Vaters werde ich übermorgen notfalls in einer Rüstung abhalten, wenn es nicht anders geht. Ich will die Dinge so schnell wie möglich regeln.«

Mit Unbehagen dachte er an die alarmierenden Meldungen aus Hustraban und Borasgotan, die vor seiner Abreise in Granburg bekannt wurden und sich seitdem nicht verändert hatten, wie er vermutete.

Borasgotan sammelte nach wie vor Männer, um sie angeblich zu »Scharmützeleinheiten« ausbilden zu lassen, Hustraban dagegen wiederholte schriftlich seine Forderung nach der Beteiligung am Abbau des kostbaren Iurdums in der befreundeten Baronie Kostromo. Wenn dieser unverschämte Wisch nicht bald in der passenden Weise beantwortet würde, könnte sich das andere Königreich obenauf fühlen.

Überhaupt fürchtete Lodrik, dass nach dem Ableben seines Vaters einige unter Steinen hervorgekrochen kämen, die besser von den Brocken erschlagen worden wären. Und die sichere Geheimhaltung des Todes des Herrschers von Tarpol war ein Ding der Unmöglichkeit. Entweder sorgten gesprächige Diener oder Spione dafür, dass die Nachricht schnell die Runde machte.

Außerdem wäre die zu lange Abwesenheit des Kabcar bei Audienzen und Festen aufgefallen. Die Unterrichtung über den geschätzten Zeitpunkt der Totenfeier seines Vaters hatte der junge Mann deshalb noch von Granburg aus mit Brieftauben an die weiterleitenden Stellen in Ulsar geschickt. Von dort aus ergingen die Einladungen an die benachbarten Reiche und Baronien. Der Zeitplan stimmte, der Tross kam rechtzeitig in der Hauptstadt an, die Vorbereitungen müssten bereits begonnen haben.

Tatsächlich wehte am Stadttor das Banner Tarpols und die persönliche Standarte der Bardri¢s auf Halbmast. Ohne weitere Kontrollen wurde die Reisegruppe eingelassen, Reiter und Schlitten steuerten den Festungspalast inmitten Ulsars an.

Weite Straßen, besser gekleidete Menschen, hohe Häuser mit breiten Dächern und eine rege Geschäftigkeit, das war das Ulsar, wie es Lodrik in Erinnerung hatte. Doch im Moment glaubte sich der Thronfolger in einem größeren Granburg zu befinden, wie er es am Tag seiner Ankunft vor mehr als einem Jahr erlebt hatte. Die schlechte Stimmung war förmlich greifbar.

Vorbei ging es am großen Ulldrael-Tempel, an mehr oder weniger teuren Adelsbehausungen, Läden und Geschäftshäusern, die entlang der Prachtstraße lagen, bis endlich der burgähnlich befestigte Palast erschien. Diesmal mussten sie an der Einfahrt anhalten.

»Wir sind Gäste der Totenfeier«, log Lodrik und reichte dem Hauptmann das selbst geschriebene Dokument, das auf den Gouverneur von Granburg ausgestellt war. »Wohin müssen wir uns wenden?«

Der Soldat salutierte, nachdem er das Papier gelesen hatte, und deutete die schneebedeckte Allee hinunter. »Bis zum Palast, Exzellenz. Danach reitet Ihr links am Eingang vorbei und haltet am Westportal. Dort werden Bedienstete warten, die Euch in Eure Unterkünfte geleiten.«

»Wer ist schon alles angekommen, Hauptmann?«, wollte der vermeintliche Statthalter wissen. »Hoher Besuch?«

»Ich weiß nur, Exzellenz, dass die Botschafter von Tûris und Rundopâl angekommen sind sowie die Vertreter von einzelnen Baronien«, zählte der Mann auf. »Der aldoreelische Botschafter und seine Amtsgenossen aus Hustraban und Borasgotan werden morgen erwartet, soweit ich gehört habe, Exzellenz.«

»Und wo ist der Tadc?«, hakte Stoiko nach. Den bösen Blick seines Schützlings ignorierte er absichtlich. »Ich habe gehört, er wäre verschwunden.«

»Nein, Herr, da seid Ihr falsch informiert. Es stimmt auch nicht, dass der Tadc gestorben ist«, erklärte der

Hauptmann, der bei den Worten aussah, als habe er sie schon sehr oft sagen müssen. »Der Thronfolger ist auf dem Weg nach Ulsar und wird rechtzeitig zur Totenfeier in der Hauptstadt sein.«

»Gestorben? Ich?«, wiederholte Lodrik fassungslos und wechselte mit seinem Vertrauten einen schnellen Blick.

»Nein, nicht Exzellenz«, widersprach der Soldat am Tor. »Der Tadc, angeblich. Ontarianische Kaufleute haben das Gerücht in der Stadt verbreitet, Exzellenz. Und die Bevölkerung ist entsprechend beunruhigt. Aber schert Euch nicht um das Gerede. Wir wissen aus zuverlässiger Quelle, dass er lebt.« Er trat vom Schlitten zurück und salutierte erneut.

Der Tross legte die letzten Meter seiner anstrengenden Reise zurück.

»Ihr solltet den Hauptmann etwas mehr in seiner Auskunftsfreudigkeit bremsen«, meinte Waljakov kurz vor dem Westportal. »Er redet meinem Geschmack nach zu viel über Sachen, mit denen man Gäste beunruhigt.«

»Ich fand es sehr aufschlussreich«, hielt Stoiko dagegen. »Nun seid Ihr auch schon tot, Herr. Was haltet Ihr davon? Wissen die Ontarianer mehr als wir?«

»Gib einem Ontarianer Geld, und er erzählt dir, was du möchtest«, knurrte der Leibwächter. »Ich vermute, einer Eurer Nachbarn setzt sie ein, um an Eurer Macht zu rütteln.«

Der Vertraute nickte. »Und das auch noch frecherweise, bevor Ihr der offizielle Kabcar seid. Das nenne ich fix bei der Sache sein, Herr.«

Die Gruppe hielt am Westportal, stieg aus und schritt die breiten Stufen zum Eingang hinauf. Bedienstete begannen, das Gepäck abzuladen und in das Innere des Palastes zu tragen, wo es in die Gästezimmer verteilt wurde.

Zielsicher schritt Lodrik mit seinen zwanzig Begleitern durch die Marmorgänge, vorbei an Säulen, Statuen
und Gemälden, die für den opulenten Schmuck des riesigen Gebäudes sorgten. Es war wie immer, der Reichtum und die Macht der Linie Bardri¢ präsentierten sich
in unverhohlenem Glanz. Stuckarbeiten an den Decken,
Blattgold an den übermannsgroßen Türrahmen, Kris-
tallleuchter und Öllampen mit graviertem Glas, es roch
überall leicht nach Parfüm und Blumen.

Alle paar Meter standen Diener bereit, deren Verwunderung über die gerüstete Gruppe nun unschwer
zu erkennen war. Selten marschierten Truppen durch
die Korridore, noch seltener Einheiten, die der Kleidung nach nicht der Palastwache angehörten.

Der Tadc kümmerte sich nicht sehr um die staunen-
den Bediensteten, sondern setzte seinen Weg zum Teezimmer fort. Mit Schwung stieß er die Tür auf, stemmte
die Hände in die Hüften und sah sich um.

Oberst Soltoi Mansk stellte die Tasse ab und blickte
überrascht von seiner Lektüre auf, eine lose Blattsammlung, deren übrige Papiere auf dem Beistelltisch lagen.
Der Kommandant der Königlichen Palastwache musterte zunächst Lodrik, ohne ihn zu erkennen.

Erst als er Stoiko und Waljakov sah, klärte sich seine
Miene. Rasch sprang er auf und begrüßte die beiden
Männer. Dem Tadc nickte er freundlich-neugierig zu,
während er den anderen Sitze zuwies und Tee einschen-
ken ließ.

Die beiden Vertrauten gaben nicht einen Hinweis darauf, dass sie den Thronfolger in ihrer Mitte hatten.
Lodrik beschloss abzuwarten und spielte das Spiel mit.

»Mein Gott, was bin ich froh, euch beide wieder zu
sehen«, sagte Mansk erleichtert und nahm seine Tasse
wieder auf. Noch immer trug er seinen dunkelbraunen
Backenbart, die langen Haare waren zu einem Zopf zu-
sammengebunden. Die dunkelgraue Uniform lag eng

am kräftigen Körper an. »Seit der Kabcar tot ist, gehen die Dinge hier drunter und drüber. Wo ist der Tadc?«

»Die Nachricht vom Tod des Herrschers geheim zu halten war nicht einfach?«, erkundigte sich Stoiko und nahm sich einen Keks.

Der Oberst schüttelte den Kopf. »Um ehrlich zu sein, es war unmöglich. Die Kunde hatte sich schneller verbreitet als ein Lauffeuer. Und dann kamen vor wenigen Tagen ontarianische Händler in Ulsar an und erzählten, sie hätten vom Ableben des TrasTadc gehört. Ulldrael möge sie verwünschen.«

Lodrik grinste breit, langte nach einem Gebäckstück und schob es sich auf einen Schlag in den Mund. »Keine Sorge, der Tadc ist in Sicherheit. So sicher, als säße er direkt neben Euch.«

Mansk kniff die Augen zusammen. »Verzeiht, kenne ich Euch nicht von irgendwo her? Gewiss seid Ihr aus Granburg, aber irgendwie …« Hilfe suchend sah er den Vertrauten an. »Das Kauen des jungen Mannes kommt mir … bekannt vor.« Er sah dem Tadc ins Gesicht und überlegte.

»Was lest Ihr da, Oberst?«, wollte Stoiko wissen. Waljakov schaute ausdruckslos an die Wand und konzentrierte sich auf ein Bild, um nicht in Gelächter auszubrechen.

»Das sind ein paar Notizen, die der Kabcar hinterlassen hat. Das Testament, sozusagen, mir diktiert und zur Ausführung beauftragt«, gab er zur Antwort. »Ihr habt also Besuch aus der Provinz mitgebracht, wie ich sehe. Ein lautstarker Auftritt, den Ihr da vorhin geliefert habt. Mit wem habe ich das Vergnügen?«

Stoikos Schnurrbart zitterte verdächtig. »Oh, wie unhöflich von mir. Was bin ich doch für ein miserabler Mensch. Wie konnte ich nur vergessen, Euch den mächtigsten Mann Granburgs vorzustellen.« Der Vertraute verging in gespieltem Schuldbewusstsein und schüttelte in Selbsttadel den Kopf. »Ich präsentiere Euch, Oberst Mansk, den Königlichen Statthalter, Gouverneur Pujur Vasja.«

Lodrik neigte huldvoll den Kopf und streckte dem Soldaten die Hand hin. »Es freut mich, Eure Bekanntschaft zu machen.«

»Ganz meinerseits, Exzellenz«, gab der Kommandant zurück und stutzte. »Moment mal, Gijuschka. Wollt Ihr mich an der Nase herumführen? Ich dachte, der Tadc sollte …«

Stoiko lehnte sich vor. »Ganz recht, Oberst. Der Tadc sollte …«, imitierte er den Soldaten.

»Aber dann wäre doch er«, Mansk deutete langsam auf den jungen Mann, »der Thronfolger?« Alle drei anderen nickten.

Der Kommandant schluckte. »O weh, verdammt«, fluchte er leise, stellte die Tasse ab und sprang salutierend auf.

Jetzt gab es kein Halten mehr, die anderen drei lachten laut los. Es dauerte eine ganze Weile, bis sie sich wieder beruhigt und von ihrer Heiterkeit erholt hatten.

Mansk stand derweil stocksteif im Raum, die Hand zum Gruß am Kopf, und regte sich nicht, bis Lodrik ihm immer noch lachend bedeutete, Platz zu nehmen.

»Nehmt es mir nicht übel, Oberst«, entschuldigte sich der Tadc. »Aber es war einfach zu verlockend. Dass Ihr mich nicht erkannt habt, wundert mich schon.«

»Es tut mir Leid, Hoheit hat sich so zu seinem Vorteil verändert, dass es für alle, die Ihn lange nicht mehr gesehen haben, schwer sein wird, den Lodrik zu erkennen, der den Hof verließ.« Der Kommandant kratzte sich am Bart. »Mir scheint, Granburg hat Hoheit gut getan.«

»Ich stehe wirklich in Eurer Schuld«, nickte Lodrik. »Ohne den Rat, den Ihr damals meinem Vater gegeben habt, wäre ich heute immer noch der Keksprinz. Zugegeben, ich bin immer noch nicht das erfahrene Oberhaupt, wie es der verstorbene Kabcar war, aber ich arbeite hart daran. Diese Provinz war eine gute Schule.«

»Wir haben alle von den Machenschaften der Adligen dort gehört. Und von dem Aufstand, den Hoheit niedergeschlagen hat.« Mansk wirkte noch immer wie vom Donner gerührt. »Wer hätte das gedacht. Verzeiht, Hoheit, aber ich kann die Veränderung immer noch nicht fassen. Hoheit sieht kräftig aus. Und die Augen leuchten so blau wie das Meer.«

»Ich mische mich nur ungern ein«, unterbrach Stoiko und tippte auf die Blätter. »Wäre es nicht an der Zeit, das Testament des Kabcar zu verlesen? Oder soll ich es machen?«

Das Gesicht des Soldaten schien bei diesem Angebot erleichtert. »Danke, ein sehr guter Vorschlag, Gijuschka.« Schnell reichte er ihm die Dokumente und lehnte sich zurück.

»Könnt Ihr nicht lesen, oder gibt es einen anderen Grund, weshalb Ihr nicht vortragen wollt, was der Regent Euch diktiert hat?« Misstrauisch hielt der Vertraute die Papiere vor dem Körper. »Etwa unschöne Verfügungen? War er schon umnachtet, als er es geschrieben hat?«

»Nein, nein«, wehrte der Oberst ab. »Lest selbst. Ich hoffe, Hoheit hat noch keine Frau für's Leben in der Provinz gefunden?«

Stoiko kam ein schrecklicher Gedanke. *Sollte Miklanowo mit seiner Äußerung damals beim Empfang Recht behalten?*

Lodrik dagegen ahnte nichts, sondern legte nur die Stirn in Falten.

»Ich lese es einfach mal vor«, eröffnete Stoiko, strich sich über den Schnauzer und begann. »Hiermit erlasse ich, blablabla«, übersprang er die offiziellen Formeln, »im Vollbesitz meiner geistigen Kräfte, blablabla …

Aha, hier kommt das Wichtige. Also: Die Regentschaft geht in der Linie der Bardri¢s weiter voran. Hiermit übertrage ich alle Regierungsgeschäfte und die Obhut über meine Untertanen in die Hand meines Sohnes Lodrik. Er wird mit Zeitpunkt der Krönung und der Salbung durch einen Oberen des Ordens von Ulldrael der einzig offizielle Nachfolger auf dem Thron Tarpols sein.«

Stoiko überflog die nächste Seite, während Waljakov seinem jungen Schützling einen aufmunternden Blick schenkte.

»Na, das klingt doch sehr gut«, freute sich Lodrik. »Ich sehe, mein Vater hat gewusst, dass ich als besserer Herrscher zurückkehre.«

»Moment, Herr, es geht noch weiter«, warf der Vertraute ein. »Und das hier wird Euch nicht gefallen. Hier steht: Außerdem verfüge ich, Grengor Bardri¢, Kabcar von Tarpol, dass mein Sohn Lodrik zum Schutz der durch die Entwicklung der Geschichte mehr als befreundeten Baronie Kostromo einen wichtigen Schritt in der Beziehung beider Herrschaftsreiche zu tun hat.« Er hielt kurz inne. »Wird mein Sohn tatsächlich der neue Herrscher Tarpols, wird er zur Festigung des Verhältnisses und als Zeichen für die nach Iurdum lechzenden, gierigen Nachbarreiche meine Nichte, die jetzige Vasruca Aljascha Radka Bardri¢, innerhalb eines halben Jahres nach der Inthronisation ehelichen. Ein männlicher Sprössling ist so schnell wie möglich Pflicht.«

»Niemals!«, rief Lodrik. Die blauen Augen schienen aufzuglühen. »Was hat er sich dabei gedacht? Diese Schreckschraube, diese Ausgeburt an Hinterhältigkeit, dieses Ungeheuer von Weib will ich nicht mehr sehen, geschweige denn heiraten.«

»Gemach, Herr, gemach«, beruhigte ihn der Leibwächter. »Ihr seid demnächst Kabcar, wer will Euch dann noch Vorschriften machen? Der Tote etwa?«

»Rede nicht so vom Kabcar von Tarpol, Soldat«, wies ihn Mansk scharf zurecht. »Es ist eine Anweisung des Herrschers, die ausgeführt werden muss.«

»Lieber verzichte ich auf den Thron«, entfuhr es dem jungen Mann. Die Hand, die die Teetasse umklammerte, zitterte, die Knöchel waren weiß. »Sie hat mich gedemütigt. Vor allen Granburgern.«

»Natürlich verzichtet Ihr nicht auf den Thron.« Stoiko wedelte mit den Blättern. »Es geht nämlich noch weiter. Es heißt: Weigert sich mein Sohn, meinen Anweisungen Folge zu leisten, verfüge ich, dass Oberst Mansk ihn im Kerker des Palastes einschließt bis zu seinem Tode. Der neue Kabcar soll vom Rat der Brojaken und Adligen gewählt werden.«

Mit lautem Krachen zersprang das Gefäß in der Hand des Tadc, Porzellansplitter flogen umher, der heiße Aufguss lief über den Unterarm. Doch Lodrik kümmerte sich nicht darum. Finster starrte er den Oberst an, sein Kopf senkte sich leicht.

»Ihr gedenkt doch nicht allen Ernstes, diese lächerliche Anordnung in die Tat umzusetzen?«, fragte er leise. Seine Stimme klang tiefer, gefährlicher als sonst.

Waljakov schaute ungläubig auf den Kerzenleuchter, der neben seinem Herrn stand. Für einen kurzen Augenblick dachte er, die Flammen hätten blau gebrannt.

Der Kommandant der Palastwache wand sich in seinem Sessel und versuchte, den meeresfarbenen Augen auszuweichen. Er hatte plötzlich das beängstigende Gefühl, das ihm etwas ganz langsam das Gehirn nach vorne presste und aus der Nase zu drücken versuchte. Schwindel erfasste ihn.

»Ich muss, Hoheit«, krächzte er. Kalter Schweiß lief ihm den Körper hinab.

»Das werden wir sehen.« Lodriks Hand wanderte zum Exekutionssäbel. Seine Fingerspitzen kribbelten unangenehm, und als er das Metall des Griffs berührte, bekam er einen leichten Schlag wie von einem kleinen Zitteraal. Erschrocken zuckte er zurück und sah auf die Waffe.

Das Gefühl in Mansks Kopf ließ augenblicklich nach.

»Wenn wir alle Stillschweigen bewahren, wird von dieser Verfügung niemand erfahren«, schlug Stoiko vor.

Der Oberst tupfte sich die Hautausdünstung von der Stirn. »Es ist ziemlich warm hier drinnen«, sagte er. »Man sollte ein Fenster öffnen, damit …«

»Was haltet Ihr von der Idee, Oberst?« Lodrik betrachtete die Fingerkuppen, an denen nichts Außergewöhnliches zu entdecken war. Vorsichtig schüttelte er sie aus und wartete auf die Antwort des Kommandanten.

»Ach, Hoheit, ich wünschte es wäre so einfach. Hoheit muss mir glauben, dass ich liebend gerne darüber hinwegsehen möchte. Aber der Kabcar hat so etwas vermutet«, seufzte er. »Er hat seine Nichte hereingerufen und sich mit ihr über eine Stunde lang unterhalten. Und nach dem Gesichtsausdruck zu schließen, den sie beim Verlassen des Zimmers hatte, schätze ich, sie weiß, dass sie die zukünftige Frau an der Seite des Kabcar sein wird. Sie trug außerdem eine Pergamentrolle unter dem Arm. Sie wird einen ähnlichen Erlass vom Vater der Hoheit erhalten haben.« Mansk goss sich einen Schnaps ein und stürzte ihn hinunter. Wortlos hielt Stoiko seine Tasse hin, die der Oberst füllte.

»Ich hätte in Granburg bleiben sollen«, murmelte Lodrik, stand auf und ging zum Fenster. In der gleichen Pose, wie sein Vater zu stehen pflegte, blickte er durch das Fenster über die Stadt.

Hat er mich so gehasst, dass er mich zu diesem Schritt zwingen wollte? Noch über den Tod hinaus raubt er mir meine Entscheidungsfreiheit. Eisige Wut stieg in dem jungen Mann auf. *Aber du hast mir zum letzten Mal gesagt, was ich zu tun und lassen habe. Die Adligen und Brojaken werden die Geschicke des Landes nicht lenken. Ich werde Kabcar sein.*

»Oberst Mansk, veranlasst, dass die Trauerfeier und die Beerdigung morgen stattfinden werden.«

»Morgen schon, Hoheit?« Der Kommandant stand auf. »Da werden die Gäste noch nicht alle da sein.«

Der Tadc drehte sich um und lächelte kalt. »Dann werden sie eben Gäste meiner Thronbesteigung werden. Ich werde sie in einer Woche durchführen. Arrangiert alles Notwendige und sagt dem Ulldart-Tempel Bescheid. Sie sollen einen ihrer Oberen für die Salbung schicken.«

Mansk sah die beiden anderen Männer an, die sich aber nicht zu einer Äußerung hinreißen ließen. Lodrik musste wissen, was er tat. Nur zu gut waren ihnen die Ausbrüche in Erinnerung geblieben, wenn man sich in Granburg seinen Weisungen widersetzt hatte.

»Aber, Hoheit. Die anderen Königshäuser Ulldarts müssten eingeladen werden, oder zumindest die Botschafter, die Anreisewege sind langwierig, und die Boten …« Der Oberst war verzweifelt, die Überrumplung deutlich zu sehen.

»Das ist mir, gelinde ausgedrückt, gleichgültig, Oberst. Mein Vater hat mir meine Aufgaben gestellt, ich werde sie so schnell wie möglich erledigen. Und dazu muss er auf den Scheiterhaufen. Ich will kein großes Zeremoniell. Eine kleine Ehrenwache, die üblichen Hofschranzen, ein paar Musikanten, die trauriges Zeug aufspielen, das genügt.« Er verschränkte die Arme auf dem Rücken. »Aber das Feuer des Scheiterhaufens soll in ganz Ulsar zu sehen sein. Ich will ein großes Feuer.«

»Der Vater von Hoheit war ein großer Staatsmann, der einen aufwändigen, festlichen Akt verdient hätte«, gab der Kommandant zu bedenken und bewegte sich zur Tür. »Ich empfehle …«

»Dann bauen wir ihm nachträglich eine Statue, ein Denkmal oder etwas anderes«, schmetterte Lodrik den Einwand barsch ab. »Er muss zum Wohle des Landes weg. Morgen. Und vergesst das Holz nicht. Tränkt es meinetwegen mit Petroleum.«

Mansk salutierte und verschwand.

»Die schnelle Beerdigung ist ein deutliches Signal an die anderen Reiche, dass der neue Kabcar es durchaus ernst mit seinem Vermächtnis meint«, lobte Stoiko. »Ihr wollt die Ouvertüre also mit einem Paukenschlag beginnen, Herr?«

»Ich gedenke, das ganze Stück mit Paukenschlägen zu durchsetzen«, verriet der junge Mann und beobachtete, wie der Tee in den Teppich einzog, wo er braune Spuren hinterließ. »Alles andere als Härte kann von den Nachbarn nur als Schwäche ausgelegt werden, und das möchte ich verhindern. Ich brauche Norina so schnell wie möglich am Hof. Sie soll alles mitbringen, was sie an Verbesserungsvorschlägen zu irgendeiner Zeit notiert hat. Ich werde Tarpol in ein neues Zeitalter führen.«

Waljakov legte die mechanische Hand in der gewohnten Geste an den Säbelgriff. »Dann werden wir uns auf einiges gefasst machen müssen. Ihr werdet Euch in Ulsar mit Euren Veränderungen genauso viele Freunde machen wie in Granburg.«

»Ich habe den besten Leibwächter und einen ehrlichen Vertrauten«, gab sich Lodrik optimistisch und zeigte ein strahlendes Lächeln. »Und mit Norina an meiner Seite ...«

»Ihr meint, mit Norina in Eurem Schatten. Oder hinter Euch«, verbesserte Stoiko bedächtig. »An Eurer Seite wird leider Eure Cousine zu finden sein, Herr. Jedenfalls offiziell.«

»Ja, ja.« Der Tadc zertrat eine Scherbe. »Meinen Dank für den Hinweis, Stoiko.«

»Ihr solltet so schnell wie möglich mit Eurer Cousine reden. Vor der Beerdigung«, riet der Vertraute. »Macht ihr klar, was sie von Euch zu erwarten hat.«

»Meinetwegen. Ich werde sie nach dem Abendessen besuchen. Aber zuerst möchte ich mein altes Zimmer beziehen. Es wird Zeit, dass ich mich eingewöhne. Und die Perücke juckt höllisch.« Er ging zur Tür. »Dann packen wir mal unsere Koffer aus. Anscheinend wird der Gouverneur Vasja nicht mehr gebraucht. Und bevor ich es vergesse: Stoiko, schicke einen Boten nach Granburg. Ich werde Miklanowo als richtigen Gouverneur einsetzen und Norina, wie vorhin besprochen, herbeiordern. Schreib, dass der Kabcar von ihren Plänen gehört hätte und mit ihr darüber reden möchte.«

Der Vertraute deutete eine Verbeugung an und machte sich auf den Weg zur Kanzlei.

Lodrik und Waljakov schritten durch den Palast in Richtung königliche Gemächer. Noch immer kannte sich der Thronfolger bestens aus. Das Jahr der Abwesenheit hatte sein Erinnerungsvermögen nicht getrübt.

Sie passierten gerade den Durchgang zum Westflügel und standen vor Lodriks altem Zimmer, als der Leibwächter stehen blieb und wortlos auf die Tür deutete. Aus dem schmalen Spalt drangen leises Stöhnen und das Rascheln von Kleidern.

Lodrik grinste breit. »Da scheinen mir gerade zwei ziemlich beschäftigt zu sein. Ist das denn zu fassen? Der Palast hat Dutzende von Räumen, und ausgerechnet mein Zimmer suchen sie sich aus.« Er nickte dem Hünen zu. »Waljakov, störe sie. Laut, wenn ich bitten darf.«

Der Leibwächter trat gegen Holz, dass die Tür zurückschwang und innen mit einem lauten Knall gegen die Vertäfelung stieß. Dann machte er einen Schritt in den Raum, Lodrik blieb im Rahmen stehen und warf einen Blick auf die Szenerie.

Auf seinem Bett lagen, eng umschlungen und halb entkleidet, zwei Menschen. Der eine war einer der Diener, die sein Gepäck hinauf tragen sollten.

Zwischen den zerknüllten Laken leuchtete langes,

dunkelrotes Haar, dann erschien das äußerst hübsche, aber arrogante Gesicht einer Frau, deren hellgrüne Augen voller empörter Missbilligung auf die beiden Eindringlinge schauten. Mit einem schnellen Griff verhüllte sie ihre verführerische Figur, indem sie das Oberteil ihres dunkelgrünen, mit glitzernden Steinen besetzten Kleides in die Höhe zog.

Der Diener fiel aus dem Bett, nestelte sich die Hose zu und setzte die Perücke auf. »Euer Gepäck steht hier, Exzellenz«, stammelte er, verbeugte sich schnell und rannte hinaus.

Aljascha Radka Bardri¢, Vasruca von Kostromo, stieg langsam aus der zerwühlten Schlafstätte und baute sich vor ihrem Cousin auf. Das Grün blitzte wütend.

»Ach, nein! Sieh an, Exzellenz Vasja. Der Gouverneur von Granburg hier in Ulsar? Mir scheint, Ihr habt Euch im Zimmer geirrt. Wie könnt Ihr es wagen, ungefragt hereinzuplatzen?«

»Müsste ich denn fragen?«, gab Lodrik zuckersüß zurück. »Der Tadc hat mir dieses Zimmer als Unterkunft zugeteilt, und da kann ich ja wohl annehmen, dass es unbewohnt ist. Offenbar lag da ein Missverständnis vor, nicht wahr, Waljakov?« Der Leibwächter verzog den Mund.

»Ach?« Interesse spiegelte sich im Gesicht Aljaschas. »Der Tadc ist im Palast? Seit wann?«

»Ich schätze mal«, der junge Mann wiegte den Kopf hin und her, »seit knapp einer Stunde. Waljakov hat ihn gesehen.«

Der Kämpfer nickte knapp. »Er hat sich ziemlich verändert, wie ich finde.«

»So, so, findest du.« Die Vasruca kam näher. »Inwiefern?«

»Schlanker. Kräftiger. Mehr Mann als je zuvor.« Die Antworten waren lakonisch wie immer. »Warum wollt Ihr das wissen, Durchlaucht?«

»Und was macht Ihr eigentlich hier?«, fügte Lodrik hinzu. »Wolltet Ihr nicht ans Meer, um Euch zu langweilen?«

Seine Cousine sah ihn gespielt vorwurfsvoll an. »Wie keck Ihr seid, Exzellenz. Der Kabcar ließ mich zu sich kommen, um mir vor seinem Tod eine wichtige Nachricht mitzuteilen.«

»Er ist ... war Euer Onkel, wenn ich richtig informiert bin. Und was genau beinhaltete diese Nachricht? Werdet Ihr etwa die neue Herrscherin Tarpols?«

»Das werdet Ihr noch früh genug sehen, Exzellenz. Und wenn es so wäre, Erfahrung mit dem Regieren habe ich. Im Gegensatz zu Euch jungem Spund.« Sie lächelte spöttisch.

»Gewiss mehr als genug, bei Eurem Alter«, retournierte der Tadc. »Ihr seid doch schon über Dreißig, oder? Wollte Euch kein Mann? Wart Ihr vielleicht zu abschreckend, Durchlaucht?«

»Ihr seid unverschämt, Exzellenz«, zischte die Frau, ihre Augen sprühten Gift. Sie warf die langen Haare nach hinten. »Aber ich werde das nicht vergessen. Wenn ich meine Position eingenommen habe ...«

»Eure ... Position haben wir eben gesehen, Durchlaucht«, lachte ihr Cousin.

»Und Ihr habt immer noch keine Frau berührt, nicht wahr? Seid Ihr vielleicht eher zu abschreckend? Aber wie ungewohnt schlagfertig Ihr geworden seid«, lobte sie und applaudierte leise. »Wenn Ihr wollt, können wir unseren kleinen Disput einmal in der Öffentlichkeit austragen. Wenn Ihr Euch wagt.« Sie ging zur Tür. »Nun werde ich meinen zukünftigen Gemahl aufsuchen, um ihm meine Aufwartung zu machen.«

»Ich wünsche Euch Glück, und noch mehr dem Gemahl, wer immer es ist. Vorher solltet Ihr Eure Garderobe etwas richten«, empfahl Lodrik. »Sie sieht etwas derangiert aus. Fast ordinär.«

»Der Tadc ist noch mehr Kind, als Ihr es seid, Exzellenz.« Sie zuckte mit den Schultern. »Ich werde ihn einfach mit einer Schüssel Kekse bestechen und ihm schöne Augen machen.«

»Ach, Ihr sucht den Tadc?« Der Thronfolger rieb sich nachdenklich den Bart. »Waljakov, wo hast du ihn das letzte Mal gesehen?«

»Eben«, kam es kurz angebunden aus dem Mund des Leibwächters.

»Und wo war das?«, hakte die Vasruca unwirsch nach. »Rede, Mann!«

»Nun, um ehrlich zu sein, ich sehe ihn immer noch.« Waljakov zeigte mit seiner mechanischen Hand auf einen Spiegel. Die Frau blickte hinein und sah Lodrik hinter sich stehen. »Da.«

»Wenn das ein Scherz sein sollte, ich habe ihn nicht verstanden. Ich sehe nur den Gouverneur.« Sie stutzte einen Moment.

»Exakt, Durchlaucht.« Der Leibwächter nickte.

»Wie alt seid Ihr, Exzellenz?«, fragte sie lauernd und kam näher.

»Geschätzte sechzehn Jahre, Durchlaucht«, lächelte der Thronfolger. So, wie es aussah, dämmerte es seiner Cousine gerade.

»Also so alt wie der Tadc, richtig?« Aljascha ging mit einem strahlenden Lächeln auf den jungen Mann zu. »Ich kann es kaum glauben, aber ich denke, Ihr seid der Tadc! Ihr?« Sie legte den Kopf etwas schief. »Selbstverständlich, wie konnte ich die Zeichen übersehen? Ein junger Gouverneur, der aus dem Nichts auftaucht und eine Zeit lang nicht eine einzige Angelegenheit in seinem Gebiet zu regeln weiß, von einem Fettnapf in den nächsten tritt und sich nicht ein bisschen mit Frauen auskennt. Wenn ich alles zusammenzähle, kann das nur zu dem berüchtigten Lodrik passen. Ihr habt mir eine schöne Vorstellung geliefert, damals in Granburg.«

»Ich habe die Eure auch keine Sekunde vergessen können, Cousine.« Sein Blick wurde hart. »Das Vermächtnis meines Vaters ist Euch bekannt?« Sie nickte zufrieden, und Lodrik hätte ihr am liebsten die Faust ins arrogante Gesicht geschlagen. »Nun, dann wisst Ihr, dass Euch die Ehe mit einem … wie nanntet Ihr mich eben noch … ›Jungspund‹ bevorsteht.« Lodrik ging auf sie zu und stellte sich ganz dicht vor sie. »Für das, was Ihr mir in Granburg angetan habt, die Demütigung und den heimlichen Spott, werdet Ihr bezahlen, Cousine.«

Sie machte einen tiefen Knicks. Das rote Haar fiel auf ihr alabasterfarbenes Dekolleté, die Brüste hoben und senkten sich langsam. »Wie Hoheit befiehlt.« Sie hob den Kopf und sah ihn leicht verächtlich an. »Oder soll ich sagen ›Gemahl‹?«

»Noch ist es nicht so weit, weder mit dem einen noch mit dem anderen«, wies der junge Mann sie ab, konnte aber nicht den Blick von den offensichtlichen Reizen seiner Cousine wenden. Etwas war an dieser Frau, das ihn anzog und das er sich bei allen Gefühlen zu Norina nicht erklären konnte. »Erwartet nicht zu viel von mir als Gatte. Ich liebe Euch nicht. Um offen zu sprechen, ich bringe Euch nicht einmal Wohlwollen entgegen.«

»So ergeht es mir ebenfalls. Ein kleiner Junge, der König spielen wird, mehr seid Ihr in meinen Augen nicht. Aber Ihr habt etwas, was Euch ungemein anziehend wirken lässt.« Ihre Augen zeigten Gier und grenzenlosen Ehrgeiz. »Macht. Dafür würde ich Euch sogar in mein Bett lassen. Dann wäre mir Euer Wohlwollen sicher. Und zusammen …«

»Ich werde das Land regieren, nicht Ihr«, erinnerte Lodrik sie mit einer Stimme, die wie ein Peitschenknall auf seine zukünftige Gemahlin wirkte. »Damit es nicht zu Unstimmigkeiten kommt, merkt es Euch lieber von Anfang an. Ich mag nur halb so alt sein wie Ihr, Durchlaucht, aber ich werde der Kabcar sein, der nur deswegen heiratet, weil es politisch eine kluge Entscheidung ist. Außerdem bleibt mir ein halbes Jahr Frist, der Forderung meines verstorbenen Vaters nachzukommen. Ein Zeitraum, den ich durchaus auszukosten gedenke.«

»Oh, wie schade.« Das Bedauern war wieder einmal nicht echt. »Ich habe mich schon so auf die Zeremonie gefreut. Und auf die Hochzeitsnacht. Vielleicht werdet Ihr mich dann näher als nur von weitem bestaunen können.« Sie lächelte boshaft. »Es hat Euch damals sehr gut gefallen, wenn ich Eure ... Signale in der Hose richtig gedeutet habe.«

Die Erinnerung an Granburg schoss wie eine heiße Nadel durch sein Gehirn. Wut kochte in ihm hoch, ähnlich wie die auf seinen toten Erzeuger. »Ihr werdet Stillschweigen über die Ehelichung bewahren, bis ich den Thron bestiegen habe«, befahl ihr Cousin. »Ich will nicht, dass die Nachbarreiche zu früh von diesem Schritt erfahren. Es soll eine Überraschung werden.«

»Wie Ihr wünscht, Exzellenz.« Sie knickste formvollendet vor ihm, die demütige Ehegattin spielend.

»Morgen Abend wird die Bestattungszeremonie für Euren Onkel stattfinden. Seid pünktlich auf dem Platz und zieht Euch etwas Passendes an. Ich will nicht, dass Ihr Euch wegen Eures offenherzigen Dekolletés eine Erkältung einfangt.«

»Ihr seid sehr fürsorglich.« Wieder verbeugte sie sich und verschwand.

Nachdenklich sah Waljakov ihr hinterher.

»Herr, Ihr werdet mit der Frau noch viele Schwierigkeiten bekommen«, meinte er nach einer Weile. »Ihr solltet sie nicht unterschätzen, sie ist ein durchtriebenes Biest, mit Verlaub.«

»Erzähle mir bitte etwas Neues«, seufzte Lodrik und ließ sich auf sein Bett fallen. Angenehm stieg im das Parfüm seiner Cousine in die Nase. »Du bist kein sehr spektakulärer Prophet.«

»Dafür werde ich Recht behalten.« Waljakov fuhr sich über die Glatze. »So Leid es mir auch tut.«

Es schneite dicke Flocken, als die Zeremonie zur Bestattung des Kabcar in den Abendstunden des folgenden Tags begann.

Der Ulldraelpriester stand vor dem zwei Meter hohen, dreieckig aufgestapelten Scheiterhaufen, betete die üblichen und passenden Worte, bat um die Gnade des Gottes und dass der Tote im Jenseits ewige Ruhe finden möge. Der Wind jagte den wenigen Trauergästen den Schnee um die Ohren, bereits nach wenigen Metern war nichts mehr von der Umgebung zu sehen.

Es wird ein kalter Winter werden, den viele Tarpoler nicht überleben werden, dachte Lodrik, der sich wie alle anderen Menschen in mehrere dicken Lagen Stoff und Pelz gekleidet hatte, um der Witterung zu trotzen. Er erinnerte sich an das Dorf in Granburg, dessen Bewohnern er das Blattgold seiner Kutsche vermacht hatte. *Hoffentlich überstehen sie im Norden des Reichs dank des kleinen Reichtums die eisigen Monate.*

Auf dem Platz hatten sich die Ehrenwache von rund fünfzig Reitern, eine Musikgruppe sowie die Botschafter und Gesandten der Königreiche Tûris, Rundopâl, Hustraban und Borasgotan versammelt. Es fehlten Repräsentanten von Aldoreel und den Baronien, doch das war dem Thronfolger ziemlich gleichgültig.

Seiner Meinung nach benötigte der Priester viel zu lange für das Gebet. *Er soll endlich weg*, hämmerte es in Lodriks Kopf. Es konnte ihm nun nicht mehr schnell genug gehen, nachdem der Leichnam seines Vaters in einem feierlichen Akt obenauf positioniert worden war.

Der Tote trug die kaiserliche Uniform, besetzt mit allen Orden und behangen mit allen Schärpen, die sich im Laufe der Jahre angesammelt hatten. Eine ungewöhnliche Anordnung des Tadc, denn normalerweise wurden die Auszeichnungen aufbewahrt, wenn nicht sogar weitervererbt. Nur den Bardri¢-Stern, ein großer, schwerer Silberorden mit Edelsteinen besetzt und versehen mit dem Zeichen der Familie, hatte Lodrik zurückbehalten lassen.

Ein Windstoß trug ihm den Geruch von Petroleum zu, mit dem das Holz auf seine Anweisung hin getränkt worden war. Es hätte regnen anstatt schneien können, dieser Scheiterhaufen würde brennen, komme was da wolle.

Lodrik versuchte, einen Blick auf die Gesichter der Trauergäste zu werfen, aber wegen der Kapuzen war nur in den seltensten Fällen etwas zu sehen. Beim Botschafter aus Borasgotan war er sich aber sicher, eine Art Zufriedenheit entdecken zu können. Verständlich, wenn man bedachte, welchen Ruf der Tadc hatte, der dem Thronfolger auch noch immer anhaftete. Er musste glauben, bei den anstehenden diplomatischen Verhandlungen leichtes Spiel zu haben.

Die Gesandten der Königreiche sahen den Sohn Grengor Bardri¢s zum ersten Mal. Wenn sie neugierig waren, ließen sie es sich jedenfalls nicht anmerken. Seine Cousine schaute gelangweilt ins Nirgendwo.

Der einzige, in dessen Gesicht der junge Mann tatsächlich emotionale Regung las, war Stoiko. Sein Vertrauter hatte dem Toten mehr als zwanzig Jahre treu gedient, in seinem Auftrag gehandelt und sich um dessen Sohn gekümmert.

Lodrik berührte Stoiko leicht an der Schulter und nickte verständnisvoll. *Wenigstens einer, der um meinen Vater wirklich trauert. Ich will und kann es nicht. Nicht jetzt, wo ich nur Hass auf ihn verspüre.*

Der Ulldraelpriester trat zurück und stellte sich etwas weiter vom Holzstapel weg. Nun folgte Lodriks Pflicht.

Mit langsamen Schritten, während die Musik einen

traurigen Marsch spielte, ging der Tadc zu dem Kohlenbecken, in dem ein Eisenstab an einem Ende rot glühend erhitzt worden war.

Bedächtig nahm der junge Mann das heiße Metall heraus, schwenkte es in alle vier Himmelsrichtungen und drückte es danach gegen den untersten Balken.

Mit einem leisen Geräusch fing das getränkte Holz Feuer, und in Windeseile stand der ganze Scheiterhaufen in Flammen.

Dunkle Qualmwolken stiegen in den Himmel. Der Körper des toten Herrschers von Tarpol wurde von dem Brand erfasst und von dem zuckenden, fauchenden Orangerot gänzlich eingehüllt.

Erst jetzt machte Lodrik ein paar Schritte rückwärts, um der Hitze auszuweichen, als ob er zuvor sicher sein wollte, dass das Feuer seinen Vater auch wirklich nicht verschonen würde.

Dann hob er den Arm, um zum letzten Mal zu salutieren.

Doch mitten in der Bewegung hielt er inne. Er wollte dem Kabcar diese Ehre nicht erweisen.

Nicht, nachdem du mir das angetan hast, Vater. Er schloss kurz die Augen, machte auf dem Absatz kehrt und stellte sich zurück an seinen Platz zwischen Stoiko und Waljakov.

Immer höher loderte das Feuer, polternd brachen ein paar der Balken und sandten einen Funkenregen in die Nacht. Der Leichnam verschwand in dem Inferno, als würde er in einem glühenden See versinken. Still lächelte der Thronfolger.

Er beugte sich hinüber zu Stoiko. »Ich möchte, dass die Asche in ein Gefäß kommt und zu mir gebracht wird«, raunte er ihm ins Ohr. »Lass noch mehr Petroleum kommen, wenn nicht alles verbrannt ist. In die Gruft stellen wir ein anderes Gefäß, in dem herkömmliche Asche sein wird.« Der Vertraute sah ihn mit Erstaunen an. »Frage nicht, Stoiko. Tu, was ich dir sage, aber halte es geheim.«

Noch mehr Holz des Scheiterhaufens stürzte zusammen, die dreieckige Form geriet durcheinander. Vom Körper Grengor Bardri¢s war nichts mehr zu sehen.

»Und das hier sind mit Sicherheit die genauen Zahlen über die borasgotanischen Freiwilligen?« Ungläubig senkte Lodrik das Papier.

Oberst Mansk nickte. »Wir haben sie von einem unserer Männer, den ich als durchaus vertrauenswürdig einstufe. Mehr als das. Er ist dem Hause Bardri¢ völlig ergeben.«

»Das beunruhigt mich alles sehr.« Stoiko lehnte sich in den gemütlichen Ohrensessel und machte ein ernstes Gesicht. »Wir könnten in kurzer Zeit nicht die gleiche Menge an Truppen ausheben wie Arrulskhán. Ganz zu schweigen von der Ausbildung der Leute, oder, Oberst?«

Der Offizier ließ die Schultern hängen. »Ihr habt Recht. Sollte Borasgotan wirklich …«

Lodrik erhob sich, verschränkte die Arme auf dem Rücken und begann, im Teezimmer auf und ab zu marschieren. »Wir sind zu voreilig, werte Herren«, sagte er. »Es gibt den Vertrag, den alle Reiche Ulldarts unterschrieben haben …«

»Außer Kensustria«, warf Waljakov ein.

»Außer Kensustria, ja. Aber um die mache ich mir am wenigsten Sorgen.« Der Thronfolger blieb kurz stehen. »Einen Vertragsbruch würde sich Borasgotan nicht leisten können. Alle anderen Länder müssten reagieren. Und das *kann* sich Arrulskhán nicht leisten. Er kann höchstens drohen, aber unternehmen wird er nichts. Und die Drohungen gedenke ich zu ignorieren.«

»Ihr seid vielleicht ein bisschen zu sicher«, widersprach Stoiko. »Was erwartet Ihr von einem Mann, dessen Vater schwachsinnig war und dessen Lieblingsbeschäftigung darin besteht, seine Untertanen in Wildkostümen durch die Wälder zu hetzen? Als Jagd im edelsten Sinne kann man das schwerlich bezeichnen. Und diesem Mann würde ich persönlich alles zutrauen.« Er strich sich den Schnauzer glatt und langte nach dem Branntwein. »Würde sich die Provinz Worlac diesem Irren anschließen oder unter seinem Schutz von Tarpol lossagen, wäre das Chaos perfekt.«

»So geisteskrank kann er nicht sein«, hielt der Tadc dagegen. »Größere Bedenken habe ich bei den Hustrabanern, die frecherweise die Hälfte des Iurdum verlangen. Selbst die Hochzeit wird an dieser Forderung nichts ändern. Die Fronten werden sich verhärten.«

»Wen kümmert's?«, grummelte der Leibwächter und legte einen Scheit ins Feuer. »Da wird viel Lärm gemacht und um Beute gerangelt, wo keine ist. Wenn Ihr Euch erst als Herrscher erwiesen habt, werden die Schreier schnell verstummen, Herr.«

»Dein Wort in Ulldraels Ohr«, meinte Lodrik und nahm seine Runde wieder auf. »Ich hätte noch ein anderes unliebsames Thema: meine Hochzeit.« Stoiko musste lachen, was ihm den bösen Blick seines Herrn einbrachte. »Mach dich nur lustig über mich, Schnurrbart. Ich habe nicht die Absicht, bald zu heiraten, sondern möchte die Frist des halben Jahres gänzlich nutzen. Erst dann werde ich mich an dieses furchtbare Weib ketten lassen. Außerdem zögert das die unvermeidlichen diplomatischen Wirrungen mit Hustraban hinaus.« Er trat gegen den Kamin. »Verflucht, warum muss das alles so kompliziert sein?«

»Herr, seid zuversichtlich. Ulldrael der Gerechte hat Euch nicht bei all Euren bestandenen Abenteuern beschützt, damit Ihr nun scheitert«, half der Vertraute und spendete Beistand. »Versucht wenigstens, Euch ein bisschen auf die Krönung zu freuen.«

»Da fällt mir gerade ein, wie haben die Menschen auf die schnelle Bestattung meines Vaters reagiert?«, wollte Lodrik wissen.

Mansk räusperte sich. »Die Leute haben es mit gemischten Gefühlen aufgenommen. Für die meisten ist der Tadc und zukünftige Kabcar immer noch ein Phantom, das noch keiner gesehen hat. Inzwischen habt Ihr in der Meinung des Volkes die unterschiedlichsten Formen angenommen. Mal seid Ihr gertenschlank, dann so fett, dass man Euch nur noch in einer Sänfte mit zehn Trägern von einem Ort zum anderen bewegen könnte. Mit großer Spannung erwartet man jedenfalls die Krönungsfeierlichkeiten, das kann ich Euch versichern.«

»Und daher nehme ich nicht an, dass Ihr die Zeremonie im Palast stattfinden lassen möchtet?«, fragte Stoiko, der innerlich bereits ahnte, dass sich sein Schützling wieder etwas hatte einfallen lassen.

Tatsächlich schüttelte Lodrik den Kopf. »Nein. Ich gedenke, die Weihe und die Krönung in der großen Ulldrael-Kathedrale durchzuführen. Den Tempel mag ich nicht besonders.«

Meisterhaft beherrschte sich Waljakov. Wortlos kippte er Branntwein in seinen Tee und stürzte ihn hinab. »Wenigstens habe ich genügend Männer in Ulsar, um alles unter Kontrolle zu haben«, grummelte er resigniert.

»Oho«, sagte der Vertraute und hob die Augenbrauen in die Höhe. »Der gute Waljakov wird allmählich ruhiger? Wer hätte das gedacht?«

»Ich werde nicht ruhiger. Man muss wissen, wann man einen Kampf verloren hat, und das Beste daraus machen«, gab der Leibwächter zur Antwort. »Meine immer wieder vorgetragenen Bedenken sind hinlänglich bekannt, denke ich. Warum dann unnötig aufbegehren, wenn ich nichts an den Absichten ändern kann?«

»Ach, Waljakov. Du bist und bleibst für mich der liebenswürdigste Griesgram, den ich kenne«, sagte Lodrik. »Werden die Vorbereitungen rechtzeitig abgeschlossen sein?«

Oberst Mansk reckte sich ein wenig. »Ich habe alle entsprechenden Stellen mit den Aufgaben und der Organisation betraut. Es herrscht zwar ein wenig Aufruhr wegen des Zeitdrucks, und vermutlich wird der ein oder andere tot umfallen, aber der Krönung wird in einer Woche nichts im Wege stehen. Der Geheime Rat des Ulldraelordens hat signalisiert, dass sie einen ihrer Oberen senden werden.«

»Na, seht ihr?«, freute sich der Tadc. »Es läuft. Nachher werde ich die Botschafter zum Essen einladen. Der Leichenschmaus für einen der größten Kabcare, die Tarpol je gesehen hat.«

Stoiko deutete auf die dunkelgraue Uniform des jungen Mannes. »Ihr solltet vorher aber die Garderobe wechseln. Nach der Verbrennung sieht die Tradition eine …«

Lodrik zuckte mit den Schultern. »Und wieder ist mir eine tarpolische Tradition gleichgültig. Ich werde mir seinen Stern an die Brust heften und als Zeichen der Trauer eine schwarze Perücke tragen, aber meine Kleidung werde ich nicht ändern. In Granburg wurde mir sehr deutlich, was mein Vater von mir hielt. Und ich mache den Untertanen nun deutlich, was ich von meinem Vater halte. Seine Verdienste als Staatsmann mögen groß gewesen sein. Aber er war ein lausiger Mensch, wenn es um die Erziehung und Behandlung seines einzigen Sohnes ging.«

Stoiko nickte langsam. »Hoffen wir, dass die Untertanen Eure Verhaltensweise verstehen.«

»Ich erkläre es gerne jedem in diesem Reich persönlich, wenn es sein muss«, sagte der Tadc energisch. »In einer Woche wird ein anderer dieses Reich regieren. Und einige werden sich ganz schön umsehen, wenn ihnen der Wind Hagel ins Gesicht anstatt Zucker in den Hintern bläst.«

»Ihr spielt damit vermutlich auf die Neuerungen an, die Ihr umsetzen möchtet«, vermutete der Vertraute, der amüsiert den zusammengesunkenen Oberst beobachtete.

»Ich beginne gleich zwei Wochen nach der Krönung mit einer Brojaken- und Adelsversammlung. Ich werden den Großbauern, Hara¢s, Skagucje und Vasrucje klar machen, wer die Geschicke Tarpols bestimmt«, verkündete der Thronfolger.

»Ihr solltet am Anfang nicht zu viele erschrecken«, riet der Offizier mit verdrossenem Gesicht. »Ich gestehe, ich höre die Absichten mit gemischten Gefühlen. Unter den Adligen sind einige, die früher in den Regimentern Eures Vaters dienten und sich getroffen fühlen könnten, sollten sie Privilegien einbüßen. Die Beziehungen dieser Leute sind nicht zu unterschätzen.«

»Danke für diesen wichtigen Hinweis«, nickte Lodrik und lächelte hintergründig. »Wir sollten uns die Namen der alten Recken gleich notieren, damit wir wissen, mit wem wir rechnen können und mit wem nicht.«

»Herr, was der Oberst sagen wollte, ist, dass man sich auf dem Weg zur Spitze des Berges zunächst über den Zustand der Straße informieren sollte, damit man nicht ungewollt in den Abgrund stürzt«, sagte Stoiko. »Fangt nicht bei den falschen Leuten an, bevor Ihr sicher auf dem Thron sitzt.«

»Ich bin die Spitze des Berges«, gab der Tadc in bockigem Tonfall zurück. »Ich muss nirgends hinauf, ich bin bereits oben. Dein Vergleich hinkt da ein wenig, Stoiko. Aber ich gestehe ein, dass ich mich da etwas zurückhalten muss.«

Mansk atmete auf. »Versteht das nicht falsch, Hoheit. Neuerungen sind gewiss angebracht, aber geht langsam an die Sache heran.«

Der junge Mann lächelte in die Runde. »Wie besorgt alle um mich und das Reich sind. Ich danke Euch allen für die große Fürsorge. Und nun trennen wir uns und sehen uns später beim Mahl wieder.«

Die drei Männer verließen nach einer kurzen Verbeugung oder einem militärischen Gruß das Teezimmer. Stille kehrte in den Raum ein, ab und zu unterbrochen durch das Knacken des Feuerholzes.

Nachdenklich setzte sich Lodrik in den Sessel, auf dem sein Vater zu ruhen gepflegt hatte, nahm den Stern der Bardri¢s von seiner Uniform und betrachtete ihn. Funkelnd reflektierten die blauen Diamanten, mit denen das Schmuckstück besetzt war, das Licht der Kerzen.

Wäre Norina doch nur hier, wünschte sich der Thronfolger und seufzte. Die Trennung von seiner Angebeteten fiel im schwerer, als er gedacht hatte. Und anstatt sie zur mächtigsten Frau Tarpols zu machen, musste er die verhasste Cousine an seine Seite nehmen. Wenigstens würde die Brojakentochter bald hier sein. Ihre Nähe bedeutete ihm viel.

Hoffentlich stirbt Aljuscha schnell. Sie ist ja viel älter als ich, dachte er flüchtig.

Doch der kurze Gedankenblitz hatte eingeschlagen. Seine Augen wurden schmal, ein Lächeln umspielte seine Lippen.

Natürlich. Das wäre die Lösung. Er strich über die Edelsteine, polierte die glatte Fläche und heftete sich den Orden wieder an. Dann stockte er.

Wenn ich auf diese Idee gekommen bin, wird sie es auch tun. Vermutlich noch schneller als ich. Wahrscheinlich hat sie sogar schon einen Plan, schoss es ihm durch den Kopf. *Also werde ich vorsichtig sein müssen.*

Die Flammen wurden durch einen heftigen Luftstoß nach unten gedrückt und loderten aus dem Kamin hervor. Deutlich spürte der Thronfolger die Hitze und fuhr zurück. Als seien seine Gedanken verbrannt worden, schüttelte er den Kopf.

»Wie komme ich nur auf solche furchtbare Absichten?«, murmelte er und massierte die Nasenwurzel. *Trotzdem werde ich vorsichtig sein. Sie würde vor einem Mord nicht zurückschrecken, wenn sie auf den Thron kommt. Auch die Prophezeiung würde sie nicht davon abhalten. Oder sie setzt mich in meinem eigenen Verlies fest. Aber das werde ich zu verhindern wissen.*

Für einen Moment hatte er die Vision von wütenden Adligen, aufgebrachten Brojaken und zornigen Offizieren, die mit gezogenen Waffen die Flure des Palastes stürmten und ihn jagten, angestachelt durch seine Cousine, die allen Geld und Macht versprach, wenn sie ihn fingen.

Schnell stellte er die Teetasse ab und verließ fluchtartig den Raum.

»Wohin so eilig, Herr?«, fragte Waljakov, mit dem er vor der Tür beinahe zusammengestoßen wäre.

»Ich wollte mich nur sputen, damit ich noch genügend Zeit bis zum Leichenschmaus habe«, stotterte Lodrik und fuhr sich mit der Hand über das Gesicht.

»Ist alles in Ordnung, Herr?«, erkundigte sich der Hüne vorsichtig.

»Nein, nichts ist in Ordnung. Alles und jeder macht mir Schwierigkeiten«, seufzte der Thronfolger und setzte sich in Bewegung.

Auf dem Weg zu seinem Zimmer schaute er immer wieder hinter sich, ob nicht unvermutet Adlige auftauchen würden, um ihn zu töten. Doch zu seiner Beruhigung ereignete sich nichts dergleichen.

III.

»Doch es war zu kalt, das Grün gedieh nicht. Taralea erkannte den Fehler und schuf zwei Sonnen, die unsere Welt wärmen sollten.

Danach schuf sie die Regenwolken, damit die Landstellen, welche nicht genügend Flüsse und Seen hatten, mit genügend Wasser versorgt wurden. Und siehe, mit einem Mal grünte und blühte es überall auf.

Die Allmächtige Göttin war zufrieden.

Über unsere Welt stülpte Taralea das Himmelsgewölbe, an das sie nachts die Sterne, tagsüber die Sonnen hängte. Und damit es der Allmächtigen Göttin nicht zu langweilig wurde, veränderte sie den Lauf der Sonnen, machte ihn einmal länger, einmal kürzer, und veränderte auch die Sterne, ließ sie sich drehen und unterschiedlich hell funkeln.«

DIE LEGENDE VON DER ERSCHAFFUNG DER WELT,
Kapitel 3

Ulldart, zwanzig Meilen vor der
südwestlichen Küste des Königreichs Tersion,
Winter 442/443 n. S.

»Diesmal werde ich nicht zulassen, dass sie uns zum Narren halten«, sagte Commodore Gial Scalida, ein bewährter Kriegskaufmann von schlanker Statur, mittlerem Alter und mit adrett getrimmten Kinnbart, und bedeutete dem Steuermann, das Ruder ein Grad mehr nach Backbord einzuschlagen. »Der Nebel ist mir ausnahmsweise dabei willkommen.« Er wandte sich zu seinem Adjutanten. »Signalisiert der restlichen Flotte, sie soll sich nach uns richten.«

Prüfend ließ er den Blick über das palestanische Kriegsschiff schweifen. Back und Achterdeck waren aufgeräumt, keine Taustapel, Fässer oder andere Hindernisse lagen im Weg.

Im bevorstehenden Gefecht sollte nichts den reibungslosen Ablauf der Manöver stören. Die Mannschaft hing erwartungsvoll in den Wanten, die Soldaten warteten auf ihren Einsatz.

Seine *Soituga* war das dreimastige Flaggschiff des Unternehmens. Endlich und nach langem Drängen hatte der Palestanische Kaufmannsrat beschlossen, auf das ständige Unterlaufen des Seehandelsmonopols durch die Schiffe Tersions zu reagieren. Commodore Scalida sollte zusammen mit sechs weiteren Schiffen und insgesamt neunhundert Mann, natürlich als rogogardische Piraten getarnt, die gut geschützte Goldflotte des Königreichs abfangen, aufbringen und danach alle gegnerischen Wasserfahrzeuge versenken.

Auch wenn das reiche Tersion den Verlust von vier kostbaren Ladungen des zweitseltensten Metalls Ulldarts sicherlich verkraften konnte, die Warnung an Königin Alana die Zweite war unübersehbar. Danach würde der Rat Verhandlungen mit dem Reich über eine Neustrukturierung des Seehandels beginnen.

Dass sich Tersion sein Monopol, die eigenen Bodenschätze selbst transportieren und verkaufen zu dürfen, einst völlig legitim in einem Scharmützelkampf gesichert hatte, störte die Händler nicht wirklich. Und dabei noch in den Besitz des Goldes zu kommen, war eine lohnenswerte Zugabe.

Beim ersten Mal jedoch hatte die Strategie des Commodore versagt. Die Schiffe nahmen eine andere Route als die übliche und waren unbemerkt an den Palestanern vorbeigesegelt.

Nach langem Kartenstudium hatte der Offizier eine neue Stelle berechnet, an der die Goldschiffe vorbeikommen mussten. Hier war die einzige sichere Fahrtrinne in Richtung Süden. Im Umkreis von mehreren Meilen wimmelte es nur so von Strömungen und Riffen, die einen Segler innerhalb weniger Lidschläge auf Grund setzten. Zwar war ein Umweg möglich, aber der bedurfte kostbarer Zeit. Zeit, die eine so wichtige Ladung nicht hatte.

»Sieben gegen vier.« Adjutant Parai Baraldino grinste. Der junge, bartlose Mann stand ihm seit zwei Jahren zur Seite und würde sich später als guter Commodore erweisen, da war sich Scalida sicher. »Das nenne ich ein gutes Kräfteverhältnis. Dieses Unternehmen war schon lange überfällig.«

Sein Vorgesetzter schaute den Unteroffizier an. Vorwurfsvoll spitzte er den Mund, dann schnalzte er mit der Zunge. »Ihr seid etwas leichtfertig, Baraldino. Mit wem steht Tersion in sehr gutem Kontakt, wenn ich daran erinnern darf?«

»Mit dem Reich Angor«, antwortete der Adjutant schnell und war sich seines Fehlers bewusst.

»Und wir beide wissen, dass mit den Angorjanern nicht gut Kirschen essen ist, nicht wahr?« Der Offizier richtete sein Augenmerk auf die offene See. In etwa drei Meilen Entfernung hatte sich eine Nebelbank zusammengezogen, bedingt durch das herrschende feuchtheiße Wetter, das jede kleinste Bewegung zu schwerster Anstrengung werden ließ.

Im südlichen Meer herrschten für Seeleute tückische Bedingungen. Wirbelstürme entstanden, Flauten ließen Segel tagelang schlaff an den Rahen hängen, Hitze und Luftfeuchtigkeit drückten auf die Gesundheit der Männer.

»Glücklicherweise stehen die Zeichen nicht auf Sturm. Es hätte mich sehr geärgert, wenn uns diese Gelegenheit durch hohe Wellen zunichte gemacht worden wäre«, sagte er. »Nach dem Stand der Dinge werden sie mit ihren Schiffen langsam aus dem Nebel manövrieren. Wenn sie uns sehen, wird es zu spät sein, um Vollzeug zu setzen und eventuell zu flüchten.«

»Und wenn sie wenden, um in den Nebel zurückzugelangen?«, fragte Baraldino vorsichtig.

Eine leichte Brise strich über das Schiff und brachte die Federn auf den Dreispitzen der Männer zum Wehen.

Triumphierend lächelte sein Vorgesetzter. »Es wird mit ein wenig Glück nicht mehr genügend Nebel da sein. Der Wind frischt auf, und wir haben die schnelleren Schiffe. Es riecht nach fetter Beute, würde ich meinen. Wenn sie keinen Geleitschutz haben, ist es eine sichere Sache.« Mit einer schnellen Bewegung zog er das Fernrohr auseinander. »Sollten doch wider Erwarten angorjanische Schiffe dabei sein, haben wir ein gutes Stück Arbeit vor uns. Sind die Vorbereitungen abgeschlossen?«

Baraldino nahm das Schreibbrett, auf dem eine Liste aller Schiffe und Maßnahmen festgeklemmt war. »Die *Eleganz*, *Pfeil* und *Silberstern* haben vor einigen Minuten bereits Vollzug gemeldet, danach signalisierten *Vuli*, *Namal* und soeben die *Krata*, dass sie gefechtsklar sind.«

»Sie sollen mit langsamer Fahrt näher an die Nebelbank heranrücken«, befahl Scalida und schob das Ver-
größerungsglas zusammen. »Das Feuer mit den Enter-
katapulten hat zu beginnen, sobald das erste Schiff aus
dem Sichtschutz ist. Mit den Seilwinden dürfte es kein
Problem sein, auch den störrischsten Tersioner heran-
zuziehen.«

»Sollten wir uns nicht allmählich umziehen, Commodore?« Baraldino nahm seinen Dreispitz von der Perücke und zupfte an dem imposanten Federschmuck.
»Wir und unsere Männer sind die einzigen, die noch die
palestanische Uniform tragen.«

»Ich werde sie nicht ablegen«, verkündete der Offizier. »Ich bin der Befehlshaber der Seestreitkräfte. Ihr
könnt meinetwegen Eure ebenfalls anbehalten. Diese
Vorsichtsmaßnahme ist mir, ehrlich gesagt, mehr als zuwider.« Er schnaubte verächtlich. »So weit kommt es
noch, dass ich mir die Sachen eines Rogogarders über-
streife. Es reicht, wenn ich die anderen Männer in diesen … Kleidern sehe.« Er schüttelte sich voller Abscheu.

Die übrigen sechs Schiffe glitten an der *Soituga* mit
nur mehreren Mannslängen Abstand vorüber. In den
Wanten kletterten Matrosen mit erstaunlicher Sicherheit
umher, Segel wurden gerefft und gesetzt, mit Windströ-
mungen manövriert und dabei so wenig Leinwand wie
möglich benutzt.

Scalida salutierte und wünschte den Kriegsschiffen
per Flaggensignal »Gute Jagd«.

»Segel voraus!«, tönte es in diesem Augenblick aus
dem Ausguck. »Tersionsegler direkt vor uns!«

Ganz vorsichtig kroch das erste der vier Schiffe Tersions aus dem schützenden Nebel, den Kiel tief im Wasser, den Bauch voll mit Gold.

»Keine Minute zu früh«, murmelte Scalida. »Und
kein Geleitschutz. Wie erfreulich. Zwei von unseren sollen sich je eins von den anderen Schiffen vornehmen.«

»Und das Letzte nehmen wir?«, vermutete Baraldino, dessen Augen glänzten.

»Ganz recht. Der Tersioner wird denken, man hätte ihn übersehen und er könnte in die Fahrtrinne flüchten. Aber wir werden ihm ins Kielwasser kreuzen.« Der Offizier erteilte dem Steuermann die entsprechenden Befehle.

Es kam tatsächlich so, wie es der Palestaner vorhergesagt hatte. Der Nebel wurde durch den Wind nach hinten gedrückt und lichtete sich dank der Brise zu schnell, als dass die vier Schiffe ihn als Schutz nutzen konnten.

Die Katapulte der Händler feuerten eine Salve nach der anderen, deckten die Planken mit Pfeil- und Speerhageln ein, sodass die überraschten Gegner kaum Schutzmöglichkeiten hatten.

Während die Entermannschaften an Bord gingen und das blutige Kämpfen von Mann zu Mann begann, suchte der letzte der vier Zweimaster sein Heil in der Flucht. Und zwar genau dorthin, wo Scalida vorhergesagt hatte. Das tödliche Wettrennen zwischen Tersion und Palestan begann. »Hisst die palestanische Flagge. Sie sollen sehen, mit wem sie es zu tun haben«, befahl der Offizier.

Schnell wurde deutlich, wessen Schiff besser im Wasser lag. Während der Kiel der *Soituga* regelrecht über die leichten Wellen glitt, wühlte und stampfte sich die *Chusbad*, wie nun der Name des Schiffes zu lesen war, mit roher Gewalt durch das salzige Nass, ohne dabei ähnlich rasch wie ihr Verfolger vorwärts zu kommen.

»Katapultmeister aufs Back«, orderte Scalida. »Deckt ihr Achterdeck kräftig mit Pfeilen ein. Seht zu, dass es den Steuermann erwischt, noch bevor das Schiff in der Fahrtrinne ist.«

Die beinlangen Pfeile schossen durch die Luft und überbrückten die wenigen Meter Abstand mit Leichtigkeit. Nach der dritten Salve war das gegnerische Achterdeck leergefegt, die notdürftig errichteten Holzwände hatten fast nichts abhalten können. Zu groß war die Wucht der Geschosse.

Die *Chusbad* begann zu schlingern und absolvierte eine harte Wende um neunzig Grad nach Steuerbord. Hart krängte das Schiff zur Seite und berührte mit der linken Bordwand fast die Wasseroberfläche. Einige der Rahen rissen ab, Großsegel und Großmarssegel fielen aufs Deck und begruben etliche Matrosen unter sich.

»Verdammt, sie kippt«, fluchte Baraldino. Scalida machte eine beschwichtigende Geste.

Auf dem anderen Schiff brach der Vormast mit einem lauten Krach in der Mitte durch, dann richtete sich der Rumpf schwerfällig wieder auf. Die *Chusbad* hatte inzwischen weitere neunzig Grad gedreht und stand mit dem Bug voraus in Richtung der heranfliegenden *Soituga*.

»Wollen die uns etwa rammen?« Der Adjutant schüttelte verwirrt den Kopf.

»Schwerlich, fast ganz ohne Segel, oder?« Der palestanische Offizier ließ einen neuen Kurs setzen, der sein Schiff in leichtem Bogen an den Gegner heranführte.

Auf der *Chusbad* hatten die Vorbereitungen begonnen, dem drohenden Angriff zu begegnen. Scalida sah leicht gepanzerte Männer mit Schwertern, die hinter der Bordwand vor weiteren Pfeilen in Deckung gegangen waren.

»Eine Breitseite des Batteriedecks klarmachen«, brüllte er.

Die metallbeschlagene Seitenwand der *Soituga* klappte nach unten und bot den schweren Stahlkatapulten freie Schusslinie. Die massiven Eisenspeere, die diese Fernwaffen benutzten, durchschlugen ganze Schiffsrümpfe, wenn keine größeren Hindernisse auftauchten. Ein leicht gepanzerter Mensch war nun beim besten Willen kein »Hindernis«.

Das hatten auch die tersionischen Kämpfer verstanden, die durch die Luke nach unten sprangen und vermutlich zwischen der Goldladung Schutz suchten.

»Schießt«, befahl Scalida genießerisch. Zischend gingen die Speere auf die Reise und töteten die Wenigen, die nicht rechtzeitig vom Hauptdeck geflüchtet waren. »Klarmachen zum Entern.«

Knarrend rieben die *Chusbad* und die *Soituga* ihre Bordwände aneinander, Dutzende von Wurfhaken mit Seilen banden die Schiffe zusammen und verhinderten jeden weiteren Fluchtversuch des schwer beschädigten Tersionseglers.

Angesichts der geringen Bedrohung gingen Scalida und Baraldino zusammen mit der Entermannschaft an Bord und erstickten jeden winzigen Rest von Heldenmut der Feinde. Im letzten Moment konnten sie verhindern, dass die Überlebenden im Rumpf ein Leck schlugen, um das Schiff zu versenken und die Ladung wenigstens nicht in die Hände der Palestaner fallen zu lassen.

Scalida stand im Laderaum zwischen den Barren reinen Goldes und nickte wortlos. Sein Adjutant nahm eines der rechteckig gegossenen Metallstücke auf.

»Ich hatte so etwas noch nie in der Hand«, sagte er fast andächtig. »Allein dieser Barren würde mich zu einem reichen Mann machen.«

»Habt Ihr eine ungefähre Vorstellung von dem Wert, der hier lagert?«, fragte sein Vorgesetzter und klopfte auf einen ganzen Stapel der Beute. »Damit und mit der Ladung der anderen drei Schiffe können wir uns eine ganze Flotte, eine Armada bauen lassen. Wir werden unsere agarsienischen Freunde endlich vom Meer fegen können.«

Die Wachen brachten einen schwer verletzten Tersioner zu den beiden Männern. Anhand der Abzeichen erkannte der Offizier, dass es sich dabei wohl um den Kapitän des Schiffes handeln musste.

»Oho! Seht Euch den an. Gekämpft bis zum Schluss, was? Nun gut, im Namen des Kaufmannsrates von Palestan bedanke ich mich für die mehr als wertvolle Spende Ihrer Hoheit Alana der Zweiten. Wir werden das Gold gut anlegen, seid gewiss.« Scalida verbeugte sich lächelnd.

»Es wird mehr als nur ein Scharmützel geben, wenn die Königin von diesem Überfall hört«, hustete der Mann. »Tersion wird Palestan den Krieg erklären und euch Krämer zerquetschen. Wir haben mächtige Verbündete, das hättet Ihr …«

»Commodore Scalida!«, schrie einer der Soldaten in den Laderaum. »Kommt schnell! Es gibt Ärger, sagt der Ausguck!«

»Hoppla!« Der tersionische Kapitän lachte. »Ihr habt Euch wohl zu früh gefreut.«

Wütend zog der Befehlshaber der Palestaner sein Rapier und stach dem wehrlosen Mann in den Bauch. »Hoppla. Ihr Euch aber auch, mein Freund.«

Er stieg über den Sterbenden und kletterte zusammen mit Baraldino an Deck, um sich nach der Lage zu erkundigen.

»Was gibt's?«, herrschte er den Nächstbesten der Entermannschaft an.

»Der Ausguck hat gesagt, er hätte etwas im Nebel gesehen«, antwortete der hastig.

Schnell zog der Offizier das Fernrohr aus und suchte in den immer dünner werdenden Schwaden nach einem Hinweis auf die Entdeckung des Mannes im Krähennest. ›Sollten sie doch eine Eskorte dabeigehabt haben?‹

»Die anderen Schiffe sind dabei, die Fracht der tersionischen Segler zu übernehmen«, berichtete sein Adjutant. »Wir waren erfolgreich. Vielleicht hat sich der Mann getäuscht?«

Ein leises Geräusch drang aus dem immer lichter werdenden Nebel.

»Ruhe!«, brüllte Scalida übers Deck, und schlagartig verstummten seine Leute.

»Als ob Trommeln geschlagen würden«, meinte Baraldino und lauschte aufmerksamer.

Das Löschen der Ladung war nun auch auf den anderen palestanischen Schiffen zum Erliegen gekommen. Der Großteil der Männer starrte in den Nebel.

»Bei allen Ungeheuern! Es ist die Schwarze Flotte!«, fluchte der Offizier plötzlich und lief zu seinem Signalmann. »Die Seestreitkräfte sollen sich sofort von der Nebelbank zurückziehen.«

Hektisch begann der Matrose mit den Wimpeln zu wedeln, aber die Antworten kamen nur spärlich zurück. Die meisten der anderen Kapitäne wollten wissen, wozu.

»Ich werde sie vor den Kaufmannsrat bringen!«, tobte Scalida. »Signalisiert das! Wenn nur einer wagt, das Feuer zu eröffnen, versenke ich ihn persönlich. Keiner nimmt die Schiffe unter Beschuss.«

»Welche Schiffe, Commodore?«, wollte Baraldino irritiert wissen. »Ich sehe keine …«

Ein riesiger Bug schob sich aus dem milchigen Weiß, fast vierfach so groß wie die Zweimaster aus Tersion und Palestan. Vorne prangte ein gefährlich aussehender Rammsporn, der unmittelbar auf die *Silberstern* zielte.

Das Dröhnen der Trommeln wurde lauter. Nach und nach wurden die Umrisse weiterer Schiffe sichtbar, die keine Anstalten machten, die Fahrt zu verringern oder auch nur den Kurs zu wechseln.

Stur segelten sie unter Vollzeug auf die miteinander vertäuten Hindernisse zu. Ihre langen Ruder stachen ins Wasser und verliehen den schwarz gestrichenen Schiffen mit den schwarzen Segeln zusätzliche Geschwindigkeit.

Scalida zählte zehn der Gefährte, die in Pfeilformation durchs Meer zogen. Hinter dem schwimmenden

126

Wall folgten fünf weitere, nicht ganz so große und dunkelblau bemalte Schiffe.

Dem Commodore der *Vuli* schien die jäh aufgetauchte Bedrohung zu gefährlich, die Angriffsabsicht zu eindeutig. Seine Katapulte schleuderten eine Breitseite gegen das erste der Schiffe, ohne dabei großen Schaden anzurichten.

»Dämlicher Hundsfott!«, schrie Scalida, dass es laut übers Wasser schallte. »Verflucht, darauf werden sie reagieren.«

Der Takt der Trommeln hatte sich plötzlich erhöht, Rauchfahnen stiegen auf den Decks der Schwarzen Flotte auf.

Gelähmt musste der palestanische Befehlshaber mitansehen, wie die unvermittelt aufgetauchten Angreifer ihre tödlichste Waffe einsetzten, deren Ruf auf Ulldart legendär war.

Von Bord der *Soituga* sah es aus, als stiegen kleine Sonnen in die Höhe, die nach einem elegant beschriebenen Halbbogen auf die Schiffe stürzten und explodierten. Brennende Flüssigkeit verteilte sich auf den Planken, setzte Segel, Wanten und Maste in Brand. Zahlreiche Matrosen, die in Berührung damit kamen, vergingen schreiend in den Flammen.

Nichts konnte die Flüssigkeit löschen, selbst das Meer um die Schiffe herum brannte.

Dicke, schwarze Qualmwolken mischten sich mit dem Nebel. Der Gestank, der zu den beiden Männer herüberwehte, war Ekel erregend.

Ochsengroße Steine regneten auf die Schiffe herab, durchschlugen Deck und Rumpf und versetzten den Beschädigten die letzten Todesstöße. Noch bevor ein einziger Rammsporn der Schwarzen Flotte in Berührung mit palestanischem Holz kam, sanken die meisten der Schiffe.

Die Geschwindigkeit der Trommeln wurde langsamer. Die schwarzen Schiffe glitten majestätisch und seltsam gleichgültig durch ein wirres Sammelsurium von brennenden, rauchenden Wracks, verstümmelten Leichen und um Hilfe rufenden Menschen.

Die schwer lädierten, aber noch schwimmenden *Pfeil* und *Krata* wurden wie Spielzeug zusammengeschoben, durch die Wucht des Aufpralls in der Mitte zerrissen und brachen vollständig auseinander.

Längst hatte Scalida seine Befehle geschrien. Hektisch durchschlug die Entermannschaft die Seile, mit der die *Soituga* und die *Chusbad* verbunden waren. Die Matrosen an Bord des Dreimasters setzten jeden Fetzen Leinwand, der an den Masten und Rahen des Kriegsschiffes zu finden war.

»Ich bin kein Feigling, Baraldino, das wisst Ihr, aber diesem Gegner haben wir nichts entgegenzusetzen«, sagte er zu seinem Adjutanten, als sie sich auf dem Oberdeck beim Steuer befanden. »Verdammt, ich hätte daran denken müssen.«

»Alle hätten daran denken müssen, Commodore«, meinte der Mann neben ihm und beobachtete, wie die Schwarze Flotte ihre Formation änderte. Offensichtlich wollten die Schiffe in die Fahrtrinne.

»Ich habe bisher nur etwas von den geheimnisvollen kensustrianischen Nachschublieferungen gehört. Gesehen habe ich sie noch nie. Ich wünschte, es wäre dabei geblieben.« Fassungslos schaute er zu den überdimensional großen Gefährten. »Wie kann man so etwas bauen, das dazu noch schwimmt?«

»Es sind fünfzehn Schiffe, Commodore«, sagte Baraldino. »Es müssten aber doch eigentlich nur zehn sein. Jedenfalls hieß es immer, es seien zehn.«

»Es könnten von mir aus auch nur acht sein oder drei. Sie sind mir jedenfalls zu stark.« Scalida ließ einen Kurs setzen, der sie schnellstmöglich auf Distanz zu den Kensustrianern bringen sollte. »Mein Gott, ich habe alle

Berichte immer für übertrieben gehalten. Aber jetzt weiß ich es besser.«

In etlicher Entfernung ging seine Flotte zusammen mit der tersionischen Goldlieferung unter. Ein unschätzbares Vermögen sank auf den Meeresgrund, für immer verloren. Die Verluste waren nun für Tersion *und* Palestan mehr als schmerzlich.

Nur fünf Mal im Jahr nutzen sie diese Strecke und ausgerechnet heute muss einer der Tage sein, grübelte der Offizier, der sich Sorgen machte, wie er das Debakel dem Kaufmannsrat erklären konnte. *Ich werde es auf einen Kartenfehler zurückführen lassen. Oder noch besser, ich mache Baraldino vor dem Rat für einen Navigationsfehler verantwortlich.*

»Es sieht gut aus«, meldete sein Adjutant. »Die Kensustrianer kümmern sich nicht um uns.«

In diesem Moment drehte eines der riesigen schwarzen Schlachtschiffe in ihre Richtung. Das Tempo, mit dem die Ruder bewegt wurden, brachte das Wasser zum Schäumen.

»Hättet Ihr lieber den Mund gehalten, Baraldino«, zischte der Commodore. »Werft alles über Bord, was im Laderaum ist. Proviant, Wasser, Gewichte, alles. Hauptsache, wir kommen von diesem verfluchten Schiff weg.«

Es waren jedoch vergebliche Mühen. Trotz aller Anstrengung schaffte es die *Soituga* nicht, dem Verfolger zu entkommen. Als die beiden Schiffe etwa eine Viertelmeile voneinander entfernt waren, wurde eine breite Klappe oberhalb des Rammsporns geöffnet. Qualm stieg aus der gewaltigen Luke.

Dann flogen im Abstand von nur einem Lidschlag ein Dutzend vasengroße Behälter in gerader Linie auf das palestanische Kriegsschiff zu. Am hinteren Ende der Geschosse hingen brennende Stofffetzen. Die erste Reihe schlug kaum auf, da folgte bereits die nächste Welle.

Acht Mal feuerten die für die Palestaner unsichtbaren Katapulte, dann schloss sich die Öffnung.

Trafen die aus Ton gearbeiteten Behälter auf, zerbarsten sie und gaben eine streng riechende, flüssige Substanz frei, die sich träge verteilte und sofort entzündete.

Panisch rannten die sonst so erfahrenen Seeleute über das Deck und versuchten, sich mit einem Sprung über die Reling ins Wasser zur retten. Aber wie bei den anderen vorher überzog das kensustrianische Mittel selbst das Unbrennbare mit loderndem Feuer. Ein Pfeilschauer vom Angreifer brachte den letzten Überlebenden einen gnädigen Tod, bevor sie durch die Hitze bei lebendigem Leib verbrennen konnten.

Das schwarze Schiff schlug einen neuen Kurs ein und folgte dem Rest der Flotte, die gemächlich in die Fahrtrinne einbog. Hinter ihm versank das Flaggschiff des palestanischen Kommandounternehmens langsam im Meer.

**Ulldart, Königreich Tarpol, Provinz Ulsar,
Hauptstadt Ulsar, Winter 442/443 n. S.**

»Wir sind hier zusammengekommen, um einen der größten Herrscher zu ehren, den das Königreich Tarpol jemals gesehen hat«, begrüßte Lodrik die Anwesenden. »Und vermutlich auch einen der größten Herrscher, den Ulldart jemals gesehen hat. Ich trinke auf das Vermächtnis des einmaligen Grengor Bardri¢, einstiger Kabcar des Königreichs Tarpol, das er mehr als dreißig Jahre geführt hat. Wir werden seine Verdienste immer in Erinnerung behalten.« Der Tadc hob den schweren Silberpokal und verbeugte sich dann vor der Urne mit der Asche seines Vaters, die auf einem kleinen Podest erhöht auf der Mitte der meterlangen Tafel stand.

Nacheinander erhoben sich die Botschafter und Gesandten der Königreiche Tûris, Rundopâl, Hustraban und Borasgotan sowie Repräsentanten aus Aldoreel und den Baronien. Danach folgten die restlichen Gäste.

»Das tarpolische Reich wird unter meiner Regierung nicht an Glanz verlieren, das gelobe ich hiermit, vor aller Augen und Ohren. Es wird stark und geschlossen bleiben, so, wie es mein Vater gewünscht hat.« Er leerte den Kelch in einem Zug, danach nahm er Platz. Die Männer taten es ihm nach.

Der Kleine Festsaal, in dem der Leichenschmaus stattfand, beherbergte rund hundert Männer und Frauen. Ein Raum, so hoch wie eine Eiche, Blattgold an allen Säulen, kristallene Kronleuchter, riesige Gemälde und andere teure Gegenstände ließen die Bezeichnung »klein« wie Hohn erscheinen.

Gekommen waren die Adelsfamilien aus Ulsar und etliche Diplomaten der Nachbarländer. Sie alle trieb weniger die Trauer als die Neugier in den Palast. Viel war in der Hauptstadt über den zurückgekehrten Thronfolger erzählt worden, die unterschiedlichsten Gerüchte kursierten auf den Straßen.

Nun saß ein junger Mann am Ende der Tafel, der so gar nicht auf die Beschreibungen des einstigen »Tras-Tadc« passte. In der königlichen Uniform, den Stern der Bardri¢s an der Brust, machte er eine recht passable Figur, und von Übergewicht fehlte jede Spur.

Ab und zu wechselte er ein paar Worte mit seinem Vertrauten, während der eindrucksvolle Leibwächter mit der mechanischen Hand unverrückbar wie ein Berg hinter dem Stuhl des zukünftigen Kabcar stand. Ständig wanderten seine eisgrauen Augen umher, wachsam und aufmerksam musterte er die Besucher und Diener, die in die Nähe des Thronfolgers kamen.

Gang für Gang wurde aufgetragen, vor jeder neuen kulinarischen Köstlichkeit ein Trinkspruch auf den Verstorbenen verkündet. Das Zeremoniell sah keine Unterhaltung mit dem Tadc vor, bis nicht das letzte Dessert verzehrt und die Urne beigesetzt worden war, es galt absolutes Schweigen. Endlich, nach vier Stunden, hob Lodrik Bardriç die Tafel auf.

»Wir haben dem Verstorbenen Ehre erwiesen, wie es der Brauch vorsieht. Nun kann er in Frieden ruhen«, schloss Lodrik und nahm die Urne vom Podest. In einer feierlichen Prozession folgten die Gäste dem jungen Mann in die Gewölbe des Palastes, wo die toten Herrscher des Reiches beigesetzt lagen.

Lodrik setzte das Behältnis in eine Grabnische, deutete eine Verbeugung an und stieg die Stufen wieder hinauf in den Kleinen Festsaal. Niemand außer Stoiko wusste, dass in der Urne lediglich verbranntes Holz war. Die wirklichen sterblichen Überreste, sicher verwahrt in einem verschlossenen Metallkistchen, standen auf dem Kaminsims des Teezimmers.

Oben angekommen, nahm sich Lodrik einen neuen Kelch mit Wein und suchte sich eine Position, von der er eine gute Sicht über den ganzen Saal hatte. Er wollte sehen, wer sich mit wem unterhielt.

Der Erste, der auf den Thronfolger zusteuerte, war der Botschafter Borasgotans, ein kräftiger Mann mit durchschnittlichem Äußeren und etwas watschelndem Gang. Kostbare, seltene Pelze hingen an seinem Körper und ließen die schlichte Uniform des Tadc fast schäbig erscheinen.

»Ich wette mit Euch, er wird ausloten wollen, wie es um Euer geistiges Niveau bestellt ist«, raunte Stoiko. »Lasst Euch auf nichts ein. Er wird Euch provozieren wollen.«

Ein tüchtige Weinfahne schlug dem Tadc entgegen, als der Mann näher kam und sich verbeugte. »Hoheit, ich bin Botschafter Sarduijelec, Gesandter seiner Majestät Arrulskhán des Sechsten, Herrscher über Borasgotan.« Lodrik lächelte ihn mit großen Augen an, was den Abgesandten äußerst verunsicherte. »Ihr wisst, Hoheit, das Reich rechts neben Eurem. Auf der Landkarte.«

»Ach jaaa«, sagte der junge Mann gedehnt und bemühte sich, ein angestrengtes Gesicht aufzusetzen. »Genau. Danke, dass Ihr es mir so erklärt habt. Ich war in Kartenkunde nie besonders gut. Da scheine ich eine Gemeinsamkeit mit Arrulskhán zu haben.«

Nun wurden Sarduijelecs Augen groß. »Wie meint Ihr das, Hoheit?«

»Na, offensichtlich denkt Euer Herrscher, dass meine Provinz Worlac ihm gehört. Jedenfalls liefert er doch Waffen dorthin. Wenn einer Waffen dorthin liefert, dann sollte ich das sein, oder?« Lodrik lachte und tippte dem Mann mit dem Zeigefinger mitten auf die Brust. »Wie komisch, nicht wahr. Ihr solltet Eurem Herrn ganz schnell Bescheid sagen, damit er seinen Irrtum bemerkt und er sofort damit aufhört. Wenn er glaubt, ich bezahle ihm die Lieferungen, hat er sich nämlich getäuscht.« Er grinste. »Aber es beruhigt mich, dass ich nicht der Einzige bin, der keine Karten lesen kann.«

Der Botschafter machte ein säuerliches Gesicht, verbeugte sich tief und nahm Kurs auf die Weinkanne auf der Mitte des Tisches.

Stoiko schüttelte vorwurfsvoll den Kopf. »So habe ich das aber nicht gemeint, Herr. Hoffen wir, dass er naiv genug ist zu glauben, Ihr wärt so dumm, wie Ihr Euch eben gegeben habt.«

Lodrik lachte leise. »Entschuldige, bitte, Stoiko, aber es war zu verlockend. Ich habe ihn so aus dem Konzept gebracht, er hat nicht einmal das Beileid des Herrschers ausgesprochen. Was für ein Affront. Ich werde mich bei Arrulskhán über ihn beschweren müssen.«

»Der wird ihn dann in ein Wildschweinkostüm zwängen und die Jagd eröffnen lassen«, vermutete Stoiko lächelnd.

»Für wie dämlich hält man mich denn auf Ulldart, dass ein Botschafter mir erklären möchte, wo vermutlich Tarpols künftiger Gegenspieler liegt?«, wunderte sich der Thronfolger.

Sein Vertrauter wackelte mit dem Schnurrbart. »Das wollt Ihr nicht wirklich wissen. Die einzigen, die eine ungefähre Vorstellung von Eurem Grips haben, sind Eure Cousine und die Adligen Granburgs. Der Rest, nun ja, hält Euch eben immer noch für den Keksprinzen.« Stoiko nickte in Richtung eines schlanken Mannes, der in einer ähnlichen Uniform wie der Thronfolger steckte. Nur die Stickereien waren um etliches aufwändiger, die Brust mit mehr Orden behaftet und die Schärpen teurer. »Und da kommt der nächste. Sieht mir schwer nach Hustraban aus.«

»Hustraban? Wo liegt denn das auf der Landkarte? Oben oder unten neben meinem Land?«, fragte Lodrik und kratzte sich ratlos unter der schwarzen Perücke. Die Rolle des tumben Tadc schien im sichtlich zu gefallen. »Ach, so viele Länder. Ich sollte sie am besten alle erobern, dann gehörten sie alle mir und ich müsste mir keine Gedanken mehr darüber machen.«

»Herr, bitte!«, rief ihn Stoiko entsetzt zur Ordnung. »Wenn das einer der Botschafter hören würde.«

Der hustrabanische Gesandte war herangekommen und verbeugte sich. »Mein Name ist Fusuríl, Botschafter seiner Majestät Kumstratt, König von Hustraban. Im Namen meines Herrn spreche ich das tiefste Mitgefühl aus. Der Tod Eures Vaters war mit Sicherheit ein schwerer Verlust. Es ist bestimmt nicht leicht, einen solch verdienstvollen Mann zu verlieren, der nicht nur wegen seiner Entschlussfreude geschätzt wurde.«

Lodrik hob die Augenbrauen und schwenkte den

Pokal huldvoll durch die Luft. »Ach? Exzellenz kannte meinen Vater?«

»Äh, nein. Aber er war bekannt dafür, dass er …«, wollte der Mann erklären, doch der Tadc schnitt ihm das Wort ab.

»Exzellenz hat meinen Vater nicht gekannt, aber mir etwas über die großartigen Leistungen des Königs erzählen wollen, wie? Ich denke, Ihr geht da ein wenig zu weit. Und was Eure Forderungen über das Iurdum angehen, darüber reden wir später. Ich weiß im Moment nichts darüber, ich muss mich erst einarbeiten. Rechnet mit meiner Entscheidung aber nicht so bald. Zahlenspielereien machen mich immer so müde, und dann schlafe ich darüber ein.« Er nippte am Wein. »Danke, Botschafter. Nun geht und vergnügt Euch. Der Kabcar würde es gewiss so wollen.«

Fusuríl knickte in der Mitte ab, der Oberkörper klappte nach vorne und schnellte wieder in die Höhe. Dann wandte auch er sich der Weinkanne zu, die in den Händen von Sarduijelec immer leerer geworden war und der erst nach mehrfacher Aufforderung seinem Amtskollegen den Becher füllte. Bald waren sie in ein leises Gespräch vertieft.

»Seid Ihr noch ganz bei Euch, Herr?«, fragte Stoiko ehrlich besorgt. »Es klingt so, als stünde der alte Lodrik neben mir und verscheuche die Gäste in der Art, für die er traurige Berühmtheit in allen Reichen geerntet hat.«

Der Thronfolger schüttelte den Kopf. »Keine Angst. Ich will meine ernsthaften Absichten erst nach meiner Krönung offen zeigen. Im Moment ist es mir ganz recht, wenn sie glauben, ich sei zwar schlank geworden, aber reichlich dämlich geblieben.« Er nahm sich ein Stück Gebäck und schob es sich ganz in den Mund, gerade in dem Moment, als ein weiterer Besucher in schlichtem Ornat sich aus der murmelnden Menge löste und sich dem Trio näherte.

»Aldoreel, vermute ich«, sagte Lodrik undeutlich und spülte die Krümel mit Wein hinab. Mit Mühe unterdrückte er ein Rülpsen. »Mal sehen, was die Kornkammer des Kontinents möchte.«

»Ich bin Mero Tafur, Abgesandter des Reiches Aldoreel. Mein tiefstes Mitgefühl, Hoheit. Das aldoreelische Reich trauert um einen großen Mann.« Der Mann verneigte sich. »Jedes weitere Wort wäre fehl am Platz.«

»Wieso groß?« Irritiert wandte sich der Tadc zu Stoiko um. »Ich habe meinen Vater gar nicht mal so groß in Erinnerung. Eigentlich bin ich inzwischen mindestens genauso groß wie er, oder?«

Sein Vertrauter atmete hörbar aus. »Ja, Hoheit. Das seid Ihr.« Leise fügte er hinzu: »Und hört endlich auf, den Deppen zu markieren. Ihr übertreibt schamlos, Herr.«

»Ihr werdet es nicht leicht haben, Hoheit«, sagte der Diplomat freundlich. »Ich bin mir sicher, dass Euer Berater sein Bestes versuchen wird. Das Königreich Aldoreel steht Euch gerne zur Seite, wenn Ihr es brauchen solltet.« Tafur lächelte. »Ihr habt mein Angebot vernommen.« Er zog sich wieder in die Mitte des Raumes zurück, ohne jedoch zu den anderen Diplomaten aufzuschließen.

»Der war aber nett«, sagte Lodrik laut. Sarduijelec verschluckte sich am Wein und hustete den guten Tropfen durch die Gegend, Fusuríl klopfte ihm auf die Schulter, bis er wieder Atem bekam, hilfreiche Hände reichten Taschentücher, um den Wein von der Uniform zu wischen.

Stoiko verdrehte die Augen, während bereits der Nächste auf die drei ungleichen Männer zukam. Nacheinander gaben sich die Adligen Ulsars die Ehre, ein paar Brojaken machten ihre Aufwartung, selbst ein Ulldraelpriester, Bruder Kojalac, ließ es sich nicht nehmen, sich vorzustellen, um den Trost des Gottes zu verkünden.

»Aber eine Sache beunruhigt den Geheimen Rat, Hoheit«, fügte er hinzu und wandte sich ein wenig zur Seite. »Ihr wollt die Krönung wirklich in der Kathedrale stattfinden lassen? Seid Ihr Euch sicher, Hochwohlgeboren? Alle anderen Würdenträger, inklusive Eures Vaters, empfingen den Segen unsere Schutzpatrons im Haupttempel.«

»Warum sollte ich mir nicht sicher sein?« Diesmal war die Verwunderung nicht gespielt. »Ich möchte, dass möglichst viel Volk meine Krönung sieht und daran teilnimmt. Den Schutz übernehmen Waljakov und rund fünfhundert Soldaten der Leibwache. Wo liegt also die Schwierigkeit, Bruder Kojalac?« Die blauen Augen fixierten das Gesicht des Geistlichen.

»Nun, sie liegt in der Vergangenheit«, druckste der Mann herum. »Ich weiß nicht, wie sehr Ihr Euch mit der Geschichte auskennt, aber es gibt da eine Begebenheit …«

»Tarpol ist voller Begebenheiten«, unterbrach ihn der Tadc. »Was meint Ihr, Bruder?«

»Es hat etwas mit Sinured zu tun, Hoheit«, gestand der Mönch und verzog die Mundwinkel. Er wirkte unglücklich. »Nun, wie soll ich sagen. Er hat in der Kathedrale damals Menschen hinrichten lassen. Opfern wäre der bessere Ausdruck.«

»Soweit ich weiß, hat er in ganz Ulldart Menschen hinrichten lassen«, sagte Lodrik und zuckte mit den Schultern. »Wenn wir alle Plätze mieden, an denen er tätig war, müssten die Menschen vom Kontinent wegziehen.« Er schwieg einen Moment. »Gab es dazu einen besonderen Anlass? Für die Hinrichtungen, meine ich?«

Kojalac nickte langsam. »Es waren die ersten Menschenopfer, die Sinured Tzulan in Tarpol gemacht hat, sagt man. Dort, wo sich jetzt die Statue Ulldrael des Gerechten befindet, standen einst der Altar und das Götzenbild des Gebrannten Gottes. Und zu der damaligen Zeit muss der Boden knöchelhoch mit Blut bedeckt gewesen sein.« Der Mann seufzte. »Der Geheime Rat befürchtet doch nur, dass sich vielleicht manche Tzulani der Geschichte bewusst sind. Und vielleicht den Ort wählen, um einen Anschlag auf den Tadc auszuführen.«

»Kannte einer von euch diese Episode der tarpolischen Geschichte?«, erkundigte sich Lodrik bei seinen beiden Freunden, die aber nicht weniger erstaunt die Köpfe schüttelten.

»Sie konnten es nicht wissen, die Aufzeichnungen über das Ereignis wurden unseres Wissens nach vernichtet«, erklärte Kojalac sanft. »Hoffen wir zumindest. Der Geheime Rat wollte nicht, dass sich die Leute immer wieder und wieder daran erinnern. Immerhin ist es seit vielen hundert Jahren ein beliebtes Heiligtum Ulldraels. Wir wollten Euch nur darauf hinweisen, Hoheit, dass es eben unter dem Eindruck der Prophezeiung besser wäre, wenn Ihr einen weniger vorbelasteten Ort wähltet.«

»Ich werde darüber nachdenken«, meinte der Tadc grübelnd. Der Mönch entfernte sich.

»Schöner Mist«, brummte Waljakov.

»Es geht so über die Bühne, wie ich es vorgesehen habe. Die plötzliche Verlegung würde jetzt erst recht Aufsehen erregen. Du wirst eben besonders gut auf mich achten müssen, Waljakov.«

»Das werde ich, Herr«, versprach der Leibwächter. »Entsprechende Vorsichtsmaßnahmen sind bereits angeordnet worden. Der Eintritt mit Waffen wird den Gästen verboten sein. Oder sie haben die Erlaubnis dazu.«

»Da alles so wunderbar geregelt scheint, werde ich dem Mönch also sagen, dass wir in der Kathedrale krönen«, schloss Lodrik die Überlegungen und winkte den Geistlichen herbei, der die Entscheidung gefasst aufnahm. Danach klatschte er in die Hände, sodass sich alle Gäste zu dem Thronfolger umdrehten.

»Werte Trauergäste«, begann Lodrik den Rauswurf. »Ich wollte nur noch einmal an meine Krönung erinnern. In nur wenigen Tagen werde ich zum rechtmäßigen Herrscher des Landes gemacht, und da wäre es mir eine Freude, Euch alle begrüßen zu dürfen. Wer noch keine Einladung bekommen hat, sollte sich beim Schreiber melden, der am Ausgang sitzt. Und denkt an die Geschenke. Und nun habt vielen Dank für die Anteilnahme. Es ist schon spät.«

Die Gäste verneigten sich vor dem jungen Mann und marschierten mehr oder weniger schnell zum Ausgang. Sarduijelec füllte sich zügig den Pokal ein letztes Mal und stürzte ihn hinunter, zwei Stück Gebäck nahm er sich mit und aß sie auf dem Weg nach draußen.

»Der Mann ist eine echte Zierde für das diplomatische Korps des Reiches Borasgotan«, murmelte Stoiko und schaute dem Abgesandten hinterher. »Vermutlich ist es seine Schuld, dass Arrulskhán dermaßen in Verruf geraten ist.«

Als der Letzte gegangen war, ließ sich Lodrik auf einen Stuhl plumpsen und nahm die Perücke vom Kopf. Nachdenklich sah er in das Kaminfeuer. »Ich kann es eigentlich immer noch nicht wirklich fassen. Ich werde ein Königreich regieren. Ein ganzes Königreich. Und alle halten mich für einen Trottel.«

»Das ist eigentlich ein großer Vorteil«, sagte Waljakov. »Wenn einen der Gegner unterschätzt, zeigt er oft aus Hochmut sein wahres Gesicht. Es wird sich bald erweisen, wer Euer Gegner ist, Herr.«

»Bin ich hier in Granburg? Wollen mich hier auch alle absetzen?«, fragte der Tadc ein wenig besorgt.

»Abwarten, Herr«, empfahl Stoiko und ließ sich neben seinem Schützling nieder. »Ich glaube, es weiß einfach noch niemand, wie er Euch einzuschätzen hat.«

»Das wird sich bei meiner Krönung ändern«, lächelte Lodrik. »Ich werde das Rätsel um mein einjähriges Verschwinden lüften. Spätestens dann werden einige aufwachen und wissen, dass ich sehr wohl in der Lage bin, meine Angelegenheiten zu regeln.«

»So gefallt Ihr mir, Herr«, sagte der Vertraute und strich sich über den Schnauzer. »Die Boten nach Granburg sind übrigens auf dem Weg.«

»Ich mache mir immer noch Sorgen um Miklanowo. Und um Norina.« Seufzend streckte der Tadc die Beine aus und wippte mit den Füßen. »Ich hoffe inständig, dass Kolskoi nichts Neues geplant hat, was meinen armen Brojakenfreund in die Zwickmühle bringt.« Mit einer Hand öffnete er den obersten Knopf der Uniform. »Haben wir Nachricht von meinen anderen Freunden?«

»Oh, wenn Ihr Torben Rudgass meint, den zahnlosen Piraten …«

»Freibeuter«, verbesserte Lodrik feixend.

»… den zahnlosen Freibeuter meint, dem geht es sehr gut, was ich so gehört habe. Er macht sich mit unserem Geschenk derzeit einen Namen als Verteidiger der agarsienischen Händler, die im Norden unterwegs sind. Palestan hat inzwischen ein Kopfgeld auf ihn ausgesetzt, soweit ich gehört habe. Eine beachtliche Summe von hundert Heller.«

»Tarpolische Kriegskoggen waren schon immer gute Schiffe«, kommentierte der Leibwächter.

»Und Hetrál?«, wollte Lodrik wissen. »Seit er vor uns aus Granburg aufgebrochen ist, habe ich nichts mehr von ihm gehört.«

»Ich auch nicht«, bedauerte Stoiko. Waljakov zuckte mit den breiten Schultern.

»Also schön.« Der Tadc erhob sich. »Legen wir uns für heute zur Ruhe. Morgen werden wir im Teezimmer an der Rede arbeiten, die ich anlässlich meiner Inthronisation zu halten gedenke. Es soll eine Breitseite werden, die den letzten Zweifler versenkt.«

Waljakov und Lodrik verließen den Kleinen Festsaal. Stoiko schlenderte zur Tafel und sah über die leeren Platten. Als er die Weinkanne nahm, um sich noch einen Becher einzufüllen, stellte er zu seinem Bedauern fest, dass der borasgotanische Diplomat ganze Arbeit geleistet hatte. Der Behälter war so trocken wie ein leerer Brunnen.

»Ja, ja. Wenn es nichts kostet, dann gerne«, sagte der Vertraute des künftigen Kabcar leise und ging zur Tür.

Draußen wurde er zu seiner Überraschung erwartet. Der hustrabanische Botschafter nestelte an seinem Mantel, als würde er mit den Schnallen kämpfen.

»Ich vermute, Ihr wollt mit mir sprechen, Exzellenz.« Stoiko sah dem Gesandten bei der Arbeit zu. »Soll ich Euch einen Diener rufen, damit er Euch ein wenig zur Hand geht?«

»Oh, das werde ich schon in den Griff bekommen.« Fusuríl musterte sein Gegenüber. »Ihr seid der Berater des Tadc und sein engster Vertrauter, wie man unschwer erkennen konnte und wie man mir gesagt hat.«

»Wenn man das Euch gesagt hat und Eure Beobachtungsgabe Euch nicht im Stich gelassen hat, dann mag dem wohl so sein«, entgegnete Stoiko vorsichtig, obwohl er bereits ahnte, was der Diplomat von ihm wollte.

»Ihr versteht, in der Angelegenheit mit dem Iurdum bin ich für jede Hilfe dankbar. Ich bin unter anderem hier, um mit dem Kabcar darüber zu verhandeln. Er hat mir zwar zu verstehen gegeben, dass er etwas Zeit benötigt, aber ich denke, Ihr könntet ihm bei der Entscheidung etwas zur Hand gehen. Es soll Euer Schaden nicht sein.«

»Hustraban möchte die Hälfte der Fördermenge aus

Kostromo, bin ich da richtig über den Sachverhalt in Kenntnis gesetzt worden?« Der Botschafter nickte. »Und mit welcher Begründung wollt Ihr das durchsetzen?«

»Wir haben die Geschichte auf unserer Seite«, meinte Fusuríl gelassen. »Und die besagt, dass die Baronie einst zu unserem Königreich gehörte. Daher sehen wir uns durchaus zu solch einer Forderung berechtigt. Schließlich haben wir den losgelösten Teil unseres Reiches niemals offiziell als selbstständig anerkannt. Unsere Rechtsexperten prüfen die Sachlage noch. Dass wir nicht einmarschieren und uns das zurückholen, was uns gehört, verhindert lediglich der Tausendjährige Vertrag.«

»Und das Abkommen der Baronie mit Tarpol, Exzellenz, nicht wahr?« Stoiko lächelte. »Ihr wisst, welchen Weg Ihr beschreiten müsstet, um Eure fadenscheinig begründete Forderung durchzusetzen?«

»Ein Scharmützel, ja, gewiss, das ist die übliche Vorgehensweise. Und Kostromo würde sich dann einen Kämpfer aus Tarpol nehmen.« Der Gesandte entfernte mit spitzen Fingern ein Staubkorn von seinem Mantel. »Aber wenn man den Kabcar überzeugen könnte, auf die Baronin beruhigend einzuwirken und uns die Hälfte des Iurdums abzutreten, wäre viel Zeit und viel Geld gespart.«

»Habt Ihr schon mit der Vasruca über Eure Forderungen gesprochen?«

»Ich nicht, aber zahlreiche Delegationen unseres Reiches. Leider ist sie uneinsichtig«, bedauerte Fusuríl. »Uns wäre es lieb und einiges wert, wenn der Kabcar uns entgegenkommen würde. Ohne die Unterstützung Tarpols würde die Vasruca nachgeben müssen. Und wenn Ihr es schafft, den Herrscher entsprechend einzustimmen, könntet Ihr mit einer erheblichen Zuwendung rechnen.«

»Wie viel?«, fragte Stoiko, um eine ungefähre Vorstellung von dem zu haben, was Hustraban zu zahlen bereit wäre.

»Das Reich dachte an, sagen wir, ein Prozent der jährlichen Fördermenge, die an Hustraban fließt.« Abwartend beobachtete der Diplomat den Vertrauten.

»Einen angenehmen Abend wünsche ich Euch, Botschafter.« Er setzte sich in Bewegung.

»Drei Prozent«, erhöhte Fusuríl das Angebot. »Mehr sind wir nicht bereit zu geben.«

Stoiko blieb stehen und lächelte. »Wir kommen der Sache näher. Ich werde mich erkundigen, was die Mine abwirft, danach reden wir weiter.«

Der Gesandte hatte plötzlich keinerlei Mühe mit den Schnallen und Spangen seines Mantels, legte den warmen Stoff um die Schultern und verbeugte sich in seiner ruckartigen Art. »Ich bin gespannt. Eine angenehme Nachtruhe. Möge das tarpolische Reich einen weisen Kabcar und einen noch weiseren Berater haben.« Fusuríl ging.

»Na, wer hätte das gedacht?«, grinste Stoiko. »Das geht aber früh los, mit den Intrigen und Bestechungen.« Fröhlich pfeifend schritt er in Richtung seines Zimmers. *Jetzt bin ich nur noch neugierig, wann sein borasgotanischer Kollege bei mir vorspricht. Ich könnte noch reich auf meine alten Tage werden. Aber ich bin einfach zu gutmütig.*

**Ulldart, Königreich Tarpol, Provinz Ulsar,
Hauptstadt Ulsar, Winter 442/443 n. S.**

Ich sehe, wir haben eine der besten Unterkünfte, die es in Tarpol gibt. Abgesehen von meiner Burg«, sagte Nerestro und blickte sich in der prunkvoll eingerichteten Schankstube des »Goldener Repol« um.

143

Große Bilder von tarpolischen Persönlichkeiten und riesengroße Wandteppiche schmückten den Raum, die Decke war holzgetäfelt und die einzelnen Platten aufwändig mit Schnitzereien versehen.

Im Raum verteilt saßen Männer in teuren Kleidern und Pelzen, die keinen Hehl aus ihrem Reichtum machten und vor Schmuck nur so blitzten. Lange und äußerst gepflegte Vollbärte wiesen sie als Brojaken aus.

Der Ordensritter saß inmitten der Gäste in seinem Kettenhemd, darüber trug er seinen Waffenrock mit den gekreuzten Schwertern und den Hausfarben Gelb-Blau. Auf der langen, von ihm und seinen drei verbliebenen Rittern besetzten Tafel türmten sich die Speisen, die er und sein Gefolge geordert hatten. Sie genossen sichtlich, endlich wieder etwas Luxus nach der langen und bisher erfolglosen Reise um sich zu haben. Seine Knappen wurden in der angrenzenden Gesindekammer mit weniger teurem Essen versorgt.

»Bruder Rotwein wollte im Großtempel Ulldraels vorbeischauen und anschließend Bericht erstatten«, erklärte er seinen Männern und langte nach der Platte mit dem gebratenen Fleisch. »Lassen wir es uns also in aller Ruhe schmecken und warten ab, was das Mönchlein als nächstes mit uns vorhat.«

»Wie lange wollen wir diesem Mann noch folgen?«, fragte Herodin, sein bester Unterfeldführer, vorsichtig. »Wir wissen immer noch nicht, was er eigentlich will.«

Nerestro sah in die Runde. »Ich weiß, dass Angor viel von uns verlangt. Drei unserer besten Freunde sind für eine uns unbekannte Sache in den Tod gegangen. Aber Angor ist mir erschienen und hat mir befohlen. Deshalb werde ich zusammen mit euch diesem Ulldraelmönch so lange Beistand gewähren, bis die Aufgabe erfüllt ist. Glaubt mir, es bereitet auch mir kein Vergnügen für eine Sache zu reiten, die mir unbekannt ist. Aber eines weiß ich: Er sucht jemanden. Und anscheinend sind wir in Ulsar ganz dicht an dem, den er zu finden hofft, dran.«

Die Ritter luden sich die Teller voll, dann erhoben sie sich und sprachen ein halblautes Dankgebet für die Gaben, die sie vor sich hatten.

Ungnädig sah der ein oder andere Brojak zu den gerüsteten, schwer bewaffneten Männern hinüber, wagte aber nicht, etwas zu sagen. Die Anhänger des Gottes Angor waren dafür bekannt, nicht allzu viel Humor zu haben, wenn es um ihren Glauben ging. Schneller als einem lieb war, hatte man für ein unbedachtes Wort die Faust samt Eisenhandschuh im Gesicht.

Schweigend machten sich die Kämpfer über die Gerichte her, bis sie satt waren. Die Bediensteten hatten alle Hände voll zu tun, den Hunger zu stillen. Danach winkte ein äußerst zufrieden aussehender Nerestro den Wirt zu sich.

»Hör zu, Wirt.« Der Mann mit der gelockten Silberhaarperücke verzog bei der Anrede das Gesicht.

»Verzeiht, aber mein Titel ist ›Schankmeister‹«, wies er betont freundlich darauf hin.

»Wie auch immer«, Nerestro zuckte mit den breiten Schultern und fuhr über den langen, geflochtenen Bartstrang, der wie ein dicker Goldfaden vom Kinn bis auf die Brust baumelte. »Weshalb sind so viele Brojaken in Ulsar? Ist das hier so üblich? Haben die werten Herren nichts Besseres zu tun, als sich die ohnehin schon dicken Bäuche voll zu schlagen?«

»Ihr seht zwar aus wie ein Ritter, aber Ihr benehmt Euch wie ein niederer Bauer«, rügte der Schankmeister tadelnd mit scharrender Stimme. »Und Bauern haben normalerweise keinen Zutritt.«

»Ich benehme mich dir gegenüber wie ich will, Wirt. Ich habe gutes Geld, das du haben möchtest und das dir ein niederer Bauer bestimmt nicht geben wird«, entgegnete der Ordensritter kalt. Achtlos warf er eine Hand voll Waslec auf den Tisch. Die Gier blitzte in den Augen des Wirtes auf. »Siehst du, ich wusste es.«

»In drei Tagen wird der neue Kabcar gekrönt«, erzählte der Schankmeister, während er die Münzen nonchalant einstrich und sie wie nebensächlich in die Taschen seines bestickten Rocks klimpern ließ. »Man sagt, er sei fetter als je zuvor geworden, in der Zeit, als ihn sein Vater versteckt hielt.«

»Versteckt?« Nerestro überlegte. »Richtig, die Prophezeiung. War es nicht so, dass die Dunkle Zeit wieder anbrechen wird, sollte dem Tadc etwas passieren?« Der Wirt nickte und setzte zum Rückzug an. »Die Krönungsfeierlichkeiten werden in der großen Kathedrale mit dem Volk zusammen stattfinden.«

»Na, was sagen wir denn dazu? Der neue Regent scheint ein sehr mutiger junger Mann zu sein, oder?«, meinte Herodin anerkennend. »Er scheut zumindest nicht davor zurück, ein Wagnis einzugehen.«

»Ich denke nicht, dass eine große Gefahr besteht.« Nerestro schüttelte den geschorenen Kopf. »Die Tzulani werden keine Gelegenheit bekommen, vermute ich. Die Leibwache des Kabcar gehört mit zu den besten Kämpfern, auch wenn sie uns nicht das Wasser reichen kann.« Er prostete seinen Männern zu. »Auf die besten Kämpfer Tarpols!« Die Gläser wurden lachend erhoben.

»Oh, seht, wer da hereingeweht kommt«, rief Herodin und deutete auf Matuc. »Bruder Rotwein ist wieder da.«

Der Ulldraelmönch kam zu ihnen an den Tisch und setzte sich.

»Täusche ich mich, oder hast du eine andere Kutte erhalten?«, wollte der Anführer der Ordensritter wissen, bevor Matuc nur ein Wort sagen konnte.

Zögerlich nickte der betagte Mann. »Ich bin vom Geheimen Rat in die nächste Stufe berufen worden.«

»Wegen der großen Verdienste, eine Lakastra-Priesterin auf dem Gewissen zu haben, bevor sie in Tarpol Unheil stiften konnte?«, vermutete Nerestro verächtlich.

»Spottet nur, Ritter Aufbraus«, gab sich Matuc gelassen. »Ich soll als Weihehelfer der Krönung des Kabcar beiwohnen. Ihr werdet mit Euren Leuten ebenfalls in der großen Kathedrale sein. Mit etwas Glück bringe ich meine Aufgabe bald zu Ende.«

Der große Ordensritter kniff die Augen zusammen. »Nanu? So plötzlich?«

»Gefällt es Euch nicht, mich endlich los zu sein? Ich dachte, Ihr freut Euch, meinen Kopf von den Schultern zu trennen?«

»Selbstverständlich bin ich voller freudiger Erwartung, aber es kommt etwas unverhofft. Wir reisen quer durch das Königreich aus uns unbekannten Gründen, und mit einem Schlag sagst du uns, wir hätten es bald geschafft?« Nerestro schaute an die Holzdecke. »Belkala hat mir gesagt, du würdest jemanden suchen.« Matuc zuckte zusammen. »Anscheinend hatte sie Recht«, kommentierte der Ritter die Reaktion. »Aber wen? Vermutlich ist er in Ulsar, und ich vermute außerdem, es hängt mit deiner Beförderung zusammen.«

Der Ulldraelmönch wand sich und rutschte auf dem Stuhl hin und her. »Ich kann es Euch nicht sagen. Ich darf es nicht. Und ich werde es auch nicht.«

»Mir soll es egal sein. Solange wir hier bleiben und eine warme Unterkunft haben, werde ich mich nach den Strapazen der letzten Wochen nicht darüber beschweren.« Nerestro lutschte sich ein Stück Fleisch aus den Zähnen. »Dann hast du also in drei Tagen bereits deinen großen Auftritt, Bruder Rotwein. Was sollen wir bei dieser Krönung tun?«

»Seid einfach nur in meiner Nähe«, sagte Matuc und nahm sich ein Stück Brot. »Passt auf, dass mir bis zur Weihe nichts geschieht.«

»Das wird vermutlich sehr einfach sein«, meinte

Herodin. »Es wird in der Kathedrale nur so von Wachen wimmeln. Es ist der sicherste Ort in ganz Tarpol, nehme ich an.« Er streckte sich ein wenig und sah den Mönch neugierig an. »Und? Hast du den Tadc schon gesehen? Ist er wirklich fetter als je zuvor?«

»Nein, ich habe ihn nicht gesehen«, seufzte der Ulldrael-Gläubige. »Aber Ihr werdet ihn bei der Zeremonie daran erkennen, dass es der einzige Junge mit einer Krone sein wird.«

Nerestro lachte. »Wo wirst du schlafen?«

»Ich werde mich umgehend in den Tempel begeben, um mich auf die Zeremonie vorzubereiten. Einen Tadc zum Kabcar zu machen, erlebt man nicht jeden Tag. Ulldrael soll zufrieden mit mir sein, wenn ich so eine wichtige Aufgabe übernehme.« Er erhob sich. »Ich werde Euch in drei Tagen in der Kathedrale erwarten. Kommt nicht zu spät, damit Ihr einen Platz vorne bekommt.« Matuc ging ohne einen Gruß.

Nachdenklich sah ihm der Ritter hinterher. »Etwas gefällt mir an der Sache nicht, Herodin«, sagte er leise. »Ich will, dass ihr alle bei der Weihe besonders gut aufpasst. Ich bin mir sicher, dass etwas geschehen wird und dass unser Mönchlein mehr weiß, als er preisgibt.«

»Ich schätze, es hat etwas mit dem Gouverneur von Granburg zu tun«, meinte Herodin bedächtig.

Nerestros Augen verengten sich. »Wieso?«

»Erst wollte er auf direktem Weg zur Provinzhauptstadt, danach kehrten wir um, als er hörte, dass der Gouverneur nicht in Granburg ist, stattdessen reisen wir nach Ulsar, wohin alle Gouverneure und Brojaken geladen sind, um an der Weihe des Tadc zum Kabcar teilzunehmen.«

»Erinnere dich: Wir haben den Gouverneur doch unterwegs getroffen«, warf Nerestro ein. »Am Flussufer.«

»Wir haben ihn aber nicht persönlich gesprochen, weil Ihr das Tau für die Fähre gekappt habt«, hielt Herodin dagegen. »Vielleicht soll er etwas mit dem Gouverneur für den Ulldraelorden klären. Außerdem scheint der Gouverneur nicht unbedingt ein beliebter Mensch zu sein. Der Überfall kurz vor Granburg galt eigentlich dem Statthalter. Ich habe gehört, wie einer der Angreifer Matuc nach dem Gouverneur gefragt hat.«

Der Ritter winkte ab. »Das ist zwar alles sehr interessant, aber es bleiben nur wüste Spekulationen. Im Grunde ahnen wir nur, dass in der Kathedrale etwas passieren wird. Und darauf werden wir uns einstellen.«

Der Unterfeldführer lehnte sich vor. »Wollt Ihr ihn wirklich töten, wenn wir unseren göttlichen Auftrag erfüllt haben?«

Ein böses Lächeln huschte über Nerestros Gesicht. »Er will es, und ich habe nichts dagegen.«

Mit einer schnellen Bewegung stürzte er seinen Wein hinab. »Gute Nacht.« Schwerfällig erhob er sich, der benebelnde Alkohol und die massige Rüstung taten ihre Wirkung.

Müde schleppte er sich auf das Zimmer, entledigte sich allen Metalls, das er am Leib trug, und verrichtete sein allabendliches Gebet zu Angor, die aldoreelische Klinge in Händen haltend.

Danach schritt er zum Fenster und sah hinaus auf die grauen, Schnee bedeckten Gassen, auf denen sich immer noch Menschen bewegten. Männer in dicken Mänteln, mal aus Pelz, mal aus schwerem Stoff, Frauen in weiten Umhängen, die nicht weniger kostbar als die Kleidung ihrer Männer schienen. Reiche Bürger nutzten ihre Kutschen, um durch das dunkle Ulsar zu reisen und gefahrlos von einem Ort zum anderen zu gelangen.

Auch wenn Nerestro den Luxus der Herberge schätzte, die Welt in der Hauptstadt Tarpols war nicht die seine. Überall Häuser, die so hoch und so eng aneinander gebaut waren, dass selbst im Sommer nur spärliches Licht auf das Kopfsteinpflaster fiel.

Die Luft war durchsetzt mit den unterschiedlichsten Gerüchen, manchmal stank es widerlich nach Kot und Urin. Bestimmte Teile der Stadt wurden von Banden regiert, so erzählte man sich, die nur darauf warteten, dass sich Unkundige hierher verliefen, um leichte Beute zu sein.

Im Grunde seines Herzens hasste der Ritter den Zustand des Landes. Vom Einfluss der Bojaken und Adligen regiert, zählten echte Krieger, wie seine Brüder des Angor-Ordens der Hohen Schwerter, schon lange nicht mehr in diesem Königreich zu denen, die etwas zu sagen hatten. Die Tage, in denen ihrem Wort bei den Regenten Gewicht gegeben wurde, waren lange vorbei.

Das Unrecht gegen die Kleinen schien an der Tagesordnung, das vom alten Herrscher deshalb toleriert wurde, weil die Großbauern über mehr Geld verfügten als er – und wegen der Schulden, die der Kabcar bei ihnen hatte.

Mit diesem dicken Burschen, der in drei Tagen den Thron besteigen sollte, in den er vermutlich nicht einmal hineinpasste, würde es gewiss nicht besser werden. Im Gegenteil, er fürchtete, dass das Land nun endgültig in die Hand der Fürsten und Großbauern fallen würde.

Und als ob das nicht alles schon schlimm genug wäre, hatte er die Frau verloren, die er trotz aller Unterschiede, vom Glauben bis zum Äußeren, gerne an seiner Seite gehabt hätte.

Nerestro hob den Blick und sah zum Sternenhimmel, der sich wie ein schmales, schwarzes Seidenband zwischen den Häuserschluchten zeigte. Vereinzelt funkelten Gestirne wie Diamanten auf und sandten ihr kühles Licht auf die Erde.

»Belkala«, sagte er leise, schloss die Augen und rief sich die schönen Momente der Reise zurück.

Sicherlich, ihr Herz hätte er wahrscheinlich niemals

für sich erobern können, aber immerhin wäre sie in seiner Nähe gewesen. Nun lag die schöne Priesterin zusammen mit seinen toten Männern leblos unter einem Haufen Steine vor den Toren Ulsars.

»Ich hoffe, dein Gott Lakastra hat dich gefunden«, murmelte er und ging zu Bett.

In dieser Nacht hatte der Ritter einen furchtbaren Albtraum.

Er sah die verschneiten, steinernen Grabhügel abseits des Weges. Dann begannen die Brocken von Belkalas Grab sich zu bewegen, einer nach dem anderen rollte herab, bis die Priesterin vollständig im Freien lag. Fahlblau war ihr gefrorener Körper, ansonsten wirkte sie schlafend.

Immer näher ging er im Traum an sie heran.

Als er ihr Gesicht in voller Größe vor sich hatte, schlug sie plötzlich die Augen weit auf, klirrend splitterten die zu Eis erstarrten Lider. Statt in angenehm warmen Bernstein zu leuchten, glühte die Iris bedrohlich Giftgelb.

Belkala schoss in die Höhe, riss den Mund auf und fletschte die spitzen Eckzähne, die auf das Doppelte angewachsen waren. Die gefrorenen Lippen bekamen Sprünge und barsten, das komplette Gesicht wurde mit einem Mal von einem wilden Muster aus Rissen überzogen. Das Fleisch platzte von den Knochen, bis nur noch fasrige Muskelreste, vereinzelte Hautfetzen und die dunkelgrünen Haare am Kopf hingen.

Der Ritter wich in seinem Traum zurück, doch das Wesen setzte nach, holte ihn ein und nahm seinen Kopf sanft zwischen die kalten Hände. Bleiche Fingerknochen schauten aus der aufgesprungenen Haut hervor.

Langsam nährte sich Belkalas halb zersetzter Mund Nerestros und drückte ihm einen eisigen Kuss auf die Lippen.

»Wir werden uns wieder sehen, Geliebter«, versprach

die Traumgestalt mit glühenden Augen. »Schon bald. Wir alle werden uns wieder sehen.«

Die Steine auf den Gräbern seiner Männer bewegten sich nun ebenfalls und gaben die Toten preis. Umständlich erhoben sich die Gestorbenen und kamen stumm auf die beiden zu.

Gelähmt schaute Nerestro auf die gefallenen Männer, die sich durch unheimliche Kräfte wieder wie Lebende bewegten. Was auch immer hier geschah, es war nicht der Wille Angors, da war er sich sicher. Er griff nach seinem Schwert, fand es aber nicht.

Belkala gab ihm einen wilden Kuss auf den Hals, ihre Hände gruben sich in seinen Nacken und kratzten in seine Haut.

»Ich kann es kaum erwarten, Geliebter«, flüsterte sie. »Aber zuerst muss ich mich stärken.«

Abrupt wandte sie sich um und riss einen der auferstandenen Männer nieder. Mit seinem eigenen Dolch brach sie dem hilflos Strampelnden ein großes Stück Fleisch aus dem Bauch und machte sich gierig darüber her.

Nerestro erwachte zitternd aus dem Traum und griff in einem Reflex nach seinem Schwert. Die blanke Klinge in der Hand, saß er in seinem Bett und starrte in die Dunkelheit, vor seinem geistigen Auge spiegelten sich immer noch die Eindrücke der letzten Sekunden.

Nach und nach wich die Anspannung.

Der Ritter stieg aus dem Bett, kniete nieder und verbrachte den Rest der Nacht in stillem Gebet zu Angor. Vielleicht würde er ihm einen Hinweis geben, was sein Traum zu bedeuten hatte.

Völlig versunken in Litanei und Andacht, bemerkte er die Gestalt, die vor seinem Fenster hockte, nicht. Purpurfarben leuchtende Augen beobachteten ihn aufmerksam bis zum Morgengrauen, dann verschwand das Wesen.

»Ihr seht blass aus. Habt Ihr schlecht geschlafen?«, erkundigte sich Herodin beim Frühstück bei seinem übernächtigten und müden Herrn. »Unsere Betten waren sehr gut.«

»An den Betten hat es nicht gelegen«, meinte Nerestro knapp und nahm einen Schluck von dem dampfenden Tee. Das heiße Getränk verbrannte seine Zunge, schnell stellte er die Tasse wieder ab. »Ich hatte einen seltsamen Albtraum letzte Nacht. Und ich weiß nicht, ob es ein Zeichen von Angor war oder nicht.«

»Ein Zeichen? Welcher Art?«

Der Ritter sah den Mann an. »Der unangenehmen Art. Sehr unangenehm. Wenn Granburg nicht so weit entfernt und die Krönung nicht übermorgen wäre, würde ich sofort dahin aufbrechen und nachsehen.«

Der Unterfeldführer verstand gar nichts mehr. »Nachsehen? Was denn nachsehen?«

Nerestro winkte ab. »Vergesst es. Ich habe bestimmt nur zu viel Wein getrunken und mir deshalb wirre Gedanken gemacht.« Er machte sich ohne ein weiteres Wort über das Frühstück her und verschlang Unmengen an Brot, Wurst und Käse. Dann lehnte er sich auf dem Stuhl zurück und sah an die Holzvertäfelung der Decke.

»Wir werden nachher einen Rundgang machen und uns die Kathedrale ansehen. Vielleicht finden wir unterwegs die ein oder andere Schmiede, die exquisite Stücke zum Verkauf bietet. Eure Schwerter bräuchten zumindest mal eine Ausbesserung, und wenn wir schon in der Hauptstadt sind, sollten wir das nutzen.« Seine Begleiter nickten zustimmend.

Als sie sich erhoben, um Vorbereitungen für den Ausflug zu treffen, hielt Herodin inne und starrte auf Nerestros Nacken.

»Herr, Ihr habt da so etwas wie eine böse Kratzwunde.« Er kam näher und schaute sie sich mit prüfender

Miene an. »Mh, das sieht aus wie von einem Dornengestrüpp oder einem Tier. Hat Euch vielleicht heute Nacht eine große Katze im Bett heimgesucht und Euch so die Albträume beschert?« Der Unterfeldführer lachte. »Das arme Tier, keine Wunder. Es hat sich bestimmt mit Zähnen und Klauen gewehrt. Es liegt mit Sicherheit erdrückt irgendwo zwischen den Matratzen.«

Der Ritter tastete vorsichtig im Genick und entdeckte die Rillen. Fünf Stück zählte er. Tiefe Furchen, die erstaunlicherweise unangenehm zu brennen begannen, nachdem er sie entdeckt hatte. »Ja, ich habe mich wohl im Traum irgendwie verletzt«, log er.

Das lange Kettenhemd verbarg seine zitternden Knie, und dafür war er äußerst dankbar. Sollte Belkala mehr als Einbildung gewesen sein? Wie konnte das möglich sein, dass eine Traumgestalt Wunden hinterließ? Ein schneller Gedanke rief die entstellte Kensustrianerin vor sein geistiges Auge, und Schauer durchliefen ihn.

»Ist Euch wirklich gut, Herr«, fragte Herodin erneut. »Oder hat Euch eine Erkältung im Griff?«

»Es geht schon.« Nerestro straffte sich und ging auf sein Zimmer, um Rüstung und Pelze anzulegen, damit die Kälte das Metall nicht am Körper festfrieren ließ.

Der Tross aus schwer gerüsteten Ordenskriegern des Gottes Angor und fast nicht weniger ausstaffierten Knappen, der wenig später durch die Straßen Ulsars ritt, machte Eindruck.

Sie waren nun offiziell unterwegs, und Nerestro hatte daher befohlen, Flagge zu zeigen. Wimpel flatterten im eisigen Wind, das große Banner Angors wehte weithin sichtbar in der Mitte des Zuges. Das Stück Stoff war sowohl Warnung als auch stolzes Zeichen zugleich. Jeder, der den stilisierten Panther, der eine Axt und ein Schwert in den Pranken hielt, sah, wusste, dass er um diese Ritter besser einen weiten Bogen machen sollte, wenn er sich Unbequemlichkeiten ersparen wollte.

In Ulsar schien man dies zu wissen. Einfaches Volk wich schnellstens zur Seite aus, Adlige und besser Gestellte schauten ihnen hinterher und die Stadtwache, die in unregelmäßigen Abständen patrouillierte, warf den Kämpfern missbilligende Blicke zu. Die offen getragenen Waffen wurden nicht gerne gesehen, aber die Orden genossen in der Beziehung die gleichen Privilegien wie Adlige.

Einem Krieger das Schwert zu verbieten kam einem Ehrbruch gleich, und darauf reagierten sie mit Mord und Totschlag. In diesem Fall bestand aber wenig Gefahr, dass die Männer Anlass für Händel sein könnten. Turniere standen in nächster Zeit nicht an, die einzig schlagkräftigen Männer waren die Angehörigen der Wache.

Vor einem Waffenladen hielt Nerestro an und stieg ab, seine drei Ritter folgten ihm in das Innere des Gebäudes.

Das geräumige Zimmer starrte vor Schwertern, Rüstungsteilen und Schilden, die entweder sorgsam in Vitrinen standen oder in Halterungen an der Wand aufbewahrt wurden.

Der Anführer der Ritter des Ordens der Hohen Schwerter nahm einen Rundschild vom Haken, legte ihn sich an und vollführte ein paar spielerisch anmutende Abwehrbewegungen, als sei das Gewicht an seinem Arm so leicht wie ein Schleier.

»Der Schild besteht aus zehn Schichten verleimten Holzes, vier unterschiedlich dicken Ledereinlagen und einer dünn getriebenen Decke aus Metall«, kam es zwischen den Regalen hervor. »Wenn Ihr nicht mindestens vierzig Waslec in der Tasche habt, dann lasst ihn besser hängen.«

Nerestro blickte amüsiert in die Runde seiner Männer

und knallte den Schild auf den Tresen, dass es Ohren betäubend krachte.

»Was macht Ihr da?« Ein Mann um die dreißig Jahre in modischsten Gewändern mit Lederschürze und gepflegtem Äußeren erschien mit sehr abweisendem Gesicht. Er war ziemlich groß und hatte für die kalte Gegend im Norden des Kontinents äußerst braune Haut. Nerestro erkannte auf den ersten Blick, wen er vor sich hatte.

Es musste ein Angehöriger der ontarianischen Handelsgilde sein. Die Kaufleute kontrollierten den Warenaustausch zwischen den Königreichen und Baronien, waren ausgestattet mit Privilegien und Sonderrechten, die sie in ihrer Monopolstellung immer weiter stärkten – sehr zum Ärger der Reiche und der kleinen Händler, denen damit die Möglichkeit auf großen Reichtum durch Fernhandel genommen wurde. Die verliehenen Vorzüge verteidigten die Ontarianer mit allem Engagement, inklusive der Nutzung von Söldnern, sollten sich Räuberbanden oder kaufmännische Rivalen zu sehr für ihre Routen interessieren.

»Wenn Ihr einen Kratzer in die Metallschicht gemacht habt, müsst Ihr den Schild bezahlen. Und zwar den vollen Preis.« Als fiele es ihm jetzt erst auf, richtete der Ontarianer den Blick auf die Ordensinsignien, die sichtbar auf den Rüstungen der vier Männer prangten. Die Farbe wich etwas aus dem Antlitz, der Adamsapfel hüpfte hektisch. »Oh, ich entschuldige mich bei Euch, edle Herrschaften. Mein Name ist Secho. Ich wusste nicht, dass …«

»Und ich wusste nicht, dass von diesem kleinen Schubser deine Schilde kaputt gehen«, fiel ihm Nerestro ins Wort. Er glaubte dem Kaufmann kein Wort, die schauspielerischen Fähigkeiten der Gilde waren hinreichend bekannt. Also musste man den Spieß umdrehen. »In einem Kampf müssen sie viel mehr aushalten.« Er nickte Herodin zu, der in einer fließenden Bewegung sein Schwert zog und einen gewaltigen Schlag gegen den Schild ausführte.

Wie Papier faltete sich die Deckung in der Mitte um die Klinge, das Holz zerbrach, wurde jedoch von dem Metall zusammengehalten. »Wie soll ein Krieger mit deiner Ware einen Kampf überleben?« Geringschätzig warf er fünf Waslec auf den Schrott. »Mehr war er nicht wert. Danke mir nicht für meine Großzügigkeit.«

»Oh«, der Mann kratzte sich am Kopf. »Ich verstehe das nicht.« Etwas fassungslos hob er den zertrümmerten Schild hoch. »Aber wir haben noch ganz andere Ware im Angebot. Das hier war minderwertiges Zeug aus … Borasgotan. Die wissen gar nicht, welches Leder das Beste ist.« Secho wieselte um die Theke, schnappte nach einem Dreieckschild und hielt ihn vor sich. Sanft klopfte er dagegen. »Na, Herrschaften? Das ist ein Klang. So hört sich nur Qualität an.«

Nerestro hob die Faust, die im Eisenhandschuh steckte, und hämmerte drauflos.

Der überraschte Händler taumelte samt Schutzwaffe mehrere Meter nach hinten, polternd verschwand er in einem Regal mit Schwertern.

Schützend hob er den Schild über den Kopf und machte sich darunter so klein wie möglich, während eine Klinge nach der anderen auf ihn herab regnete und mit dumpfen Geräuschen von dem Schutz abprallte.

Nerestros Männer lachten, während der Ritter lächelnd die Faust ausschüttelte, zu dem Handwerker ging und ihm bei Aufstehen half. Das Eisen des Panzerhandschuhs hatte Dellen im Metall hinterlassen, die Schwerter Kratzer gezogen.

»Den werde ich nie mehr jemandem verkaufen können«, jammerte Secho leise und zog seine Lederschürze zurecht.

»Keine Angst, ich kaufe ihn«, beruhigte ihn der Ordensritter. »Hier hast du zwanzig Waslec. Genügt das?«

»Für so einen guten Schild? Herr, ich bitte Euch! Bei der Kraft, die Ihr habt, und nur ein paar kleine Vertiefungen, das müsste Euch mindestens das Doppelte wert sein.« Listig grinste der Händler. »Er ist mit Iurdum beschichtet.«

Nerestro schaute einen Moment verblüfft, dann stimmte er in das Gelächter seiner Ritter mit ein. »Du bist mir ein Held. Nun gut, ich gebe dir fünfzig Waslec. Aber dafür werden wir deine Schmiede und dein Erz benutzen, um die Klingen meiner Kampfgefährten auszubessern.«

»Wir haben die beste Schmiede und die heißeste Esse in ganz Ulsar«, verbeugte sich Secho. »Sie werden aussehen wie neu.« Die Ritter schnallten ihre Waffen ab und legten sie auf den Tresen.

Aufmerksam betrachtete sie der Ontarianer. »Das letzte Mal, dass ich die Hohen Schwerter in Ulsar gesehen habe, ist mindestens vier Jahre her«, sagte er nach einer Weile. »Ihr seid gewiss wegen der Krönung des Tadc hier, nicht wahr? Oder sollte ein Turnier anstehen?«

Nerestro lächelte. »In der Tat, wir sind hier, um dem neuen Kabcar unsere Aufwartung zu machen. Gibt es über ihn etwas, das man wissen sollte?«

»Schenkt ihm keine Lebkuchen mit Mandeln«, riet der Händler. »Er neigte einst dazu, das Essen fast ungekaut zu schlucken, und eine Mandel hätte ihn beinahe schon einmal das Leben gekostet.«

»Das meinte ich nicht, Krämer.« Der Ritter warf dem Mann zuerst einen bösen Blick, danach eine weitere Hand voll Waslec auf den Tisch.

Etwas pikiert sah Secho auf die Münzen. »Ihr haltet mich wohl für eine Nachrichtensäule?«

»Eure Art ist dafür bekannt, eine Nachrichtensäule zu sein«, meinte Herodin in viel sagendem Tonfall.

Der Mann neigte den Kopf etwas zur Seite und blickte Nerestro in die Augen. Die Pupille des Ontarianers weitete sich und drängte das Grün der Iris bis auf einen schmalen Ring zurück.

Jetzt liest er seine Gedanken. Herodin musste an das denken, was das einfache Volk über die Händler sagte. Angeblich waren die meisten Ontarianer deshalb so erfolgreich bei Verhandlungen, weil sie die Ideen und Geheimnisse der Geschäftspartner sehen konnten.

Etliche tarpolische Kaufleute trugen ominöse Amulette gegen diese nachgesagte Fähigkeit der Ontarianer, die in keinem der Länder Ulldarts heimisch waren. Zwar saßen sie in allen Reichen des Kontinents, aber einen eigenen Staat hatten sie niemals errichtet. Sie integrierten sich in das jeweils Vorhandene und erarbeiteten sich dank des Fernhandelmonopols schnell Vorzüge.

Ein Ruck ging durch Sechos Körper, die Pupillen zogen sich zur ursprünglichen Größe zusammen. »Aha. Was genau möchtet Ihr wissen?«

Nerestro sah den Mann an. »Wenn dein Volk wirklich Gedanken lesen kann, weißt du es jetzt. Ansonsten möchte ich alle Gerüchte hören, die sich um die Krönungszeremonie ranken.«

Secho lachte laut los. »Nein, Herr, ich kann keine Gedanken lesen. Ich wollte es auch nicht. Es würde mich bestimmt in unangenehme Situationen bringen, schätze ich?« Er nahm die Schwerter der drei Ritter beiläufig vom Tisch. »Aber an Gerüchten seid Ihr interessiert. Mh, lasst mich einen Moment überlegen.« Der Ontarianer stützte sein Kinn auf die Hand. »Es gibt das Gerücht, dass der Tadc seinen Vater deshalb so schnell verbrennen ließ, weil er dessen Tod arrangiert hat und Beweise vernichten wollte. Und in die Welt gesetzt wurde diese Neuigkeit vom borasgotanischen Botschafter. Die Zeremonie selbst soll groß angelegt sein, mit Beteiligung des Volkes. Der Tadc möchte zeigen, dass er sich keineswegs vor irgendetwas fürchtet. Der genaue Ablauf der Krönung ist am Portal der Kathedrale angeschlagen, wenn Ihr es selbst nachlesen möchtet.«

Ein Bediensteter erschien, nahm die Schwerter und verschwand damit. Die Ritter und Knappen folgten ihm in die Schmiede.

In vier Becken glühten die Holzkohlen dunkelrot; mit jedem Stoß aus den riesigen Blasebälgen, die seitlich montiert waren, wechselten sie ihre Farbe in gleißendes Weiß. Die Wände hingen voll mit Werkzeugen, Zangen, unterschiedlich schweren Hämmern, Feilen und vielem mehr an Handwerksgerät.

Die Ritter zogen ihre schwersten Rüstungsteile aus und machten sich ans Werk. Die Schwerter wurden erhitzt, neues Erz sorgsam eingeschmiedet und so lange bearbeitet, bis nichts mehr von Scharten zu sehen war.

Mehrere Stunden lang standen die Ordenskämpfer an den Kohlenbecken und verbesserten ihre Waffen mit meisterlicher Hand. Genauestens wurden sie zum einen von Nerestro beobachtet, zum anderen ließ sich Secho immer wieder mal in dem Raum sehen, um einen Blick auf die Ritter zu werfen.

Herodin, inzwischen Schweiß gebadet, winkte den Mann zu sich heran, beugte sich herab und flüsterte ihm etwas ins Ohr. Der Händler wechselte daraufhin leicht die Farbe. Der Ritter grinste böse und kühlte die Klinge in einem Bottich Wasser ab. Zischend schoss weißer Dampf in die Höhe.

»Was habt Ihr zu ihm gesagt?«, erkundigte sich Nerestro und reichte ihm einen Krug.

»Ich habe ihm gesagt, dass wir, wenn wir nur den Hauch von Minderwertigkeit an seinem Erz entdecken, ihn auf den Amboss legen und ihn mit einem glühenden Hammer schmieden werden.« Er nahm einen Schluck und legte die andere Hand an den Gürtel. »Ich fühle mich nackt ohne mein Schwert. Nur der Langdolch erscheint mir etwas wenig. Aber es wird noch dauern, bis wir die Waffen nehmen können.«

»Was wollt Ihr denn mit Eurem Schwert? Wollt Ihr in Ulsar Ungeheuer erschlagen?«, zog in der Anführer freundschaftlich auf. »Stellt Euch vor, wir würden einem besonders bösartigen Exemplar begegnen, und Ihr, Herodin der Mächtige, könnte es nicht mit dem Schwert niederstrecken, sondern müsste es gar erwürgen.«

»Sehr komisch, Herr, sehr komisch.« Herodin wischte sich den Schweiß von der Stirn und legte die Rüstung und die Pelze wieder an.

»Kommt, wir machen einen Stadtbummel, während die Klingen vollends abkühlen. Der ein oder andere von Euch könnte ein Bad nehmen, wenn ich Euch so betrachte.« Die Ritter gingen durch den Verkaufsraum nach draußen und schwangen sich in die Sättel.

»Ich weiß, wie Ihr Euch fühlt.« Nerestro lenkte sein Pferd in Richtung der gewaltigen, weithin sichtbaren Ulldrael-Kathedrale. »Aber hier werdet Ihr die Klinge nicht brauchen. Die Stadtwache macht einen tüchtigen Eindruck. Zur Not habt Ihr noch mich.«

»Und wenn ich zum Duell gefordert werde?« Der Ritter machte wirklich einen sehr unglücklichen Eindruck.

»Dann nehmen die Knappen die Armbrust und erschießen ihn.« Die anderen beiden Kämpfer schmunzelten, der Burgherr beschleunigte das Tempo.

Groß, wuchtig und wie ein Berg inmitten von Hügeln hob sich die Ulldrael-Kathedrale von den umliegenden Gebäuden ab. Die Architekten hatten ein kleines Wunder vollbracht. Seit mehr als achthundert Jahren stand das Gotteshaus, das damit älter als der eigentliche Tempel war und sich vom Anblick gänzlich von allem anderen in der Umgebung unterschied. Schmale, spitze Türme, die sich in Schwindel erregende Höhen stemmten, riesige bunte Glasfenster und goldene Kuppeldächer fielen sofort ins Auge.

Der auffällige Tross machte auf dem Vorplatz Halt. Die Ordenskrieger saßen ab und gingen auf das Portal zu, vor dem vier Ulldraelpriester standen und Opferschalen in den Händen hielten.

Ohne sie eines Blickes zu würdigen, setzten die Kämpfer ihren Weg fort. Aus den Augenwinkeln bemerkte Herodin, dass ein jüngerer der Männer wohl den Mund geöffnet hatte, um etwas zu sagen, aber von seinem älteren Mitbruder durch ein schnelles Kopfschütteln an jeder Bemerkung gehindert wurde.

Die Kathedrale schien unendlich lang zu sein. Am anderen Ende, scheinbar ganz klein, stand das Ulldrael-Heiligtum. Nerestro bezweifelte, dass der Bolzen einer Armbrust von hier bis auf die andere Seite fliegen würde. Säulen, die mehrere Meter dick waren, trugen die Dachkonstruktion, an die fünfzig Mann aufeinander gestellt nicht hinreichen würden. Querbalken und -verstrebungen, errichtet, um den immensen Druck abzuleiten, bildeten ein seltsames Muster. Nerestro zählte dreißig verschiedene Gongs, die unterhalb der Decke mit dicken Ketten verankert waren und scheinbar frei in der Luft schwebten. Die größte der Metallscheiben hatte mit Sicherheit den Durchmesser des Rades einer Windmühle. Zu jeder führten kleine Stiegen, die bei einem Podest endeten, auf dem ein Mann stehen konnte. Die bunten Glasfenster schufen ein seltsam unwirkliches Licht im Inneren, dicke Qualmwolken vom Räucherwerk formten schwebende, sich ständig verändernde Figuren.

An den Wänden hingen Reliefs, gigantische Gemälde mit Darstellungen aus der Mythologie Ulldarts und von der Erschaffung der Welt. Im Raum standen Statuengruppen, die solche Kämpfe plastisch machten. Fast alle Götter waren zu finden. Ulldrael selbst erschien in seiner ganzen Güte, ein betagter Mann in schlichter Kleidung und mit leuchtend gelben Haaren wie das reife

Korn. Eine Abbildung von Tzulan jedoch suchte man vergebens.

Steile Wendeltreppen, die sich um Säulen wanden, führten nach oben auf eine anscheinend nachträglich eingezogene Promenade, die wiederum zu Logen führte. Hier saßen bei Feierlichkeiten die Mitglieder des Geheimen Rates, die Oberen des Ulldraelordens, und wachten über die Abläufe.

Mobiliar fehlte im Bereich der Ritter vollständig. Erst weiter vorne, in Richtung Heiligtum, fanden sich schwere Holzsessel für die Reichen und Mächtigen Ulsars. Das einfache Volk betete im Stehen oder kniete sich auf den polierten Steinboden. Die kalte Luft war erfüllt vom Murmeln der Betenden.

»Eindrucksvoll«, flüsterte Herodin, obwohl er eigentlich seine Stimme nicht senken wollte.

»Zumindest für den, der sich davon beeindrucken lässt«, erteilte ihm Nerestro indirekt eine Rüge. Weithin hörbar hallten seine Worte durch die Kathedrale. »Wir alle werden den Ablauf der Zeremonie auswendig lernen, danach werden wir das Innere abgehen. Ich möchte, dass wir uns, sollte es notwendig sein, blind hier bewegen können. Einer der Knappen wird einen Plan anfertigen.«

Die Männer nickten und verteilten sich. Der ein oder andere Einheimische beobachtete die Ritter bei ihrem Treiben und konnte sich ihr Tun nicht recht erklären.

Von hinten nach vorne durchschritten sie die Kathedrale, bis sie am Heiligtum angekommen waren. Zehn Mal so groß wie ein Mensch erhob sich die Statue von Ulldrael, mit lächelndem Gesicht, in einer Hand ein Buch, in der anderen eine Hand voll Getreide. Zu seinen Füßen scharten sich einfache Menschen und begaben sich unter seinen Schutz. Zerbrochen vor ihm lag ein Schwert und eine Lanze.

»Pah«, murmelte Nerestro verächtlich, als er die Symbole seines Standes zum Zeichen der Friedfertigkeit und des Gewaltverzichts zerbrochen sah. »Es wird die Zeit kommen, da werden sie froh sein, wenn eine starke Klinge und eine sichere Lanze für Ordnung sorgen.«

»Da seid Ihr Euch sicher?«, erklang es plötzlich neben ihm.

Betont langsam wandte sich der Ordenskämpfer um und schaute den Priester in der schlichten, dunkelgrünen Robe an, der sich unbemerkt neben ihn gestellt hatte. Er war mehr als einen Kopf kleiner.

»Da bin ich mir sicher.« Nerestro reckte sich. Am Ausdruck im Gesicht des Mannes erkannte er, dass der gerade bereute, den Ritter angesprochen zu haben. »Ich werde mich aber nicht auf einen Disput mit dir einlassen, Mönch. Ich bin hier, um dem Kabcar in zwei Tagen meine Aufwartung zu machen. Und dazu gehört es auch, die Zeremonie zu besuchen, die ihn in sein Amt einführen wird.«

»Das wird den Thronfolger mit Sicherheit freuen«, sagte der Mönch lächelnd. »Aber habt Ihr eine Einladung? Jede Person, die hier mit Waffen eintreten möchte, benötigt ein Schreiben des Palastes, das ihn dazu berechtigt. Ihr versteht diese Maßnahme, nicht wahr?«

»Ich bin Nerestro von Kuraschka vom Orden der Hohen Schwerter, Kämpfer für Angor. Und ich habe keinerlei Erlaubnis nötig, um dieses Schwert an meiner Seite tragen zu dürfen. Nicht deine, nicht die des Palastes oder sonst eines Menschen. Wer sollte mich daran hindern?«

»Es ist nicht meine Entscheidung«, sagte der Mann mit geneigtem Kopf. »Es wurde die Anweisung gegeben, Besucher darauf hinzuweisen.« Er sah zu den Rittern, die in der Kathedrale standen. »Und Eure Männer werden ebenfalls eine Einladung benötigen. Ich werde Euch im Moment nicht daran hindern können, aber bei der Zeremonie werden genügend Wachen hier sein, mit denen Ihr Eure Ansicht besprechen könnt.«

»Dann machen wir dem zukünftigen Herrscher Tarpols eben keine Aufwartung«, sagte Nerestro kühl. Er wandte sich auf dem Absatz um, winkte seinen Begleitern zu und stapfte aus dem riesigen Gebäude.

Als sie vor das Portal traten, begann es zu schneien. Dicke, weiße Flocken fielen aus dem grauen Himmel und bedeckten schnell Dächer, Straßenpflaster und alles, was im Freien stand, mit einer dünnen, kalten Schicht.

Die Ritter saßen auf. »Wir werden uns einen anderen Weg in die Kathedrale suchen müssen als durch das Hauptportal«, sagte Nerestro zu Herodin und nickte zu einer schmalen Pforte, die undeutlich zwischen all den Pfeilern zu sehen war. »Ich denke, das ist der richtige Eingang für uns.« Seine Leute grinsten. »Und nun gönnen wir uns die Freuden eines Badehauses. Ich habe schon lange keine Massage mehr genossen.«

Die kleine Streitmacht setzt sich in Bewegung. Und je weiter sich die Männer entfernten, desto erleichterter wirkten die vier Ulldraelmönche am Eingang der Kathedrale.

Ulldart, Königreich Palestan, Hauptstadt Tuillé, Winter 442/443 n. S.

»Meiner Ansicht nach war es der Fehler von Commodore Gial Scalida. Ich habe ihn noch gewarnt, sich nicht an dieser Stelle auf die Lauer zu legen. Aber er wusste es besser. Er meinte, ich wäre zu unerfahren, das beurteilen zu können. Werte Kaufherren, wir haben nichts gegen diese Schiffe ausrichten können. Sie wollten uns absichtlich vernichten, und wir waren ihnen so unterlegen wie die Iurd-Krone dem Rogogard-Heller.« Adjutant Parai Baraldino sank in sich zusammen und schaute in die gespannten Gesichter der zwanzig Männer. »Wenn Ihr nur gesehen hättet, was ich gesehen habe. Schiffe, so hoch wie ein ganzer Palast. Feuer, das nicht durch Wasser gelöscht wird, und Katapulte, die Speere verschießen, für die das dickste Holz kein Hindernis darstellt. Steine hat es geregnet, ochsengroß!« Der angehende Offizier schloss die Augen. »Die Männer sind verbrannt, bei lebendigem Leib. Um mich herum stand das Meer in Flammen, Tote trieben an mir vorüber, und irgendwelche Wasserwesen fraßen die Leichen. Die Kensustrianer sind einfach weitergesegelt.« Er wedelte mit der Hand. »Sie haben uns weggewischt, wie man einen ungültigen Wechsel vom Tisch fegt. Man sieht nicht danach, man zertritt und zerstampft ihn. Ich …« Er verstummte und blickte ins Leere.

»Und das Gold?«, fragte einer der Kaufmannsräte, Phrons Seloni, in die Stille. »Was passierte mit den Barren?«

»Es liegt vermutlich auf dem Grund. Zwischen den Wracks. Verloren für immer«, antwortete Baraldino leise. »Vier Schiffe voller Gold, als Zier des Ozeans.«

»Besteht eine Möglichkeit, das Metall zu bergen?«, wollte Seloni wissen.

»Nein, Herr Rat. Unsere Karten haben die Tiefe mit sechsundsechzig Faden eingezeichnet. Nichts gelangt dorthin. Nicht einmal das Licht.« Der Offizier seufzte. »Ein unvorstellbarer Schatz.«

»Zusammenfassung«, knurrte Ratsmitglied Ricar Heruso und meinte mit der Anweisung den Schreiber, der an einem Pult am Ende des Versammlungsraumes saß.

»Werte Herren Räte. Palestan hat seine komplette Sondereinsatzflotte verloren: sechs Zweimaster, ein

Dreimaster, rund neunhundert Mann, dazu die Katapulte und die übrige Ausrüstung eines jeden Schiffs«, trug der Schreiber vor. »Summa summarum ein Verlust von mindestens 115 000 Hellern, ohne Einrechnung der vielen kostbaren Zeit für die Vorbereitungen.« Ein Ächzen ging durch die Reihen der Kaufleute. »Hinzu kommen die verlorenen Einnahmen durch den Untergang der tersionischen Flotte, geschätzte eine Million Heller nach dem derzeitigen Marktwert des Goldes. Summa summarum belaufen sich damit die Verluste Palestans auf 1,175 Millionen Heller. Abgerundet.« Der Schreiber setzte sich wieder.

»Welch ein Debakel«, flüsterte jemand.

Schor Josici, der Sprecher des Kaufmannrates, rückte seinen hohen, schwarzen Hut zurecht und verzog das Gesicht. »Ich gedenke nicht, dem Staatsschatz diese Summe anzulasten. Palestan wird sich das Geld von irgendjemand anderem besorgen. Und ich schlage daher vor, wir erheben formal eine Anklage, gekoppelt an einen Kriegsbeschluss, gegen Kensustria. Die Begründung: weil sie unsere Flotte während eines Gefechtes mit Piraten vernichteten. Wohlgemerkt, nachdem die Piraten zuerst das Feuer eröffnet hatten. Dass es unsere Schiffe waren, die sich als Rogogarder getarnt haben, muss keinen interessieren.«

Fassungsloses Schweigen herrschte im Raum. Baraldino glaubte, sich verhört zu haben.

»Der Gedanke gefällt mir«, sagte Seloni nach einer Weile. »Aber warum gleich den Krieg ausrufen?«

»Weil Kensustria sich nicht an dem Abkommen über die Scharmützelregelung beteiligt hat. Alle Reiche auf Ulldart haben sich bereit erklärt, Zwistigkeiten auf diese Art zu regeln, nur dieses Land nicht. Also können wir auch den Kriegsbeschluss gegen sie verhängen, ohne das allgemeine Reglement gebrochen zu haben«, erklärte Josici lächelnd.

»Vorsicht«, erhob Heruso seine Stimme. »Wir lösen damit vielleicht etwas aus, was wir unter Umständen nicht mehr kontrollieren können. Ich bitte zu berücksichtigen, dass Kensustria zwar das kleinere, aber vermutlich das stärkere Land ist, wenn es um die Schlagkraft von Soldaten geht. Man hört ja die tollsten Sachen, was die Kriegskunst angeht. Und die Schilderungen des bedauernswerten Baraldino hier tragen nicht unbedingt dazu bei, dass ich mich sicher fühle. Wenn sie mit diesen Schiffen die Jagd auf unsere Händler eröffnen, sind wir schneller ruiniert, als wir es bedauern können.« Zustimmendes Gemurmel setzte ein.

»Wir sollten zuerst die anderen Königreiche von dem Geschehen informieren«, riet ein anderes Mitglied des Gremiums. »Und zwar so, dass wir die bedauernswerten Opfer sind. Und was ist, wenn noch andere, zum Beispiel Seeleute aus Tersion, den Angriff überlebt haben? Dann wird unsere Argumentation wie ein Kartenhaus zusammenbrechen.«

Alle schauten wie auf einen lautlosen Befehl Baraldino an.

»Oh, ich weiß nicht, ob es außer mir noch jemand schaffen konnte«, beeilte er sich zu sagen. »Dass ich überlebt habe, verdanke ich zunächst einer halb vollen Proviantkiste, in der ich ausharrte. Wie Ihr wisst, werte Kaufherren, hat mich ein anderer Palestaner aus dem Wasser gefischt. Und nach Aussagen des Commodore haben sie sonst niemanden mehr gefunden. Das tersionische Suchkommando, das ausgesandt wurde, um nach der Lieferung zu sehen, ist uns erst danach begegnet, und auch sie haben nur noch Wrackteile gefunden. Wenn es Überlebende gab, sind sie inzwischen von irgendwelchen Ungeheuern verschlungen worden.«

Erleichterung machte sich in den Gesichtern der Kaufmannsräte breit. Der Offizier hatte ihre Bedenken zerstreut, die Aussicht auf einen Gewinn hatte gesiegt.

»Was denkt Ihr, Baraldino? Wird der Plan funktionieren?«, wollte Josici wissen.

»Ich habe da eher Zweifel«, meinte der Mann. »Aber ich hätte einen anderen Vorschlag. Palestan sollte sich zuerst mit Tersion absprechen.«

»Wie meint Ihr das?«, hakte Seloni nach.

»Nun, um die Geschichte perfekt zu machen, dachte ich an folgende Version. Die Goldflotte wurde von rogogardischen Piraten angegriffen. Unser Schiff, deutlich zu erkennen an den drei Segeln und der gehissten palestanischen Flagge, kam den Tersionern zu Hilfe und wollte Geleitschutz geben, als einer der Rogogarder das Feuer eröffnete. Die Kensustrianer hatten kein Recht, alle Schiffe zu versenken, und so können sowohl wir als auch Tersion Schadenersatz verlangen.« Baraldino verbeugte sich tief. »Die andere Version finde ich zu gefährlich. Zu gefährlich für uns, falls doch jemand überlebt haben sollte.«

Josici grinste über beide Ohren. »Sehr gut, Baraldino, sehr gut. Wir werden mit Tersion einen Anteil des Wertes vom verloren gegangenen Gold aushandeln, weil wir die Beweise erbringen, dass Kensustria am Verlust schuld ist und Entschädigung bezahlen muss. So werden wir mindestens eine halbe Million Heller aus der Sache schlagen können.« Der Sprecher des Kaufmannsrates nickte dem Offizier zu. »Seid Ihr sicher, dass Ihr kein Diplomat werden wollt? Ihr habt dazu mehr Talent als andere in diesen Diensten.«

»Gebt mir ein Schiff, das ist alles, was ich möchte«, sagte sich der Mann und verbeugte sich.

»Gut, Ihr sollt Euer Patent bekommen. Noch heute. Und dann werdet Ihr nach Tersion segeln, Euch mit Königin Alana der Zweiten treffen und sie vom ›wahren‹ Ablauf der Geschehnisse unterrichten. Niemand könnte das überzeugender als Ihr, der Betroffene und Überlebende des grausamen Schauspiels, das Kensustria allein zu verantworten hat. Ihr habt somit die Aufgabe, als Unterhändler Palestans zu fungieren.« Josici sah in die Runde. »Abstimmung, werte Herren Räte.« Alle Arme schossen in die Höhe. »Einstimmig. Meinen Glückwunsch, Commodore Baraldino. Von heute an seid Ihr Diplomat und Offizier. Macht Eure Sache mehr als gut. Der Rat erwartet von Euch, dass Ihr gegenüber Kensustria die Angelegenheit gut verhandelt. Nach Absprache mit der Königin werden beide Länder den Krieg erklären, zumal Tersion ein sehr guter Freund des Herrschers von Angor ist. Und Angors Ruf als schlagkräftiger Gegner ist bekannt. Kensustria wird sich die Sache von daher überlegen. Wenn sie bereit sind, die Forderungen zu zahlen, brauchen wir den Kriegsbeschluss nicht einmal zu fassen. Ansonsten ...«

Baraldino verbeugte sich zum dritten Mal. »Ich danke dem Rat für sein großes Vertrauen. Ich werde Palestan nicht enttäuschen.« Der Offizier ging hinaus, wo er bereits von einem Schreiber erwartet wurde, der mehrere Urkunden in der Hand hielt.

»Einen Moment noch. Diese hier ist noch nicht ganz getrocknet.« Der Mann blies über das Papier, rollte es zusammen und lächelte Pflicht bewusst. »Bitte, da ist Euer Patent, Commodore Baraldino, das sind die Akkredition als diplomatischer Gesandter mit fast allen Vollmachten, und das ist das Befehlsdokument für die *Morgenröte*. Sie wird gerade zum Auslaufen bereit gemacht und dürfte morgen so weit sein.« Der Schreiber überreichte die Papiere und winkte nach hinten. Eine bewaffnete Gruppe näherte sich. »Das wird von heute an die Leibwache sein, die dem Diplomat Baraldino zusteht. Der palestanische König, der Kaufmannsrat und das Volk von Palestan wünschen Euch viel Glück, Commodore.« Der Schreiber machte einen Kratzfuß und verschwand.

Baraldino balancierte die Unmengen an Schriftstücken

irgendwie auf seinen Armen aus, während die Garde sich um ihn herum positionierte und scheinbar auf den Abmarsch wartete.

»Gut«, sagte der Commodore. »Dann wollen wir mal. Zum Hafen.« Er setzte sich in Bewegung. *Wenn mir das einer vorher gesagt hätte, ich hätte ihn ausgelacht,* dachte er. Vom Adjutant zum Schiffbrüchigen und innerhalb weniger Wochen zum Commodore und Diplomaten.

Nur ob er sich darüber richtig freuen sollte, das wusste er noch nicht so genau.

IV.

»*D*ann litt die Allmächtige Göttin große Langeweile, denn sie hatte niemanden, mit dem sie sich unterhalten konnte.

Sie nahm sich eine Prise Sternenstaub, einen Tropfen Wasser aus jedem Weltenmeer und modellierte drei Frauen und drei Männer.

Auch sie trocknete Taralea mit flüssigem Feuer, wobei eine der Figuren durch ihre Unachtsamkeit fast verbrannt wäre, eine weitere zu wenig Hitze erhielt und bleich blieb.

Danach gab sie ihnen Leben, Wissen und Namen: Tzulan, Angor, Ulldrael, Senera, Kalisska und Vintera.

Die Ersten Götter waren geschaffen, einer großartiger als der andere, eine schöner als die andere.

Nur Tzulan war pechschwarz, seine Augen brannten rot vom flüssigen Feuer, und auch sein Temperament war glühend, zischend, heiß. Kalisska dagegen blieb blass, kühl und fast ohne jegliches Gefühl.

Die Allmächtige Göttin freute sich sehr über die neue Schöpfung, denn sie war nun nicht mehr ganz alleine.«

DIE LEGENDE VON DER ERSCHAFFUNG
DER ERSTEN GÖTTER

Fünfhundert Bauern, Tagelöhner und anderes einfaches Volk der Umgebung hatten eine Woche lang geschuftet, um Fahnen, Wimpel und Girlanden entlang der großen Straßen der Reichshauptstadt aufzuhängen. Weitere hundert sorgten dafür, dass sich die Nebengassen und Seitenstraßen in bestem Zustand befanden. Jedes kleinste Anzeichen von Schmutz und Unrat wurde beseitigt, Ulsar sollte sich der riesigen Prozession aus adligen und hoch gestellten Persönlichkeiten von der besten Seite zeigen, wenn sie zur Kathedrale zog.

Ein Erlass verbot zudem das ansonsten übliche Ausschütten der Bettpfannen und Dreckkübel aus dem Fenster bis nach den Feierlichkeiten; keine üblen Gerüche durften die empfindlichen Nasen stören, kein Spritzer auf die Karossen gelangen.

Das Kopfsteinpflaster wurde in Windeseile von einem weiteren Trupp Steinmetze ausgebessert, Löcher und wacklige Steine verschwanden. Ständig rollten Lebensmittellieferungen zum Palast, Tag für Tag reisten neue Gäste an, die sich das Schauspiel ansehen wollten.

Die ganze Hauptstadt bereitete sich nach außen hin eifrig auf das große Fest vor.

Im Volk saß jedoch eine gewissen Unsicherheit.

Noch war der Tadc kaum gesehen worden. Die wenigen Palastangestellten, die das riesige Anwesen abends verließen, erzählten kaum etwas oder Widersprüchliches. Klarheit würde erst die Krönung bringen, wenn sich der Sohn des allseits beliebten Grengor Bardri¢ zum neuen Herrscher Tarpols weihen ließ. Die Kathedrale, da war man sich im Volk sicher, würde die Menschen kaum fassen können, die hinein wollten.

Endlich war es so weit. Der Tag der Zeremonie stand

bevor, und da das Gebäude niemals seine Pforten verschloss, übernachteten einige Vorsichtige kurzerhand in der Kathedrale, um sich ihren Platz zu sichern. Am Morgen wurden sie jedoch von den Wachen wieder hinausgeworfen, sodass das Rennen um die besten Plätze von vorne begann.

Bereits in den Morgenstunden drängten die Ulsarer und andere angereiste Tarpoler in das Innere, das sich mehr und mehr füllte, bis nicht einmal die kleinste Maus durch den hinteren Innenraum hätte huschen können. Jeder Gast wurde auf Waffen untersucht.

Draußen drängten sich die zu spät gekommenen Menschen in eisiger Kälte auf dem Platz, um so vielleicht wenigstens einen kurzen Blick auf den neuen Herrscher werfen zu können. Fassaden wurden bestiegen, zu fünft und mehr hingen die Ulsarer an den Fenstern der benachbarten Häuser und beobachteten das Treiben. Selbst auf die verschneiten Dächer waren einige Wagemutige geklettert.

Dreihundert Wachen sorgten in der Kathedrale für Ruhe und Ordnung, weitere zweihundert drängten die Massen davor wenigstens so weit von den Stufen zurück, damit die Kutschen heranfahren konnten. Ulldraelmönche verteilten unter den Wartenden etwas zu trinken, während allmählich die ersten Persönlichkeiten eintrafen.

Nach und nach erschienen die wichtigsten Brojaken und Adligen des Landes. Die blendend schöne Cousine des Tadc eilte zu ihrem Stuhl, danach hielten die Diplomaten feierlichen Einzug und wurden wegen ihrer vornehmen, mitunter völlig andersartigen Kleidung von den Menschen gehörig bestaunt.

Die Abgesandten genossen ihren Auftritt, schritten fast majestätisch bis nach vorne, darauf bedacht, dass man sie von allen Seiten gut betrachten konnte.

Nachdem die Gäste wohl vollzählig versammelt waren, hielt der Geheime Rat des Ulldrael Einzug und begab sich auf die Empore hoch über den Köpfen der Menschen, die kaum einen Blick auf die Gestalten in den goldgelben Roben werfen konnten.

Nun wurden die Kohlenbecken in der ganzen Kathedrale entzündet, Mönche warfen gleich mehrere Hände voll Weihrauch auf die glühenden Stücke, und sofort verbreitete sich ein angenehmer, süß- milder Duft in der Kathedrale. Die Menschen wurden leiser, ruhiger.

Rings um das Heiligtum verteilten sich zweihundert Mönche, die einen Choral zu Ehren Ulldraels des Gerechten anstimmten. Kaum war der letzte Ton verhallt, wurden die Doppelflügel des gewaltigen Portals geöffnet.

Die Standartenträger trugen die Landes- und Provinzfahnen voraus und bildeten im vorderen Teil ein Spalier, durch das der Tadc auf dem Weg zum Heiligtum laufen sollte. Zunächst marschierte jedoch die Militärkapelle ein und spielte dabei den traditionellen Marsch der Bardri¢s, dahinter folgten zwanzig Mann der Leibwache, die gemächlichen Schrittes durch den Eingang kamen. Die Hälse der Umstehenden wurden immer länger, denn die Ankunft des Thronfolgers musste unmittelbar bevorstehen.

Dann kam er, Lodrik Bardri¢, der »TrasTadc« von Tarpol. Aber er sah keineswegs so aus, wie er jahrelang im Volk bekannt war.

Die Kathedrale betrat ein junger Mann mit blondem Bart, offen getragenen, dünnen blonden Haaren, deren Spitzen die Schultern berührten. Seine Figur wirkte in der dunkelgrauen, silberbestickten Uniform tadellos. Einen Akzent an der im Vergleich zu manch anderen Adligen schon auffällig einfachen Kleidung setzte der Stern der Bardri¢s, der wie von einem Feuer erhellt funkelte und das Licht zurückwarf. Die Hände steckten in weißen Handschuhen, der kostbare Pelzumhang aus weißen Hermelinen mit Samt- und Seidenbesatz war das Zeichen für die Souveränität des Tadc. An der Seite trug er einen schweren, ungewöhnlichen Säbel in einer schwarzen Scheide mit Silberauflagen. Aufmerksam musterten die blauen Augen die neugierige Menge, dann lächelte der Thronfolger und nickte vereinzelten Menschen zu, die nicht so recht wussten, was sie mit dieser Ehre anzufangen hatten.

Direkt hinter ihm liefen Stoiko und Waljakov, im Schlepptau eine Unzahl von persönlich ausgewählten Dienern und weitere dreißig Leibwachen.

Verstohlen schaute der Kämpfer nach oben. In luftiger Höhe, hoch über den Köpfen der Leute, hatte er dreißig seiner besten Armbrustschützen postiert. Sie hatten den Befehl, sofort nach eigenem Ermessen zu feuern, wenn sie einen Attentäter entdecken sollten.

Waljakov verstieß damit gegen den Willen des Tadc, der eine solche Maßnahme, die Unschuldige das Leben kosten konnte, ablehnte. Aber entschuldigen konnte sich der Leibwächter immer noch dafür. Wichtig war, dass sein Schützling am Leben blieb, alles andere trat für den gewissenhaften Waljakov in den Hintergrund. Dennoch war im unwohl, als er die Vielzahl an Menschen sah. Schätzungsweise fünftausend Tarpoler quetschten sich hier zwischen den Mauern gegenseitig ein.

»Wenigstens hat ein Attentäter nicht den Hauch einer Gelegenheit«, raunte ihm Stoiko zu. »Es sei denn, er kann fliegen.«

»Dagegen habe ich meine Jäger da oben sitzen«, brummte Waljakov. »Ich fürchte im Moment weniger eine Person als den Druck der Masse. Wenn es zu einem Aufruhr kommen sollte, haben wir wenig Aussichten, den Kabcar lebendig herauszubekommen.«

»Kannst du nicht einmal positiv denken?«, seufzte der Vertraute. »Ulldrael beschützt ihn.«

»Ich weiß«, nickte der Kämpfer. »Aber ich verlasse mich nicht auf einen Gott. Nicht in diesen unsicheren Zeiten.«

»Und wir wollen zu dem Eingang dort?«, fragte Herodin ungläubig und lehnte sich in seinem Sattel nach vorne. »Wir hätten früher aufstehen sollen.«

»Ja, das hätten wir«, sagte Nerestro lakonisch und drückte seinem gepanzerten Streitross die Fersen in die Seite, das sich daraufhin gehorsam einen Weg durch die Wartenden auf dem Platz vor der Kathedrale bahnte. Seine Männer folgten ihm.

Die Ritter ernteten böse Blicke, einige riefen ihnen Verwünschungen nach, die aber sofort verstummten, wenn ein Knappe sich in die Richtung des Sprechers wandte. Während die letzten Männer der Leibwache durchs Hauptportal gingen, kamen die Ritter am abgelegenen Nebeneingang der Kathedrale an.

Die Tür wurde von fünf Hellebardenträgern bewacht, die die Bewaffneten argwöhnisch begutachteten. Ihr Anführer trat an Nerestros Pferd heran.

»Herr, Ihr habt Euch geirrt. Der Eingang ist da vorne. Ich muss Euch bitten, zusammen mit Eurem Gefolge zurückzureiten. Wenn Ihr keine Einladung vorweisen könnt, habt Ihr die Waffen am Eingang abzugeben.«

Nerestro gab das Zeichen zum Absitzen. Nacheinander stiegen die Kämpfer und Knappen aus den Sätteln und kamen nach vorne.

»Herr, habt Ihr nicht …«, versuchte der Mann zu protestieren.

»Wir sind leider etwas zu spät, Soldat«, unterbrach ihn der Ordensritter. »Und bevor wir uns durch die Menschen quälen müssen, dachten wir daran, uns hier schnelleren Einlass zu verschaffen.« Die Knappen verteilten sich als Sichtschutz halbkreisförmig um das Geschehen an der Pforte.

Der Befehlshaber der kleinen Wachmannschaft schüttelte tapfer den Kopf, auch wenn er und seine Leute von Sekunde zu Sekunde mehr umstellt wurden.

»Herr, wenn Ihr bitte gehen wollt. Ich fürchte, Ihr habt keine Einladung, die Euch zum Tragen der Waffen während der Zeremonie berechtigt, oder? Auch wenn Ihr dem Angor-Orden angehört, verleiht Euch das nicht das Zutrittsrecht.« Verzweifelt versuchte er an Nerestro vorbeizusehen, doch die breite Statur des Kriegers verhinderte das. »Ich werde um Verstärkung rufen müssen, wenn Ihr nicht auf der Stelle geht.«

»Gut. Gehen wir.« Die gepanzerte Faust des Ritters schoss nach vorne und traf den Befehlshaber mitten auf die Stirn. »Danke mir nicht für meine Milde.«

Den anderen Hellebardenträgern erging es ähnlich. Nach kurzem, aber zwecklosem Widerstand sanken sie scheppernd zu Boden.

»Ich sagte doch, wir gehen«, lächelte Nerestro und nahm dem Mann den Schlüssel für die Pforte ab. Ein kurzes Klicken, dann war das Schloss geöffnet und der Durchgang frei.

Schnell verschwanden sie, überwältigten die restlichen fünf Wachen, die auf der anderen Seite aufgepasst hatten, einigermaßen unblutig und zogen die Tür hinter sich zu. Die Wachmannschaft draußen hatten sie so an die Wand gelehnt, als würden sie schlafen.

Anstatt sich im Inneren der Kathedrale wiederzufinden, standen die Krieger in einem Gewölbegang, von dem mehrere Türen abgingen.

»Verflucht!«, zischte Herodin und sah zu den niedergeschlagenen Soldaten. »Was jetzt? Wir hätten sie nicht alle bewusstlos prügeln sollen.«

Warnend hob sein Herr die Hand und lauschte. Aus der vordersten Tür drang Gemurmel, als würde jemand beten. »Da sind wir richtig.«

Sie setzten sich in Bewegung und waren fast an ihrem

Ziel angelangt, als das Murmeln verstummte. Schritte näherten sich dem Ausgang, der wenige Lidschläge darauf geöffnet wurde.

Nerestro schaute in die überraschten Augen von Matuc, der sich zusammen mit zehn weiteren Mönchen auf den Weg machen wollte.

»Was tut Ihr denn hier?«, fragte der Geistliche überrascht.

»Du hast gesagt, wir sollen in deiner Nähe sein. Wir sind hier«, meinte der Ritter leise. »Keine Angst, wir sind eine Abordnung des Ordens der Hohen Schwerter«, sagte er etwas lauter zu den erschrockenen Mitbrüdern Matucs. »Uns wurde gesagt, dass sich alle Mitglieder von Orden im hinteren Teil der Kathedrale sammeln, um gemeinsam der Zeremonie beizuwohnen.«

»Die Hohen Schwerter? Bei der Zeremonie mit dabei?«, fragte einer der Mönche. »Bei allem Respekt vor Angor, aber das muss sich doch um einen Scherz handeln. Bruder Matuc, kennst du diese Leute etwa?«

»Wir, äh, sind uns unterwegs begegnet, ja. Sie werden natürlich nicht an der Weihe beteiligt sein«, sagte Matuc schnell. »Sie haben mir berichtet, dass sie einfach nur anwesend sein sollen, als Zeichen, dass auch Angor dem neuen Kabcar seinen Segen gibt. Nicht wahr, Herr Ritter?«

Nerestro lächelte ohne echte Freude. »Du hast es recht in Erinnerung behalten. Wir sind hier, um das Wohlwollen des Gottes der Aufrichtigkeit zu überbringen. Und nun sollten wir besser gehen. Nicht, dass der Tadc wegen uns auf seine Krone warten muss.«

»Lasst mich vorgehen«, sagte der einstige Klostervorsteher. »Ich möchte nicht, dass die Wachen des Kabcar denken, sie hätten es mit Attentätern zu tun. Aber nur die Ritter werden mit in die Kathedrale kommen. Alles andere wartet hier.«

»Es wären die reichsten Attentäter, die Ulldart jemals gesehen hat«, lachte Herodin und pochte sich auf die Rüstung. »Die lautesten und die dümmsten noch dazu. Schon alleine das macht eine hinterlistige Absicht völlig unmöglich.«

»Hinterlist hat viele Verkleidungen«, meinte Matuc nur und setzte sich in Bewegung.

Die elf Mönche und vier Ritter durchquerten den Gang und traten im Schutz einer Säule in die Kathedrale. Die Melodie des Bardri¢marsches dröhnte mit vielfachem Echo, und im Gegensatz zu dem Besuch vor ein paar Tagen war das Gotteshaus angenehm warm.

Von hier aus sah man die riesige Ulldraelstatue, um die rund zweihundert Mönche standen, und hatte das Geschehen im hinteren Teil vollständig im Blick.

»Ihr wartet hinter dem Pfeiler, bis Ihr seht, dass ich unter Umständen Eure Hilfe brauche«, wies Matuc Nerestro an und machte eine scheinbar sinnlose Handbewegung. »Ihr erinnert Euch an die Worte, die Euch aus der Pflicht gegenüber Eurem Gott befreien?«

»Angor sei Dank für die Unterstützung«, wiederholte der Ordenskrieger den erlösenden Satz, den ihm der Mönch am Flussufer genannt hatte. »Wie könnte ich das vergessen haben? Aber mit was rechnest du? Und was soll geschehen?«

»Ich weiß es nicht. Das ist nun auch uninteressant. Die Zeremonie wartet auf mich«, wich Matuc aus und ging zusammen mit den zehn anderen Geistlichen weiter. Sie formierten sich vor dem Heiligtum und warteten.

»Herr, das müsst Ihr Euch ansehen«, flüsterte Herodin, der an der Säule vorbeigeschaut hatte. »Alles ist voller Menschen. Das muss halb Tarpol sein, was sich hier versammelt hat.«

»Schaut Euch lieber um, ob Ihr etwas Auffälliges entdeckt.« Er hob den Kopf und verstand, wem die Geste des Mönchs vorhin gegolten hatte. »Ich sehe beispielsweise gleich fünf Armbrustschützen dort oben auf der Empore. Sie haben uns bereits entdeckt und ins Visier genommen. Dass sie nicht schießen, verdanken wir wohl Bruder Rotwein.« Der Weihrauch stieg ihm angenehm in die Nase und bewirkte fast augenblicklich, dass die Anspannung der letzten Minuten von ihm abfiel.

Herodin packte ihn plötzlich am Arm und schüttelte ihn. »Seht! Seht! Tarpol krönt einen Hochstapler!«

»Seid Ihr wahnsinnig geworden?« Der Ordenskrieger schaute in die angegebene Richtung und stockte. »Bei allen Ungeheuern! Das ist doch der Junge, dem wir die Überfahrt so herrlich verdorben haben. Ich erkenne ihn wieder. Und dieser breite Bursche hat versucht, meine Männer ins kalte Wasser zu jagen.«

»Was geht hier vor, Herr?« Herodin zog den Kopf zurück. »Sie machen den Gouverneur von Granburg zu ihrem Kabcar? Und wo ist der echte Tadc, der doch so unendlich fett sein soll? Der Junge sieht nicht fett aus.«

»Ich verstehe es nicht«, gab Nerestro knurrend zu. »Aber es scheint niemanden außer uns zu stören. Weder die Wachen noch das Volk unternimmt etwas. Vielleicht wollen sie jemand anderes auf den Thron setzen. Haltet Euch aber auf alle Fälle bereit.«

Der angebliche Tadc hatte am Fuß der Treppe, die zur Statue führte, angehalten und wartete. Die Kapelle verstummte, die Mönche begannen nach kurzer Pause wieder mit einem Choral, zu dessen Klängen ein Mitglied des Geheimen Rates mit dem Abstieg über eine steile Treppe nach unten begann.

Wenn ich einen Schritt nach vorne mache, stehe ich neben ihm. Und könnte zustoßen, ohne dass ich gehindert werde, dachte Matuc und starrte den Thronfolger an, der seinerseits die Statue des Gottes betrachtete und wenig Aufmerksamkeit für seine Umgebung hatte. Der Junge wirkte etwas gelangweilt.

Der Geistliche spürte den Dolch, den er sich mit einem Stück Lederband an seinen Unterarm gebunden hatte und der von der langen Robe verdeckt wurde. Es war der zierliche, vergiftete Dolch, den ihm Belkala damals gegeben hatte. Nun bekam er seine zweite Gelegenheit, den Thronfolger zu töten und den Kontinent vor der Rückkehr der Dunklen Zeit zu bewahren.

Ganz so einfach war es immer noch nicht für den Geistlichen. Zweifel nagten in ihm, noch immer war er von der Richtigkeit der Deutung, die ihm damals der Obere eröffnet hatte, nicht überzeugt. *Wenn ich den ahnungslosen Tadc nun umbringe und damit erst die Prophezeiung erfülle, liegt auf mir die Schuld für alles Unglück, was Ulldart bevorsteht,* ging es ihm durch den Kopf.

Das Mitglied des Geheimen Rats war inzwischen unten angelangt und stellte sich vor Matuc und seine zehn Mitbrüder. Der Gesang verstummte.

Der Gong vom Durchmesser eines Windmühlenrades wurde angeschlagen und erzeugte einen tiefen Ton, der durch Mark und Bein fuhr, ein leichtes Vibrieren durchlief die Körper der Menschen. Eine Metallscheibe nach der anderen ertönte, bis der ganze Innenraum der Kathedrale mit einem orgiastischen Klangteppich geflutet war. In dieser Zeit verteilten sich weitere hundert Mönche auf der Empore.

In die verebbende Tonwelle stimmte ein einzelner Sänger einen neuen Choral an, in den nach und nach weitere Stimmen einfielen. Es entspann sich ein Wechselgesang mit den Brüdern, die sich in dreißig Metern Höhe aufgestellt hatten, und es schien, als würden sich Erde und Himmel unterhalten.

Nach einer schier unendlich langen Zeit endete der wundervolle Gesang. Es war so still in der Halle, dass man den leisen Wind hören konnte, der um die Türme pfiff.

Der hohe Geistliche bedeutete dem Tadc, die Stufen hinaufzukommen.

Fast trotzig kam der Junge nach vorne, immer näher in die Reichweite von Matuc. Streckte er nun den Arm aus, würde er die Schulter des Schicksalsmenschen berühren.

»Ulldrael der Gerechte wacht über uns. Und wie er seine schützende Hand, seine schützende Macht auf das Haupt des Grengor Bardri¢ gelegt hat, so wird er seine schützende Hand auch auf seinen Sohn und Tadc Lodrik legen«, sagte der Kleriker getragen. »Mögen die Zweifler eines Besseren belehrt werden, und mögen die Lügner Lügen gestraft werden. Ulldraels der Gerechte wird die, die Falsches verbreiten, mit ihren eigenen Waffen schlagen und sie mit ihren eigenen Sätzen zum Schweigen bringen.« Ein niederer Bruder brachte die Krone, ein unermesslich kostbares Werk aus Iurdum, geflochtenem Gold und Silber, gespickt mit Edelsteinen und Karfunkeln. Matuc nahm sie entgegen und hielt sie vorsichtig in den Händen.

»Werdet Ihr, Lodrik Bardri¢, Sohn des Grengor Bardri¢ und Tadc von Tarpol, schwören, das Beste für Land und Leute zu tun, die Gesetze zu achten und die Weisungen Ulldraels des Gerechten immer zu befolgen?«

Der Tadc schwieg eine Weile, bevor er laut und deutlich antwortete. »Ich schwöre, das Beste für Land und Leute zu tun, die Gesetze zu achten und andere Menschen zurück zu den Gesetzen zu führen.« Nur die Augen des Oberen, der auf der Empore saß, verrieten, dass etwas im Gange war, was vom üblichen Protokoll abwich. Zornig funkelten sie den Tadc an, der ungerührt weitersprach. »Ich schwöre, dass mehr Gerechtigkeit in Tarpol Einzug halten wird und ich die Armen schützen

184

werde vor aller Willkür, die sich ihnen entgegenstellt. Ich schwöre, dass mit mir eine neue Zeit in Tarpol anbrechen wird, die allen Untertanen Besseres beschert. Dazu bitte ich um den Beistand Ulldraels des Gerechten, auf dessen Weisungen ich hoffe.«

Er hat den Eid abgeändert, schoss es Matuc durch den Kopf. *Dieser Junge hat es gewagt, vor aller Augen und Ohren den uralten Amtseid der Bardri¢s umzuformen.* Er sah genau, dass der hohe Geistliche an seiner Seite kurz zu dem Balkon hinauf geschielt hatte. Der Obere nickte kaum merklich als Zeichen dafür, dass die Zeremonie fortgeführt werden sollte.

»So bitte ich im Namen aller Menschen in Tarpol um die Gunst und Gnade Ulldraels des Gerechten, damit er Euch immer zur Seite steht, in guten und schlechten Zeiten«, sprach der Kleriker. »Kniet nieder, Lodrik Bardri¢, und empfangt die Krone des Königreichs aus meiner Hand, stellvertretend für Ulldrael den Gerechten, der mit Liebe und großer Barmherzigkeit auf die Bestimmung seines Kontinents achtet. Wir alle sind seine Kinder und seine Schöpfung. Bedenkt dies, wenn Ihr das Land regiert.«

Lodrik ließ sich ganz langsam auf das linke Knie hinab und sah den Geistlichen herausfordernd an. Wieder war es eine Abwandlung der Krönungszeremonie, die den Tadc normalerweise als Zeichen der Demut gegenüber dem Orden des Ulldrael auf beide Knie zwang.

Und wieder vergewisserte sich der Kleriker mit inzwischen hochrotem Kopf durch einen schnellen Blick nach oben, dass der Obere trotzdem seine Zustimmung gab. Mit einer ruckartigen Bewegung nahm sich der Geistliche danach die Krone von Matuc und hielt sie über den Kopf des Thronfolgers.

»Wenn Ihr Euch gleich erhebt, Lodrik Bardri¢, seid Ihr nicht mehr Tadc, sondern Kabcar des Königreichs Tarpol. Mögt Ihr ein Geschick beweisen, wie es die vielen ruhmreichen Männer vor Euch gezeigt haben. Nehmt den Segen ...«

»Danke.« Lodrik erhob sich, bevor der Kleriker die Formel zu Ende gesprochen hatte.

Zwar erkannte Matuc eine kurze Ausweichbewegung, doch der junge Mann war zu schnell aufgestanden, als dass der Kleriker die Krone hätte zur Seite nehmen können. Passgenau saß das Schmuckstück nun auf dem Haar, als ob es nur für Lodrik angefertigt worden sei.

Der einstige Vorsteher dachte für einen Moment, der hohe Geistliche würde dem gekrönten Kabcar den Schmuck wieder vom Haupt reißen, so wütend sah der Mann aus. Doch die energische Geste von der Empore verhinderte den Affront.

Lodrik wandte sich mit triumphierendem Gesichtsausdruck der Menge zu, dann setzten sämtliche Gongs mit ihren dröhnenden Klängen ein, um den neuen Herrscher Tarpols zu begrüßen, während die Masse in lautes Jubeln ausbrach.

»Ich bewundere den Mut des neuen Kabcar«, sagte Nerestro amüsiert. »Selbst wenn er ein Hochstapler ist, mit der offensichtlichen Nichtachtung der üblichen Zeremonie hätte er sich die Krone bereits redlich verdient.«

»Nur wissen die wenigsten Leute hier, wie die Krönung hätte ablaufen müssen«, bedauerte Herodin.

»Schade. Aber der Ulldraelpfaffe platzt gleich aus seiner gelben Kutte.« Der Mann steckte sich demonstrativ die Finger in die Ohren. »Diese Metallscheiben machen einen Lärm, dass selbst Tote zurück ins Leben kommen. Und der stinkende Qualm beißt mir in die Nase. Ich fühle mich, als sei ich warme Butter.«

»Ihr habt eben nicht den wahren Glauben, sonst würdet Ihr den Klang zu schätzen wissen«, grinste der Ordenskrieger. »Und einen gewissen Zweifel scheint auch der Kabcar zu hegen.«

Ein leises Geräusch mitten im Dröhnen, als würde eine Nadel auf eine Steinplatte fallen, ließ Nerestro schlagartig ernst werden, auch wenn es ihm immer schwerer fiel, seine Aufmerksamkeit aufrecht zu erhalten. Der Weihrauch schien wirklich die Sinne zu lähmen.

»Habt Ihr das auch gehört?«, erkundigte er sich bei seinen Leuten, die aber alle die Köpfe schüttelten.

Aufmerksam ließ Nerestro seinen Blick über die jubelnde Menschenmenge wandern, aber es zeigte sich nichts Ungewöhnliches. Der Kabcar ließ sich feiern und sonnte sich in dem Triumph, dem Ulldraelorden erfolgreich die Stirn geboten zu haben.

»Lang lebe Tarpol!«, rief der junge Mann und hob die Arme in die Höhe.

In diesem Moment vernahm der Ritter das Klingen wieder. Das helle Klirren herabfallender Steinchen oder Kiesel. Neben dem Fuß der Statue entdeckte er ein kleines Stückchen Marmor. Dann hörte er ein lautes, hohes Knistern, und mit einem Schlag war das steinerne Abbild Ulldraels überzogen mit haarfeinen Rissen.

Als würde eine unsichtbare Faust von oben mit immenser Wucht auf die Statue schlagen, zerbarst das Standbild nach allen Seiten. Kleine und große Steinbrocken schossen wie Bolzenspitzen durch die Luft und trafen einige Menschen, die wie gelähmt auf das furchtbare Schauspiel starrten.

Die rechte Hand der Statue mit dem Buch der Weisheit in der Hand brach ab und begrub das Mitglied des Geheimen Rates unter sich, das Blut des zerquetschten Mannes spritzte weit durch die Kathedrale.

Der Kabcar hatte sich wieder umgedreht und bewegte sich inmitten des Gesteinhagels nicht einen Fuß weit.

»Los, Freunde. Wenn der Hochstapler jetzt stirbt,

werden wir nie erfahren, was vor sich gegangen ist. Ihr müsst den Herrscher Tarpols retten!«, rief Nerestro und rannte los. *Und ich muss das wehrlose Leben des alten Säufers bewahren.*

Matuc hörte das Splittern der Statue und bemerkte die allgemeine Verwirrung um sich herum.

Er legte das Ereignis als Zeichen Ulldraels aus und handelte.

Er packte den Dolch, riss ihn aus der Scheide und stützte sich auf den abgelenkten Kabcar, der wie durch ein Wunder keine einzige Schramme aufwies, während die Menschen um ihn herum von den Steinsplittern getroffen und verwundet wurden.

Ein Schatten fiel in seiner Vorwärtsbewegung über ihn, dann traf ihn etwas furchtbar Hartes ins Kreuz. Durch den Aufprall verlor er den Dolch, mit Wucht schob es ihn nach vorne und warf ihn gegen den Thronfolger, der daraufhin zur Seite taumelte. Anstatt den jungen Mann mit der Waffe zu verletzen, hatte er ihn lediglich fortgestoßen. Fast gleichzeitig bohrte sich etwas durch seinen Unterarm. Ungläubig sah er, dass ein Armbrustbolzen im Knochen steckte.

Matucs Beine wurden nach unten gedrückt, und ein stechender Schmerz von der Hüfte abwärts ließ ihn gellend aufschreien.

Dann sprangen drei scheppernde, blitzende Gestalten an ihm vorbei und über ihn, um den Kabcar in die Mitte zu nehmen und ihn wegzubringen.

»Tötet ihn«, rief Matuc schwach und musste wegen des Steinstaubes husten. »Tötet den Kabcar oder wir werden alle sterben. Er bringt uns die Dunkle Zeit zurück.« *So nah am Ziel, so nah. Versagt, Belkala. Ich habe versagt.*

Undeutlich nahm er eine vierte schimmernde Gestalt wahr, die sein vor Schmerzen getrübtes Bewusstein als Nerestro erkannte.

»Die Worte, alter Mann«, schrie er ihn an. »Bin ich nun von meiner Pflicht entbunden?«

Schwerfällig schüttelte der Mönch den Kopf.

»Verdammt!«, stieß der Ritter hervor und zog die aldoreelische Klinge. »Ich muss es tun, sonst bist du verloren. Sei tapfer, Bruder Rotwein.«

Dann schlug er zu, und Matuc wurde schwarz vor Augen.

Lodrik fand sich plötzlich von stählernen Körpern umgeben. Drei Männer, die er noch nie in seinem Leben gesehen hatte, nahmen ihn in die Mitte, drängten ihn hinter einen der gewaltigen Pfeiler in Deckung und drehten sich auf einen kurzen Befehl mit den Rücken zueinander.

Dann hörte er die polternde Stimme Waljakovs, Schwerter wurden gezogen, aber die Rüstungen um ihn herum, die ihn wie ein Gefängnis umgaben, wichen nicht auseinander.

»Ich bin der Kabcar von Tarpol, und ich verlange auf der Stelle, dass man mich freilässt!«, rief Lodrik.

Gehorsam fächerten die unbekannten Krieger auseinander und gaben dem Herrscher Tarpols Gelegenheit, aus dem Kreis zu treten. Erst jetzt erkannte er die Rüstungen mit dem Abzeichen der Hohen Schwerter.

Den Rittern gegenüber standen dreißig Bewaffnete unter der Führung Waljakovs.

»Eins zu zehn«, knurrte einer der Gepanzerten, lächelte grimmig und umfasste den Griff seines Schwertes fester. »Das ist machbar. Wenn ihr euch blutige Nasen holen wollt, kommt her.«

»Halt! Nicht kämpfen! Hört auf mit dem Unsinn und wartet hier!«, befahl Lodrik und rannte zurück, die Stufen hinauf, wo sich das Heiligtum befunden hatte.

Zerstört lag das Abbild Ulldraels auf dem Boden. Zwei große Blutlachen hatten sich gebildet, deren Rot einen deutlichen Akzent zum Weiß des Marmors setzte. Die eine Pfütze gehörte zum toten Geistlichen, die andere konnte Lodrik nicht einordnen. Vielleicht hatte es noch einen der Sänger erwischt. Auf alle Fälle führte eine breite, blutige Spur zum Nebenausgang. Die Tür dort stand offen.

Die riesige, wabernde Staubwolke legte sich allmählich und gab den Blick auf die übrige Kathedrale frei.

Dem jungen Mann stockte der Atem. Jedes einzelne der Götterstandbilder war genauso wie das Ulldraels geborsten, alles Glas der einst prächtigen, bunten Fenster zersplittert.

Die meisten der Gäste hatten kleinere Schrammen abbekommen, einige andere lagen blutend und wimmernd am Boden. Doch es hatte sich kein Durcheinander unter den fünftausend Menschen breit gemacht, das Entsetzen lähmte sie noch.

Und ebenso regungslos starrte Lodrik auf das furchtbare Bild. *Warum, Ulldrael? Warum strafst du nicht mich anstatt all die Menschen, wenn ich deinen Zorn erregt habe?*

»Ulldrael der Gerechte hat uns ein mächtiges Zeichen gegeben!«, tönte eine kräftige Stimme von der Empore herab. Der Obere erhob sich. »Fürchtet euch nicht, Gläubige.« Er steigerte die Lautstärke seiner Worte und wurde eindringlich, fordernd. »Wir haben seinen Zorn und den Zorn aller Götter erregt, weil wir ihnen zu wenig Aufmerksamkeit widmen. Ulldrael der Gerechte will, dass wir alle mehr beten, mehr glauben und mehr Achtung vor den Göttern haben. Er will, dass wir die Kathedrale zu seinen Ehren neu schmücken, mit preziöseren Standbildern, glanzvolleren Fensterbildern und einer noch gewaltigeren Statue als Zeichen der Sühne. Lasst uns dem Gott zeigen, dass mit der neuen Zeit für Tarpol auch eine neue Zeit des Glaubens angebrochen ist. Nicht Verzweiflung soll die Wirkung seines Zeichens sein, sondern Freude. Freude darüber, dass

Ulldrael sich trotz unserer Verfehlung nicht von uns abgewandt hat.« Alle starrten in die Höhe und hingen mit den Augen an den Lippen des Mannes, der in seiner goldenen Robe zwischen all den Rauchschwaden und dem einfallenden Licht wie ein überirdisches Wesen erschien.

Der Oberste des Ordens zeigte auf die Verwundeten. »Die, die Ulldrael liebt, die prüft er besonders. Schätzt euch glücklich, dass Ulldrael euch vor allen anderen ausgesucht hat. Und lasset uns besonders Bruder Toschko gedenken, den Ulldrael der Gerechte durch seine große Gnade in sein Reich geholt hat.« Er nahm den Schlägel und schlug einen der Gongs an. »Ehre sei Ulldrael dem Gerechten, der uns unsere Vergehen vergibt.« Noch einmal landete das Holz auf der bereits klingenden Metallscheibe. »Bemühe dich, Tarpol. Bemühe dich täglich aufs Neue, dem Gott zu gefallen.« Wieder schmetterte er den Schlägel gegen den Gong. »Ein jeder von uns bemühe sich!«

Die Menge sank schweigend auf die Knie. Vom Bauer bis zum Adligen, vom Händler bis zum Diplomat, alle beugten sie das Haupt vor der zerborstenen Statue. Aber Lodrik hatte einmal mehr das Gefühl, dass sich die Menschen vor ihm verneigten, dem Kabcar von Tarpol.

Ein Lächeln umspielte seine Lippen. Er genoss dieses Gefühl von Macht immer mehr.

»Ich verspreche, dass das Reich mit mir einen Herrscher erhält, der seine Untertanen zurück zum wahren Glauben bringen wird«, rief er laut und drehte sich um. »Das schwöre ich bei meinem Leben.« Dann kniete er sich in den weißen Steinstaub. Das rechte Bein landete jedoch im Blut des Toten, der weiße Stoff sog sich in Windeseile voll. Doch das störte den Kabcar nicht.

»Einen Cerêler!«, rief jemand in die Stille. Laut scheppernd erschien ein weiterer Krieger in einer schweren

Plattenrüstung am Nebenausgang, das Metall über und über mit Blut benetzt. »Der Mönch stirbt sonst. Der Lebenssaft dringt schnell durch die Verbände.«

Lodrik wandte den Kopf und besah sich den Eindringling, den er ebenfalls als Angor-Ritter erkannte.

Sofort eilten mehrere Mönche zur Tür und drückten sich an dem Mann vorbei. Der kam ein paar Meter auf den Kabcar zu, wurde aber sofort von heraneilenden Wachen aufgehalten. Waljakov erschien mit seinen Leuten schützend an der Seite Lodriks.

»Wir sollten die Sache an einem anderen Ort bereden«, murmelte Stoiko. »Hier in aller Öffentlichkeit muss das nicht unbedingt sein, Herr. Wenn ich mich nicht sehr irre, kennen wir diesen Menschen doch, oder?«

Der Ritter reckte sich zu seiner vollen Größe auf, seine drei Männer stellten sich um ihn herum. Die Waffen waren inzwischen wieder verstaut, dennoch erkannte jeder, wie aufmerksam die Angorkrieger die Umgebung im Auge behielten.

»Ich bin Nerestro von Kuraschka, Ritter des Ordens der Hohen Schwerter, Gläubiger des Gottes Angor. Und ich will hier und jetzt, vor aller Welt und dem versammelten Volk Tarpols wissen, und im Namen meines Gottes wissen, wer du bist, Junge«, rief der Kämpfer und zeigte mit dem Finger auf Lodrik. »Derjenige, der hier steht, ist der Gouverneur von Granburg, nicht der einstige Tadc.« Ein Raunen ging durch die Menge, die sich inzwischen wieder erhoben hatte und dem Schauspiel interessiert folgte. »Dich haben wir auf dem Weg nach Ulsar getroffen, und du hast dich als Gouverneur vorgestellt. Ein Gouverneur ohne Standarte, ohne königliche Abzeichen und ohne ein einziges Rangabzeichen. Vielleicht bist du nicht einmal das? Soll Tarpol einen Hochstapler als Herrscher erhalten? Wer immer du bist, bekenne und beweise deine Herkunft.«

»Das ist der Flegel, der uns an der Fähre die Überfahrt streitig gemacht hat«, entfuhr es Stoiko. »Natürlich! Gut, dass er hier ist, dann kann ich ihn maßregeln. Nur der Zeitpunkt des Treffens ist wahrlich schlecht gewählt.«

Kommentarlos erklomm Lodrik das abgebrochene Buch der Statue und stellte ein Bein in Eroberermanier nach vorne. »Sieh her, Volk von Tarpol! Ich bin Lodrik, der TrasTadc, der fette, verspottete und belächelte Thronfolger von einst, der in Granburg die Kunst des Regierens erlernte. Dort lebte ich als Statthalter meines Vaters, als unbekannter Sohn eines Adligen am Hofe von Ulsar, damit mich nichts und niemand schont.« Er stemmte die Arme in die Seiten. »Und, bei Ulldrael dem Gerechten, nichts und niemand hat mich in der Provinz geschont. Ich überstand Attentate, Verschwörungen und Überfälle, ich habe den Menschen dort das Leben leichter gemacht, und ich sorgte für mehr Gerechtigkeit.« Er neigte sich ein wenig vor. »Ich weiß, dass diese Gerechtigkeit im gesamten Reich ebenso möglich ist. Ich weiß, dass auch das restliche Tarpol ein Recht auf Verbesserungen hat. Und wie ich bereits schwor, werde ich die Armen schützen und für Gerechtigkeit sorgen, wo Unrecht gegen meine Untertanen herrscht, für die ich die Verantwortung von meinem Vater übernommen habe. Diesem Erbe bin ich mir bewusst. Ich werde Tarpol in eine bessere Zukunft führen. Und jeder, der nun daran zweifelt, soll hervortreten und es mir ins Gesicht sagen, dass ich nicht der Kabcar bin.« Seine blauen Augen wanderten blitzend über die Menge, bis sie schließlich auf Nerestro ruhten. »Wenn ich ein Hochstapler wäre, hätte mich Ulldrael dann diesen Steinregen unversehrt überstehen lassen? Keinen einzigen Kratzer zeigt meine Haut, obwohl ich unmittelbar daneben stand, als das Standbild zerbarst. Und da verlangt Ihr noch einen Beweis? Euch kenne ich gut, Herr Ritter. Über Eure Verfehlungen möchte ich hinweg sehen, Euren Mut und Eure Sorge um Tarpol schätze ich. Ich bitte Euch aufrichtig: Seid mein Gast am königlichen Hof, solange Ihr wollt. Vorausgesetzt, Ihr seht nun ein, dass ich der rechtmäßige Thronfolger bin.«

»Eure Worte erscheinen mir ehrlich und ergeben Sinn.« Nerestro kniete nieder, seine Männer folgten seinem Beispiel. »Hoheit, vergebt mir meinen Zweifel. Und wenn Ihr nicht der Kabcar von Tarpol sein solltet und es Euch gelungen ist, das Herz und den Verstand eines einfachen Kriegers zu täuschen, wird Euch die Strafe Angors treffen.«

»Ich fürchte keine Strafe vom Gott des Krieges und Kampfes, der Jagd, der Ehrenhaftigkeit und der Anständigkeit«, entgegnete Lodrik huldvoll, »denn ich bin der rechtmäßige Erbe des Throns. Also legt Eure Bedenken ab und freut Euch mit mir über die Epoche des Wohlstands für ganz Tarpol, in die ich es zu führen gedenke. Nicht die Dunkle Zeit wird zurückkehren, sondern eine glänzende Zeit wird Einzug halten, nicht nur für Tarpol, sondern auch mit der Hilfe aller Menschen auf ganz Ulldart! Nach mir soll kein bedeutsamerer Kabcar mehr kommen, und ich will von der Nachwelt gemessen werden an meinen Diensten, die ich euch, meine Untertanen, geleistet habe. Das verspreche ich.«

Die Menschen in der Kathedrale begannen zu johlen und zu rufen. Wie eine Welle schwappte der Freudenausbruch nach draußen und verscheuchte bei den Unwissenden auf dem Platz vor dem riesigen Gebäude die entstandene Unsicherheit und Angst.

Gemessenen Schrittes ging Lodrik in Richtung des großen Portals, vorweg Dutzende der Bannerträger und zwanzig Leibwachen, direkt neben ihm Waljakov und Stoiko, gefolgt von weiteren dreißig Bewaffneten.

Auf den von den Sonnen beschienenen Stufen der Kathedrale blieb der neue Kabcar stehen und lächelte den Tausenden von Menschen zu.

»Ich gehöre dir, mein Tarpol«, rief er. »Ich bin dein Schlüssel zu einem anderen Zeitalter!«

Die Masse klatschte, pfiff und johlte, schwenkte Fahnen, Tücher und Mützen.

Lodrik küsste demonstrativ die Landesfahne. Auf sein Handzeichen hin wurden an den Buden auf dem Platz die Fässer mit Bier angestochen, riesige Humpen an die Leute ausgeteilt. Der Jubel wurde noch lauter. »Feiert mich, Tarpoler! Feiert euch!« Winkend verschwand er mit Stoiko und Waljakov in der Kutsche.

Kaum ließ er sich auf die gepolsterte Bank fallen, wich ein Teil seiner Fröhlichkeit. »Wir werden uns lange mit diesem Ritter unterhalten. Aber erst nach dem Bankett, in aller Stille.«

»Wir können dankbar sein, dass es in der Kathedrale so gut für uns gelaufen ist«, seufzte Stoiko. »Ich meine, diese Krönung wird niemand mehr in seinem Leben vergessen, und die Geschichte wird Eure Einsetzung in alle Ewigkeit festhalten. So etwas hat es in Tarpol noch nie gegeben. Ulldrael der Gerechte selbst gab ein Zeichen. Vor dem Volk. Das muss man sich einmal vorstellen.« Der Vertraute glättete seinen Schnauzbart. »Und der Oberste steht, trotz aller Provokation bei der Krönung, auf der Seite des Kabcar. Erst seine Deutung der Ereignisse hat sozusagen das Schlimmste verhindert. Wie gut, dass Ulldrael ihm sofort eine Vision geschickt hat. Hätte der Orden erst lange über die Bedeutung des Zeichens nachdenken müssen, wären vermutlich viele böse Gerüchte aufgekommen.«

»Die werden ohnehin kommen«, meinte der Leibwächter. »Und diesen Angor-Ritter nehme ich mir auch noch vor. Das Duell, das ich mir damals am Flussufer versprochen habe, werde ich auch noch bekommen.«

Lodrik schüttelte den Kopf. »Erst, wenn ich dir die Erlaubnis dazu gebe. Und erst, nachdem wir mehr über ihn herausgefunden haben. Er ist uns ja wohl offensichtlich nach Ulsar gefolgt, oder? Ich glaube nicht an Zufall. Jedenfalls im Moment nicht.«

»Mir scheint, ich verliere allmählich meine Gedankenschärfe«, wunderte sich Stoiko. »Ich klinge in der Tat ein wenig unbedarft. Nun ja, Herr, ich muss Euch loben. Die Worte in und vor der Kathedrale waren gut gewählt. Nur … Eure Versprechungen …«, zögerte der Mann. »Ich fand sie ein wenig vollmundig. Wisst Ihr überhaupt, welche Tragweite solche Zusagen haben werden? Ihr habt für ganz Ulldart, den ganzen Kontinent Dinge versprochen.«

»Und ich gedenke, sie zu halten. Aber jetzt wird erstmal gefeiert.«

Der Obere stand noch immer unbeweglich auf der Empore und sah schweigend hinunter. Die Verletzten waren inzwischen an einem Ort innerhalb der Kathedrale gesammelt worden, wo sie von den Brüdern versorgt wurden. Die meisten hatten nur ein paar kleinere, oberflächliche Schrammen oder Platzwunden. Lediglich fünf von fünftausend Menschen schienen das göttliche Zeichen nicht überstanden zu haben. Blut sammelte sich und versickerte zwischen den Steinplatten im Boden des Gotteshauses.

Auch die Mitglieder des Geheimen Rates bewegten sich nicht. Ihre Gesichter sprachen Bände, sie verstanden sich, ohne ein Wort zu wechseln. Was auch immer in diesem Gebäude geschehen war, es war nicht das Werk Ulldraels des Gerechten.

»Ich hoffe, der Geheime Rat unterstützt nachträglich meine Entscheidung, die Ereignisse in diesem Sinne dem Volk zu deuten?«, fragte der Obere leise und wandte sich dem Gremium zu. »Das Letzte, was wir hier drinnen gebraucht hätten, wäre eine verängstigte Menge gewesen.«

»Wir verstehen und billigen deine Vorgehensweise«, sagte einer der Räte und neigte den Kopf. »Was wird nun geschehen?«

»Wenn die Menschen weg sind, betrachten wir uns alles aus der Nähe.«

Die Kathedrale leerte sich allmählich, die Gäste drängten nach draußen auf den Platz, um zu feiern. Die Verletzten wurden ebenfalls weggebracht.

Langsam gingen auch die Mitglieder des Geheimen Rates die Stufen hinab, um sich im Areal des Heiligtums genauer umzusehen. Unter dem Sockel der einstigen Statue hatte sich ein dunkles Loch aufgetan, in welches das Blut Toschkos tropfte. Der Obere meinte, von unten eine Art zischen zu hören, als träfe Kaltes auf Heißes.

»Das dachte ich mir«, murmelte er. »Das Böse hat die Kathedrale trotz unserer Bemühungen nicht vollständig verlassen.«

»Sollen alle Bannsprüche und Gebete umsonst gewesen sein?«, wollte einer der Räte wissen.

»Nicht umsonst. Sie haben das Böse aufgehalten.« Wieder zischte es aus der Dunkelheit. »Aber nicht vernichtet.« Nachdenklich starrte er nach unten, entdeckte aber nichts. »Wenn der Rat damit einverstanden ist, werden wir die Kathedrale einreißen. Wir lassen es nach einem Unfall aussehen, der bei den Umbauarbeiten passiert ist. Anschließend deuten wir es als Zeichen Ulldraels, dass er ein noch schöneres Gotteshaus haben wollte, und errichten auf dem ganzen Schutt etwas völlig Neues. Diese ganze Fläche hier soll bedeckt werden mit Steinen, zehn Meter hoch.« Er beförderte mit dem Fuß ein Stückchen Marmor in das Loch. Lange Zeit war nichts zu hören, dann schlug Stein auf etwas Metallisches. »Und das werden wir mit den Überresten der

Standbilder auffüllen.« Der Geheime Rat nickte. »Gut. Dann lassen wir die Arbeiten doch sogleich beginnen.«

»Ich bin gleich wieder zurück.« Der Obere folgte der Blutspur, die zum Nebeneingang führte und gelangte in ein kleines Zimmer.

Auf dem Holztisch lag Matuc, mit dem Bauch nach unten, die Augen geschlossen und ohne Bewusstsein. Um ihn herum hantierten zwei Mönche an seiner Rückenwunde, zwischen all dem blutigen Fleisch war ein Stück heller Knochen zu sehen. Vorsichtig nähte einer der Männer die offene Stelle zu. Zwei weitere waren damit beschäftigt, breite Lappen auf den Stumpf des linken Oberschenkels drücken, aus dem immer noch Blut troff. Ein Fünfter kam aus der Nebentür, ein langes, breites Stück Eisen in beiden Händen haltend, dessen Ende rot glühte.

Die Lappen wurde weg genommen, sodass der Obere den glatten, sauberen Schnitt sehen konnte, mit dem das Bein abgeschlagen worden war. Nur eine sehr scharfe, schwere Klinge war in der Lage, solches zu vollbringen.

Mit einer schnellen Bewegung presste der Geistliche das heiße Metall auf die Wunde, sofort breitete sich der Gestank von verbranntem Fleisch in der kleinen Kammer aus. Matuc riss die Augen auf und stieß einen unmenschlichen Schrei aus, bevor er wieder zurück in die Ohnmacht fiel.

Ungerührt verfolgten die vier Ritter des Angor-Ordens das Geschehen. Der Obere winkte hinüber und deutete auf die Tür.

»Wenn du etwas von mir möchtest, dann komme zu mir«, sagte der prächtig gerüstete Mann, der sich in der Kathedrale als Nerestro von Kuraschka vorgestellt hatte. Das Rot auf seiner Panzerung färbte sich allmählich dunkler und gerann.

»Jetzt ist nicht die Zeit, Streitereien zwischen den Orden auszutragen«, sagte der Obere barsch. »Wärt Ihr wohl so freundlich?« Er verließ den Raum, der Ritter folgte widerwillig.

»War es notwendig, dem Mann das Bein zu amputieren?«, fragte der Obere.

»Es war zerquetscht und hing unter dem Stück Marmor fest. Hätte ich es nicht getan, hätte ihn der nächste Brocken zermalmt, Goldrobe. So wie es den anderen Pfaffen erwischt hat. Ulldrael ist nicht sehr gut auf euch zu sprechen, wie mir scheint.« Die Augen Nerestros sprühten vor Schadenfreude. »Habt ihr vor lauter Freude den falschen Gong angeschlagen und seinen Zorn erregt, oder was ging in der Kathedrale vor?«

Der Obere bemühte sich um Haltung. »Wenn Ihr schon so voller Verachtung uns gegenüber seid, warum habt Ihr Matuc dann das Leben gerettet?«

»Eine Abmachung«, sagte der Ritter knapp. »Oder vielleicht hatte ich einfach nur Lust dazu. Es ist gut, der Lebensretter des Lebensretters des Kabcar zu sein.«

»Der Lebensretter des Kabcar?« Der Obere hob die Augenbraue. »Eure Männer haben den Jungen doch aus dem Steinhagel geholt.«

Nerestro lächelte bösartig und fuhr mit der linken Hand über den langen, dünnen Kinnbart, dessen Spitzen sich ebenfalls rot vom Blut des Mönchs gefärbt hatten. »Ich weiß nicht, ob du es gesehen hast. Bruder Rotwein, wie ich ihn nenne, hatte einen Armbrustbolzen im Unterarm stecken. Rechnet man den Zeitpunkt des Einschlags zu dem Zeitpunkt des Stoßes, den er dem Kabcar gegeben hat, hätte es den jungen Herrscher ungefähr hier«, er legte dem Oberen den Zeigefinger auf das Herz, »getroffen. Du hast einen wahren Helden in deinem Orden. Er hat Ulldart vor einem schrecklichen Schicksal bewahrt.«

»Ein Attentäter? In der Kathedrale? Wie sollte das möglich sein?« Der Mann in der goldenen Robe machte ein fragendes Gesicht. »Die einzigen Menschen mit einer derartigen Bewaffnung waren die Wachen des Kabcar.«

»Eben«, nicke Nerestro. »Ich werde das dem Herrscher sagen müssen. Wenn er einen Verräter in den eigenen Reihen hat, wird er mit seinen Ambitionen nicht weit kommen. Aber dank Matuc wurde das Schlimmste abgewehrt.«

»Er wird sich freuen, das zu hören«, sagte der Obere in einem Ton, den der Ritter nicht einordnen konnte. Es klang fast ironisch. »Immerhin hat er seinen Einsatz teuer bezahlt.« Ein seltsam kleiner Mann in kostspieligen Gewändern ging an ihnen vorbei und betrat das Zimmer, in dem Matuc lag.

»Er wird die Kräfte des Cerêlers dringend notwendig haben«, schätzte der Ordenskrieger. »Ein Mensch würde diese Verletzungen ohne Magie wahrscheinlich nicht überstehen. Und er ist nicht mehr der Jüngste.«

»Wir beten zu Ulldrael um seine Genesung. Der Gerechte wird seinen Diener nicht im Stich lassen.« Der Obere deutete eine Verbeugung an. »Und nun nehmt Eure Männer und Knappen und verlasst das Gotteshaus. Ihr seid mit Euren Waffen und vor allem Eurem Verhalten fehl am Platz.«

Nerestro grinste und rief die Namen seiner Ritter, die in wenigen Lidschlägen aus dem Raum gestürzt kamen. »Wir gehen, Freunde. Direkt zum Palast des Kabcar. Ich denke, da wird uns heute ein Platz an der Krönungstafel gewiss sein.« Er wandte sich auf dem Absatz um und ging den Korridor entlang zu der Pforte, durch die sie hereingekommen waren. Rasselnd und scheppernd folgten seine Ritter, aus einem Nebenraum stießen die Knappen dazu.

Nachdenklich sah ihnen der Obere nach, dann kehrte er zum Geheimen Rat zurück, der noch immer im Innenraum der Kathedrale stand und sich leise beriet.

Der Obere schritt auf einen der Männer zu und streckte die Hände aus. »Gib sie mir.«

Gehorsam warf das Ratsmitglied seine Robe zurück und hängte die kleine Reiterarmbrust aus der Halterung, die es ermöglicht hatte, die Waffe unbemerkt unter der weiten, fließenden Kleidung zu tragen.

»Es wäre ein präziser Schuss gewesen, wenn der Junge nicht zur Seite geschoben worden wäre«, lobte der Obere den Mann. »Nun müssen wir alle Spuren der Tat beseitigen.« Er schritt zum Rand des Loches und warf die Armbrust hinein. Klappernd schlug sie tief unten in der Dunkelheit auf. »Niemand darf jemals davon erfahren. Das müsst ihr alle nun bei Ulldrael dem Weisen und Gerechten schwören.« Langsam wandte sich der Obere um. »Sollte diese Tat jemals bekannt werden, fügte sie dem Orden mächtigen Schaden zu. Das Ansehen im Volk und bei den Mächtigen des Landes wäre schwer geschädigt.« Der Geheime Rat tätigte den Schwur wie aus einem Mund.

»Was wird aber aus dem Ritter, diesem lästerlichen Angorverehrer?«, fragte einer. »Er ist gefährlich.«

»Es darf nun nicht zu schnell gehandelt werden, Bruder Rat. Ich fürchte, Gewalt in der Stadt, zu diesem Zeitpunkt, wo es von Wachen nur so wimmelt, und dazu gegen einen solch wehrfähigen Mann und sein Gefolge, wäre eine schlechte Idee. Es würde zu noch mehr Aufsehen führen und uns im Grunde nichts nützen. Wir haben derzeit keine Leute hier, die es mit diesen Kriegern aufnehmen könnten«, bedauerte der Obere. »Aber so lange dieser Angormensch denkt, der Verräter sei in den Reihen des Kabcar zu finden, soll es mir recht sein. Wenn er seine Ansichten dem Kabcar mitteilt, umso besser. Das wird die Aufmerksamkeit des Leibwächters nur auf die falschen Ziele lenken, und wir können uns mit der weiteren Planung beschäftigen. Noch ist es nicht zu spät.«

»Sind wir uns denn nach wie vor so sicher, dass wir die richtige Auslegung der Vision vertreten, Oberer?«, wollte ein anderer vorsichtig wissen. »Der Junge wurde so oft gerettet, dass es unmöglich ohne göttlichen Beistand zugegangen sein kann.«

Der Mann in der Goldrobe sah dem Zweifler fest in die Augen. »Der göttliche Beistand ist unübersehbar. Aber es war gewiss nicht der Beistand Ulldraels. Wir folgen der richtigen Auslegung. Die Frage jedoch ist: Haben wir den richtigen Zeitpunkt bereits überschritten, um das Schlimmste für den Kontinent und alle Menschen auf Ulldart zu verhindern?« Er ließ den Blick über die Männer in den goldenen Roben schweifen. »Wir werden uns zunächst ruhig verhalten. Die Krönung hat für genug Turbulenzen gesorgt, der Einsturz der Kathedrale wird für neue sorgen. In zwei Monaten, zu Beginn des neuen Jahres, werden wir ein neues Unternehmen starten. Und nun lasst uns in den Tempel gehen und beten.«

Wie beiläufig bückte sich der Obere und hob etwas auf, dass zwischen all den Marmorstücken seine Aufmerksamkeit erregt hatte. Vorsichtig rieb er den Schmutz von dem langen, zierlichen Gegenstand, den er daraufhin einsteckte.

Wie der Einsatz einer Kesselpauke in das Spiel von Geigen dröhnt, so brachen die vier Ritter vom Orden der Hohen Schwerter in den Großen Festsaal des Palastes. Die vielen hundert Edlen des Landes waren vertieft in Essen, Tanz oder Unterhaltungen, als das gerüstete Quartett ganz selbstverständlich eintrat. Sofort stockte jede Tätigkeit.

Die mehr als ungewöhnlichen, gravierten Rüstungen schienen in Windeseile auf Hochglanz poliert worden zu sein, das schimmernde Metall warf die Reflexionen der Kerzen zurück. Inmitten von Pelzen, kostbaren

Stoffen und dem mitunter anmutigen Gehüpfe auf der Tanzfläche wirkten die breiten Männer in den scheppernden Panzern wie Hummer auf einem Fest der Schmetterlinge.

Doch die beeindruckende Wirkung der Neuankömmlinge ließ sich nicht bestreiten. Kühl, mit einem leichten arroganten Lächeln im Gesicht, ließ Nerestro von Kuraschka seinen Blick über die Gäste schweifen und fuhr sich mit der Hand über die dünn geflochtene, blonde Bartsträhne. Einen Schritt hinter ihm standen seine drei Ritter, die sich in ähnlicher Weise umsahen.

Da ihr Anführer den Herrscher Tarpols nirgends entdecken konnte, deutete er kurz auf das imposante Büfett, auf dem sich die Leckereien und Spezialitäten des gesamten Reiches stapelten, kunstvoll verziert und angerichtet. Dann setzte sich der Tross mit eindeutigem Ziel in Bewegung. Bereitwillig machte man den Kämpfern Platz.

Die Bediensteten hinter dem mehrere Meter langen Tisch häuften auf Anweisung der Ordenskrieger die Teller voll, andere Livrierte brachten das Ausgesuchte an einen freien Tisch, der offensichtlich nur für die Kämpfer bereit gestellt worden war. Etwa ein Drittel des Saales verfolgte die Ritter bei jeder ihrer Bewegungen.

»Auf den Kabcar!«, rief Nerestro grinsend und hob seinen mit Wein gefüllten Pokal. Er wusste, was er damit auslöste, weil nun jeder gezwungen war, ebenfalls seinen Becher auf den Herrscher Tarpols zu erheben. Wer es nicht tat, sank in der Gunst und im Ansehen normalerweise um einiges. Die hektische Suche nach Gläsern begann, während der Krieger mit seinen Männern anstieß und sein Gefäß in einem Zug leerte. Danach machten sie sich über ihr Essen her.

Um sie herum begann das höfische Treiben, nur vereinzelte Damen schauten voller Neugier zu den muskulösen Kämpfern mit den fast kahlen Köpfen. Dass Freie ihren Haarschmuck freiwillig aufgaben, war in Tarpol selten. Bärte und lange Haare waren die Standeszeichen der Besseren, und da die Angorgläubigen ohne Zweifel zu den Vermögenden gehörten, war es fast schon eine Frechheit, dass sie sich wie einfaches Volk den Kopf schoren. Oder sich benahmen wie einfaches Volk.

Eine Gasse bildete sich in der Menge; Lodrik mit seinem kleinen Gefolge aus Leibwächter, Vertrautem und drei Soldaten der Wache näherte sich dem Tisch.

Nerestro wischte sich den Mund ab, schluckte und riss erneut seinen Pokal in die Höhe. »Lang lebe der Kabcar!« Wieder begann die Suche nach einem Becher im Saal, nur einige wenige hatten damit gerechnet und vorsorglich ihr altes Glas in der Hand behalten.

Lodrik lächelte. »Es macht Euch Spaß, ständig aufzufallen, nicht wahr, Herr Ritter?«

Nerestro deutete eine Verbeugung an. »Ich mache in erster Linie, was mir gefällt, Hoheit. Ich bin ein Teil Eures Reiches, der sich nicht den Gepflogenheiten des Althergebrachten unterwirft. Dafür gibt es uns schon zu lange. Wir dienen Angor, und der ist, wie Ihr wisst, nicht der zuständige Gott für Ulldart. Dennoch respektiere ich das Land und seine Gesetze. Ich sorge sogar auf meinem Grund und Boden dafür, dass die Erlasse des Kabcar befolgt werden. Und wenn Gefahr droht, sind ich und meine Männer zur Stelle, wie Ihr bemerkt habt, Hoheit.«

Der junge Mann nickte. »In der Tat, das habe ich. Und Ihr habt dafür meinen ewigen Dank, Nerestro von Kuraschka. Ihr dürft so lange in meinem Palast leben, wie Ihr wollt. Unterkunft und Essen sollen Euch nichts kosten, Euren Anliegen werde ich immer ein offenes Ohr entgegenbringen. Und all Eure Verfehlungen gegen mich und den Gouverneur von Granburg sind vergeben und vergessen. Wir werden später weiter reden, Herr Ritter. Ihr seht, ich habe noch andere Gäste bei meiner Krönungsfeier.«

»Hoheit, wir müssen jetzt reden«, wandte der Ritter ein

»Ich sagte, ›später‹«, betonte Lodrik. Die Züge Waljakovs verhärteten sich, Stoiko verdrehte die Augen.

»Nein, Hoheit.« Nerestro ließ sich nicht beirren. Die Umstehenden, die das Gespräch verfolgten, hielten den Atem an angesichts solcher Anmaßung. »›Später‹ könnte zu spät sein. Es geht um Eure Sicherheit.«

Die Augenbrauen des Kabcar zogen sich zusammen, dann zeigte er auf eine Tür, die aus dem Saal hinausführte. »Folgt mir.«

Sie betraten den Kleinen Festsaal, in dem die Garderobe für die Gäste eingerichtet worden war. Waljakov räumte einen Tisch frei, die drei Ritter besorgten die Stühle, die verdächtig unter dem Gewicht der Rüstungsträger knirschten.

»Also?«, wollte Lodrik wissen. Eine Spur Ungehaltenheit lag in der Stimme, und die klaren blauen Augen blitzten.

»Ihr habt Verräter in Eurer Wache«, sagte Nerestro.

»Das ist unmöglich«, widersprach der kahle Leibwächter böse. »Ich habe sie selbst ausgesucht.«

»Dann hast du falsch ausgesucht«, meinte Herodin.

»Dein Herr schuldet mir noch einen Säbeltanz, danach bist du an der Reihe«, knurrte ihn Waljakov an. Klackend schloss sich die mechanische Hand.

»Bevor hier jemand durchbohrt zu Boden sinkt ...«, warf Stoiko ein und machte eine beschwichtigende Geste. »Bei allem Respekt, aber wie kommt Ihr zu der Annahme, Herr Ritter?«

»Der Vorfall in der Kathedrale ist noch nicht so lange her, dass du es schon vergessen haben könntest«, begann Nerestro.

»Ich weiß, dass Ihr und Eure Männer mein Leben gerettet habt«, unterbrach ihn Lodrik, aber der Ritter hob die Hand.

»Meine Freunde haben Euch vor den Steinen beschützt, Hoheit. Ohne den Mönch, Matuc, der verletzt im Tempel des Ulldrael liegt, hätte Euch aber ein Armbrustbolzen genau ins Herz getroffen.«

»Das kann nicht sein«, fiel im Waljakov ins Wort. »Die Wachen haben alle Menschen durchsucht. Niemand hätte eine Armbrust in das Gebäude schmuggeln können.«

»Außer denen, die ganz offiziell eine dabei hatten, nicht wahr?«, setzte Herodin listig hinzu.

Nerestro erzählte nun, wie er die Geschehnisse erlebt hatte, wie Matuc plötzlich herumgewirbelt war und dem Kabcar einen Stoß versetzt hatte, der den jungen Mann aus der Schussbahn geworfen hatte, und wie seine Männer den Thronfolger vollständig in Sicherheit gebracht hatten. »Dafür hat ein Marmorbrocken das Bein des Geistlichen zerquetscht. Ich musste es ihm abschlagen, sonst wäre er von einem anderen Stück erschlagen worden«, schloss der Ritter.

»Also hat dieser Mönch, Matuc, den Attentäter gesehen, oder?«, fragte Stoiko nachdenklich.

»Schon möglich«, zuckte Herodin mit den Schultern. »Aber er hätte den Kabcar auch genauso gut vor dem herabfallenden Stück Marmor bewahren wollen, das stattdessen ihn erwischte.«

»Der arme Mann bekam zu allem Überfluss auch noch den Bolzen in den Arm.« Lodrik schüttelte den Kopf. »Ich muss ihn unbedingt besuchen, sobald die Festivitäten vorüber sind.«

»Das Geschoss kann nur von schräg oben, von der Balustrade, abgeschossen worden sein«, überlegte Waljakov halblaut. »Es kommen wirklich nicht viele Menschen in Frage. Nur die Überprüfung würde sehr schwierig werden. Wenn es eine der Wachen war, hat sie ihre Spuren bereits verwischt. Trotzdem werde ich Nachforschungen anstellen lassen.«

»Dass aber in der Kathedrale auch alles so durcheinander gehen musste«, sagte Stoiko.

»Ein paar haben wir in den Überlegungen vergessen«, meinte Nerestro ruhig. »Die Goldroben.«

»Der Geheime Rat?«, platzte Stoiko heraus und stieß einen Laut aus, der all seine Ungläubigkeit verriet. »Der Geheime Rat des Ulldraelordens? Das wären die Letzten, die sich den Tod des Kabcar, bei allem Respekt, wünschen könnten. Wo doch Ulldrael selbst gewarnt hat.«

Lodrik hatte keine Miene verzogen, als der Ritter seine ungeheuerliche Theorie ausgesprochen hatte. Abwesend sah er ins Nirgendwo, seine Gedanken überschlugen sich. »Und wenn Nerestro Recht hat? Wenn einer im Rat ein falsches Spiel treibt?«

»Das kann nicht sein«, widersprach Stoiko. »Die anderen hätten es sehen müssen, wenn einer ...« Langsam verstummte er.

»Richtig«, lächelte der Ordenskrieger böse. »Alle anderen hätten es sehen müssen. Entweder meine Ansicht ist völlig falsch oder furchtbar wahr. Beweisen können wir allerdings nichts.«

»Das ergibt doch keinen Sinn«, sagte der Vertraute und schüttelte den Kopf.

Der Kabcar erhob sich. »Wer auch immer es war, der Vorfall hat mich gelehrt, niemandem zu vertrauen. Nerestro von Kuraschka, Ihr und Eure Leute steht in meiner Gunst, wie es derzeit nur wenige vermögen.« Die Krieger deuteten eine Verbeugung an. »Ich bitte Euch um eine ehrliche Antwort: Ihr seid mir zusammen mit diesem Matuc quer durchs ganze Reich gefolgt, von Granburg bis Ulsar.« Er lehnte sich vor und sah dem Gerüsteten forschend in die Augen. »Weshalb?«

Der Ritter hob die Schultern. »Ich weiß es nicht. Ich bekam in einer Vision den Auftrag von meinem Gott, den Ulldraelgeistlichen vor allem Unglück zu bewahren, das ihm auf dem Weg begegnen sollte. Also habe ich ihn verteidigt, als wir in einen Hinterhalt gerieten, der Euch gegolten hatte, Hoheit. Aber welchen Auftrag Matuc hat, das wollte er mir bisher nicht sagen. Ich weiß nur, dass er jemanden gesucht hat. Euch vermutlich. Und dass sein Auftrag noch nicht erfüllt ist.«

»Dann ist er der Schlüssel zu diesem Geheimnis«, sagte Lodrik. »Euer Kabcar verlangt von Euch, Nerestro, dass Ihr Eurer Aufgabe auch weiterhin nachkommt und den Geistlichen beschützt«, fuhr der junge Mann fort. »Ich vermute, dass er mit seinem Wissen bei anderen Leuten nicht gerne gesehen ist. Gehen wir vom Besten für uns aus und denken, er hat den Attentäter gesehen. Dann wird der wiederum vermutlich versuchen, Matuc zu töten. Es wäre mir sehr lieb, wenn Ihr Euch umgehend zu diesem Mann begeben könntet und weiterhin, wie Ihr es geschworen habt, für sein Wohlergehen sorgtet.«

Nerestro hatte längst begriffen und stand ebenfalls auf, seine Ritter folgten ihm. »Wir werden nichts und niemanden in seine Nähe lassen. Notfalls versorgen wir ihn selbst«, versprach der Ritter. »Ich vermute, Ihr wollt selbst mit ihm sprechen.«

»So ist es«, bestätigte der Herrscher und ging zur Tür. »Ich schicke regelmäßig einen Boten, der sich nach dem Befinden erkundigt. Sollte Matuc in der Lage sein zu sprechen, werde ich da sein.« Er nahm einen Ring vom Finger, auf dem das königliche Wappen eingraviert war. »Nehmt ihn und zeigt ihn vor, wenn es Schwierigkeiten geben sollte. Ihr handelt von nun an auch auf Geheiß des Kabcar, und dem müssen sich selbst die Ulldrael-priester beugen.«

Zusammen mit Stoiko und Waljakov verließ er das

Zimmer und kehrte zu seiner Feier zurück, während sich die Ritter auf Umwegen zum Stall begaben.

»Was haltet Ihr von dem jungen Kabcar?«, wollte Herodin von seinem Mentor wissen.

»Er macht einen guten Eindruck. Er geht die Dinge an«, sagte er. »Und allmählich bin ich mehr als gespannt, aus welchem Grund Matuc so beharrlich geschwiegen hat. Große Dinge sind im Anmarsch, wenn ich mich nicht sehr irre.«

Sie saßen auf und ritten durch das winterliche Ulsar in Richtung des Tempels.

V.

»*T*zulan, Angor, Ulldrael, Senera, Kalisska und Vintera
betrachteten unsere Welt, die ihre Mutter geschaffen
hatte, und veranstalteten Taralea zu Ehren einen Wett-
bewerb. Jeder sollte Kreaturen schaffen, welche die
verschiedenen Kontinente unserer Welt bevölkerten.
Der Gewinner sollte der sein, der die schönsten und
ausgefallensten Geschöpfe vorweisen konnte.

Angor entwarf den Kontinent Angor nach seinen
Ideen und Vorstellungen, Ulldrael kümmerte sich um
Ulldart, Kalisska machte sich in Kalisstron an die Arbeit, während sich Senera und Tzulan ein Landstück
teilen mussten.

Für Vintera blieb aber kein Kontinent mehr übrig, die
anderen Götter wollten sie auch nicht mitarbeiten lassen. So wählte die Göttin die zahlreichen Inseln aus,
die sie nach ihrer Vorstellungskraft mit Geschöpfen versah.

Lange Zeit waren die Götter in ihre Tätigkeit versunken, schufen aus Erde, Wasser, Feuer und Luft unzählige verschiedene Tiere und Menschen, die in Frieden
und Eintracht miteinander lebten.«

DIE ERSCHAFFUNG DER MENSCHEN UND KREATUREN,
Kapitel 1

Norina legte das Pergament, das am unteren Ende mit dem Siegel des Kabcar versehen worden war, auf den Stapel mit den Rechnungsfolianten und schaute über die vielen Bücherrücken, die sich vor ihr über vier Regale hoch in der nächtlichen Bibliothek des Gutes türmten. Zahlreiche Kerzen sorgten dafür, dass es in dem Raum zumindest rund um den Schreibtisch einigermaßen hell blieb, während draußen die Sonnen schon lange verschwunden waren. Tiefste Dunkelheit hatte sich über Granburg gelegt.

»Wer hätte das gedacht?«, murmelte sie, immer noch erstaunt über den Inhalt des Schreibens, das ihr ein Bote des Herrschers vor wenigen Stunden überbracht hatte, und blickte in die zuckende Flamme einer der Leuchten. Der Kabcar forderte sie auf, umgehend an den Hof von Ulsar zu kommen, denn der ehemalige Gouverneur von Granburg hätte ihm viel von ihren Gedanken und Einfällen vorgeschwärmt, die angeblich für ein gerechteres Reich sorgen sollten. Lodrik hatte das Statthalteramt aufgegeben und bekam dafür die Stellung seines Vaters am Hof.

»Daher bitte ich Euch, Norina Miklanowo, so schnell wie möglich in die Hauptstadt zu kommen, um mir umgehend zu berichten«, hieß es im letzten Satz. ›So schnell als möglich‹ verstand sie als ›sofort‹, und daher wollte sie morgen in aller Frühe aufbrechen.

»Ulsar«, sagte Norina leise und lauschte dem Klang des Wortes. Der Mittelpunkt des Reiches, riesige Häuser, unendlich viele Straßen, der Tempel von Ulldrael und natürlich der Palast, den sie nun von innen sehen sollte.

Noch nie in ihrem Leben war sie weiter als bis zur

Provinzhauptstadt gereist, das Herz Tarpols kannte sie allenfalls aus den Erzählungen von Händlern und von Pujur. Auch ihr Vater war, so weit sie sich erinnern konnte, niemals dort gewesen. Den Weg würde sie finden, denn der Bote hatte den Auftrag, für eine sichere Reise zu sorgen. Ein Geleitbrief gestattete ihm, fünf Mann aus der nahe gelegenen Garnison als Eskorte abzuziehen. Aber wie benahm man sich am Hof? Das Schöntuerische war ihr fremd, die verlangte Etikette kannte sie nicht. Welchen Wert legte der neue Kabcar auf solche Dinge?

Es klopfte ganz leise an der Bibliothekstür. »Herein«, rief die junge Frau. Ihr Vater trat vorsichtig ein. Der Luftzug sorgte dafür, dass die Kerzen unruhig brannten, die Schatten an den Wänden hin und her hüpften.

»Na, hat der Kabcar Sehnsucht nach dir?«, grinste der bärtige Brojak seine hübsche, hoch gewachsene Tochter an.

Norina lächelte und strich sich die langen, schwarzen Haare aus dem Gesicht. Die graue Uniform des königlichen Beamten, die er seit kurzem als neuer Gouverneur von Granburg trug, empfand sie immer noch als äußerst ungewohnt. Trotzdem freute sie sich für ihn über die Ehre und das Vertrauen, das ihm vom Hof entgegengebracht wurde. »Pujur muss ihm so viel erzählt haben, dass ich meine Ansichten persönlich erklären soll.« Sie stand auf, lief zu dem Mann hin und umarmte ihn. »Stell dir das vor, Väterchen, der Kabcar will mich sehen. Wenn ich ihn von nur ein paar Neuerungen überzeugen kann, würde es Tarpol schon wesentlich besser gehen.«

Miklanowo lächelte nachsichtig. »Erwarte bloß nicht zu viel von der Einladung. Hat er dir geschrieben, dass er deine Gedankengänge gut findet?«

Sie stutzte. »Nein. Jedenfalls nicht ausdrücklich.«

»Also«, sagte er, »da haben wir's.«

Die junge Frau lief zurück zum Tisch, kramte ein paar Blätter aus der Schublade und begann, mit fliegender Feder zu schreiben. »Ich werde mir Mühe geben, ihn für einen Wandel im Land zu gewinnen. Wenn ich diese Gelegenheit schon mal habe, die vermutlich noch niemand vor mir hatte, darf ich nichts vergessen.« Immer wieder tauchte sie den Kiel in das Tintenfass, die Spitze kratzte über das Papier. »Ich muss mir unbedingt die wichtigsten Punkte notieren, die ich ihm dann übergeben kann.«

»Dann lasse ich dich mal in Ruhe arbeiten. Ich werde mich wieder um meine Angelegenheiten als Gouverneur kümmern. Ich wünsche dir eine gute Nacht, und bestell Pujur schöne Grüße von mir, wenn wir uns nicht mehr sehen sollten«, sagte der Brojak und verließ den Raum.

Norina war in Gedanken voll und ganz bei den Verbesserungen, die sie dem Kabcar unterbreiten wollte. *Was aber, wenn er mich nach Ulsar lockt, um mir den Mund zu verbieten? Wenn er mich für gefährlich hält? Wenn das Ganze nur eine Falle ist?*

Sie wurde immer langsamer beim Schreiben. *Pujur hätte mich bestimmt gewarnt.*

Ohne nachzudenken, legte sie die linke Hand auf die Stelle, an der unter der Kleidung das Amulett lag. Angenehm warm ruhte das Geschenk ihres Liebsten dort, das Metall kühlte nie wirklich aus, auch wenn sie das Kleinod nachts ablegte. Am nächsten Morgen schien es immer noch die gleiche Temperatur wie ihr Körper zu haben.

Als sie die Hand wieder auf den Tisch stützte, zuckte sie kurz zusammen. Die Verstauchung, die sie sich beim Sturz vom Pferd zugezogen hatte, verheilte nur langsam. Dabei war ihr der Unfall wie ein Rätsel vorgekommen. Ihr eigenes Tier, Pulkin, das sie von klein auf ritt, das sie seit mehr als sieben Jahren eigenhändig in den

Stall führte, abrieb und fütterte, hatte sie kurz nach der Abreise von Pujur aus dem Sattel geworfen, kaum dass sie oben saß. Seitdem scheute das Pferd vor ihr und versuchte, seiner Herrin zu entkommen. Auf einen weiteren Versuch wollte es Norina nicht ankommen lassen, zuerst sollte sich ein Pferdekundiger das Tier ansehen. Sie jedenfalls konnte sich das Verhalten nicht erklären.

Aber nicht nur Pulkin führte sich merkwürdig auf, auch die anderen Tiere auf dem Gut waren von einer seltsamen Unruhe befallen. Die Arbeiter vermuteten, dass sich Sumpfbestien in der Gegend herumtrieben, und teilten vorsichtshalber nächtliche Wachen ein. Wenn der Winter weiterhin so kalt bleiben würde, könnten die Bestien versuchen, auf dem Hof Nahrung zu finden. Vielleicht strichen sie schon um die Mauern und wurden dabei vom Vieh gewittert.

Die Gedanken der jungen Frau kehrten zu Pujur zurück, mit einer Hand zog sie dabei das Amulett hervor. Die ganze Oberfläche des Schmuckstücks war von einem braunen Belag überzogen, nur vereinzelt schimmerte das rätselhafte Metall schwarz auf. Die wenigen sauberen Ziselierungen glänzten silbrig, der düstere, augengroße Stein im Zentrum des Schmuckstücks, so bildete sie sich zumindest ein, wurde in einem beruhigenden Rhythmus heller und dunkler, pulsierte wie ein langsam schlagendes Menschenherz.

Immer wieder hatte sie sich die Gravuren angeschaut, die auf der Rückseite des Amuletts ein eigenartiges Muster bildeten. Wenn es sich bei den Zeichen um eine Schrift handelte, konnte sie nichts damit anfangen.

Pujur hatte ein großes Geheimnis um die Herkunft seines Präsents gemacht. Norina schätzte, dass es sich um ein altes Familienerbstück handelte.

Vorsichtig, sanft fuhr sie über den dunklen Stein und entdeckte einen leichten Fleck an der Seite. Ärgerlich nahm sie einen Zipfel ihres Kleides und rieb darüber, um die Verunreinigung zu entfernen. Doch die blinde Stelle hielt sich hartnäckig. Also erhöhte sie den Druck, bis sich der Edelstein plötzlich mit einem leisen Knirschen in der Fassung drehte.

Überrascht hielt die junge Frau in ihrem Tun inne. Ganz nah brachte sie das Amulett vor ihre Augen und versuchte, den Stein zurückzudrehen, aber er widerstand ihren Anstrengungen.

Dafür ließ er sich mühelos in die andere Richtung bewegen, wie sie nach einigen Versuchen herausfand. Nachdem sie ihn einmal um die eigene Achse gedreht hatte, verstärkte sich das Pulsieren im Inneren des Edelsteins.

Misstrauisch legte sie das Amulett auf den Tisch und wartete ab. Was immer Pujur ihr als Liebesbeweis geschenkte hatte, es wurde immer merkwürdiger.

Der Rhythmus veränderte sich nicht weiter.

Ein weiteres Mal bewegte sie den Stein um 360 Grad, und aus dem Pulsieren wurde ein hektisches, schnelles Flackern. Mit dem Federkiel tippte sie an das Amulett, aber es passierte nichts.

Als sie ihre Versuche fortsetzen wollte, klopfte es wieder an der Tür. Schnell hängte Norina sich den Schmuck wieder um den Hals und ließ ihn unter das Kleid rutschen.

»Ja, bitte?«

Der Bote des Kabcar mit Namen Tratov trat ein, verbeugte sich und kam näher. »Verzeiht, aber ich wollte mich erkundigen, wann Ihr aufzubrechen gedenkt. Ihr wisst, ich muss die Garnison noch um Begleitung bitten, und daher wollte ich meine Vorbereitungen rechtzeitig treffen.«

Norina nickte knapp. »Ich wollte bei Morgenanbruch los. Wäre das möglich?«

»Das ist ausgezeichnet, Brojakin Miklanowo. Das Wetter scheint in den nächsten Tagen einigermaßen zu halten, wir werden mit dem Schlitten bestens vorwärts kommen.«

»Ich gedenke nicht, einen Schlitten zu benutzen«, widersprach sie. »Ich kann reiten, und das wird bis zum Fluss wohl das schnellste Mittel sein, oder?«

Tratov machte für einen Lidschlag ein verwundertes Gesicht. »Umso besser, Brojakin. Wenn alles gut für uns verläuft, können wir die Hauptstadt in wenigen Wochen erreicht haben.« Er ging in Richtung der Tür. »Ich informiere die Garnison, die uns etwas Proviant zur Verfügung stellen soll.« Er verbeugte sich und verließ das Zimmer.

Norina rollte das Schreiben des Kabcar sowie ihre Notizen zusammen und klemmte sich die Papiere unter den Arm. Sie löschte die Kerzen und machte sich auf den Weg in ihr Zimmer, wo sie mit Hilfe eines Bediensteten ihre Reisevorbereitungen treffen wollte.

Ganz still war es im dunklen Haupthaus. Die Dochte der Öllampen glühten noch leicht, sie waren wohl eben gelöscht worden, ein schwacher Geruch von Petroleum lag in der Luft. Die junge Frau ging an diesem Abend anscheinend als Letzte zu Bett. Die Müdigkeit, die von der Begeisterung in den Hintergrund gedrängt worden war, hatte sie nun voll im Griff. Das Packen würde sie auf morgen verschieben.

Norina hörte das vertraute Knacken der Holzdielen, fernes Windheulen und die unverständliche Unterhaltung draußen auf dem Hof zwischen dem Boten und einem der Knechte. Dann ertönte leiser Hufschlag. Tratov hatte sich tatsächlich noch auf den Weg gemacht, um die Wachen für die morgige Reise zu organisieren.

In ihrem Zimmer angekommen, öffnete sie das Fenster, um kühle, frische Luft hineinströmen zu lassen. Nach einem kurzen Blick zum sternenklaren Himmel und den Monden entkleidete sie sich in aller Eile und schlüpfte in ihre wärmende Nachtwäsche.

Beim Abstreifen des Untergewandes fiel ihr das Amulett zu Boden, das sie verärgert aufhob und durch eine schnelle Bewegung mit der Hand von möglichem Schmutz befreite. Dabei drehte sie den Stein ein drittes Mal um die eigene Achse, es zischte leise, das Flackern erlosch.

Dann, nach wenigen Herzschlägen, ging ein silbriges Flimmern über die Gravuren und das düstere Glimmen begann erneut, diesmal ein wenig heller, anhaltender und ohne das bekannte Pulsieren. Wie ein Stück Kohle glühte der Edelstein im Dunkel.

Ein seltsames Geschenk, dachte sie und legte sich den Schmuck wieder um. *Wie das der Juwelier wohl hinbekommen hat?*

Leicht fröstelnd schloss sie die Tür ihres Schranks, als es mit einem Mal dunkler im Raum wurde. Es schien, als habe sich eine große Wolke vor die Monde geschoben.

Norina wandte sich abrupt zum Fenster um und erstarrte. Auf dem Sims saß eine menschengroße, dürre Gestalt, die lederhaften, dünnen Schwingen waren weit ausgebreitet und schluckten einen Großteil des Lichts. Zwei purpurfarbene Augen glühten.

Ein Beobachter, durchzuckte es die junge Frau. Aus dieser Nähe hatte sie noch keines der Wesen gesehen, die in Tarpol bekannt waren und aus abergläubischen Gründen gefürchtet wurden. Dabei taten sie den Menschen nichts, sondern saßen nachts auf Hausdächern, Bäumen oder anderen Erhöhungen und sahen sich um. Wie Raben auf der Suche nach Aas.

Der Kopf der Kreatur bewegte sich leicht nach vorne. Zögerlich schien sie die Luft einzusaugen, dann neigten sich die leuchtenden Augen zur Seite und wurden schmaler. Die Haltung erinnerte Norina tatsächlich an einen Vogel, der sich eine Sache betrachtete, bevor er etwas unternahm. Sie beschloss zu handeln.

»Was willst du?«, fragte sie fest und machte einen Schritt nach vorne.

Der Beobachter schreckte zurück. *Du bist zwar nicht der Hohe Herr*, wisperte es in ihren Gedanken, *aber du gehörst zu ihm. Also behalte es. Jedoch gib es ihm wieder, wenn du ihn siehst.* Das Wesen stieß sich vom Sims nach hinten ab und verschwand. *Es für immer zu behalten, steht dir nicht zu.*

Die Brojakin hörte das Rauschen und Knistern der Flügel, aber entdecken konnte sie ihren unheimlichen Besucher zuerst nicht mehr.

Als sie den Blick über den Himmel schweifen ließ, lief ihr ein eiskalter Schauer über den Rücken. Dort oben kreisten mindestens ein Dutzend Beobachter, und immer weitere schienen aus allen Richtungen hinzuzukommen. Nach einiger Zeit waren es fast drei Dutzend.

Ein einzelnes Exemplar, vermutlich ihr Besucher von eben, löste sich aus dem Schatten der Scheune und stieß zu den anderen. Fast glaubte Norina, die Kreaturen unterhielten sich, so wie sie dicht an dicht flogen. Dann löste sich der Pulk auf. So schnell wie sie gekommen waren, so schnell verteilten sie sich wieder, bis sie nicht mehr zu sehen waren.

Die junge Frau ließ sich aufs Bett plumpsen. Der Beobachter hatte direkt mit ihrem Verstand gesprochen, Worte hatte sie keine vernehmen können.

Aber von was sprach das Wesen? fragte sie sich. *Was darf ich behalten, und wem soll ich was geben? Wer ist der Hohe Herr?* Seufzend berührte sie den Talisman auf ihrer Brust, dann schloss sie die Läden und das Fenster. Einen solchen Gast wollte sie nicht noch einmal haben. *Ich muss unbedingt mit Pujur über die Sache reden.* Das sollte die erste Angelegenheit sein, der sie sich in Ulsar widmen wollte. Alles andere konnte warten.

Sie überlegte einen Moment lang, dann zog sie das Amulett wieder aus und verwahrte es in der Schublade.

Sie wusste nicht genau, weshalb, aber sie wollte es erst wieder tragen, wenn sie genau in Erfahrung gebracht hatte, was es mit dem Schmuckstück auf sich hatte.

Tratov hatte Recht behalten, die Sonne schien am nächsten Tag und bescherte Granburg einen frostigen, aber schönen Wintertag. Der Gouverneur war schon lange in Richtung Provinzhauptstadt unterwegs und hatte seiner Tochter einen Abschiedsbrief mit ein paar persönlichen Worten hinterlassen.

Der königliche Bote kehrte in aller Frühe mit vier Soldaten der Garnison zurück; ein Packpferd mit Proviant sorgte dafür, dass die kleine Gruppe mit dem Nötigsten versorgt war, sollte kein Gasthaus zu finden sein. Die in aller Eile gepackte Truhe mit den Kleidern, Schmuck, Büchern und anderen Gegenständen der jungen Frau lud man auf ein zweites Tier, das daraufhin sehr aufgeregt hin und her tänzelte. Die Soldaten nahmen an, dass die Sattelriemen nicht richtig saßen, und begannen, die Gurte zu prüfen.

Dick in Pelze eingepackt, stapfte Norina derweil in den Stall und wollte sich ein Reitpferd aussuchen. An der Box von Pulkin blieb sie stehen und rief zum Abschied seinen Namen.

Zu ihrem Erstaunen kam der Hengst vertraulich wie früher näher und ließ sich von ihr die Nüstern kraulen. Aus Neugier legte die Brojakin den Sattel auf, doch das ehemals so nervöse Tier ließ es mit sich geschehen, als habe es niemals vor seiner Herrin gescheut.

Vorsichtig und auf einen plötzlichen, wilden Ritt gefasst, drehte sie ein paar Runden mit dem Hengst auf dem Hof, doch er verhielt sich wie sonst. Mit Hilfe von ein paar derben Schlägen hatten die Soldaten in der Zwischenzeit das zweite Packpferd zur Raison gebracht, die Reise konnte beginnen.

Vorbei ging es in lockerem Trab an der verschneiten

Welt. Wie mit Zuckerwatte bedeckte Felder und mit glitzerndem Marmorstaub bestreute Wälder säumten den Weg der Gruppe, die recht schnell vorwärts kam.

Um die Augen gegen das grelle Weiß zu schützen, trugen Ross und Reiter aus Holz gefertigte Sehblenden, die nur durch einen dünnen Schlitz Licht ließen. Vor diesen Spalt war dunkles Tuch geklebt, um die Helligkeit zu dämpfen. Ohne diese Vorrichtung wäre ein Ritt an einem sonnigen Tag unmöglich gewesen. Etliche Unwissende hatten so auf Dauer ihr Augenlicht eingebüßt.

In weitem Bogen ritten sie am zweiten Tag, nachdem sie in einer Scheune übernachtet hatten, an der Stadt Granburg vorüber, und wenn ihr Vater sie auch nicht sehen konnte, winkte Norina dennoch in Richtung des Palastes.

Der Bote lächelte. »Wie klein die Stadt aussieht.«

»Klein?« Die junge Frau schüttelte den Kopf. »Granburg soll klein sein?«

»Wartet es ab, Brojakin. Wenn Ihr Ulsar seht, bleibt Euch das Herz stehen«, versprach Tratov.

»Auch wenn das sehr schade wäre«, grinste einer der Soldaten und erntete leises, zustimmendes Gelächter von seinen Kameraden.

Norina musste ebenfalls lachen. »Wie sprachgewandt du bist. Lass mich raten, du bist der Schwarm aller Frauen?« Nun hatte sie die Lacher auf ihrer Seite, einer klopfte dem Kämpfer scherzhaft an den Helm.

Die gute Laune sollte nicht mehr lange anhalten. Nach wenigen Warst gelangten sie an eine Stelle, die keinem recht geheuer erschien.

Die Sonnen versanken bereits hinter dem Waldstück, das sie fast vollständig durchquert hatten, als Tratov die neun Gräber am Wegesrand entdeckte.

Das mittlere, das sich von der Anlage eindeutig von den anderen unterschied, wirkte zerstört. Die Steine, die zum Schutz gegen Tiere oder Bestien aufgehäuft worden waren, lagen unordentlich verstreut umher, aber als seien sie von innen weggedrückt worden. Bei den Nachbargräbern fehlten Teile der Erde, sodass zwischen den gefrorenen Schollen Menschenknochen herausragten.

Die Soldaten hatten aus einem unbestimmten Gefühl der Bedrohung heraus ihre Waffen gezogen, einer der Männer ritt näher an die einfachen Ruhestätten heran.

»Scheinen Soldaten gewesen zu sein«, meldete er der Gruppe. »Aber keine von der königlichen Garnison. Die hier trugen Kettenhemden. Und sie sind erst nachträglich so zugerichtet worden, wie es aussieht.« Er sah etwas genauer hin. »Als habe man ihnen mit einem Messer Fleisch herausgeschnitten. Das waren bestimmt Sumpfbestien.«

»Oder Totendörfler«, fügte ein anderer hinzu. »Die sollen ja auch alles essen, wie man sich erzählt.«

Norina lief ein Schauder über den Rücken. Sie nahm eine der Fackeln aus den Satteltaschen und entzündete sie mit Hilfe eines Funkensteins. Da die Sonnen nun endgültig verschwunden waren, war es in dem Waldstück beinahe stockdunkel. Eine bedrohliche Düsternis machte sich zwischen den Bäumen breit.

»Hört Ihr das?«, erkundigte sie sich leise bei Tratov.

»Was meint Ihr? Ich höre nichts«, gab er ebenfalls mit gesenkter Stimme zurück.

»Eben«, meinte Norina und sah sich um. »Ich höre auch nichts. Wir sind in diesem Wald die einzigen, die Geräusche machen. Keine Vögel, nichts. Nicht einmal ein Windhauch.«

Ohne ein weiteres Wort nahm der Bote ebenfalls eine Fackel heraus, die Soldaten folgten seinem Beispiel.

»Wir sollten weiter«, rief Tratov unruhig zu dem Mann, der die Gräber untersuchte und scheinbar als einziger nicht von der Beklemmung betroffen war, die sich verstärkte, je länger sie auf dem Weg standen. Wie ein rettendes Licht schimmerte die Schneefläche am Ende der Passage und versprach den Reisenden eine weite, gut überschaubare Ebene.

»Einen Moment noch«, entgegnete der Reiter und stieg ab. Er ging hinüber zum Grab in der Mitte und kniete sich hinein. »Das hier sieht sehr seltsam aus. Bei Ulldrael dem Gerechten!« Der Soldat hielt etwas in die Höhe. »Fast wie gefrorenes Pergament.« Er stieß einen entsetzten Schrei aus und ließ seinen Fund fallen. Ruckartig sprang er aus der flachen Grube.

Die Pferde scheuten, erschrocken von der hastigen Bewegung, und Tratov stürzte aus dem Sattel. Sein Tier jagte den Weg zurück, ein Soldat machte sich fluchend an die Verfolgung.

Immer kleiner wurde der Lichtpunkt seiner Fackel.

Verwünschungen ausstoßend erhob sich der Bote. Die anderen Kämpfer und Norina hatte derweil noch alle Hände voll zu tun, um ihre Vierbeiner wieder zu beruhigen.

»Gut gemacht, Narr!«, schimpfte die Brojakin. »Du bist nicht nur redegewandt, du bist auch noch klug dazu. Komm sofort zurück.«

Gehorsam befolgte der Soldat den Befehl, sein Gesicht war aschgrau.

»Es war ein Stück Haut.« Er schüttelte sich vor Abscheu und wischte mit dem Handschuh durch den Schnee. »Ich hatte einen Fetzen mit einem Stück Nase gefunden.« Er zeigte die andere Hand. »Und das hier.«

Er hielt zwei Teile eines augengroßen Amuletts, die wohl einmal zusammengehört hatten, aber zerbrochen worden waren. Es sah nach einer porösen Legierung aus und zeigte merkwürdige Symbole, Schriftzeichen, die keiner aus der Gruppe zu lesen verstand. Eine Ähnlichkeit mit den Gravuren des eigenen Anhängers entdeckte Norina nicht.

»Bring es zurück«, sagte der Bote. »Man soll den Toten nichts nehmen, was sie zu Lebzeiten freiwillig hätten geben können.«

»Vielleicht ist es was wert. Oder ich behalte es.« Trotzig stieg der Soldat in den Sattel. »Als Glücksbringer.«

Schweigend warteten sie auf die Rückkehr des fehlenden Kämpfers, dessen Fackel niemand mehr sehen konnte.

Ab und zu zischte eine der Leuchten, die Pferde schnaubten aufgeregt.

Keiner der Menschen wagte, etwas zu sagen. Die beklemmende Stimmung, die sich herabgesenkt hatte, wurde stärker.

So sehr Norina und die Männer in die Dunkelheit starrten, einen Lichtschein konnten sie nicht ausmachen. Die Bedrohung, die in der Luft lag, spürten sie mittlerweile fast körperlich.

»Wir«, krächzte die junge Frau heiser und musste sich erst räuspern, »wir können genauso gut vor dem Wald auf ihn warten. Er wird uns schon finden.«

Tratov rammte eilig seine Fackel in den Schnee. »Ein guter Einfall. Das lassen wir ihm als Orientierung zurück.« Er schwang sich bei einem der Begleiter auf den Pferderücken.

Erleichtert machte man sich auf die letzten Meter, die den Tross von der erlösenden Ebene trennten. Es wurde weder nach rechts oder links, geschweige denn nach hinten geschaut. Diese unerklärliche Angst vor etwas Unsichtbarem saß allen im Nacken. Noch immer wirkte der Wald tot und feindselig.

Schritt für Schritt bewegten sie sich vorwärts, mit aller Macht beherrschte Norina sich, ihr Pferd nicht in Trab fallen zu lassen.

Ein Aufatmen ging durch die Reihe der Reisenden, als sie den Baumbereich verließen und die glitzernde, abendliche Schneefläche vor sich sahen.

224

»Gut«, sagte Norina befreit, die Soldaten verstauten ihre Waffen. »Warten wir also.«

Erst jetzt drehten sie sich um und sahen zurück. In einiger Entfernung brannte die Fackel und markierte dem Fehlenden den Weg.

Doch er erschien nicht.

Eine geraume Zeit verstrich. Seine Kameraden unterhielten sich leise, aber den Versuch, den Verschollenen zu suchen, unternahmen sie nicht, und weder Norina noch Tratov ermunterten sie dazu.

»Da!«, rief der Bote und deutete die schmale Straße hinunter. »Ich habe eben eine Gestalt neben der Fackel gesehen.« Alles spähte in die gewiesene Richtung. Die weit entfernte Lichtquelle brannte unruhig, flackerte auf, dann verlosch sie.

»Was war das?«, wunderte sich einer der Soldaten. »Das kann unmöglich sein. Die Fackeln brennen normalerweise mehrere Stunden.«

»Dann hat sie jemand gelöscht«, meinte Tratov. »Ich sagte doch, ich sah jemanden.«

»Wenn sie jemand ausgemacht hat, dann droht unserem Begleiter vermutlich Gefahr«, äußerte sich Norina besorgt und bemerkte die Gänsehaut, die sich an ihrem Körper bildete. »Wir sollten ihm helfen.«

Niemand bewegte sich. Keiner wollte in diese unheilige Schwärze zurück, der sie unbeschadet entronnen waren.

»Da war eben Hufschlag«, flüsterte einer der Kämpfer. »Ich glaube, er kommt.«

»Dann reiten wir ihm wenigstens entgegen, damit er Licht sieht«, schlug sein Kamerad mutig vor und setzte sein Pferd in Bewegung. Norina schloss zu ihm auf, danach folgte der Rest.

Wieder tauchten sie in die schrecklich stumme Finsternis ein.

»Ich höre nichts«, murmelte Tratov, als sie auf der

Höhe der erloschenen Leuchte angekommen waren. »Du musst dich getäuscht haben. Und seine Fackel sehe ich auch nicht.«

»Seid leise«, zischte die Brojakin.

Ganz weit entfernt war das gedämpfte Getrappel von Pferdehufen zu vernehmen.

»Seht euch das an«, sagte der Vordermann des Boten zur Gruppe. »Unsere Markierungsfackel ist voller Schnee.«

»Der wird vom Baum gefallen sein«, meinte ein anderer.

»Auf dem Baum hier liegt aber kein Schnee«, widersprach er dem Einwand.

Der Hufschlag kam näher. Zwei Pferde, so klang es zumindest, flogen in gestrecktem Galopp auf die Wartenden zu.

»Der hat es aber verdammt eilig«, staunte der Bote.

»Dem gefällt es ebenso wenig wie uns.«

»Draufgängerisch ist er schon«, meinte Norina anerkennend, und ihre Nackenhaare stellten sich auf. »Ich würde ohne Licht nicht so schnell reiten.«

Immer schneller rasten die Tiere heran.

»Wenn wir hier so stehen bleiben, sprengt er uns glatt über den Haufen.« Tratov hatte die Stirn in Falten gelegt. »Er müsste uns doch sehen.« Er wedelte mit der Fackel hin und her. »Holla! Mal langsamer! Wir stehen …«

Wie ein Sturm schoss eines der Pferde heran, die Augen waren weit aufgerissen, die Zunge hing ihm aus dem Maul, und der Schweiß floss an den Flanken hinab. Dann war es auch schon wie eine Spukgestalt mitten durch die Gruppe galoppiert und in wilder Flucht auf und davon.

Keiner im Tross zögerte nur eine Sekunde. Jeder stieß dem eigenen Reittier die Sporen in die Seiten und hetzte hinterher. Das unvorstellbarste Grauen, so vermeinten alle zu spüren, war ihnen auf den Fersen und griff nach ihnen.

Ganz hinten ritt das doppelt beladene Pferd mit Tratov und dem Soldaten, doch es hielt das Tempo seiner leichter bepackten Artgenossen durch.

Der Bote hörte, wie sich Hufschlag von hinten näherte und hoffte, den vermissten Kämpfer auszumachen. Aber nur eine geisterhafte Silhouette war erkennbar.

»Weg!«, brüllte es aus der Dunkelheit. »Nur weg! Bei Ulldrael, nein! NEIN!« Dann erscholl eine Reihe Mark erschütternder Schreie, die sich mit Knirschen, Splittern und Krachen vermischten, bis etwas Schweres in den Schnee plumpste. Das schmerzerfüllte Gebrüll des Soldaten ging in ersticktes Gurgeln über, wurde leiser und blieb in der Nacht zurück.

»Los!«, schrie der Bote dem Reiter voller Entsetzen ins Ohr. »Schneller! Bloß schneller!«

Das letzte Pferd schnellte aus der Finsternis hervor. Wie vom Katapult abgefeuert, stob der Hengst des Fehlenden vorüber, reihte sich, beherrscht vom Herdentrieb, in die schützenden Leiber ein und passte sich der Geschwindigkeit seiner Artgenossen an.

Tratov wurde schlecht. Das Fell des Schimmels troff vor Blut. Es sah aus, als habe man einen Eimer roter Farbe über den Sattel gegossen, von wo sie in Sturzbächen herablief.

Endlich war die Gruppe außerhalb des Waldes, hielt aber nicht an. Weiter und immer weiter ging die kopflose Jagd über die verschneite Ebene, bis das erste der Pferde ohne Reiter im Tiefschnee stolperte und zusammenbrach. Erst jetzt gönnten sich die Reisenden eine Pause, alles atmete schnell und hektisch.

»Bei Ulldrael, seht euch das an«, keuchte Norina entsetzt, die das blutverschmierte Pferd nun entdeckte. »Es ist verletzt.«

»Nein«, das blanke Grauen lag in der Stimme des antwortenden Soldaten. »Das ist kein Tierblut.«

Alle Augen richteten sich auf den Wald, der wie ein

Stück hingeworfene Schwärze mitten im Schnee lag. Irgendwo dort drin trieb etwas Furchtbares sein Unwesen.

»Nur weg von hier«, befahl Tratov in die Stille und wechselte auf sein Pferd. »Ich will nicht wissen, was das war. Es reicht mir, wenn hundert Warst zwischen mir und der Kreatur liegen.«

Sie brachen wieder auf und ritten die Nacht über durch. Selbst die Pferde hatten das Bedürfnis, so schnell wie möglich von diesem Ort wegzukommen.

**Ulldart, Königreich Tarpol, Provinz Ulsar,
Hauptstadt Ulsar, Winter 442/443 n. S.**

Matuc sah aus dem Fenster und beobachtete die glitzernden Lichtreflexionen der Eiszapfen, die vor der Scheibe seiner Unterkunft wuchsen. In vielen Farben funkelten die Strahlen der Sonnen und warfen immer wieder neue helle Punkte an die Wände seines Zimmers, in dem er seit zwei Wochen lag und von seinen schweren Verwundungen genas.

Der Kabcar selbst hatte ihm einen Cerêler geschickt, der dafür sorgte, dass sein Beinstumpf ohne Schwierigkeiten verheilte. Die hölzerne Prothese mit dem geschickt gefertigten Knickgelenk, das ihm später ein Laufen ohne Krücken ermöglichen sollte, lehnte neben seinem Bett und wartete nur darauf, zum Einsatz zu kommen. Ebenfalls auf hoheitliche Anordnung war der Geistliche aus dem Ulldraeltempel in ein kleines Jagdhaus des Kabcar verlegt worden. Nerestro, dessen Gefolge und zehn Wachen sorgten für die Sicherheit Matucs, der sich das plötzliche Aufhebens um seine Person gar nicht erklären konnte.

Der Verlust seines Beines traf ihn zutiefst, und noch immer konnte er es nicht glauben, wenn er an sich herabblickte und auf der rechten Seite ein gutes Stück von ihm fehlte.

Eine Lethargie hatte ihn seither befallen, eine dermaßen große Gleichgültigkeit, dass er sich nicht einmal mehr Gedanken über seinen Auftrag und das Schicksal Ulldarts machte.

Es war ihm egal, ob er versagt hatte oder nicht. Er hatte genug durchlitten, sich für den Gott und den Geheimen Rat durch halb Tarpol geschleppt, Strapazen erduldet und nun auch noch sein Bein verloren. Dank erntete er dafür keinen, weder vom Oberen noch von seinem Gott. Wenn sich niemand um ihn scherte, wollte er sich auch nicht mehr um andere kümmern. Seinetwegen konnte die Dunkle Zeit anbrechen.

Die Tür wurde geöffnet, und herein traten Nerestro zusammen mit Herodin, dem Kabcar und weiteren zwei Männern, an die sich Matuc noch sehr gut aus Granburg und von der Krönung her erinnern konnte.

»Es ist mir eine Ehre, hoheitlicher Kabcar, dass Ihr mich besucht«, sagte der Mönch leise und richtete sich in seiner Lagerstätte ein wenig auf.

»Aber, aber«, wehrte Lodrik ab und legte den Hermelinmantel zur Seite. Darunter trug er die graue Uniform des Hauses Bardri¢, geschmückt mit wenigen Stickereien und dem sternförmigen Orden mit dem blauen Diamanten. »Ich stehe in deiner Schuld, Matuc, weil du mir das Leben gerettet hast. Zweifach, wie ich inzwischen erfahren durfte.«

Matuc seufzte kraftlos. »Dankt mir nicht, dankt Ulldrael dem Gerechten, der Euch beschützt, Hoheit. Ihr habt in ihm einen starken Verbündeten. Im Gegensatz zu mir.«

Der junge Kabcar setzte sich zu dem betagten Mann aufs Bett, während seine Begleiter etwas im Hintergrund blieben und sich aufs Zusehen und -hören beschränkten. »Ich werde dir nun ein paar Fragen stellen, Matuc. Und ich, dein Kabcar, verlange, dass du mir die Wahrheit sagst, bevor es für einen von uns beiden zu spät ist.« Lodrik sah ihm in die Augen. »Hast du den Attentäter gesehen?«

»Welchen Attentäter?«, fragte der Verletzte erstaunt.

»Von selbst hast du dir den Bolzen nicht in den Unterarm gerammt, Matuc. Er hätte mich getroffen, wenn du mich nicht zur Seite geschoben hättet. Mich würde nun interessieren, wer versucht hat, mich zu beseitigen.«

»Ich habe niemanden direkt gesehen, hoheitlicher Kabcar«, antwortete Matuc und schloss müde die Augen. »Ich bemerkte einen Schatten, eine undeutliche Bewegung und handelte.«

Der Herrscher Tarpols verzog den Mund. »Das ist sehr schade. Aber ich bräuchte eine weitere Auskunft. Du bist mir gefolgt, quer durch Tarpol, nicht wahr? Zusammen mit Nerestro und einer Frau, die ich nicht mehr kennen lernen durfte. Gesehen haben wir uns in Granburg, am Fluss, danach wieder hier. Weshalb, Matuc?«

Der Geistliche kniff die Lippen zusammen und schüttelte den Kopf.

»Du musst es mir sagen, Matuc. Ich bin dein Kabcar, ich kann es dir notfalls befehlen. Noch appelliere ich an dich. Du musst einen wichtigen Grund haben, wenn du solche Anstrengungen auf dich nimmst. Und wenn Nerestro sogar sein Gott erschienen ist, um ihm den Auftrag zu erteilen, dich zu beschützen, muss es etwas wirklich Bedeutendes sein.« Lodrik berührte den Verletzten sanft an der Schulter. »Ich bitte dich darum. Lass mich nicht im Unklaren. Geht es vielleicht um die Prophezeiung? Geht es um meine Zukunft?«

Matuc öffnete die Augen, schluckte schwer und nickte zögerlich. Er hatte keine Lust mehr, alles für sich zu behalten. »Ich kann es nicht länger verschweigen, hoheitlicher Kabcar. Ich war damals derjenige, dem der sterbende Visionär die Botschaft Ulldraels anvertraute. Jahrelang dachte ich, sie bedeutet, dass man Euch vor dem Tod beschützen muss, um die Rückkehr der Dunklen Zeit zu verhindern.« Innerlich arbeitete sein Hirn auf Hochtouren. Er musste wenigstens Schaden vom Orden abwenden, soweit es möglich war. Er beschloss, alle Verantwortlichkeit auf sich zu ziehen. Ruhig schaute er den Kabcar an.

»Nun bin ich mir schon lange nicht mehr sicher, ob die Prophezeiung auch nicht anders zu verstehen gewesen wäre. Ich wollte Euch in der Kathedrale eigentlich umbringen, hoheitlicher Kabcar, nicht beschützen. Den Dolch, den ich in der Hand hatte, hat der Schutt vermutlich unter sich begraben.«

Gemurmel erhob sich im Raum. Instinktiv näherte sich der große Leibwächter seinem Herrn, als wollte er ihn nachträglich vor diesem hinfälligen und gescheiterten Attentäter beschützen. Der Herrscher hob die Hand, um Waljakov zu beruhigen. Er wirkte weniger geschockt als neugierig und atmete tief ein. »Wie kommst du auf diese Idee? Wieso sollte Ulldrael der Meinung sein, dass ich schuld am Ausbruch der Dunklen Zeit bin?«

»Ich war mir sicher, das Richtige zu tun, das kann man nicht erklären.«, sagte der Mönch und hob den bandagierten Arm. »Doch inzwischen weiß ich es besser. Ulldrael selbst hat Euch vor mir und dem unbekannten Attentäter beschützt. Und den habe ich, um ehrlich zu sein, nicht einmal gesehen, sonst wäre ich ihm nicht in die Schussbahn gelaufen. Ulldrael hat mich dazu benutzt, Euch das Leben zu retten, wobei er mich dazu noch für meinen Irrtum bestrafte, das sehe ich nun ganz deutlich. Ich kann Euch, hoheitlicher Kabcar, nur um Verzeihung bitten für das, was mir beinahe gelungen wäre. Und meinen Gott, weil ich an seiner Nachricht zweifelte.« Er wandte den Kopf in Richtung Nerestro. »Angor sei Dank für die Unterstützung.« Damit war der Ritter von seiner Pflicht entbunden.

Doch der Kämpfer in der gewaltigen Rüstung machte nicht den Eindruck, besonders glücklich darüber zu sein. Er grübelte über etwas nach.

»Wie sollte ich die Dunkle Zeit zurückbringen?«, fragte sich Lodrik leise. Der erschreckende Gedanke ließ ihn nicht los, nachdem er einmal ausgesprochen war.

»Das weiß ich nicht, hoheitlicher Kabcar«, sagte Matuc. »Jetzt kommt mir mein Einfall auch sehr verworren vor. Ich habe mich geirrt mit meiner Vermutung.«

Der Kabcar stand auf und blickte nachdenklich aus dem Fenster. »Ich weiß nicht, ob du dich geirrt hast. Immerhin hat Angor unserem Freund Nerestro persönlich seine Aufgabe gestellt. Und ein Gott sollte sich wohl nicht irren, oder?«

»Bei allem Respekt, Hoheit, genau das verstehe ich an seiner Geschichte auch nicht«, stimmte der Ordenskrieger zu.

»Belkala hat ihn hereingelegt«, lächelte der Geistliche.

»Was?«, brauste der Ritter auf. Mit wenigen Schritten stand er neben dem Bett und packte den Verletzten an den Gewandaufschlägen. »Das erklärst du sofort!«

»Lass ihn los!«, befahl Lodrik. Die blauen Augen blitzten zornig, und etwas wie eine Welle traf den Ritter am ganzen Körper. Überrascht zog er seine Hände weg, wich etwas zurück und sah den jungen Kabcar irritiert an, der sich nicht einen Millimeter wegbewegt hatte.

»Belkala hat ihm etwas in den Wein getan, was die Müdigkeit erhöht, aber die Einbildungskraft steigert. Irgendeine kensustrianische Droge«, log Matuc. »Und danach schlich sie zu ihm ins Zimmer und flüsterte ihm seine Vision ein. Sie hat es mir selbst erzählt.«

»Welches Interesse kann eine Kensustrianerin daran haben, dass jemand den Thronfolger tötet?«, wollte Stoiko wissen.

»Ich habe sie darum gebeten, mir zu helfen«, fuhr Matuc mit seiner teils erfundenen, teils wahren Geschichte fort. »Immerhin liegt Kensustria auch auf Ulldart und wäre von der Dunklen Zeit ebenso betroffen gewesen. Als sie mich im Kerker besuchte, habe ich sie von meiner Auslegung der Prophezeiung überzeugt, und dass wir einen erfahrenen Krieger brauchen, um unser Ziel zu erreichen. Die Gelegenheit war günstig.«

»Benutzt und hereingelegt«, wisperte Nerestro. Hass und Abscheu zeigten sich auf dem markanten Gesicht. »Und Angor gelästert. Wenn sie nicht schon tot wäre, müsste ich sie jetzt umbringen. Und dich dazu, Kerl.«

»Niemand wird hier irgendjemanden umbringen«, sagte Lodrik, der aufmerksam zugehört hatte. »Nicht, bevor ich zu einem Entschluss gekommen bin.«

»Er wollte aber sterben«, widersprach Nerestro aufgebracht. »Damals, als diese furchtbare Lästerin gestorben ist, verlangte er danach. Vermutlich weil er sich schuldig an ihrem Tod fühlte. Zu Recht. Jetzt muss ich froh sein, dass sie ihre Strafe bekam.« Er besann sich einen Moment. »Ich werde mir die Hände aber nicht an dem alten Mann schmutzig machen. Jetzt nicht mehr, jetzt, nachdem ich weiß, dass sie es nicht wert ist. Soll er als Krüppel weiterleben. Angor wird ihn bestrafen. Und deine Strafe in meinem Kerker sei dir erlassen.« Der Ritter spie dem Verletzten ins Gesicht. »Danke mir nicht für meine Milde.« Zusammen mit Herodin verließ er polternd den Raum.

»Es freut mich, dass sich alles aufgeklärt hat«, sagte Lodrik nach einer Weile. »Ich schätze deine Ehrlichkeit,

Matuc, und ich werde sie gebührend honorieren. Vorerst jedoch«, der Kabcar wandte sich zum Ausgang, »wirst du mein Gast bleiben, bis ich sich die Dinge etwas beruhigt haben. Möchtest du vielleicht ein paar Zeilen an den Geheimen Rat richten, in denen du auch ihm die Wahrheit schilderst? Ich wäre nur ungern der Überbringer in solch einer delikaten Nachricht.«

»Ich setze umgehend etwas auf, Hoheit.«

Der Herrscher Tarpols lächelte. »Ich wünsche dir alles Gute, Matuc. Auch wenn du einen falschen Weg verfolgt hast, letztendlich rettete mir das mein Leben. Und das zählt für mich. Und für das Schicksal Ulldarts.«

Kurz darauf war der Geistliche alleine im Zimmer.

Noch immer haftete der Speichel des Ordenskriegers in seinem Antlitz. Er machte keine Anstalten, die Flüssigkeit wegzuwischen, sondern ließ die Lider sinken.

Endlich bin ich diese Last los, dachte er. Er sah seine Auslegung der Vision zum Wohle des Kabcar bestätigt. Sollte der Geheime Rat die Dinge immer noch anders betrachten, musste das Gremium einen anderen Freiwilligen finden. Matuc fand, dass er genug für den Orden geopfert hatte.

Wenn Ulldrael und Angor tatsächlich wollen, dass ich den Kabcar töte, sollen sie es mir selbst sagen. Ist es so wichtig für den Kontinent, werden sie sich mir zeigen, mit Pauken und Trompeten.

Bis dahin wollte er sich ausruhen. Im Frühjahr wartete nun an Stelle des Kerkers das kleine Gut in Tscherkass auf ihn, wo er wieder als Vorsteher seinen bescheidenen Dienst verrichten wollte.

Kurz bevor er einschlief, musste er an die aufgeregten Hühner auf dem Hof denken, wie sie Flügel schlagend um das Futter kämpften, das er verteilte. Was gäbe er darum, dieses Leben so rasch wie möglich führen zu können, weit weg von Ulsar, weit weg vom Oberen und weit weg von den Geschehnissen der Vergangenheit.

Norina stand im Kleinen Festsaal, die Ledertasche mit ihren Notizen in der Rechten, und staunte mit offenem Mund. So viel Glanz und Luxus hätte sie nicht erwartet. Im Palast des Kabcar war alles größer, teurer und aufwändiger als zu Hause. Die Residenz des Gouverneurs wirkte hiergegen wie ein billiger Abklatsch.

Vor wenigen Stunden war die kleine Reisegruppe in der Hauptstadt des tarpolischen Reiches angelangt. Nach der erschreckenden, grauenvollen Begebenheit in dem Waldstück hatten keinerlei Schwierigkeiten mehr auf sie gewartet, ohne Verzögerungen waren sie vorwärts gekommen und heil in Ulsar eingeritten. Sie fand die Stadt viel zu groß und zu verwirrend. Ohne die Hilfe von Tratov hätte sie sich hoffnungslos verirrt.

Nachdem ihr Bote und Begleiter sie abgeliefert hatte, bekam Norina die Gelegenheit, sich ein wenig frisch zu machen und andere Kleidung anzulegen, denn der Herrscher Tarpols wollte mit ihr beim Abendessen über die Veränderungen in seinem Reich sprechen.

Also hatte sie sich die beste ihrer granburgischen Trachten angelegt, ein geschnürtes, helles Kleid mit viel Brokat, Nähereien und Stickereien. Die langen, schwarzen Haare trug sie offen, aber streng nach hinten gekämmt. Norina legte Wert darauf, sich nicht zu weiblich darzustellen. Der Kabcar sollte sich für ihre Argumente und nicht für ihr Äußeres interessieren.

Nun musste sie zu ihrer Enttäuschung warten. Der Herrscher hatte sich etwas verspätet, wie ihr ausgerichtet wurde. Sie nutzte die Zeit, um durch den Kleinen Festsaal, in den sie gebracht worden war, zu streifen.

Von den hohen Säulen, dem Blattgold, den Stuckarbeiten und dem anderen Prunk war die Brojakin anfangs beeindruckt gewesen, mehr und mehr wuchs jedoch der Zorn über so viel Verschwendung. Die vielen tausend Waslec, die hier ihrer Meinung nach sinnlos verbaut waren, hätten Gutes tun können.

Ein Livrierter steckte den Kopf zur Tür herein. »Brojakin Miklanowo, folgt mir bitte. Der Kabcar erwartet Euch in seinem Teezimmer.« Gehorsam schloss sie sich dem Mann an, der sie durch endlose Korridore, über zahllose Stufen und durch Räume führte, bis er endlich vor einem Zimmer anhielt und Norina hineinließ.

Dicke, dunkelblaue Teppiche, versehen mit zahlreichen goldenen Ornamenten, bedeckten die Wände und dämpften alle Geräusche ab. Im Kamin prasselte ein Feuer, auf dem kleinen Beistelltisch davor standen zwei Teetassen, in denen die heiße Flüssigkeit dampfte. Der Geruch von altem, aromatisiertem Pfeifentabak hing in der Luft.

Die Brojakin wusste nicht so genau, was sie tun sollte. Offensichtlich musste der Herrscher jeden Moment erscheinen, sonst wären die Getränke nicht ausgeschenkt worden. Sie beschloss, im kleineren der Sessel Platz zu nehmen, nahm ihre Notizen aus der Ledertasche und überflog die Blätter zum wiederholten Male.

Kurz verspürte sie einen Windhauch, der von einer Bewegung hinter ihr herrührte, dann legten sich ihr sanft zwei Hände über die Augen. Sie hatte niemanden hereinkommen hören.

Wie erstarrt saß sie auf dem Polster.

»Wer bin ich?«, fragte der Mann. Die Brojakin schoss in die Höhe, als sie die bekannte Stimme hörte, und schlug mit der Tasche nach dem ehemaligen Gouverneur der Provinz Granburg.

»Wie kannst du mich so erschrecken?«, sagte sie verärgert. »Ich dachte, der Kabcar wäre es.«

»Wäre dir der Kabcar lieber als ich?«, lächelte er und nahm ihre Hände. »Und wie redest du mit deinem Gouverneur?«

»Du bist nicht mehr Gouverneur. Vater ist es, seit du die Stelle am Hof bekommen hast.« Sie schüttelte den Kopf und ging einen Schritt auf ihn zu, bis sie nur wenige Zentimeter von ihm entfernt stand. »Es ist schön, dich wieder zu sehen, Pujur.«

Behutsam zog er sie an sich heran, dann schloss er sie in die Arme. Befreit atmete er auf, als sie seine Zärtlichkeit erwiderte. »Ich habe dich vermisst, Norina. Und ich brauche dich hier am Hof.« Er hielt sie fest und wollte sie nie wieder loslassen. Die Berührung gab ihm neue Kraft, als habe ein inneres Feuer neue Nahrung bekommen, um heller zu brennen. Er zog den Kopf ein wenig zurück, um sie betrachten zu können. »Darf ich?«

Die Brojakin musste lachen und küsste ihn als Antwort. Sanft pressten sich ihre Lippen auf die seinen. »Ich glaube, das Fragen kannst du dir in Zukunft sparen«, sagte sie. »Und nun solltest du gehen. Der Kabcar wollte mit mir über die Veränderungen in Tarpol sprechen. Es macht wohl nicht den besten Eindruck, wenn er uns in seinem Teezimmer eng umschlungen findet. Oder hat er dich hinzugebeten?«

»Nein, hat er nicht. Aber ich sah Licht und wollte Hoheit noch schnell ein paar Sachen fragen. Ich war gerade auf dem Weg in die Kanzlei meines Vaters, um nach dem Rechten zu sehen.« Der junge Mann setzte sich in den großen Sessel, nahm sich die Teetasse und rührte etwas Zucker hinein. »Er hatte einen Posten als Verwalter für die herrschaftlichen Gelder. Hattest du eine angenehme Reise?«

Norina blickte ihn fassungslos an. »Du sitzt auf dem Platz des Kabcar, Pujur. Und du benutzt seine Tasse.«

Der Herrscher nickte. »Ich weiß. Aber er ist ja im Moment nicht hier. Wenn ich die Tasse hinterher wieder mit neuem Tee fülle, wird es ihm nicht auffallen, schätze ich.«

»Aber wenn er nun hereinkommt?« Die junge Frau stellte sich vor ihn und packte ihn an der Uniform. »Du wirst sofort aufstehen, hörst du? Was glaubst du, was er sagen wird, wenn er dich so sieht?«

»Vermutlich ›guten Abend‹?«, sagte er, leerte das Getränk in einem Zug und goss nach.

»Du bringst alle meine Pläne in Gefahr. Der Kabcar wird über so viel Anmaßung erbost sein, dich bestrafen und mich bestimmt rauswerfen, ohne sich meine Ideen angehört zu haben«, begehrte sie auf. »Pujur, ich bitte dich, steh auf. Denk an Tarpol und die vielen Verbesserungen, die wir vielleicht erreichen können.«

»Ich sitze hier aber recht bequem«, widersprach er lächelnd.

Die Augen der jungen Brojakin verengten sich gefährlich. »Ich werde dich notfalls aus dem Sessel treten, wenn es sein muss, Liebster.« Das Kosewort klang mehr nach Drohung.

Es klopfte.

»Bei Ulldrael und Taralea, steh endlich auf!« Norina riss ihn in die Höhe, und mit einem leisen Geräusch löste sich eine der angenähten Silberkordeln von der Uniform. Er seufzte.

»Das tut mir Leid«, entschuldigte sie sich und drückte ihm die Verzierung in die Hand, »aber du hattest selbst Schuld daran.« Schnell tauschte sie ihre unberührte Teetasse gegen seine aus, dann schob sie den jungen Mann zum Ausgang, der sich im gleichen Moment öffnete.

Ein Livrierter balancierte ein Tablett mit Essen auf einer Hand und machte eine tiefe Verbeugung, als er das Duo vor sich sah.

»Der Gouverneur wollte gerade gehen«, sagte Norina schnell. »Ich meine, der Hofbeamte Vasja wollte gerade gehen. Seine Uniform muss noch zum Schneider.«

Der junge Herrscher grinste und machte keine Anstalten, sich von der Stelle zu bewegen.

Die Brojakin bedeutete ihm mit energischen Gesten, endlich den Raum zu verlassen. Die Augen des Dieners wurden immer größer.

»Möchte der hoheitliche Kabcar, dass ich die Dame entfernen lasse?«, erkundigte sich der Mann nach einer Weile. »Sie weiß sich offenbar nicht zu benehmen.«

»Nein, lass sie.« Er nahm das Tablett ab und brachte es hinüber zum Kamintischchen. »Sie ist mein Gast.«

»Ich bringe das restliche Essen sofort, Hoheit.« Der Livrierte verschwand.

Die Brojakin blinzelte verwundert. »›Kabcar‹? Hat er dich eben ›Kabcar‹ genannt?«

»Wir wollten uns doch beim Essen über die Veränderungen in meinem Reich unterhalten, Norina«, sagte Lodrik und machte eine einladende Bewegung. »Schauen wir mal, was die Küche alles für uns zubereitet hat.«

Die junge Frau fixierte ihren Geliebten. »Das Ganze ist doch eine Komödie, oder? Der Kabcar möchte sehen, ob ich Sinn für Humor habe, nicht wahr?« Sie ging auf Lodrik zu. »Du bist nicht wirklich der Herrscher von Tarpol?«

Lodrik wirbelte mit der losen Silberkordel in der Luft herum. »Es sieht doch fast danach aus. Obwohl mir niemand so recht Glauben schenken will, habe ich den Eindruck.«

»Das kann ich mir nicht vorstellen.« Irritiert ließ sich die Brojakin in den Sessel plumpsen, nur um kurz darauf wieder aufzuspringen und einen Knicks vor Lodrik zu machen, der furchtbar misslang. »Ich weiß nicht, was ich tun soll. Pujur? Hoheitlicher Kabcar?«

»Für dich bin ich Lodrik. Die Titel sind nur in der Öffentlichkeit von Belang. Jetzt, wo wir beide alleine sind, können wir auf den ganzen Pomp verzichten. Setz dich doch, bitte.« Er belud ihren Teller mit den köstlichen Speisen. »Und bevor wir weiter reden, möchte ich dir erklären, weshalb ich unter falschem Namen die Rolle des Gouverneurs übernahm ...«

Stunden vergingen, bis Lodrik auch die kleinste Kleinigkeit seines Leidensweges als »TrasTadc« geschildert hatte und weshalb ihn sein Vater in die Provinz schickte.

»Mein Vater wusste Bescheid?«, wunderte sich Norina, die den Erzählungen des jungen Mannes mit Verwunderung lauschte.

»Ich habe ihn erst zum Schluss eingeweiht.« Er ergriff ihre Hand. »Und später habe ich mich nicht getraut, dir die Wahrheit zu sagen, weil ich Angst vor deiner Reaktion hatte.« Etwas wie Niedergeschlagenheit lag in seiner Stimme und auf seinem Gesicht. »Ich hatte alles so schön geplant, ich wollte ein Fest bei deiner Ankunft geben, aber die Dinge haben sich anders entwickelt, als ich vorhersehen konnte. Also bat ich dich schneller an den Hof, damit du mir hilfst, maßvolle Neuerungen auszuarbeiten.«

Die junge Brojakin lehnte sich zurück. »Das hätte ich mir im Traum nicht vorgestellt. Ich, am Hof, als Beraterin des Kabcar.«

»Ich hoffe, ich kann auf dich zählen?« Lodrik lächelte liebevoll. »Aber du bist für mich mehr als nur eine Beraterin, das weißt du.«

Sie sprang auf, umarmte ihn und küsste ihn, bis er nach Luft rang.

»Das nehme ich als Zustimmung«, strahlte er, dann wurde er feierlich. »Norina, ich muss dir noch etwas sagen.« Fest sah er in ihre Augen. »Ursprünglich wollte ich um deine Hand anhalten.« Sie atmete hörbar ein. »Aber … es hat sich einiges geändert. Mein Vater verfügte in seinem letzten Willen, dass ich meine Cousine heiraten soll. Tue ich es nicht, darf ich den Thron nicht besteigen.« Er kniete sich auf den Teppich vor ihr. »Mein Herz gehört aber nur dir, deshalb möchte ich dich immer in meiner Nähe haben. Ich trage das Gefühl schon lange in mir. Du gibst mir Kraft, das spüre ich deutlich, und davon benötige ich nächster Zeit jede Menge.« Lodrik fuhr ihr sanft übers Gesicht. »Du könntest offiziell nur meine Geliebte sein. Ist es dir möglich, in diesem Verhältnis zu leben? Möchtest du überhaupt an meiner Seite sein?«

Sie zögerte nicht einen Lidschlag. »Ja, ich kann. Ich will.« Wieder küsste sie ihn und kniete sich zu ihm. »Gemeinsam schaffen wir es, das Volk von Tarpol gerechteren Zeiten entgegenzuführen. Wer sonst könnte dir dabei helfen als ich?«

Lodrik drückte sie, bis ihr die Luft wegblieb. »Sehr gut! Und nun sollten wir uns ernsthaft Gedanken machen. In wenigen Tagen will ich den Rat der Brojaken einberufen, um erste Neuerungen zu besprechen.«

»Fangen wir an«, lächelte Norina und breitete die Blätter aus.

Verstohlen beobachtete der Herrscher die junge Frau bei ihrer Arbeit, sein Blick glitt an ihrem schwarzen Haar und das geschnürte Kleid hinab. Wie von selbst bewegten sich seine Arme, mit einer schnellen Bewegung strich er eine Haarsträhne zur Seite und küsste sie von hinten auf den Hals.

Sie erschauderte, wandte sich zu ihm um und schluckte, die kleine rote Narbe an ihrer Schläfe glühte. »Das hatte ich eigentlich nicht mit ›anfangen‹ gemeint.« Die Blätter fielen ihr aus der Hand.

»Ich war noch nie mit einer Frau zusammen, Norina«, gestand er leise. »Lach mich bitte nicht aus, wenn ich etwas falsch machen sollte.«

Norina lächelte fast verlegen und öffnete die Knöpfe seiner Uniform. »Ich war noch nie mit einem Mann zusammen, Lodrik. Wir werden beide lernen müssen.«

Er lockerte die Schnüre des Mieders und zog sie aus den Ösen. Schnell hob und senkte sich ihre Brust, auch er atmete nicht gerade langsam. Für einen winzigen Augenblick war er in Gedanken bei der furchtbaren Nacht in Granburg, als ihn seine Cousine gedemütigt hatte, und seine Finger hielten inne.

Fragend sah er in das Antlitz seiner Geliebten, die mit ihren Augen ihr stilles Einverständnis gab, damit er fortfuhr.

Nacheinander legten sie sich gegenseitig die Kleidungsstücke ab. Als Lodrik ihren vom warmen Licht des Kamins beleuchteten Körper betrachtete, war er überwältigt. Sie war seiner Meinung nach die schönste Frau des Kontinents, und ihm hatte sie ihr Herz geschenkt. Heute Nacht sollte ihr Bund endlich besiegelt werden.

Haut traf auf Haut, vorsichtig tastende Hände suchten sich ihren Weg. Norinas duftende Haare kitzelten ihn, er streichelte sie und spürte ihre Liebkosungen, bis irgendwann für den jungen Mann das Kaminzimmer in einem Wirbel aus intensiven Gefühlen versank, wie er sie noch nie zuvor erlebt hatte.

Nerestro saß alleine in einer Kneipe, deren Namen er noch nicht einmal kannte, und leerte seit einer Stunde Humpen um Humpen des tarpolischen Bieres, um seine Gefühle und Sorgen zu ertränken.

Die Worte, die er von Matuc zu hören bekam, hatten ihn zutiefst verärgert. Und je mehr Alkohol er trank, desto mehr stieg der Hass in ihm auf, anstatt betäubt zu werden. Er wollte diesen Menschen nicht mehr in seiner Nähe haben, deshalb hatte er ihm seine Kerkerhaft erlassen.

Immer wieder bedauerte der Ordenskrieger, dass der Mönch unter seiner Standeswürde war, um von ihm Genugtuung zu verlangen. Sicher, er hätte den Krüppel mit einem einzigen Schlag umbringen können, aber das widerstrebte ihm inzwischen. Es gefiel ihm, dass der betagte Mann sein Bein verloren hatte, aber dennoch verlangte sein Innerstes nach einem Kampf.

Vielleicht war es einfach nur der Wunsch, die angestaute Wut in Handeln umzusetzen, jemanden zu zerschlagen, das Schwert in etwas zu versenken und dabei alles herauszuschreien.

»He, Wirt!«, brüllte er durch den Schankraum, in dem er mittlerweile der einzige Gast war, und schlug mit dem Becher auf den Tisch. »Noch ein Bier!«

Eilig kam der Gerufene mit einem weiteren Humpen und stellte ihn vor dem Ritter ab. »Herr, ich muss schließen. Wenn die Wachen kommen und ich immer noch geöffnet habe, dann muss ich eine Strafe zahlen.«

»Das ist mir egal«, grunzte Nerestro, spielte an seinem Bart und leerte das Gefäß auf einen Zug. »Noch einen.« Der Wirt stand unschlüssig neben ihm. »Sofort!«, schrie ihn der Ritter an und versetzte ihm einen Tritt. Danach griff er neben sich, hielt die Armbrust mit einer Hand und spannte die Sehne mit Hilfe eines Hebels.

Er visierte einen Schild an, der als Zier über dem Kamin hing, und löste aus. Dicht beieinander schlugen die Bolzen ein, das Holz hielt der Wucht nicht stand und splitterte.

»Ho!«, grölte Nerestro. »Treffer! Den habe ich erledigt.« Behäbig begann er, die Waffe erneut zu laden, was ihm nur mit äußerster Konzentration gelang. Nebenbei leerte er den Becher, den ihm der Wirt zitternd gebracht hatte, dann erhob er sich schwankend.

Mit einer abfälligen Geste warf er eine Hand voll Münzen auf den Boden. »Danke mir nicht für meine Großzügigkeit.« Rülpsend warf er sich in seine Pelze, die er über der Rüstung trug, und stapfte nach draußen.

Nach kurzem Suchen fand er den Weg zum Stall, band seinen Hengst Bolkor los und stemmte sich mit einiger Mühe in den Sattel. Halbwegs aufrecht sitzend, ritt er durch die nächtlichen Straßen Ulsars. In welcher Richtung der Palast lag, wusste er nicht. Die nächste Wache würde ihm mit Sicherheit den Weg weisen, wenn sie sahen, wen sie vor sich hatten.

»Ich bin nämlich der Lebensretter des Lebensretters

des Kabcar«, sagte er halblaut. »Die Stadt liegt mir zu Füßen.« Er unterdrückte einen Schluckauf. »Jawohl, ich bin Nerestro von Kuraschka«, rief er, »und ihr seid mir alle gleichgültig!«

Ein Fenster wurde geöffnet, stinkende Brühe ergoss sich über seinen kostbaren Nerz, gefolgt von einer Verwünschung.

Der Ritter zügelte sein Pferd und fiel dabei von dessen Rücken. Die Wirkung des Biers war zu groß geworden, sein Gleichgewichtssinn versagte den Dienst.

Fluchend erhob er sich nach mehrmaligen Versuchen, nahm die Fernwaffe auf und torkelte so lange die Wand entlang, bis er sich in einer Seitengasse befand. Treu folgte ihm Bolkor, der von seinem Herrn auf dieses Verhalten abgerichtet worden war. Plötzlich blieb das Tier stehen und schnaubte aufgeregt.

Trotz aller benebelter Sinne reagierte der Ordenskrieger in gewohnter Manier. Die schwere Armbrust ruckte nach oben, ihr Lauf zeigte nach vorne. Wackelnd stand Nerestro im Dunkel und lauschte. Das einzige Geräusch, das er hörte, war sein lautes Atmen, und zu allem Überfluss hatte er das Bedürfnis, sich übergeben zu müssen.

Eine schmale Silhouette trat in die Seitengasse und kam langsam auf ihn zu.

»Halt«, befahl er. »Gib dich zu erkennen oder du bekommst Holz und Stahl zwischen die Rippen.«

Der Unbekannte setzte seinen Weg fort. Bolkor klappte die Ohren nach hinten, scheute und stieg auf die Hinterhand. Nerestro wurde die Sache unheimlich.

»Bleib stehen! Ich warne dich. Heute ist nicht mein bester Tag!« Ungerührt kam die Gestalt weiter auf ihn zu.

»Nun gut. Dann eben so.« Der Ordenskrieger betätigte den Abzug und schickte die beiden Bolzen sirrend auf die Reise. Doch zu seinem Entsetzen hatte er den Unbekannten anscheinend verfehlt.

Ungeschickt fischte er nach dem Schwertgriff, und bevor er die aldoreelische Klinge ziehen konnte, stand der Fremde vor ihm.

»Ich grüße dich, Nerestro von Kuraschka. Lakastra, der Gott des Südwindes und des Wissens, sei mit dir auf deinen Wegen.«

Ein schwacher Strahl der Monde fiel auf das Gesicht der Gestalt, und keuchend fuhr Nerestro zurück. Schon bei der Begrüßung hatte er es befürchtet, nun war es Gewissheit. Das fahle Licht beleuchtete das Antlitz der Frau, die er vor wenigen Wochen in Granburg unter einem Berg Steine zurückgelassen hatte.

Doch der Bronzeton ihrer Haut war verschwunden, die Augen, die einst wie Bernstein wirkten, machten einen stumpfen, glanzlosen Eindruck. Das grüne Haar, so fand er, sah noch dunkler aus als früher. Ihre Kleidung war eine andere, eine verschlissene tarpolische Bauerntracht bedeckte ihren Körper.

»Belkala«, flüsterte er erschrocken. Sie lächelte, und er wartete darauf, dass ihre Haut dabei springen und platzen würde, wie er es in diesem schrecklichen Albtraum gesehen hatte. Doch nichts von dem geschah. »Ich dachte, du seist …«

»Tot?«, half sie freundlich. »Nein. Doch. Ich war es. Aber Lakastra hat mich zurückgeschickt, um euch zu helfen.«

»Um uns zu helfen?« Nerestro überwand den ersten Schrecken. »Du kannst aufhören mit der Komödie, Matuc hat alles gestanden.« Er zog sein Schwert. »Ich müsste dich für diese Tat gleich wieder zurück zu den Toten schicken, Lästerin.«

Die Priesterin zog die Augenbrauen zusammen. »Ich verstehe nicht. Ihr seid sehr unhöflich geworden. Wo ist Euer Respekt geblieben?«

»Wundert dich das?« Nerestro setzte ihr die Klingenspitze auf die Kehle, wo die rote Narbe des Strickes zu sehen war. »Dann helfe ich dir auf die Sprünge Du hast mich mit kensustrianischen Gifttränken bezaubert und mir vorgegaukelt, mein Gott Angor hätte zu mir gesprochen. Du hast mit dem Ulldraelmönchlein gemeinsame Sache gemacht und mich absichtlich getäuscht.« Er verstärkte den Druck. »Diese Lästerei kann ich nicht verzeihen.«

»So, so.« Sie lächelte fast höhnisch und zeigte ihre spitzen Eckzähne, die Nerestro größer vorkamen als früher. »Ich mache mich also auf den weiten Weg, damit Ihr mich im Namen Angors richtet? Und Ihr denkt, Lakastra sieht dabei tatenlos zu?« Sie schlug ihren groben Mantel ein wenig zur Seite. Die beiden Armbrustbolzen steckten fast komplett in ihrem Brustkorb. Nacheinander zog sie die Geschosse aus ihrem Oberkörper, zerbrach sie und warf sie dem entgeisterten Nerestro vor die Füße. »Mein Gott beschützt mich, weil ich eine Aufgabe zu erfüllen habe.«

»Ungeheuer! Du bist nicht Belkala!« Der Ritter stieß zu. Beinahe widerstandslos fuhr die aldoreelische Klinge durch den Hals und trat auf der anderen Seite ein kleines Stück weit aus.

Das Lächeln wich nicht aus Belkalas Gesicht.

Blitzschnell umfasst sie den Nacken des Angorgläubigen und zog ihn zu sich heran, um ihre kalten Lippen auf seine zu pressen. Dass sie dabei die Waffe immer tiefer in sich hineintrieb, störte sie nicht. Bis zum Heft steckte das Schwert nun in ihrer Kehle; knackend durchtrennte das Metall die Wirbel. Dann schob sie ihn lachend von sich, wobei er die Waffe aus ihrem Körper zog. Kein Blut ergoss sich aus der Wunde, die sich sogar zu schließen schien.

Schwer stürzte Nerestro in den schmutzigen Schnee, wischte sich angeekelt über den Mund und reckte die Klinge in Richtung der Frau.

»Das ist … wider alles. Gegen das Gesetz der Götter«, stammelte er. »Was lebt, muss sterben.«

Die Priesterin schüttelte den Kopf, die grünen Haare wippten leicht. »Nicht, wenn ein Gott auf deiner Seite ist.« Sie hielt ihm die Hand hin, um ihm beim Aufstehen zu helfen. »Fühlte sich der Kuss so tot an? Wolltet Ihr das nicht immer?«

Der Ritter zog sich an der Wand hoch, wobei er die Kensustrianerin nicht aus den Augen ließ. »Ich wollte die alte Belkala an meiner Seite. Ich weiß nicht, was du bist, aber du bist nichts Gutes.«

»Unsinn«, fuhr sie ihm heftig ins Wort. Sie trat näher und berührte ihn. »Fasst mich an. Ich bin die, die Ihr vor dem Strang gerettet habt. Und wir müssen unseren Auftrag fortsetzen. Matuc hat gelogen, als er Euch das erzählt hat.«

»Wir sollen also den Kabcar töten, um die Dunkle Zeit aufzuhalten?«

Sie sah ihn überrascht an. »Ihr kennt die Wahrheit? Umso besser.«

»Verschwinde, Ungeheuer!«, rief er. Tatsächlich bewegte sie sich rückwärts.

»Ich gebe Euch Zeit, die Sache zu überdenken«, sagte sie leise. »Ich werde Lakastra bitten, mit Angor zu sprechen. Wenn er Euch wieder erscheint und ich nicht in Eurer Nähe bin, werdet Ihr Eurem Gott wohl glauben müssen.« Sie wandte sich um und ging. »Und ich werde mit Matuc reden.«

Erst als sie am Ende der Gasse verschwunden war, senkte er die Klinge. Zitternd verstaute er sie in der Scheide, hing die Armbrust an den Sattel und kletterte auf Bolkors Rücken, der sich wieder beruhigt hatte. Die fünf tiefen Kratzer in seinem Nacken, die er für verheilt gehalten hatte, brannten wie Feuer.

Grübelnd ritt er durch Ulsar, bis er mit der Hilfe einer Wache zum Palast fand und dort auf seiner Lagerstätte in einen unruhigen Schlaf fiel.

Matuc öffnete die Augen und sah in das Gesicht der kensustrianischen Priesterin.

»Belkala?« Mit einem Schlag war er hellwach und richtete sich auf. Milchig-trüb schienen die Monde in seine Behausung. »Ein Traum?«

»Nein, lieber Freund.« Die Frau stand neben seinem Bett und lächelte. »Ich bin wieder hier, Matuc. Lakastra hat mich zurückgeschickt, damit wir unser Vorhaben gemeinsam in die Tat umsetzen.«

»Aber wie bringt Lakastra so etwas fertig? Du warst tot. Du bist in meinen Armen gestorben.« Der Mönch streckte vorsichtig die Hand aus und berührte sie. »Aber es scheint, dein Gott ist sehr mächtig.«

»Er hat mich aber nur gefunden und wieder zu den Lebenden geschickt, weil du alle meine Anweisungen befolgt hast, und dafür bin ich dir ewig dankbar.« Sie küsste ihn auf die Stirn. »Ohne dich wäre ich immer noch unter den Steinen begraben.« Sie sah an ihm herab. »Armer Matuc. Wer hat dir das angetan?«

Der Mann lachte böse. »Nerestro hat mir das Leben gerettet.«

»Diese Art von Hilfe passt zu ihm.« Sie setzte sich zu ihm aufs Bett. »Ich habe mit ihm auch schon gesprochen. Was hast du ihm erzählt? Warum hast du ihn belogen?«

»Er hat dich am Leben gelassen? Dann scheint seine Wut verraucht zu sein.« Er rutschte ein wenig nach oben und lehnte den Kopf an die Wand. »Ich war mir noch nie sicher, ob wir den Kabcar wirklich töten müssen, um die Dunkle Zeit zu verhindern. Der Geheime Rat klingt zwar sehr überzeugt, aber ich hegte meine Zweifel. Umbringen oder beschützen, es ist beides möglich. Immer noch.« Sein verletztes Bein zuckte. »Und überlege selbst. Wir haben so viel erlebt, immer wieder wurden wir bei unserer Fahrt gebremst, es geschah irgendetwas, und der jetzige Kabcar kam stets mit dem Leben davon. Selbst bei der Katastrophe während der Krönungsfeierlichkeiten.« Belkala machte ein fragendes Gesicht, und Matuc schilderte ihr die Geschehnisse, die mittlerweile zwei Wochen zurücklagen. »So viel Glück kann kein Mensch haben. Ulldrael muss mit ihm sein, anders kann ich mir das nicht erklären.«

Die Kensustrianerin legte die Hände in den Schoß. »Kann es denn nicht auch Tzulan sein, der ihm beisteht?«

»Tzulan wurde von Taralea zerrissen.« Matuc schüttelte den Kopf. »Es ist, wie ich geahnt habe. Wir hätten beinahe selbst dafür gesorgt, dass die Dunkle Zeit zurückkehrt.«

»Und deshalb hast du Nerestro angelogen?«

»Wie sonst sollte ich ihm das erklären? Sollte ich ihm sagen, dass Angor meinem Irrtum aufgesessen ist? Das hätte er mir bestimmt nicht geglaubt.« Er nahm ihre Hand. »Verzeih mir. Ich konnte nicht ahnen, dass du lebst. Aber es war der einfachste Weg für mich, um ihn von seinen Pflichten zu entbinden. Und der Kabcar weiß inzwischen alles.«

Die Priesterin umfasste Matucs Hand. »Ich war bei Lakastra, und er hat zu mir gesprochen. Er hat mir aber nicht gesagt, dass unser Auftrag falsch ist.«

»Aber meine Zweifel sind so groß«, seufzte Matuc. »Zu groß.«

»Dennoch«, wischte sie seinen Einwand zur Seite, »kann der Geheime Rat immer noch im Recht sein. Du bist also der Lebensretter des Kabcar?«

»Welch ein Glück für uns alle.« Der Geistliche nickte. »Ich schätze, der Obere hatte den Armbrustschützen angeheuert, falls ich versagen sollte.«

»Welch eine Ironie, dass du seine Tat auch noch verhindert hast«, sagte Belkala und musste lächeln. »Aber dein Verdienst eröffnet uns eine neue Gelegenheit. Nur für den Fall, dass wir den Kabcar doch töten müssten, sollten wir immer in seiner Nähe sein.«

»Nerestro hat, soweit ich weiß, das Aufenthaltsrecht im Palast. Aber er wird nicht mehr bei unserem Plan mitmachen. Das ist wohl meine Schuld.«

»Wir brauchen einen Vorwand, damit auch wir immer um den Herrscher herum sein können. Stellen wir fest, dass sich die Dinge schlecht für den Kontinent entwickeln, schlagen wir zu. Bis dahin erwecken wir den Anschein, als sorgten wir uns um ihn.« Ihre Augen schimmerten in dem bekannten Bernsteinton. »Der Kabcar schuldet dir einen Gefallen, also wirst du ihn bitten …«

»Ich werde gar nichts mehr«, widersprach er energisch und sah aus dem Fenster. »Wenn Ulldrael möchte, dass ich jemanden töte, soll er mir das selbst sagen. Vorher mache ich nichts mehr. Ich habe genug Opfer gebracht. Sobald ich mit diesem Holzbein laufen kann, kehre ich nach Tscherkass zurück. Unser edler Ritter hat mir meine Strafe erlassen.«

Belkala erhob sich. »Ich werde noch einmal mit Nerestro sprechen. Vielleicht lässt er sich überzeugen.« Sie ging zur Tür. »Aber vergiss nicht: Du hast die Vision als einziger gehört. Du trägst die Verantwortung, wenn Ulldart zu Grunde gehen sollte.«

Am nächsten Morgen gab es zwei alles beherrschende Gesprächsthemen in Ulsar.

Das eine war der rätselhafte Mord an zwei Tagelöhnern, die man mit zerrissenen Kehlen in einer Seitengasse gefunden hatte. Große Brocken Fleisch fehlten aus ihren Körpern, der Schnee um sie herum jedoch war bis auf einige Blutspritzer ohne jegliches Rot. Die Wache vermutete, dass sie an einem anderen Ort umgebracht und nachträglich an diese Stelle gelegt worden waren.

Warum jemand eine solch grausame Tat begehen sollte, darüber herrschten die unterschiedlichsten Meinungen auf den Marktplätzen. Manche verdächtigten Sumpfbestien, die heimlich in die Hauptstadt eingedrungen waren, andere glaubten, Tzulani steckten dahinter, und eine weitere Möglichkeit war ein Bandenkrieg. Die Stadtwache verstärkte die Rundgänge.

Noch viel wichtiger und bedeutsamer für die Ulsarer war die erschreckende Nachricht vom Einsturz der altehrwürdigen Kathedrale. Etliche hatten das Rumpeln und Poltern in den frühen Morgenstunden gehört, mit dem das Gebäude in sich zusammengebrochen war. Nur noch ein Trümmerhaufen blieb an dem Ort zurück, wo fast achthundert Jahre lang Ulldrael der Gerechte verehrt wurde.

Der Geheime Rat hatte eine Untersuchung der Angelegenheit angeordnet und noch am gleichen Tag das Ergebnis verkündet: Ein Steinmetz hatte das Unglück verschuldet, indem er bei den Umbauarbeiten aus Unachtsamkeit drei tragende Säulen einreißen ließ. Ohne die notwendige Stabilität und Stützkraft hielt das Kuppeldach auf Dauer nicht stand, brach ein und riss die Kathedrale wie ein Kartenhaus in sich zusammen.

Der Geheime Rat deutete es gleichzeitig als Zeichen Ulldrael des Gerechten, der damit deutlich machte, dass ihm zu Ehren ein schöneres Gebäude errichtet werden sollte.

Einen Tag später sorgten Heerscharen von Freiwilligen dafür, dass sich der Schutt gleichmäßig verteilte und ein mehrere Meter hohes Plateau als Sockel für das neue Gotteshaus bildete. Zahlreiche Architekten des Ordens machten sich an die Planung.

Im Palast erzählte man sich lediglich vom Einsturz, die Kunde über die barbarischen Morde drang nicht bis hinter die Mauern.

Lodrik und Norina hatten eine Liebesnacht miteinander verbracht, die bei beiden Lust nach mehr weckte. Doch zunächst hatte die Ausarbeitung der sanften Neuordnungen Vorrang. Vier Tage waren äußerst knapp als

Vorbereitungszeit, dann sollte der Rat der Brojaken über die Pläne informiert werden.

Auch Stoiko und Oberst Mansk steuerten ihren Teil zu den Vorschlägen bei, wobei der Offizier sich mehr auf das Beschwichtigen verlegte. Waljakov stand ruhig bei den Diskussionen dabei und schüttelte nur hin und wieder den kahlen Kopf.

Von Lodriks Cousine sah man vorerst sehr wenig, was allen sehr recht war. Sie vertrieb sich die Zeit in ihren Zimmer mit willigen Männern, und davon gab es in Ulsar reichlich.

Bevorzugt entschwand sie mit Offizieren der Palastwache, auch der ein oder andere Großbauer sollte ihr Gast gewesen sein. Zwischendurch kaufte sie Kleidung und Schmuck ein.

Zwei Mal war sie im Teezimmer erschienen, um sich gelangweilt die Änderungsvorschläge durchzulesen, ein ungläubiges Lachen von sich zu geben und sich über die Ideen lustig zu machen. Bemerkte sie, dass Norina sich im Stillen darüber aufregte, steigerte sie ihren beißenden Spott bis an die Grenze der Beleidigung, um die Brojakin herauszufordern.

Doch die junge Frau beherrschte sich, die Hände zu Fäusten geballt, die Nägel ins Fleisch gegraben. Ihre Blicke sprachen Bände, aber Aljascha war eine Vasruca, und im Moment durfte sie sich nichts erlauben, was die Adlige kränken könnte. Norina wusste genau, dass Lodriks Cousine nur auf eine Gelegenheit wartete, um ihre bessere gesellschaftliche Position gegenüber ihrer Nebenbuhlerin ausspielen zu können.

Endlich war es so weit. Der Kabcar machte sich zusammen mit einer Leibwache von zehn Soldaten auf den Weg ins große Ratsgebäude, das auf dem Marktplatz gegenüber der einstigen Ulldraelkathedrale stand. Norina befand sich bereits dort, sie gehörte als Brojakin in die

Reihen der Großbauern, nicht in das Gefährt des Herrschers. Ihren Rang der Geliebten wollten die beiden jungen Menschen noch nicht allzu öffentlich machen.

Nervös stieg Lodrik aus der Kutsche und erklomm die zahlreichen Stufen, sein Gefolge im Schlepptau, durchschritt die große, in dunklem Holz gehaltene Eingangshalle und stand bald darauf vor dem schweren Doppelportal. Lautes Stimmenwirrwarr drang hervor, und der junge Kabcar ließ die Türen öffnen.

Rechts und links im zwanzig Meter hohen Raum befanden sich jeweils einhundertfünfzig Sessel, kostbar geschnitzt und mit Verzierungen versehen. Die Sitzreihenfolge im Rat wurde bestimmt von der Größe der Ländereien, ganz vorne platzierten sich normalerweise die Reichsten, die weniger vermögenden Großbauern folgten in strenger Abstufung danach. Auch Adlige fanden sich in der Versammlung, wenn sie entsprechend viel Ländereien ihr Eigen nennen konnten.

Durch diese Anordnung entstand eine freie, rechteckige Fläche in der Mitte. Hier mussten Bittsteller ihre Anträge vorbringen, sich zu setzen war Gästen nicht gestattet. Am Ende des Saales stand der thronartige Lehnstuhl für den Herrscher, darüber prangte das Wappen der Bardri¢s.

Als Lodrik eintrat, standen acht Brojaken gestikulierend um Norina, die ruhig auf einem der vorderen Sessel saß und sich nicht um das Geschrei der bärtigen, kostspielig gekleideten Männer kümmerte. Die übrigen Großbauern hatten bereits Platz genommen und unterhielten sich, immer wieder flogen Blicke zu der jungen Frau.

Der Kabcar musste grinsen. Durch das eigene Land und die Übernahme der Ländereien des hingerichteten Verräters Jukolenko wurde seine Geliebte tatsächlich zu einer sehr mächtigen Brojakin. Kein Wunder, dass das den Alteingesessenen nicht schmeckte.

Der Ausrufer an der Tür verkündete den Einzug des Herrschers von Tarpol, die Menschen im Ratssaal erhoben und verbeugten sich. Schlagartig verstummte das Gemurmel. Lodrik musterte auf dem Weg zu seinem prächtigen Lehnstuhl die Gesichter der Großbauern und wusste, dass er einen mehr als schweren Stand in dieser Runde haben würde. Norinas Einzug in das Gremium war ein Affront, noch bevor die Reformpläne bekannt gegeben waren.

Er ließ sich nieder, Stoiko und Waljakov positionierten sich wie immer rechts und links von ihm.

»Hiermit erkläre ich die erste Sitzung des Rates der tarpolischen Brojaken unter dem neuen Regenten für eröffnet«, erhob der Herrscher seine Stimme. »Möchten Vorschläge zur Beratung gemacht werden?«

»Wir möchten den Sprecher des Rates neu wählen, hoheitlicher Kabcar«, sagte einer der Großbauern. »Ich will das Amt nicht mehr wahrnehmen. Ich schlage als meinen Nachfolger Haraç Tarek Kolskoi vor.«

»Weshalb ausgerechnet ihn?«, wollte Lodrik wissen, dem einen Augenblick die Farbe aus dem Gesicht gewichen war. Erst jetzt entdeckte er den granburgischen Adligen unter den Männern und verfluchte ihn insgeheim. Sein Feind saß zudem noch sehr weit vorne. »Meines Wissens ist er nicht einmal Großbauer.«

»Hoheitlicher Kabcar, wer hätte gedacht, dass wir uns auf diese überraschende Weise wieder sehen?«, ergriff Kolskoi das Wort. In seiner Linken hielt er einen Stapel Papiere. »Nun, es freut mich, Euch zu sehen. Euer Aufstieg vom Gouverneur zum Herrscher verlief sehr rasant. Aber auch ich bin dabei, aufzusteigen. Was das notwendige Land angeht: Die Brojaken Granburgs, mit Ausnahme von einer gewissen Norina Miklanowo und ihrem Vater, haben mir ihre Besitztümer überlassen.« Sein Raubvogelgesicht zeigte bösartige Freude, als er die Dokumente schwenkte. »Das sind die Überschreibungsbelege. Ihr könnt sie gerne prüfen lassen, wenn Ihr Zweifel hegt, hoheitlicher Kabcar. Ich bin somit durchaus berechtigt, sowohl einen Platz als auch das Amt des Sprechers einzunehmen.«

»Dann schlage ich die Brojakin Norina Miklanowo vor«, konterte Lodrik. »Wer für Hara¢ Tarek Kolskoi ist, der hebe die Hand.« Fast geschlossen fuhren die Arme in die Höhe. »Wer ist für die Brojakin Norina Miklanowo?« Norina selbst und der Kabcar hoben die Hand, der Rest des Rates enthielt sich. »Ich beglückwünsche Euch zu Eurer neuen Position, Hara¢ Kolskoi«, sagte der junge Mann grimmig. Bereits jetzt sah er die erste Schlacht im Rat verloren.

»Meinen Dank, hoheitlicher Kabcar.« Der dürre Adlige verneigte sich. »Ich danke auch dem Rat für sein überaus großes Vertrauen.« Nachdem er seine Dokumente zur Seite gelegt hatte, nahm er ein anderes Blatt auf. »Nun habe ich noch ein paar Kleinigkeiten vorzubringen.«

Stoiko beugte sich zu Lodrik hinab. »Das ist das erste Mal, dass ich mir wünsche, Ihr wärt bei den Todesurteilen in Granburg etwas willkürlicher zur Sache gegangen, Herr.«

Waljakov neigte sich ebenfalls an das Ohr des Herrschers. »Wir könnten das immer noch nachholen.«

Aber der junge Mann zuckte mit den Schultern. »Nicht so.«

»Hoheitlicher Kabcar, Ihr habt uns mit der Berufung einer Brojakin erheblich überrascht«, begann Kolskoi. »Mich einmal mehr, wenn ich mich an Granburg erinnere. Der Rat fühlt sich dabei übergangen und sieht darin einen gewaltigen Bruch mit den tarpolischen Gepflogenheiten. Auch wenn rechtlich nichts dagegen unternommen werden kann, bittet der Rat den Kabcar, diesen Schritt wieder rückgängig zu machen. Bei allem Respekt, ein Weib, zudem noch ein so junges Weib, hat in diesem Gremium nichts verloren. Ihr würdet Eure Achtung vor dem Rat damit wieder in das rechte Licht rücken.«

Der Granburger sah Lodrik mit seinen stechenden braunen Augen an, die seine Neugier verrieten, wie sich der Herrscher aus der Affäre ziehen wollte.

»Verehrter Rat, ich gestehe, dass ich das Gremium überrumpelt habe«, antwortete Lodrik. »Aber sie ist eine Brojakin und darf demzufolge teilhaben. Ich halte mich dabei an das bestehende Gesetz. Seht es als eine Ankündigung, dass sich im Reich einiges ändern wird. Natürlich sanft, behutsam und Schritt für Schritt.« Die Brojaken flüsterten untereinander.

»Also keine Rücknahme? Wie schade. Da wären wir bei der nächsten Angelegenheit«, fuhr Kolskoi fort. »Dem Rat sind die Neuerungen des hoheitlichen Kabcar in Granburg zu Ohren gekommen. Da es keinen guten Einfluss auf die Bewohner der anderen Provinzen haben wird, so die Befürchtung des Gremiums, bittet der Rat, die Veränderungen teilweise wieder rückgängig zu machen. Ich nenne Euch: freies Sammeln von Bruchholz und das Weiden der Schweine im Wald.«

»Aber ganz im Gegenteil, Hara¢ Kolskoi«, unterbrach ihn der junge Mann. »Ich gedenke, diese Veränderungen in allen Provinzen durchführen zu lassen. Die Befehle an die Gouverneure sind bereits unterschrieben.« Nun wurde das Flüstern im Raum zu offen geführten Gesprächen.

Lodrik ärgerte das anmaßende Gehabe. Immerhin hatte der Rat nur beratende Funktion, was also erlaubten sich die eingebildeten Großbauern? In seiner Erregung tat er einen weiteren Schritt.

»Außerdem wird die Leibeigenschaft, wie sie die Brojaken auf ihren Gebieten ausführen, auf den Prüfstand gestellt. Es wird Zeit, den Untertanen einiges an unnötiger Fronarbeit abzunehmen. Für ihre Dienste könntet ihr alle genauso gut bezahlen.« Er lehnte sich in seinem Sessel zurück, legte die Fingerspitzen zusammen und schaute in die Runde. Die warnenden Blicke Stoikos ignorierte er. »Als Erstes, was am besten noch im Winter in die Tat umgesetzt werden sollte, werde ich die erzwungene Beihilfe am Gebäudebau abschaffen. Plant einer von euch hohen, vermögenden Herren zukünftig, eine Scheune, ein Haus oder sonstiges zu errichten, wird er die Handwerker für ihre Arbeit bezahlen. Das gilt auch für die Hilfe, die niedere Tarpoler leisten müssen.« Er stand auf. »Die Gouverneure bekommen außerdem die Anweisung, auf die Beschwerden meiner Untertanen Rücksicht zu nehmen. Es wird in jeder Provinz, in jeder Garnison eine Kanzlei eingerichtet werden, bei der sich das Volk über die Brojaken beschweren kann. Und gnade euch Ulldrael, wenn diese Beschwerden zu groß werden.«

Nun brach ein Tumult im Ratssaal los. Norina machte ein besorgtes Gesicht. Vorsichtshalber stellten sich die Wachen vor den Kabcar, Waljakov war hochaufmerksam.

»Beruhigt euch, Freunde«, rief der Ratssprecher die Großbauern zur Ordnung, die seiner Aufforderung tatsächlich nachkamen. »Werdet Ihr Euch diese Anordnung noch einmal überlegen, Hoheit?«, fragte Kolskoi lauernd.

»Ihr habt meine Worte vernommen, warum sollte ich sie wieder ändern?« Lodrik setzte sich wieder. »Das einfache Volk von Tarpol muss entlastet werden. Es hat schon viel zu lange unter dem ein oder anderen von euch gelitten. Und die Ausrufer, die die frohe Nachricht verbreiten, sind bereits auf dem Weg.« Triumphierend reckte er den Kopf. »Wollt Ihr mir nun wieder hundert Waslec auf den Tisch werfen und gehen, Kolskoi?«

Der Hara¢ deutete eine Verbeugung an. »Nein, hoheitlicher Kabcar. Diesmal nicht. Diesmal werdet *Ihr* Geld auf den Tisch werfen müssen.«

Die Augen des jungen Herrschers verengten sich argwöhnisch. »Wie meint Ihr das?«

»Das Gremium hat sich die Freiheit genommen, einmal alle Schulden, die Euer Vater in den Jahren seiner Amtszeit angehäuft hat, zusammenzurechnen.« Er bückte sich, tauchte nach etwas und hob ein mitteldickes Buch in die Höhe. »Wozu er diese Gelder alle gebraucht hat, müsst Ihr in Euren Belegen nachsehen, hoheitlicher Kabcar. Nun«, er brachte die Aufzeichnungen nach vorne und legte sie Lodrik zu Füßen, »wollen wir nicht so vermessen sein und die Summen zurückzufordern. Aber Ihr werdet erkennen, dass die Zinsen fällig sind, auf die wir lange genug verzichtet haben. Damit müsstet Ihr Anfang des Jahres eine Summe von 220.100 Waslec auszahlen. Auch die Brojaken haben ihre Ausgaben. Und da nun nach Eurer Anweisung die Leibeigenen für Dienste bezahlt werden sollen, benötigen wir das Geld pünktlich.«

Lodrik hatte das Spiel längst begriffen. »Und wenn ich diese Anordnungen rückgängig mache, wird mir großzügigerweise ein Aufschub gewährt, nicht wahr?«

»So etwas in der Art, ja, hoheitlicher Kabcar«, nickte der Granburger. Lächelnd zog er ein weiteres Papier hervor, das er in einem Ärmelaufschlag verstaut hatte. »Beinahe hätte ich das vergessen. Die ontarianische Handelsgilde hat ebenfalls noch Auslagen, die Euer verstorbener Vater nicht mehr rechtzeitig begleichen konnte. Ein paar Wechsel, wenn ich den Ontarianer richtig verstanden habe.«

Wütend schritt Lodrik zu Kolskoi, riss ihm den Wisch aus der Hand und überflog ihn. »Wieder fünfzigtausend Waslec.« Er starrte den Adligen an. »Da habt Ihr auch Eure Finger drin.«

»Der Brojakenrat könnte durchaus dämpfend auf die Handelsgilde wirken.«

»Was Ihr betreibt, ist Erpressung«, rief Lodrik aufgebracht und streckte den Arm aus, um mit dem Papier zu wedeln. »Ihr sabotiert mich und meine Bemühungen. Ich bin der Kabcar, der Herrscher von Tarpol, und ich werde mich nicht ein paar großspurigen Brojaken unterwerfen. Die Anordnungen bleiben bestehen.«

»Bis zur nächsten Sitzung des Rates solltet Ihr Euch Eure Einstellung noch einmal überlegen, hoheitlicher Kabcar«, riet ihm Kolskoi. »Ihr wisst, das sind nur die Zinsen, die wir ganz legitim zurückfordern. Noch sind die laufenden Zahlungen an den Hof nicht angesprochen worden. Ganz zu schweigen von der Tilgung der Schulden. Oder etwa die Rückzahlung der vollständigen Summe.«

»Das ist eine unverschämte Drohung!«, brüllte Lodrik. Die blauen Augen glühten für einen Lidschlag auf. Völlig unvermittelt riss etwas Kolskoi die Beine unter dem Leib weg, stellte ihn beinahe auf den Kopf und knallte ihn hart auf den Marmorboden des Ratssaales. Stoikos Augenbrauen fuhren nach oben, und er starrte seinen Herrn verständnislos an. Die anderen Anwesenden zuckten beinahe kollektiv zusammen.

Schwindel erfasste den jungen Herrscher, und er wankte. Schnell stützte ihn Waljakov, Stoiko wischte ihm das Blut ab, das aus seiner Nase tropfte.

Der granburgische Adlige stemmte sich umständlich in die Höhe und wich zurück.

»Ihr seid gestürzt«, sagte der Leibwächter nachdrücklich zu dem Mann. »Der Boden kann sehr glatt sein. Ihr solltet vorsichtiger sein, Hara¢.«

»Das werde ich mit Sicherheit sein«, entgegnete er und setzte sich auf seinen Platz. »Nicht nur wegen des Marmors.« Mit verzerrtem Gesicht massierte er seine Schulter, die er sich bei seinem Sturz geprellt hatte.

»Ich sage es noch einmal«, meldete sich Lodrik wieder zu Wort, der spürte, wie das Kribbeln in seinen Fingerspitzen einsetzte. »Die Neuerungen bleiben bestehen.«

»Und wir sind immer noch dagegen«, betonte Kolskoi. »Und wir sprechen uns mit Bestimmtheit gegen die Änderungen aus, hoheitlicher Kabcar. Sie werden das Reich, das Euer Vater so großartig geführt hat, nicht zuletzt wegen der Hilfe und Unterstützung der Brojaken, in ein unüberschaubares Durcheinander verwandeln. Das lehnen wir ab.«

»Die Sitzung ist geschlossen«, flüsterte Lodrik hasserfüllt. Er stapfte zu seinem Lehnstuhl und ließ sich hineinfallen. Eine Hand legte er über die Augen. »Und nun raus.«

Sein Puls rauschte nicht mehr ganz so laut in den Ohren, langsam gewann er die Fassung zurück. Der Saal leerte sich.

Norina zog behutsam seine Hand weg und umfasste sein Gesicht. »Du hast dich sehr gut geschlagen. Du hast ihnen gezeigt, dass sie es nicht mit einem Schwächling, einer Marionette zu tun haben, die springt, wenn sie an den Fäden ziehen, wie sie vielleicht gehofft haben.« Sie küsste ihn.

»Behauptet haben wir uns schon«, sagte Stoiko aus dem Hintergrund. »Aber dass ausgerechnet unser Freund Kolskoi, diese elend dürre Vogelscheuche, auftauchen muss, das hat mich mehr als überrascht. Und ausnahmsweise stimme ich Waljakov voll und ganz zu.« Er formte einen imaginären Strick. »Die Probleme hätten wir uns in der Provinz vom Hals schaffen sollen.« Nachdenklich verschränkte er die Arme vor der Brust. »Sie waren einfach zu gut vorbereitet. Als ob sie jemand über unsere Absichten in Kenntnis gesetzt hätte. Und Ihr habt Euch ein wenig zu sehr hinreißen lassen, Herr.«

»Unsere Aufgabe wird sein, herauszufinden, ob mein Vater tatsächlich all diese Schulden angehäuft hat«, gab Lodrik die weitere Vorgehensweise bekannt. »Ich werde alle Ausgaben, jeden einzelnen Waslec auf den Verbleib hin überprüfen. Wo hat der alte Narr das Geld gelassen?« Er sah seinen Vertrauten an. »Können wir etwas verkaufen, um an …« Mitten im Satz hielt er inne und schlug sich an die Stirn. »Aber natürlich! Meine Cousine!«

»Keine schlechte Idee, Herr«, stimmte Waljakov zu. »Wenn wir sie verkaufen, zum Beispiel an Tersion, bekämen wir einen guten Preis. Unter Umständen …«

»Nein, ich will doch nicht sie verkaufen«, schnitt ihm der Kabcar das Wort ab, Norina und Stoiko mussten lachen. »Ich werde die Heirat vorziehen.« Die Heiterkeit der Brojakin erstarb auf der Stelle.

»Raffiniert«, der Vertraute fuhr sich über den Schnauzer. »Und mit dem Iurdum der Baronie Kostromo könnten wir die Schulden bezahlen.«

Lodrik umarmte Norina, die einen mehr als unglücklichen Eindruck machte. »Es tut mir Leid, aber es geht nicht anders. Wenn wir die Veränderungen für Tarpol umsetzen wollen, ist das der beste Weg.«

Ihre Mundwinkel wirkten verkniffen. »Ich weiß es doch auch, Lodrik. Aber …« Sie seufzte. »So bald schon. Ich hasse deine Cousine.«

Waljakov kratzte sich an der Glatze. »Da seid Ihr nicht die einzige Person.«

Der Herrscher strich seiner Geliebten durchs Haar. »Nichts wird sich zwischen uns stellen können, Norina. Sie wird nur auf dem Papier und nach dem Gesetz meine Gemahlin sein. Du bist meine wahre Frau.« Sie küssten sich innig.

»Ach, wie rührend«, meinte Stoiko hingerissen und rempelte dem Leibwächter in die Seite. Hart stieß sein Ellenbogen gegen den Harnisch. »Verdammt.«

»Das kommt von deiner Gefühlsduselei. Sie macht blind für die Gefahren.« Waljakov wandte sich zum Ausgang. »Wir sollten uns den Büchern zuwenden, Herr.«

Lodrik ließ Norina widerstrebend los und folgte seinen Freunden langsam.

In Gedanken war er bei der Hochzeit mit Aljascha und der Zeit danach. Düstere Einfälle kehrten zurück, die er schon einmal verworfen hatte. Insgeheim hoffte er nämlich, dass Hetrál bald wieder in Ulsar sein konnte. Und dass der Meisterschütze seine Kunst nach wie vor so gut beherrschte.

VI.

»*Doch es kam zum Streit zwischen Tzulan und Senera, die Grenzen auf dem Kontinent waren ungenau. Jeder beschuldigte den anderen, mehr Land zur Verfügung zu haben als der andere. Vintera versuchte zu schlichten, doch Tzulans heißes Blut verhinderte eine friedliche Einigung.*

Mit seinen gewaltigen Kräften wollte der Gebrannte Gott den Kontinent entzwei reißen, doch im letzten Moment verhindert Senera die vollständige Teilung.

Tzulan war erbost über das Verhalten seiner Götterschwester, zumal sie jetzt wegen des ungleichen Risses den größeren Teil besaß, und er erhob Anspruch auf das Land, das heute Sena heißt. Doch seine Geschwister hielten zu Senera und verweigerten dem Gebrannten Gott das größere Stück.

Tzulan gab sich zunächst einsichtig, aber in seiner Seele fühlte er sich verraten.

Nach vielen Jahrhunderten waren die Götter fertig und präsentierten der Allmächtigen Göttin Taralea ihre Kontinente. Alle waren sehr schön gearbeitet, Tzulan, Angor, Ulldrael, Senera, Kalisska und Vintera hatten sich sehr viel Mühe gegeben.

So konnte die Allmächtige Göttin auch kein abschließendes Urteil abgeben und erklärte alle zum Sieger.«

DIE ERSCHAFFUNG DER MENSCHEN UND KREATUREN,
Kapitel 2

Mit einem leisen Gefühl des Unbehagens ließ Commodore Parai Baraldino den Blick über das bedrohliche Quartett von Schiffen schweifen, das im Hafen vor Anker gegangen war, während seine *Morgenröte* in das riesige Becken einlief.

Vier Kriegsgaleeren des Kaiserreichs Angor lagen geschickt verteilt an unterschiedlichen Kais, sodass die Schiffe jederzeit und mit wenigen Ruderschlägen die Einfahrt versperren konnten. Der palestanische Offizier erkannte die hohen Aufbauten, von denen aus Bogenschützen ihre Pfeile versandten, sah die Katapulte an Deck und die langen Rammsporne am Bug der Kähne.

»Fernrohr«, befahl er knapp und hielt die Hand ausgestreckt nach hinten. Wortlos reichte es ihm sein Adjutant, Fraffito Tezza, und Baraldino besah sich die Galeeren mit Hilfe der geschliffenen Gläser genauer.

Drei Ruderbänke lagen übereinander, zwei kleine Segel am Bug sorgten für zusätzlichen Vortrieb und machten diese angorjanischen Schiffe zu sehr gefährlichen Gegnern. Entervorrichtungen, abklappbare Metallplanken mit Eisendornen am unteren Ende zeigten deutlich, dass sich die Soldaten des anderen Kontinents auf das Erobern verstanden. Entfernt erinnerten sie den Palestaner an die Schwarze Flotte, wenn auch nicht alle Details stimmten. Und vor allem die Größenunterschiede waren enorm. Die kensustrianischen Schiffe überboten an Geschwindigkeit und Feuerkraft alles, was er jemals gesehen hatte.

Dennoch lachten die angorjanischen Kapitäne wahrscheinlich in diesem Moment über das Handelsschiff, das mit seiner gedrungenen Form plump wie ein fetter Karpfen zwischen schlanken Hechten wirkte.

Den künstlich angelegte Hafen, in den die *Morgenröte* einlief, schätzte der Offizier auf eineinhalb Meilen Breite und eine halbe Meile Tiefe. Rund drei Dutzend Schiffe lagen hier, in erster Linie tersionische, aber auch die ungeliebte Konkurrenz, Agarsiener, war präsent.

Hinter der Anlage erhoben sich mächtige Mauern, die den Blick auf die Hauptstadt Baiuga verwehrten. Backbord schloss sich eine natürliche Bucht an, in der weitere Kriegsschiffe dümpelten. Offenbar war die Regentin Tersions, Alana die Zweite, sehr auf ihre Sicherheit bedacht. Oder ihr Gemahl, Lubshá Nars'anamm, der dritte Sohn von Ibassi Che Nars'anamm, Kaiser von Angor.

In der Tat gestaltete sich die Prozedur, die das palestanische Schiff vor dem Einlaufen über sich ergehen lassen musste, sehr aufwändig. Dem Ankerplatz vorgebaut waren zwei kleine Inseln, auf denen Wachtürme standen.

Schon von weitem wurde die *Morgenröte* mit Hilfe von Blendspiegeln nach ihrem Begehren gefragt. Erst nachdem ein Tersioner an Bord gekommen war und sich die Dokumente des Handelsrates angesehen hatte, um sich von der Echtheit der Siegel und der diplomatischen Mission zu überzeugen, durfte das Schiff weiter. Die Eisenkette, die knapp unter der Wasseroberfläche vor der Einfahrt gespannt hing, wurde gesenkt. Auf den Befestigungsanlagen vermutete Baraldino große, stationäre Katapulte, von denen ein Treffer ausreichte, um ihn auf den Grund des Meeres zu schicken.

»Ich sehe unsere Signalflagge, Commodore«, sagte sein Adjutant und deutete auf einen Kai, an dem die palestanische Fahne wehte. »Da sollen wir hin, hat der Tersioner gesagt.«

»Schlagt den Kurs an und lasst die Männer antreten«, orderte Baraldino und reichte das Fernrohr zurück. »Wir wollen ja einen guten Eindruck machen.« Er blinzelte in die Sonnen, die so weit im Süden Ulldarts kräftig schienen.

Bei all dem dicken Brokat am Leib, den bestickten Westen, der verzierten Jacke und der Perücke samt Dreispitz lief ihm allmählich der Schweiß aus allen Poren. »Gute Güte, wie ist das hier erst im Sommer?«, stöhnte er. Mit einem Spitzentuch tupfte er sich die Feuchtigkeit von der Stirn.

Sicher dirigierte der Steuermann das Schiff durch das Gewirr von Rümpfen, bis sie an ihrem Ziel angelangten und die *Morgenröte* vertäuten.

Sie wurden bereits erwartet. Eine Gruppe von zwanzig Schwerbewaffneten stand an der Hafenmauer in Habachtstellung, ihr Anführer war ein breiter Mann in einer leichten, weißen Lederrüstung, die sehr kunstvoll gearbeitet wirkte. Seine ebenfalls weißen, langen Haare, die er als Zopf trug, und die handbreite, dunkelrote Blutsträhne wiesen ihn als K'Tar Tur aus. Ein breiter, gekrümmter Säbel hing auf seinem Rücken. Die Nachfahren Sinureds hatten den Ruf, sehr gute Kämpfer und fähige Kommandeure zu sein, und daher nahm sie Tersion in seinen Dienst, was in anderen Reichen ein Ding der Unmöglichkeit gewesen wäre.

Acht weitere, schlicht gekleidete Männer ohne Waffen, aber mit eisernen Halsringen versehen, standen etwas abseits, den Blick geneigt.

Neugierig ging der Offizier von Bord, gefolgt von seinem Adjutanten, und blieb vor dem von den Sonnen gebräunten Hünen stehen.

»Ich bin Commodore Parai Baraldino, diplomatischer Gesandter des Reiches Palestan. Die Regentin von Tersion, Königin Alana die Zweite, in dringender Angelegenheit zu sprechen, ist mein Begehr.« Er machte einen formvollendeten Kratzfuß, schwenkte den Dreispitz durch die Luft und wartete auf eine Reaktion. Er spürte, wie eine Schweißperle unter der Perücke hervorkroch.

»Fein«, sagte der Mann amüsiert mit sonorer Stimme. »Ich bin Lom T'Sharr, Kommandant der Stadtwache und der Leibgarde. Ich habe die Ehre, Euch und Euer Gepäck in die Residenz der Regentin zu bringen. Euer Kommen wurde uns bereits per Bote vom Kaufmannsrat angekündigt.«

Leicht wehte der weiße Umhang des K'Tar Tur in einer jähen Brise, über die Baraldino vor Freude in die Hände geklatscht hätte. Je mehr er von der Umgebung sah, desto mehr fiel ihm auf, dass die Menschen hier leichte oder zumindest helle Kleidung trugen. Er dagegen kam sich vor wie in einem Schwitzkasten.

Auf einen Wink des durchtrainierten Kämpfers hin nahmen die acht Sklaven, wie der Palestaner annahm, das inzwischen entladene Gepäck auf, und der kleine Zug setzte sich in Bewegung.

Durch zwei gewaltige Stadttore ging es ins Innere von Baiuga. Eine breite Prachtstraße führte in gerader Linie auf die Residenz der Regentin zu. Ihr Bezirk erhob sich deutlich aus der Menge der weiß getünchten Häuser, anscheinend ruhte das Ganze auf einem kleinen Hügel. Von weitem machte es den Eindruck einer massiven Festungsmauer, zum Schutz gegen mögliche Feinde.

Um die Gruppe herum herrschte geschäftiges Treiben, Menschen gingen ihren Geschäften nach, einmal kreuzte eine Sklavenkarawane ihren Weg.

Nach wenigen Metern Marsches schwitzte Baraldino wie ein Schwein, und nach der Hälfte des Weges fühlten sich seine Kleider durchgeweicht an. Auch sein Adjutant Tezza sah sehr unglücklich aus.

»Verzeiht, Kommandant, aber wäre es möglich, uns von irgendwoher ein Gefährt zu organisieren?«, sprach er den K'Tar Tur an. »Ihr mögt vielleicht gut zu Fuß sein, aber ich bin ein Diplomat, der sich nur selten auf diese Weise über längere Strecken fortbewegt.«

»Das war der Grund, weshalb ich dachte, Ihr würdet Euch über ein wenig Bewegung freuen«, entschuldigte sich T'Sharr und schenkte dem Händler einen Blick, der keinen Zweifel daran ließ, dass er ihn für einen Schwächling hielt. »Wir warten im Schatten des Standes dort, ich lasse umgehend eine Sänfte kommen.« Eine knappe Bewegung mit der Hand, und einer der Sklaven lief los, um im Menschengewühl zu verschwinden. »Es wird nicht lange dauern.«

Baraldino nutzte die Pause, um sich den Schweiß von der Stirn zu wischen und sich auf ein Gepäckstück zu setzen. »Baiuga ist sehr groß, nicht wahr?«

»Wir haben rund einunddreißigtausend Einwohner, Gesandter. Und noch einmal fünftausend Sklaven, die niedere Arbeiten verrichten.« Der Kommandant ließ sich zwei Becher mit einer violetten Flüssigkeit bringen, die an einem benachbarten Stand angeboten wurde. Ein Gefäß reichte er dem Palestaner. »Versucht unseren Pasacka-Saft. So etwas werdet Ihr noch nie gekostet haben.«

Einen Moment lang überlegte der Offizier, ob er nicht lieber Tezza trinken lassen sollte, doch der Durst war zu groß, und er nahm einen vorsichtigen Schluck.

Süß und schwer lag das Aroma in seinem Mund, ein Kribbeln machte sich auf der Zunge breit, und schnell schluckte er. Der Nachgeschmack war sehr angenehm.

»Beinahe hätte ich gesagt, ich kaufe vier Fässer davon«, gab Baraldino sein Urteil und indirektes Lob. »Aber ich bin als Diplomat unterwegs.« Er leerte den Becher restlos.

»Es wäre keine sehr gute Investition. Leider ist der Saft nicht sehr haltbar. Er gärt innerhalb weniger Stunden. Auch im Magen, wie Ihr noch feststellen werdet. Es ist aber harmlos, wenn Ihr vorher etwas gegessen habt.« T'Sharr grinste. »Willkommen in Tersion, Gesandter.«

Ein Brennen begann in Baraldinos Eingeweiden. Natürlich hatte er seit mehreren Stunden nichts zu sich genommen. »Und was passiert im schlimmsten Fall?«

»Furchtbare Blähungen. Wenn Ihr Pech habt, Durchfall. Aber das geschieht nur selten, Gesandter.« Eine Sänfte bahnte sich ihren Weg durch die Menge, leicht gekrümmt stieg der Palestaner ein und verwünschte den K'Tar Tur. Wenn alle Angehörigen des Dunklen Volkes diese Art von Humor hatten, wusste er, weshalb man sie verfolgte und totschlug.

Tezza grinste schadenfroh, und Baraldino fegte ihm mit dem Dreispitz die Perücke vom Kopf. »Das nächste Getränk werdet Ihr versuchen.«

Nun ging es wesentlich angenehmer durch die Hauptstadt, und der Diplomat hatte Gelegenheit, immer wieder rechts und links aus dem Fenster zu schauen, welche Überraschungen auf ihn warteten.

Eines war gewiss: Baiuga machte aus seinem Reichtum, den sich das Reich durch den Abbau und Handel mit Eisenerz und anderen Bodenschätzen erworben hatte, keinen Hehl. Eine solche Verschwendung war aus kaufmännischer Sicht sträflich und völlig ineffektiv, aber es machte mächtig Eindruck.

Vorbei ging es an riesigen, mit Marmorsteinen gepflasterten Plätzen, säulengetragenen, hohen Gebäuden, eindrucksvollen Statuen, und der berüchtigten Arena, in der Gladiatoren des ganzen Kontinents ihr Glück im Zweikampf versuchten. Immer wieder passierten sie Geschäfte, in denen Schmuck angeboten wurde, vom Edelsteincollier bis zu den raffiniertesten Schmiedearbeiten.

Es ärgerte Baraldino maßlos, dass Tersion in grauer Vorzeit ein eigenes Handelsrecht gegen Palestan durchgesetzt hatte, selbst für den Seehandel, was keinem anderen Reich gelungen war. Der Kauffahrerstaat zahlte seitdem immense Summen für die Lizenzen an Regentin Alana die Zweite, aber wenigstens waren auch die Agarsiener und Ontarianer davon betroffen, sodass ein bisschen Gerechtigkeit herrschte. Dennoch war der mögliche Gewinn, der den Kaufleuten in diesem Reich durch die Lappen ging, beträchtlich. Und dazu kam noch die Schlappe mit der gesunkenen Goldflotte. Wenigstens an diesem Punkt konnte er etwas ändern.

Mit einem leisen Geräusch suchte sich eine Blähung den Weg aus Baraldinos Körper. Unangenehmer Geruch verbreitete sich im Inneren der Sänfte, angewidert verzog der Mann das Gesicht, und Tezza stöhnte auf.

Es ging eine Steigung hinauf, wie er in seinem Beförderungsmittel anhand der Neigung spürte, dann folgte eine kurze Pause. Ein schneller Blick hinaus zeigte dem Händler, dass sie vor der Mauer des Residenzbezirks angekommen waren. Kurz darauf setzte sich der Tross wieder in Bewegung.

Baraldino blieb die Luft weg, als er das Gebäude sah, von dem aus Alana die Zweite offensichtlich das Reich regierte.

Reinster weißer Marmor, versehen mit Gold- und Silberornamenten, erstrahlte im Licht der Sonnen und blendete den Kaufmann. Die verspielte, aufwändige Architektur mit kleinen Türmen, filigranen Kuppeldächern und bunten Glasfronten musste ein Vermögen gekostet haben. Springbrunnen und weitläufige Gartenanlagen rundeten das Bild der eindrucksvollsten Verschwendung, die der Offizier jemals gesehen hatte, ab. Ihm unbekannte Vögel badeten in dem ein oder anderen Becken, die alle mit farbenfrohen Kacheln versehen waren, ein vielschichtiger Blumengeruch lag in der Luft.

Verblüfft entfuhr ihm ein weiterer unheilvoller Furz.

»Commodore, Ihr stinkt zum Stein erweichen«, beschwerte sich Tezza, zückte ein parfümgetränktes Taschentuch und hielt es sich vor die Nase. »Ihr solltet

Euch etwas in die Hose schieben, damit der Geruch nicht mehr so stark ist. Wenn Ihr damit die Regentin belästigt, werden wir unseren Kopf verlieren.«

»Das ist dieser verfluchte Pasacka-Saft. Hütet Euch vor dem K'Tar Tur, er ist bösartig.« Der Offizier warf die Hände voller Verzweiflung in die Luft und verwedelte den Gestank in der Sänfte, die in dem Moment anhielt. Fluchtartig verließen die beiden Männer den Tragsessel. Dumpfes Grollen entstieg dem Darm Baraldinos.

»Wir werden ohne Umwege zur Regentin gehen. Es gibt eine interessante Neuigkeit, wie ich eben erfahren habe.« T'Sharr wandte sich um und lief voran.

»Das ist zwar sehr schön, aber ich müsste mich zuerst ein wenig frisch machen und mich dringend erleichtern, Kommandant«, hakte der Palestaner ein. »Ich kann ihrer Hoheit doch unmöglich in diesem verschwitzten Zustand unter die Augen treten. Das wäre gegen alle Etikette. Und eine solche Missachtung kann ich unmöglich verantworten.«

»Ihr habt die Wahl. Entweder Ihr missachtet die Anweisung der Regentin, sofort zu erscheinen, oder Ihr erscheint, aber dafür weniger herausgeputzt als Ihr es ohnehin schon seid, Gesandter.« Der K'Tar Tur blieb stehen, kreuzte die Arme vor der breiten Brust und wartete die Entscheidung ab. »Sie ist eine sehr ungeduldige Frau.«

»Parfüm«, sagte Baraldino unwirsch. Tezza tauchte in einem der Koffer nach einem Flakon und besprühte seinen Vorgesetzten rundherum. Wieder entwich ihm etwas von der übel riechenden Luft aus seinen Innereien. Der Druck wurde stärker. »Ich wäre dann so weit.« Der Adjutant klemmte sich eine kleine Schatulle unter den Arm.

T'Sharr führte die Diplomaten in das kühle Innere des Prachtbaus, in dem Dienerinnen in leichten Gewändern immer irgendwo putzten und schrubbten. Es roch sehr sauber, wie nach einem reinigendem Sommerregen. Bunte Sonnenstrahlen zauberten wunderschöne Bilder an die Marmorwände, doch dafür hatte der Diplomat kein Auge.

Gedanklich ging er seine Rede noch einmal durch, die er inzwischen im Schlaf beherrschte. Nur die Umstände waren nicht so, wie er sich das erhofft hatte. Er fühlte sich dreckig, und das machte ihn unsicher. Verstärkt wurde das Gefühl durch die kichernden Dienstbotinnen in seinem Rücken.

»Sitzt meine Perücke richtig?«, erkundigte er sich bei seinem Adjutanten.

»Perfekt, Commodore.«

»Und die Weste, ist sie gerade?« Er spürte, wie Tezza das Kleidungsstück zurechtzog.

»Jetzt schon. Ihr seht tadellos aus, Commodore.« Schnell tupfte er seinem Vorgesetzten den Schweißfilm von der Stirn und trug etwas Puder auf. »Damit es nicht so sehr glänzt.«

Der Kommandant öffnete eine breite Tür, die so hoch wie drei Männer war, trat ein und winkte die beiden Männer herein.

»Regentin, das sind Commodore Parai Baraldino und sein Adjutant Fraffito Tezza, die diplomatischen Gesandten des Reiches Palestan«, stellte T'Sharr sie vor, während die Händler sich in Positur brachten.

Ein Bein leicht nach vorne, in der Hüfte sanft abgeknickt, die Rechte an die Seite gestützt, die linke Hand am Dreispitz, der sehr elegant und gekonnt gewirbelt wurde. Formvollendet folgte die tiefe, demütige Verbeugung, sodass die Nasenspitzen fast den Marmor berührten. Dann schnellte der Oberkörper in die Höhe, der erste Akt der palestanischen Vorstellung war beendet.

Baraldino hob den Blick und schaute Alana die Zweite, die auf einem Berg voller Teppiche lag und die Neuankömmlinge interessiert musterte, an.

Er schätzte das Alter der Regentin auf knappe dreißig Jahre. Sie trug einen Hauch von Nichts, halbtransparente Seidengewänder umgaben ihren ansehnlichen, braunen Körper. Dünne Gold- und Silberbänder lagen an den richtigen Stellen, um nicht alles von der Frau zu zeigen. Haare trug sie keine, auf dem kahlen Kopf saß eine mit Edelsteinen besetzte Kappe, die strahlte und funkelte. In die Seide eingewobene, polierte Iurdumfäden glitzerten hin und wieder auf, als sie sich anmutig aufsetzte und den Männern bedeutete, näher zu treten.

Für diese Aufmachung wäre sie in Palestan wegen Beleidigung der Sittlichkeit auf der Stelle verhaftet und mit ordentlichen Strafen belegt worden, aber es gefiel Baraldino, was er zu sehen bekam.

Den Kopf ein wenig nach unten geneigt, stolzierte er gemessenen Schrittes auf die Regentin zu.

Ihre geschwungenen Augenbrauen wanderten in die Höhe. Das Dutzend Dienerinnen um sie herum hielt den Atem an.

Wie der Blitz war T'Sharr an seiner Seite. »Auf die Knie, Gesandter«, kam die gezischte Anweisung. »Wie es sich gehört, wenn man der Regentin gegenübersteht.«

»Ich höre ja wohl nicht …«, begann der Offizier empört, da bekam er auch schon einen Tritt in die Kniekehle, dass er gezwungenermaßen zu Boden sank. Am Gerumpel neben sich erkannte er, dass es Tezza nicht viel besser ergangen war. Wütend rückte er seine falschen Haare zurecht, dann stand er vorsichtig wieder auf.

Alana die Zweite lächelte huldvoll. »Mit ein bisschen Hilfe weiß jeder, was sich gehört, nicht wahr, palestanischer Gesandter?«

»Allerhochwohlgeborenste Regentin, nehmt meinen Dank für den sanften Hinweis«, sagte Baraldino und machte einen weiteren tiefen Kratzfuß. »Ich entbiete

Euch den Gruß des palestanischen Königs und des Kaufmannsrates.« Auf eine kurze Geste hin reichte ihm Tezza die Schatulle. Gebeugt und den Kopf gesenkt ging er auf die Frau zu und hielt ihr das Präsent entgegen. »Nur eine kleine Aufmerksamkeit, Hoheit.«

Eine Dienerin nahm das Kästchen, öffnete es und hielt es ihrer Herrin hin.

»Oh, ilfaritisches Konfekt«, schwärmte Alana und griff anmutig wie eine Tänzerin nach einer Praline. Ihre Fingernägel sahen bedrohlich lang und scharf aus. »Ich mache mir nichts aus Süßigkeiten. Sie sind schlecht für die Figur.« Fast angewidert ließ sie das Stück in die Kassette zurückfallen. »Weitere Geschenke, palestanischer Gesandter?«

Siedend heiß durchlief es den Offizier. Das Konfekt und das Eis für die Lagerung hatten ein Vermögen gekostet, an weitere Gaben wurde da nicht gedacht.

»Hochwohlgeborene Regentin, ich bin untröstlich, dass unsere Aufmerksamkeit nicht Euer Gefallen gefunden hat. Natürlich befinden sich die übrigen Präsente noch an Bord unseres Schiffes. Sie werden später nachgebracht.« Fieberhaft überlegte Baraldino, was er von seinen eigenen Sachen entbehren konnte und die vielleicht dieser verwöhnten Frau zusagten.

Er warf einen kurzen Blick auf seinen Adjutanten. Dann lächelte er. »Weiterhin freut es den palestanischen König, Euch einen seiner Untertanen als Douceur auf ein Jahr und einen Tag zu überlassen. Fraffito Tezza ist vielfältig gebildet, hat eine hervorragende Schulung genossen und wird alles tun, um die von Euch zugeteilte Aufgabe zu erfüllen.«

»Commodore!«, entfuhr es seinem Adjutanten entsetzt.

»Schweigt still«, wisperte Baraldino energisch, »es ist zum Wohle des Staates. Oder wollt Ihr, dass alle unsere Pläne sich in Rauch auflösen?«

»Das nenne ich einmal eine ausgefallene Idee«, lobte die Regentin und neigte ihren Kopf. Lichtstrahlen brachten die Edelsteine zum Funkeln. »T'Sharr, zu welchem Zweck könnten wir den palestanischen Recken einsetzen?«

Der K'Tar Tur grinste böse. »Regentin, ich glaube gehört zu haben, dass die Arena noch dringend Leute für die Katakomben sucht.«

»Das gefällt mir. Veranlasst das Notwendige, Kommandant.«

»Was bedeutet das, ›für die Katakomben‹?«, wollte Tezza erschrocken wissen.

»Das werdet Ihr sehen«, griente der Kämpfer und befahl zwei Wachen, den Palestaner wegzubringen. Der Blick, den der Adjutant seinem Vorgesetzten zuwarf, hätte einen ganzen Marktplatz voller Leute töten können. Baraldino wedelte unbeteiligt mit dem Taschentuch.

»Und nun«, sagte die Regentin, nachdem die Tür sich geschlossen hatte, »lasst uns über die Angelegenheit sprechen, die unsere Reiche verbindet. Ihr wart Zeuge, wie unsere Goldflotte von rogogardischen Piraten angegriffen wurde?«

»So ist es«, sagte der Mann. »Ich war als zweiter Offizier an Bord der *Soituga*, mit der wir auf der Jagd nach dem seeräuberischen Pack waren. Glücklicherweise kamen wir Euren Schiffen zu Hilfe und befreiten sogar eines von der Brut.« Er tupfte sich mit einer schnellen Bewegung den Schweiß von der Stirn und konzentrierte sich, der gewaltigen Blähung nicht freien Lauf zu lassen. »Aber leider, leider waren unsere Bemühungen umsonst. Wie Ihr wisst, hochwohlgeborene Regentin, erschien wie aus dem Nichts die unglückselige Schwarze Flotte der Kensustrianer. Wir haben sofort signalisiert, sie sollten uns zur Seite stehen. Aber es geschah nichts dergleichen, viel eher das Gegenteil war der

Fall.« Baraldino zauberte einen Ausdruck tiefer Betroffenheit auf sein Gesicht. »Ein Rogogarder eröffnete das Feuer auf das vorderste der kensustrianischen Schiffe. Daraufhin schlug die Flotte auf alles, was um sie herum schwamm. Sie machte keinen Unterschied zwischen Rogogard, Tersion und Palestan, das müsst Ihr Euch vorstellen, hochwohlgeborene Regentin. Innerhalb weniger Lidschläge sanken Freund und Feind mit Mann und Maus.« Baraldino machte eine Kunstpause. »Euer Gold miteingeschlossen. Das kostbare Metall als Schmuck in der tiefen See.«

»Palestanischer Gesandter, Ihr schwört, dass es sich so und nicht anders verhalten hat?«, fragte Alana lauernd. »Mit Eurem Leben?«

Baraldino breitete theatralisch die Arme aus und warf sich auf die Knie. »Ich schwöre bei meiner Ehre, meinem Leben und bei dem Leben meiner Männer, dass die Kensustrianer Eure Flotte versenkten, ohne dass ein Grund dafür vorgelegen hätte.«

»Gut.« Sie lehnte sich in die Teppiche zurück. »Ich glaube Euch kein Wort, aber Ihr seid für meinen Geschmack ein überzeugender Schauspieler, palestanischer Gesandter. Wenn wir also unsere Forderungen wegen Schadenersatz an Kensustria stellen, brauchen wir Euer Talent. Ich bin mir sicher, Palestan hat sich bereits seine Gedanken über einen Ausgleich gemacht, nicht wahr?«

»Wir sind Kaufleute, hochwohlgeborene Regentin«, sagte Baraldino, der sich nach einem kurzen Schreck wieder erholt hatte.

»Sagen wir, Palestan erhält ein Zehntel der Entschädigung?« Eine Dienerin reichte der Frau ein Stück frisches Obst.

»Die Hälfte der Summe«, kam es augenblicklich aus dem Mund des Mannes. »Hochwohlgeborene Regentin, ohne meine Aussagen, Eide und Gelöbnisse sind Eure

Ansprüche nicht zu halten. Das sollte es Tersion schon wert sein. Wie hoch wird die Forderung sein, die das Reich zu stellen gedenkt?«, fügte er wie beiläufig hinzu.

»Vermutlich decken sich Eure und unsere Berechnungen, was den Verlust des Goldes angeht«, sagte die Regentin. »Etwas mehr als eine Million Talente.«

»In der Tat, das deckt sich mit unseren Überlegungen«, bestätigte der palestanische Offizier. »Eine knappe Million Heller. Oder fünfhunderttausend Tria.«

»Ich bin ehrlich zu Euch.« Sie nahm ein weiteres Stück von einer dunkelfarbigen Frucht. »Ich denke, dass Euer Reich sogar irgendwie an dieser Sache beteiligt war, vielleicht sogar einen Überfall auf unsere Flotte geplant hat. Aber warum sollte ich mich auf eine aussichtslose Sache gegen den Händlerstaat einlassen, wenn wir unserem Nachbarland mehr aus den Rippen schneiden können? Selbst wenn Palestan schuld an den Vorgängen ist, sollten wir das Beste daraus machen, wie ich finde.«

»Wie kommt Ihr darauf, dass wir andere als gute Absichten hatten?« Das Erstaunen in der Stimme des Offiziers klang sehr echt.

»Nun, weil Kensustria etwas gefunden hat, was Eure Version der Geschichte sehr in Gefahr bringt. Doch bevor ich Euch zeige, was ich meine: Wir sind uns einig?«

»Wenn Ihr, hochwohlgeborene Regentin, die Hälfte als Angebot akzeptiert und bereit seid, den Vertrag«, Baraldino griff in seinen Ärmel und nahm das vorgefertigte Schriftstück hervor, »zu unterschreiben, steht einer Wiedergutmachung nichts mehr im Wege.«

»Ihr seid gerüstet, wie ich sehe. Nun gut, Ihr erhaltet fünfunddreißig Prozent, das muss genügen. Palestan ist ein Reich voller Krämerseelen und Halsabschneider.« Das Dokument wurde von Alana verändert und signiert. »Aber besser so, als dass wir kein bisschen Geld sehen, nicht wahr?«

»Ich bin bereit, das Angebot der hochwohlgeborenen Regentin anzunehmen. So kommen beide Reiche etwas auf ihre Kosten. Mein Schiff, das versenkt wurde, war sehr teuer, hochwohlgeborene Regentin.« Sorgsam verstaute Baraldino den Vertrag wieder. »Und was meintet Ihr vorhin mit dem Fund, den Kensustria gemacht hat?«

»Möge das Theater beginnen«, sagte die Regentin geheimnisvoll. »Ihr werdet der Hauptdarsteller sein, palestanischer Gesandter. Und ich rate Euch, spielt Eure Rolle gut. Ich werde meinen Teil beisteuern.«

Die Tür öffnete sich, und ein Mann in einer etwas mitgenommenen Commodore-Uniform wurde hereingeleitet.

Baraldino erkannte Gial Scalida auf Anhieb. Zwei hoch gewachsene Kensustrianer mit langen, dunkelgrünen Haaren flankierten ihn. Sie trugen seltsam anmutende, vielgelenkige Rüstungen aus schimmerndem Metall, Holz- und Lederstücken, die sehr leicht und dünn wirkten. Auf ihren Rücken hingen jeweils zwei Schwerter. An den Stellen ihrer Körper, die nicht von der Rüstung bedeckt wurden, schaute fließender, weißer Stoff hervor. Ihr Stolz war ihnen in die Gesichter gemeißelt, die Augen sahen selbst auf Alana die Zweite mit einer gewissen Arroganz herab. Auf der Höhe von Baraldino hielt das Trio an.

»Ich begrüße die kensustrianischen Botschafter, Moolpár den Älteren und Vyvú ail Ra'az«, stellte die Regentin sie mit einem leichten Kopfnicken und einer eleganten Armbewegung vor. »Sie sind seit wenigen Stunden meine Gäste, um auf meine Einladung hin ihr Reich in der Angelegenheit der tersionischen Goldflotte zu vertreten.«

Die beiden Kensustrianer, die Baraldino auf fast zwei Meter schätzte, entboten ihren Gruß, indem sie ihre leeren Handflächen offen zeigten und sich wenige Millimeter verbeugten.

Nach der Ansicht des palestanischen Diplomaten hätte man es auch als ein Schwanken auslegen können. Ihm, und da war er ziemlich sicher, wäre das als grober Verstoß gegen die Etikette ausgelegt worden. Dafür zog er alle Register der Höflichkeit, vollführte einen tiefen Bückling und ratterte seinen Namen und Titel herab. Leise entwich ihm eine Blähung. Inständig hoffte er, dass der Geruch nicht allzu schlimm sein würde.

Jetzt wusste er, was die Regentin mit »Theater« gemeint hatte. Vorsichtshalber bedachte er seinen ehemaligen Vorgesetzten mit keinem Blick. Mit einem Mal brach der Schweiß wieder aus allen Poren.

»Würdet Ihr nun, palestanischer Gesandter, Eure Erzählung wiederholen? Und bitte genauso wie eben?«, forderte die Regentin von Tersion Baraldino auf, der in das Repetieren der Geschichte sogar noch eine Spur mehr Überzeugungskraft hineinlegte als vorhin. Schweigend lauschten die Kensustrianer, dann erhob Moolpár die Stimme.

»Dieser Mann, der sich selbst Gial Scalida und Commodore der palestanischen Flotte nennt, hat sich nach dem Angriff auf unser Schiff geschlichen. Wir haben ihn verhört. Und er erzählte uns eine ganz andere Geschichte wie dieser Mensch. Wiederhole sie«, verlangte er von Scalida, woraufhin der zu Baraldinos innerem Entsetzen die ganze schreckliche Wahrheit von sich gab.

Alana lauschte den Worten mit gespielter, stets zunehmender Empörung. »Nun, was hat Palestan zu den Aussagen anzumerken? Kennt Ihr diesen Mann etwa? Verhält es sich so, wie er sagt?«

Der Diplomat stolzierte einmal um den kensustrianischen Gefangenen herum, musterte ihn von oben bis unten. Dann wandte er sich den beiden Botschaftern zu.

»Ja, ich gestehe, ich kenne diesen Mann. Wir haben uns bereits mehrmals auf See gegenübergestanden und die Säbel gekreuzt. Aber ich würde seinen Worten keinen Glauben schenken. Ihr, werte Herren, habt den berüchtigten Seeräuber Pitre Horn aus Rogogard aufgegriffen, den das palestanische Reich schon seit vielen Monaten jagt. Auch ich hatte den Auftrag, und ich hätte ihn diesmal fast erfüllt, wenn Eure Schwarze Flotte mir nicht dazwischengekommen wäre.«

»Seid Ihr von Sinnen, Baraldino?«, schrie Scalida. »Ich bin Offizier von Palestan wie Ihr!«

»Lügen. Alles freche, waghalsige und abenteuerliche Lügen«, sagte Baraldino und wedelte herablassend mit dem Spitzentuch. »Der Verbrecher lügt, wenn er nur den Mund öffnet. Er weiß, dass es um seinen Kragen geht. Und weil er wusste, dass er als Rogogarder keine Gnade zu erwarten hatte, stahl er sich eine Uniform meines armen Commodore, der nun auf dem Grund des Meeres ruht. Ich selbst sah, wie er starb, meine Herren Botschafter.«

Sein improvisierter Plan schien aufzugehen. Jetzt musste er Scalida nur noch aus den Händen der Kensustrianer befreien, und er wusste auch schon, wie. »Ich verbürge mich mit meinem Leben dafür, dass Ihr einen von mir gesuchten Schurken ergriffen habt. Daher stelle ich hiermit die Forderung, ihn mir sofort auszuhändigen, um ihn der palestanischen Rechtsprechung zu übergeben.«

Moolpár der Ältere und Vyvú ail Ra'az verständigten sich mit Blicken. »Nun, Ihr habt Euer Ehrenwort gegeben, und das zählt viel bei uns in Kensustria, auch wenn Ihr kein Krieger seid. Aber Ihr seid Offizier, daher müssen wir Euch glauben, Gesandter«, sagte Moolpár nach einer Weile. »Da er aber unsere Schiffe angegriffen hat und damit diese bedauernswerte Tragödie auslöste, haben wir das neuere Recht auf sein Leben. Wir werden ihn mit Erlaubnis der Regentin von Tersion später richten.«

»Baraldino!«, brüllte Scalida und streckte die Arme

aus. »Tut etwas! Befreit mich aus den Klauen dieser grünhaarigen Bestien!« Vyvú vollführte eine kaum nachvollziehbare Bewegung mit dem rechten Arm. Stöhnend sank der Palestaner auf die Knie und hielt sich den Bauch.

»Auch gut. Ha, hört wie der Wicht jammert«, lachte sein ehemaliger Adjutant. »Ein erbärmlicher Rogogarder, der sich für keine Niedertracht zu gering ist. Nimm das!« Er trat nach Scalida. »Nun steht aber eine andere Sache noch ungeklärt im Raum. Ganz offensichtlich haben sich die Befehlshaber der Schwarzen Flotte nicht ganz korrekt verhalten, indem sie alles vernichten ließen, was um sie herum schwamm. Eine Reparation ist daher gegenüber Palestan mehr als angebracht, wie ich meine.«

Die Regentin nickte. »Und wie gedenkt Kensustria außerdem, mir das wertvolle Gold zu ersetzen, das für immer verloren ist?«

Moolpárs Augen wurden etwas schmaler. »Der Vorfall tut dem kensustrianischen Reich sehr Leid, und es entschuldigt sich durch uns offiziell bei den Unbeteiligten und schuldlosen Opfern. Dennoch sehen wir keinen Grund, warum wir jemandem Ersatz geben sollten. Unsere Flotte wurde angegriffen, und da für unsere Besatzung eine Trennung der Ziele nicht möglich war, haben sie sich verteidigt.«

»Wir haben aber«, fiel ihm Baraldino mit gedehnter Stimme ins Wort, »den Verlust eines sehr guten Schiffes und zahlreicher guter Männer zu beklagen, ganz gleich, welche Schwierigkeiten Eure Mannschaft hatte. Palestan, werte kensustrianische Botschafter, besteht deshalb nach wie vor auf einer Entschädigung. Fünfzigtausend Tria sollten genügen.«

Moolpár und Vyvú lächelten mitleidig auf den Offizier herab.

»Das Königreich Tersion und«, die Regentin hielt einen Moment inne, »das Kaiserreich Angor sind beide zutiefst betroffen von dem Vorfall. Um jeglichen weiteren diplomatischen Verwicklungen vorzubeugen, die unter Umständen in Auseinandersetzungen mündeten, sollte sich Kensustria unsere Forderung in Höhe von sechshunderttausend Tria sehr gut durch den Kopf gehen lassen. Andernfalls ...«

»... sollten wir uns auf einen Krieg vorbereiten, Regentin? Ist es das, was Ihr meintet?«, vollendete Moolpár ihre angedeutete Drohung. Zum ersten Mal sah der Palestaner die spitzen Eckzähne des Botschafters. »Gegen Tersion und Angor?« Er wandte sich an Baraldino. »Oder gedenkt Palestan dabei miteinzusteigen?«

»Unsere Mittel sind andere, Botschafter. Aber eine Handelsblockade wäre denkbar. Zu Wasser und zu Lande, selbstverständlich«, sagte der Offizier kühl. »Wir verstehen uns sehr gut mit der ontarianischen Handelsgilde. Wie schade, dass Euer Reich damals nicht den Vertrag über den Tausendjährigen Frieden unterschrieben hat.«

»Ich verstehe«, sagte der Ältere der beiden Kensustrianer. »Vor einiger Zeit hätte Kensustria vermutlich noch bezahlt und hätte sich dieser Schmach ergeben. Aber die Mönche und Priester haben nicht länger das Sagen. Wir, die Krieger als Führer des Volkes, werden keine einzige Tria zahlen, weder an Tersion noch an Palestan. Wenn die beiden Reiche denken, durch Sanktionen Druck ausüben zu können, seien sie gewarnt. Wir hegen keinerlei Groll gegen die Staaten und achten ihre Grenzen. Noch.« Moolpár zeigte wieder seine leeren Handflächen. »Das ist anscheinend das letzte Mal, dass wir in friedlicher Absicht nach Tersion kamen. Wir werden keinerlei Kampfhandlungen beginnen, aber wenn wir angegriffen werden, verteidigen wir uns. Gegen alles, was uns im Weg steht. Es wäre aber schade, wenn die Jahrhunderte langen Beziehungen so aufs Spiel gesetzt würden. Ich appelliere in aller Form, von den Forderungen zurückzutreten.«

Baraldino geriet ins Wanken. Die Drohung mit den Ontarianern war ein Täuschungsmanöver seinerseits, aber mit etwas Geld konnte man die Händler nachträglich auf ihre Seite ziehen. Ein offener Schlagabtausch mit dem mächtigen Kensustria würde, wenn er zu lange dauerte, eine teure Angelegenheit für den Kaufmannsstaat. Andererseits würden Tersion und Angor die Drecksarbeit erledigen. Und vielleicht würde die Blockade schnell Wirkung zeigen.

»Palestan hat nicht vor, von seinen Forderungen zurückzutreten«, entschied er. »Gleichzeitig unterstützen wir das rechtmäßige Anliegen des Königreichs Tersion.«

»Meinen Dank, palestanischer Botschafter, für Euren Beistand.« Alana erhob sich mit Anmut von ihren Teppichen. »Und auch Tersion gedenkt nicht, einen Schritt zurückzugehen. Wer unberechtigterweise Schaden anrichtet, soll ihn wieder gutmachen. Und so lange das von der Seite Kensustrias nicht geschehen ist, werden wir jeden weiteren Kontakt zu Eurem Reich abbrechen. Innerhalb von vierzig Tagen erwarten wir eine weitere Nachricht von Euch, ob Ihr dann bereit seid, die Zahlungen zu tätigen. Andernfalls werden wir Maßnahmen einleiten.«

»Wir haben die Worte gehört und nehmen sie mit nach Hause«, sagte Vyvú bedächtig und zog Scalida auf die Beine. »Wir kehren umgehend zurück.« Beide Krieger zeigten zum Abschied ihre leeren Handflächen und verschwanden hinaus. Den Gefangenen hatten sie wieder in ihrer Mitte.

»Ich bewundere Eure Niederträchtigkeit und Euren Einfallsreichtum. Ihr habt brillant gehandelt. Es war doch Euer einstiger Commodore, oder?«, erkundigte sich die Frau und sah Baraldino abschätzend an. »Es macht Euch nichts aus, ihn sterben zu lassen?«

»Ich bitte Euch. Wir alle müssen Opfer bringen, hoch-wohlgeborene Regentin«, sagte er und verneigte sich tief vor ihr.

In diesem Moment entlud sich die gestaute Blähung mit allem, was sich in seinem Darm gesammelt hatte, und seine Beinkleider füllten sich.

Moolpár sah vor der Tür auf Scalida herab, der sich immer noch den schmerzenden Bauch hielt. »Eine Entschuldigung wäre angebracht, Vyvú. Dein Schlag mit dem Ellbogen war zu hart.«

»Es geht schon, danke«, wehrte der ehemalige palestanische Offizier ab und biss die Zähne zusammen.

Der andere Kensustrianer nickte anerkennend. »Ihr haltet etwas aus. Für einen Händler. Ich habe immer noch gedacht, Ihr tragt Eure Rüstung, aber Ihr wart ja als unser Gefangener dabei.«

»Und wo wollt Ihr mich nun hinrichten?«, wollte Scalida wissen und lächelte. »Hier? Mitten in der Residenz? Das Blut könnte den Marmor verschandeln.« Alle drei lachten daraufhin leise und gingen den Weg in die Gemächer der Botschafter zurück.

»Ihr hattet Recht mit Eurer Annahme«, sagte Moolpár unterwegs. »Euer Reich opfert Euch und die Wahrheit.«

»Und die Regentin macht gemeinsame Sache mit dem palestanischen Ungeziefer«, fügte Vyvú angewidert hinzu. »Nichts für ungut, Scalida.«

Der Offizier zuckte mit den Schultern. »Ihr habt es selbst gehört, ich bin in Wirklichkeit ja Pitre Horn, der berüchtigte rogogardische Pirat.«

»Die Probe, die wir mit Tersion und Palestan gemacht haben, ist schlecht für die Reiche verlaufen«, meinte der Ältere. »Sie scheinen beide nicht die erforderliche Gesinnung zu haben, wie bedauerlich. Nun ja, vielleicht haben wir bei anderen Herrscherhäusern mehr Glück.

Aber wir müssen uns beeilen, denn sonst wird die Zeit zu knapp. Die Astrologen und Geschichtswissenschaftler warnten uns hoffentlich rechtzeitig genug vor der Veränderung, die dem Kontinent bevorsteht.«

»Wir werden auf alle Fälle vorbereitet sein.« Vyvú öffnete die Tür zur Unterkunft und ließ Scalida hinein.

»Hoffentlich stehen wir dann nicht als Einzige gewappnet da«, grübelte der Palestaner. »Warum warnt Ihr nicht einfach ganz Ulldart?«

»Es ist nicht die Art von Kensustria, sich großartig in den Lauf der Dinge einzumischen«, erklärte Moolpár. »Die Priester hätten die anderen Reiche vielleicht in Kenntnis gesetzt. Wir nicht. Da uns aber die Sternendeuter so eindringlich warnten, suchen wir uns mögliche Verbündete, sollte das Schrecklichste eintreten. Und wir wollen nur Verbündete, die etwas taugen.«

»Tersion und Palestan gehören nicht dazu«, unterstrich sein Begleiter und begann, seine Habseligkeiten in die Kisten zu packen. »Eure Voraussagen trafen bisher genau ein, Scalida.«

Der Offizier grinste müde. »Ich kenne meine Leute sehr gut. Als ich von Euch hörte, dass ein Commodore Baraldino den Untergang überlebt hatte und er in diplomatischer Mission unterwegs war, war mir klar, dass Palestan nun eine Möglichkeit suchte, auf seine Kosten zu kommen. Nur hätte ich nicht gedacht, dass er mich als ›Piraten‹ titulieren und ans Messer liefern würde. Dämlicher Hundsfott.«

»Ihr habt uns mit der kleinen Inszenierung geholfen, das wahre Gesicht der beiden Reiche zu erkennen. Damit ist Eure Schuld beglichen und nun seid Ihr wirklich frei. Geht, wohin Ihr wollt.« Der Ältere der Kämpfer wartete eine Reaktion ab.

»Eine neue Karriere in Palestan kann ich getrost in den Wind schreiben. Wertlos wie ein geplatzter Wechsel«, seufzte der Mann und hockte sich auf eine Truhe.

»Wenn Eure Astrologen sich nicht getäuscht haben, dann ist wohl der sicherste Ort auf Ulldart Euer Reich, schätze ich.« Entschlossen erhob er sich. »Braucht Kensustria vielleicht noch einen guten Seemann?«

Vyvú und Moolpár tauschten schnelle Blicke aus. »Wir nehmen Euch gerne mit nach Hause. Dort wird über Euer weiteres Schicksal entschieden werden. Versprechen kann ich Euch nichts, Scalida. Aber eine Stelle in der Hafenverwaltung wird notfalls zu finden sein«, sagte der Ältere und zeigte seine spitzen Eckzähne.

Ulldart, Königreich Tarpol, Provinz Ulsar, Hauptstadt Ulsar, Winter 442/443 n. S.

Norina fand Lodrik im Teezimmer. Er saß im Sessel, den er zum Kamin herumgedreht hatte, die Fingerspitzen zusammengelegt und die Augen geschlossen. Um ihn herum stapelten sich Dutzende von Büchern, die Hälfte von ihnen war aufgeschlagen, lose Blätter mit Rechnungen lagen verteilt im Raum.

»Diese Bücher haben die Kanzlisten auf den obersten Regalen der Finanzhaltung gefunden«, sagte er, ohne sich zu bewegen. »Das sind die Aufzeichnungen über die Schulden, die der Hof hat. Schulden bei den Brojaken des Reiches.« Er öffnete seufzend die Augen und winkte sie zu sich heran. Hilfe suchend griff er nach ihrer Hand.

»Es stimmt alles, was Kolskoi gesagt hat. Mein Vater hat, wenn ich die Zahlen richtig verstanden habe, das ganze Geld in den Unterhalt der Kasernen und des Palastes gesteckt. Nirgendwo ist etwas angelegt, alles ist weg. Verbraucht.« Er erhob sich und nahm eines der Bücher auf. »Alleine für seinen Tabak und seinen

Branntwein hat er Unsummen gelassen, dieser Verschwender!« Wütend schleuderte er die gebundenen Seiten in die Flammen, die sich gierig über die neue Nahrung hermachten. »Sonderzahlungen an Offiziere, für nichts und wieder nichts!«

»Nicht.« Norina umfasste einen Arm, als er nach dem nächsten Buch greifen wollte. »Damit holst du das Geld nicht wieder zurück.«

Sein Zorn verflog fast augenblicklich, als er in ihre sanften braunen Augen sah. Er zog seine Geliebte an sich. »Granburg war ein Tanz gegen das, was mir hier bevorsteht. Immer stelle ich mir die Fragen: Mache ich das Richtige? Sind meine Veränderungspläne ausreichend? Soll ich schneller damit voranschreiten? Ich brauche deinen Rat und deine Nähe mehr als je zuvor, Norina.«

»Ich weiß«, lächelte die junge Frau und umarmte ihn. »Lass uns das Durcheinander aufräumen, und dann muss ich dich etwas fragen.«

Der Kabcar runzelte die Stirn. »Das klingt aber sehr ernst.« Er begann, die Wälzer auf einen Haufen zu türmen. »Um was geht es denn?«

Doch die Brojakin verriet nichts, bis wieder Ordnung im Teezimmer herrschte. Sie setzten sich gegenüber, dann nahm Norina das Amulett aus ihrer Tasche.

»Woher hast du das Amulett, Lodrik?« Vorsichtig legte sie den Schmuck auf den kleinen Tisch in der Mitte. »Ich zweifle daran, dass es ein altes Erbstück ist.«

»Wieso?«, fragte der junge Mann. An seiner Stimme erkannte Norina, dass es mit dem Geschenk mehr auf sich hatte, als er ihr damals gesagt hatte. »Wie kommst du darauf?«

»Fällt dir etwas daran auf?« Er schüttelte den Kopf. Sie tippte auf den augengroßen, glühenden Stein im Mittelpunkt des Amuletts. »Zunächst pulsierte es langsam, dann schnell, und nun, nachdem das ganze unheimliche Ding aufblitzte, hört es nicht mehr auf, wie ein Stück heiße Kohle zu glimmen.«

»Hast du den Stein etwa drei Mal gedreht?«, entfuhr es dem Kabcar, der sich im gleichen Augenblick hätte ohrfeigen können.

»Du wusstest davon?« Sie schnappte das Amulett und hielt es ihm unter die Nase. »Du schenkst mir Schmuck, der Besonderheiten hat, ohne mir davon zu erzählen? Ich hatte einen Beobachter nachts in meinem Zimmer, der mir etwas von einem ›Hohen Herrn‹ sagte und dass ich es ihm wieder zurückgeben soll, wenn ich ihn träfe.« Sie knallte es auf die Tischplatte. »Ich erwarte eine Erklärung, Liebster. Woher stammt es?«

»Ich weiß es nicht«, log er sie an und starrte auf den Talisman. »Ich habe es in Granburg von einem Händler gekauft, und der sagte, es sei ein altes Erbstück, das er günstig bekommen hatte.«

»Und weiter?«, bohrte die Brojakin, ihre Augen funkelten erbost.

»Das Pulsieren hat mir gut gefallen, und er meinte, dass daraus ein Leuchten würde, wenn man den Stein drei Mal dreht. Irgendeine alchemistische Sache, da kenne ich mich nicht besonders gut aus.« Er breitete die Arme aus. »Bitte, ich hatte keine Ahnung, dass das Ding gefährlich ist und Beobachter anlockt. Hat er dir etwas getan?«

»Diese Frage kommt reichlich spät«, meinte sie kühl und warf die langen, schwarzen Haare zurück. »Nein, er hat mir nichts getan. Hat dein Händler auch etwas über den ›Hohen Herrn‹ gesagt, dem ich das Amulett geben soll?«

Lodrik stand auf, kam zu ihr herüber und sank vor ihr auf die Knie. »Ich wüsste nicht, wen er gemeint haben könnte. Verzeih mir, Norina.«

Die junge Frau beugte sich zu ihm hinab, bis sich ihre Nasenspitzen berührten. Dann musste sie lachen. »Ich werde von dir keinen Schmuck mehr annehmen, Liebster. Das ist mir zu heikel.« Bevor der Kabcar etwas tun konnte, schnappte sie die Kette und beförderte den Talisman ins Feuer, wo er in einem knisternden Funkenregen verschwand. »Dort ist er besser aufgehoben. Hoffentlich schmilzt er.«

Lodrik unterdrückte den Drang, in die Flammen langen und den Schmuck vor der vernichtenden Hitze bewahren zu wollen. Wieder schoss kochende Wut ihn ihm hoch, die er aber ebenso im Zaum hielt. Um ein Haar hätte er sie geschlagen.

»Hast du das eben gesehen?«, fragte Norina, die sein verzerrtes Gesicht nicht beachtet hatte, weil sie auf den Kamin starrte. »Das Feuer brannte in einem tiefen Blau.« Sie wandte sich wieder ihm zu und betrachtete forschend sein Antlitz. »So blau wie deine Augen.«

Tief atmete er ein, dann legte er all seine aufgebrachten Gefühle in den innigen Kuss, den er Norina auf die Lippen presste Sie wurde durch den Ansturm in die Polster gedrückt.

»Mein Kabcar möchte mich wohl umbringen mit seinen Zärtlichkeiten?«, meinte sie atemlos. »Nicht ganz so stürmisch, Herrscher von Tarpol.«

»Aber wenn wir schon mal alleine hier sind …«, grinste Lodrik und nestelte bereits an ihrem Mieder. »Wir könnten da weitermachen, wo wir das letzte Mal aufgehört haben.« Innerlich beruhigte er sich, die Wut verwandelte sich in Leidenschaft.

»Einen Moment noch.« Sie drückte ihn von sich weg. »Ich wollte dir noch etwas erzählen.«

»Hat das nicht ein wenig Zeit?« Wieder attackierte er die Schnüre und entfernte sie aus den Haken. Sie sprang auf, entwand sich seinem Griff und suchte hinter ihrem Sessel Deckung.

»Du wirst dich noch etwas gedulden müssen. Ich hole etwas, warte hier.« Abrupt wandte sie sich um und verschwand aus dem Zimmer.

Das ist die Gelegenheit, dachte er, nahm sich den Schürhaken des Kaminbestecks und fischte in dem teilweise heruntergebrannten Flammen nach dem Amulett. Aber er fand es nicht.

»Verdammt!«, brüllte er. Das Feuer duckte sich augenblicklich wie unter einem heftigen Windstoß und erlosch.

Überrascht besah sich Lodrik die rauchenden Holzstücke, dann stocherte er weiter, bis er endlich ein leises Klirren hörte. Er war auf die Kette gestoßen und angelte das Schmuckstück vollständig aus der Asche.

Ohne nachzudenken nahm er es auf, um es gleich darauf wieder fallen zu lassen. Sein Verstand hatte ihm befohlen, das Amulett loszulassen, weil es eigentlich heiß sein musste. Aber der Kabcar verspürte keine Schmerzen in der Hand.

Mit dem kleinen Finger berührte er das Metall des Talismans. Doch es war so angenehm warm wie immer. Nur die Kette strahlte etwas Hitze ab. Verwundert packte er die Gabe des Beobachters in die kleine Schublade des Tischchens, damit Norina nicht sah, dass er das von ihr gehasste Stück geborgen hatte.

Irgendwann werde ich mit jemandem über diese seltsamen Ereignisse in meiner Umgebung reden müssen, ging es ihm durch den Kopf. Das gelegentliche Aufglühen seiner Augen, das Prickeln in den Fingern, das Nasenbluten oder die immer häufiger auftauchenden Wutanfälle beunruhigten ihn mehr und mehr. *Was geht mit mir vor? Oder ist es das Henkersschwert, in das der Blitz einschlug? Soll diese unbändige Kraft auf mich übergehen?* Mit Hilfe einer Kerze entfachte er die Flammen im Kamin von Neuem.

Gerade rechtzeitig genug, denn wie ein Wirbelwind kam die aufgeregte Brojakin wieder ins Zimmer gestürmt.

»Hier.« Sie hielt Lodrik, der bei ihrem Eintreten gerade wieder Platz genommen hatte, etwas hin, was nach dünnen, grünen Zwirnen aussah. »Was könnte das sein?« Der Kabcar vermutete gefärbte Seidenfäden.

Norina erzählte daraufhin das furchtbare Erlebnis, das sie in dem Wald bei Granburg hatte. Lodrik verspürte ein leichtes Gruseln.

»Erschreckend, wie diese Sumpfbestien die Gegend unsicher machen.« Er schüttelte den Kopf und legte ein Scheit Holz ins Feuer. »Ich werde die Garnisonen, die mein Vater ja so trefflich mit Geld voll gestopft hat, anweisen, diese Ungeheuer verstärkt zu bejagen. Sie werden eine Gefahr für die Reisenden. Nicht auszudenken, wenn dir etwas passiert wäre. Aber was haben diese Seidenfäden damit zu tun?«

»Die fanden wir, als wir das Pferd des armen Soldaten von dessen Blut befreiten«, erklärte sie. »Sie hingen an einer Schnalle des Steigbügels.«

»Seltsam ist das schon«, äußerte der junge Mann. »Trug denn der Soldat etwas aus grünem Stoff?« Seine Geliebte verneinte. »Dann wird wohl die Sumpfbestie irgendwann einen Adligen angegriffen und dem sein Wams oder Ähnliches gestohlen haben. Wirf es ins Feuer.«

Geräuschvoll verbrannten die Fäden, der Geruch von schmorendem Horn verbreitete sich im Raum.

»Es waren wohl Haare«, sagte Norina und verzog das Gesicht. »Auf alle Fälle riecht es danach.«

»Was kümmert's uns«, hauchte er ihr ins Ohr und küsste ihren Hals. »Wo waren wir stehen geblieben?«

Die junge Frau schenkte ihm einen Augenaufschlag und zeigte auf eine Schnur an ihrem Mieder, die noch nicht geöffnet war. »Ungefähr hier, Hoheit. Und da sollten wir nun zügig weitermachen.«

Der Angor-Ritter stand auf dem großen Balkon des Palastes und sah auf das nächtliche Ulsar, das sich wie ein unregelmäßig gewobener Teppich aus Glühwürmchen in der Dunkelheit ausbreitete.

In der Linken hielt er einen Pokal mit Rotwein, die Rechte hatte sich um den Griff der aldoreelischen Klinge geschlossen. Er trug der Bequemlichkeit halber seinen wattierten Waffenrock, darüber das Kettenhemd, das bei jeder seiner Bewegungen leicht klirrte, wenn die Metallringe aneinanderrieben. Die Kälte, die seinen Atem zu dicken, weißen Wolken werden ließ, machte ihm nichts aus.

Seine Männer waren in der Stadt, um kräftig in der tarpolischen Hauptstadt zu feiern und vielleicht zwischen all den dicken Brojaken doch noch eine lohnende Herausforderung zum Kampf zu finden.

Nerestro verspürte keine Lust auf laute Menschen, Gegröle und falschen Gesang. Er wollte so schnell wie möglich zurück auf die Burg und dem üblichen Tagesgeschäft eines Ordenskriegers der Hohen Schwerter nachgehen. Dem Kabcar hatte er jedoch versprochen, über den Jahreswechsel hinaus noch bis zur geplanten Hochzeit in drei Wochen zu bleiben, aber danach kam für ihn kein weiterer Aufschub mehr in Frage.

Heimlich ertappte er sich dabei, wie er auf das Erscheinen seines Gottes wartete. Er betete nicht ausdrücklich darum, aber seit Belkala – oder was immer dieses Wesen in der Seitengasse vor wenigen Tagen gewesen war – diese Andeutungen gemacht hatte, lauschte und achtete er auf jedes Zeichen, das das Nahen Angors ankündigen könnte. Bisher aber blieb es still um den Ritter.

Völlig in Gedanken versunken, registrierte er die Gestalt hinter sich erst sehr spät.

Der Pokal fiel in den Schnee, während Nerestro mit einer fließenden Bewegung die Klinge zog und aus der Drehung zuschlug. Im letzten Moment fing er die Schneide ab, bevor eines der schärfsten Schwerter

Ulldarts durch den makellosen Frauenhals fahren konnte.

»Ihr seid sehr nervös«, stellte Aljascha trocken fest, die sich dem Ritter genähert hatte und wie angewurzelt stehen blieb. »Wen erwartet Ihr Gefährliches auf dem Balkon des hoheitlichen Palastes?« Die Frau hatte sich ein weißes, gefüttertes Cape übergeworfen, das ihre restliche Kleidung verhüllte. »Habt Ihr Euch Feinde in Ulsar gemacht?«

Sofort verstaute Nerestro die Waffe und verneigte sich vor der Cousine Lodriks. »Verzeiht mir, Vasruca. Ich war mit meinen Gedanken woanders.«

»Schon vergessen, mein lieber Nerestro«, gurrte sie und hakte sich bei dem Mann ein. »Ich darf Euch doch Nerestro nennen, wo Ihr doch meinem zukünftigen Ehegatten das Leben gerettet habt? Zu anderen bin ich übrigens nicht so nachsichtig.« Sie schüttelte sich ein wenig. »Wie kalt doch so ein Kettenhemd ist. Ihr müsst frieren. Lasst uns wieder hineingehen.« Aljascha zog ihn mit sich in den kleinen Tanzsaal und schloss die großen Fenster. Sie schritt vor den Kamin und ließ ihren Umhang langsam von den Schultern gleiten.

Dunkelrot ergoss sich ihre Haarpracht über ihre weiße Haut, von der das ausgeschnittene, silberfarbene Kleid einiges zeigte. »Kommt doch her zu mir, Herr Ritter.«

Der Ordenskrieger folgte ihrer Aufforderung. Sie schenkte ihm einen langen, tiefen Blick aus ihren grünen Augen. »Gefällt Euch die baldige Herrscherin von Tarpol? Meint Ihr, ich mache auf dem Thron eine gute Figur?« Sie nahm seine Hand und legte sie auf ihren Bauch. »Oder bin ich etwa zu dick?«

Nerestro lächelte. Er wusste, dass sie es in ihrer Langeweile und unersättlichen Mannstollheit nun auf ihn abgesehen hatte. Aber nach einem Abenteuer mit einem solch liederlichen Weib stand ihm nicht der Sinn.

»Ich habe noch keine Figur gesehen, die besser als die Eure ist, Vasruca. Und ich denke, es gibt einige Männer im Palast, die dazu noch mehr sagen könnten als ich.«

Ihre Augen wurden schmal. »Was meint Ihr damit?« Energisch stieß sie seine Hand weg.

»Ich will damit sagen, Vasruca, dass Ihr ohne Zweifel die fleißigste Frau seid, die ich kenne. Ihr habt mittlerweile Bekanntschaft mit dem gesamten Offizierskorps geschlossen, wie ich hörte.« Er verneigte sich. »Wenn Ihr, wie manch andere Weiber, Geld dafür nehmen würdet, wärt Ihr bestimmt schon zu einem kleinen Vermögen gekommen.«

Die schallende Ohrfeige, die er von der Adligen erhielt, war die erste, die er je von einer Frau bekommen hatte, und wohl die heftigste, die er jemals bekommen würde. Sein Kopf drehte sich etwas zur Seite, die blonde Bartsträhne wirbelte beinahe einmal um die eigene Achse. Das Klatschen hallte in dem hohen Raum noch ein wenig nach.

Sein Bart wurde gepackt, und etwas Funkelndes zischte knapp unter seinem Kinn entlang. Nerestro spürte den Luftzug des Gegenstandes an seiner Kehle.

Triumphierend hob Aljascha die abgetrennten Haare in die Höhe und warf sie genießerisch in den brennenden Kamin. Dann verstaute sie das zierliche Messer in aller Ruhe wieder in einer Falte ihres Kleides.

»Nicht nur, dass Ihr mich zurückweist, Ihr beschimpft mich als Dirne. In meiner Baronie wärt Ihr für eine solche Beleidigung gehängt worden«, fauchte sie, das hübsche, arrogante Gesicht spiegelte ihre Entrüstung. »Diese Unverschämtheit vergesse ich Euch niemals.«

Bestürzt tastete der Kämpfer nach seinem Bart, aber nur ein paar Stoppeln waren Zeugen von der Strähne, die bis vor wenigen Sandkörnern dort noch gebaumelt hatte.

»Ihr habt mich entmannt«, stammelte er fassungslos. »Ihr habt meine Würde als Mann, als Krieger angetastet.«

»Das ging aber sehr einfach«, lachte Aljascha böse. »Es wird das Einzige sein, was ich jemals an Euch antaste. Aber glaubt mir, es bereitete große Freude.« Ganz nah ging sie an Nerestro heran. »Und nun? Müsst Ihr nun einen Sack über dem Kopf tragen, bis Euch ein neuer Bart gewachsen ist?«, meinte sie schnippisch und wandte sich auf dem Absatz um. »Flechtet Euch doch einen Ersatz aus Rosshaar und klebt ihn mit etwas Harz an. Der Unterschied wird kaum auffallen.« Laut fiel die Tür ins Schloss.

»Ich bringe sie um«, flüsterte der Ritter und schaute zuerst in die Flammen, wo die letzten Reste seines jahrelang gepflegten Bartes verschmorten, danach zum Ausgang, durch den die Vasruca eben verschwunden war. »Ich schlage ihr das arrogante Gesicht ein, bis ihr die Nase aus dem Hinterkopf kommt. Diese Hure!«, schrie er und trat mit voller Wucht gegen einen Sessel, der in seine Einzelteile zerbarst.

Gleißende Helligkeit schoss durch das Fenster in den Tanzsaal, die Glastüren zum Balkon flogen auf. Nerestro wirbelte herum, völlig überrumpelt. Angor, Gott des Krieges und Kampfes, der Jagd, der Ehrenhaftigkeit und der Anständigkeit, schwebte als ein mächtiger, riesenhafter Krieger in Vollrüstung in den Raum. Wie beim ersten Erscheinen war die Luft erfüllt von lauter Musik, wirbelnde Trommeln mischten sich zu Fanfarenklängen und Chorgesängen. Er kam! Sein Gott kam!

»Ich bin Angor, dein Gott, Nerestro von Kuraschka«, dröhnte die Stimme der Lichtgestalt. »Ich habe dir die mächtigste der aldoreelischen Klingen versprochen, wenn du alles zu meiner Zufriedenheit erfüllst. Aber du wurdest zum Zweifler und ließest dich täuschen.«

Der Ordenskrieger fiel überwältigt auf die Knie.

»Strecke mich mit deinem Zorn nieder, Angor. Ich bin deiner nicht würdig.«

»Erhebe dich, Nerestro, mein Krieger. Der schwache Ulldraelmönch, der dich mit seiner Lüge blendete, hat aufgegeben und seine Bestimmung nicht zu Ende geführt. Da der Mönch nun durch sein Versagen bei Ulldrael in Ungnade gefallen ist, ist es dir und Belkala bestimmt, Gefahr vom Kontinent abzuwehren.«

»Ich soll mit diesem Wesen gemeinsame Sache machen?«, fragte Nerestro ungläubig.

»Ich verstehe deine Bedenken, Nerestro. Aber ich versichere dir, dass die Frau bald wieder die Alte sein wird. Der Wiedererweckungsvorgang ist keine einfache Angelegenheit, wie mir Lakastra berichtete. Es wird dauern, bis sie sich von dieser Tortur erholt hat. Auch ihr Körper muss sich an seine neuen Fähigkeiten gewöhnen.« Angor sah dem Mann in die Augen. »Doch ich spüre, dass dich etwas bedrückt.«

»Angor, ich hege Zweifel an der Gefährlichkeit des Jungen«, wagte Nerestro zu sagen. »Ich kenne ihn inzwischen sehr gut und muss sagen, dass er alles versucht, um seinen Untertanen eine bessere Zeit zu bringen. Wenn wir ihn töten, machen wir alles schlimmer, fürchte ich.«

»Du wagst es, die Prophezeiung eines Gottes anzuzweifeln?« Der Gott des Krieges baute sich breit vor dem Ritter auf.

»Es ist die Prophezeiung Ulldraels, nicht die deine«, begründete Nerestro. »Nur dein Wort ist Gesetz für mich, Angor.«

Der Gott lachte dröhnend. »Das gefällt mir. Nun, da sich Ulldrael mir gegenüber nicht weiter zu seiner Warnung geäußert hat, gebe ich dir folgende Weisung: Du wirst von nun an immer in der Nähe des Kabcar bleiben und ihn beobachten. Stellst du fest, dass er innerhalb des kommenden Jahres eine Gefahr für den Kontinent wird, dann töte ihn. Belkala wird dich dabei unterstützen. Ist der Junge dagegen ein Segen, dann hat er in dir einen sehr guten, weiteren Aufpasser.« Mit einem silbrigen Flimmern manifestierte sich ein Ring vor dem Ritter, den ein grüner Stein schmückte. »Nimm ihn. Er gewährt seinem Träger einmaligen Schutz in einer lebensbedrohlicher Lage. Dazu musst du den Edelstein zerschlagen. Aber bedenke genau, wann du mein Geschenk einsetzt.«

»Ich habe deine Worte vernommen, Gott des Krieges, und ich werde gehorchen.« Der Kämpfer zog sein Schwert, hielt es mit beiden Händen und küsste die Blutrinne. »Nicht noch einmal wird mich eine Lüge von meinem göttlichen Auftrag abhalten, das schwöre ich bei der aldoreelischen Klinge.«

»In einem Jahr sehen wir uns wieder«, verkündete Angor. »Dann werde ich dir die versprochene Waffe bringen, hast du alles zu meiner Zufriedenheit erfüllst. Und sei nachsichtig mit der Priesterin.«

Die Helligkeit steigerte sich bis zu einem Grad, bei dem Nerestro die Augen schließen musste. Dann wurde es schlagartig dunkel, die Musik war verstummt und sein Gott verschwunden.

Ehrfürchtig nahm er den Ring auf und streifte ihn über den rechten Mittelfinger. Diesmal war er sich sicher, dass sein Geist keiner Illusion oder einer Droge zum Opfer gefallen war. Angor selbst erschien ihm zum zweiten Mal, vergab ihm seine Nachlässigkeit und übertrug ihm erneut große Verantwortung. Eine Verantwortung für alle Menschen Ulldarts.

Langsam erhob er sich, küsste das Schwert und verstaute es in der Scheide. Innerlich fühlte er sich stark wie noch nie.

»Hoffen wir, junger Kabcar, dass du weiterhin nur Gutes für uns alle bringst. Oder ich werde dich töten müssen. Und ich versage nicht wie Matuc.«

Gleich morgen wollte er seinen Männern verkünden, dass er bleiben würde. Eine Begründung für den Herrscher würde sich auch schnell finden lassen, schließlich war der im Moment für jeden Verbündeten dankbar, den er bekommen konnte. Und dann galt es noch, sich mit der Kensustrianerin zu einigen.

»Wenn sie wirklich wieder wird wie früher«, murmelte Nerestro, »dann bekomme ich vielleicht dieses Mal eine Gelegenheit, ihr Herz zu erobern.«

Glücklich ging er zu den großen Glastüren und drückte sie ins Schloss. Seine Mutlosigkeit, die Bitterkeit und seine Wut der letzten Tage und Wochen waren verflogen.

VII.

*»Wieder war es Tzulan, der mit der Entscheidung nicht
zufrieden war. Er nörgelte an den Werken seiner Geschwister herum, kritisierte dieses Tier und diese Men-
schenrasse, machte sich über vieles lustig und gering-
schätzte deren Schöpfungen. Sein Land, Tzulandrien,
sei das einzig wirklich durchdachte.*

*Er spottete so lange, bis seinen Geschwistern und so-
gar Taralea die Geduld schwand und sie ihn seinerseits
aufzogen. Und ihre Zungen waren spitz und scharf.*

*In seinem glühenden Zorn versprach Tzulan, dass er
etwas schaffen werde, was keiner, nicht einmal die Allmächtige Göttin, nachahmen könne.*

*Er zog sich in die dunkelsten Winkel von Tzulandrien
zurück, um seine Pläne vor den Augen der anderen zu
verbergen.*

*Der Gebrannte Gott nahm eine Hand voll Sternen-
staub, einen Tropfen Wasser aus jedem der Weltenmee-
re, Erde und Luft, vermengte die Komponenten in der
Weise, wie es Taralea einst vermeintlich getan hatte.*

*Doch in seiner Wut achtete er nicht auf die Mi-
schungsverhältnisse, nahm statt einer Prise eine ganze
Hand voller Sternenstaub, und formte Ungeheuer, widerliche Kreaturen und andere Götter namens Jebarro,
Paktaï, Hemeròc, Ischozar, Nedror und Kantrill, die in
ihrem Wesen ebenso finster und furchtbar waren, wie
es Tzulan geworden war.«*

DIE ENTSTEHUNG DER ZWEITEN GÖTTER UND
DER UNTIERE

Die Kunde über die neuen Morde, die nun bekannt wurden, drang jetzt auch bis in den Palast des Kabcar vor. In den letzten fünf Nächten starben insgesamt vierzehn Menschen.

Die Opfer, die jeweils im Morgengrauen von der Stadtwache gefunden wurden, schienen willkürlich von den Tätern ausgesucht worden zu sein. Reiche, Arme, ein Kaufmann und sogar einer der Soldaten, die Norina nach Ulsar begleitet hatten, waren darunter. Sie alle wiesen eine Gemeinsamkeit auf: Das Blut fehlte ihnen, große Stücke Fleisch waren aus ihren Körpern geschnitten und die Kehlen zerfetzt worden.

Die Einwohner waren so beunruhigt, dass sie nachts nur noch in Gruppen durch die Straßen gingen, wenn es sich nicht irgendwie vermeiden ließ, überhaupt nach Sonnenuntergang nach draußen zu müssen.

Auf Anordnung des Kabcar patrouillierten nun auch Einheiten der Palastgarde zur Unterstützung der Stadtwache und ließen dabei nicht die kleinste Nebenstraße auf ihrem Weg aus.

Lodrik war es deshalb ganz recht, als Nerestro verkündete, doch länger mit seinem Gefolge zu bleiben und sich an der Jagd auf den oder die seltsamen Mörder zu beteiligen. Das Leben am Hof würde zudem ein nette Abwechslung zu dem auf seiner Burg sein.

Eine Idee, die den Beifall des Herrscher fand, war ein Turnier der Hohen Schwerter in der tarpolischen Hauptstadt, das im Frühjahr abgehalten werden sollte. Der junge Mann hatte sofort begeistert zugestimmt. Vierzig oder fünfzig der schwergerüsteten Ritter samt Gefolge würden mit Sicherheit ein seltener und stattlicher Anblick sein.

Abgesehen von dem wahnsinnigen Verbrecher, der sein Unwesen trieb, war es in Lodriks Reich alles in allem ruhig. Die Untertanen, so berichteten die Boten und Gouverneure, freuten sich über die angekündigten Neuerungen, während der Großteil der Brojaken und Adligen murrend zu Tisch saßen und sich insgeheim ärgerten.

Noch hatte der Kabcar seine Ankündigungen nicht zurückgenommen, die dezente Drohung mit der Einstellung der Zahlungen an den Hof oder die Rückforderung der Schulden schien wenig zu fruchten. Zumal die Großbauern den Zorn der Bevölkerung zu spüren bekämen, würde der Herrscher mit Hinweis auf sie die begonnene Erneuerung der Verhältnisse wieder einstellen.

Immer wieder, als kleine Spitzen zwischendurch, sandte Kolskoi mahnende Briefe an Lodrik, in denen auf die säumigen Zahlungen aufmerksam gemacht wurde. Besonders hob der Adlige dabei auf die fünfzigtausend Waslec ab, die der Hof der ontarianischen Handelsgilde schuldete. Es gärte im Topf der Mächtigen, dennoch verhielten sie sich friedlich.

Doch der Herrscher Tarpols hatte seine Erfahrungen in Granburg gesammelt und glaubte nicht an die falsche Eintracht. Erst mit der Überweisung des Geldes würde er sie langfristig ruhig stellen, da er ihnen damit den Wind aus den Segeln nahm. Daher war die zügige Ehelichung seiner Cousine weiterhin von Nöten.

Zu Lodriks Erstaunen und großem Behagen kehrte auch beim letzten eigenen Sorgenkind, der Provinz Worlac, Ruhe ein. Der Gouverneur berichtete per Schreiben, dass die Anführer der Unabhängigkeitsbewegung ausgemacht und verhaftet wurden, die Anhänger keine Unterstützung mehr in der Bevölkerung fanden. Die Waffenlieferungen aus Borasgotan hatte er sicher stellen können.

Der Kabcar sandte seinerseits die ersten Einladungen anlässlich seiner Hochzeit an die Herrscherhäuser. Den Brief an Hustraban, das nach wie vor die Hälfte des Iurdums der Baronie Kostromo forderte, formulierte er mit der Hilfe eines sehr amüsierten Stoikos besonders blumig. Waljakov murmelte etwas von »Grund für eine Kriegserklärung«, als er das Dokument las, auch Norina fand sichtlich Spaß daran.

Lodrik und die hübsche Brojakin verbrachten sehr viel Zeit miteinander und nutzen jede Gelegenheit, sich zu sehen und ihre Leidenschaft von Neuem anzufachen.

Norina ging Aljascha so gut es möglich war aus dem Weg, ließ sich auf kein Wortgefecht in der Öffentlichkeit mit der Vasruca ein und verhielt sich äußerst diplomatisch, auch wenn sie der Cousine ihres Geliebten am liebsten die grünen, boshaften Augen ausgekratzt hätte.

Als sie sich einmal alleine in einem Zimmer trafen, hatten sie sich gegenseitig verkündet, was die eine von der anderen hielt. Die Feindschaft zwischen den beiden Frauen war seitdem unwiderruflich, was auch Lodrik und Stoiko nicht entgangen war.

Je näher der Hochzeitstermin rückte, desto mehr verschlechterte sich die Laune Norinas. Aber das Umfeld erbrachte dafür mehr als Verständnis, manches böse Wort wurde ihr verziehen, und der Kabcar ließ sie deutlich spüren, dass nur sie für ihn zählte. Seine Cousine brauchte er lediglich, um an das Iurdum und damit endgültig an den Thron zu kommen. Die Ehe mit der Adligen würde für ihn nichts bedeuten, schwor er der Brojakin.

Nach einer weiteren Woche endeten die Morde scheinbar so plötzlich, wie sie begonnen hatten, ohne dass der oder die Täter ausfindig gemacht wurden. Dafür wartete Nerestro, der seine prächtige Vollrüstung angelegt hatte, eines Tages im Teezimmer mit einer Überraschung auf.

»Hoheitlicher Kabcar, ich möchte Euch jemanden vorstellen. Wir dachten alle, sie sei gestorben, aber ein gnädiges Schicksal und ihr gnädiger Gott haben sie davor bewahrt, diese Welt zu verlassen«, eröffnete er. »Sie steht draußen und möchte sich dafür entschuldigen, dass sie mit dem Mönch Matuc beinahe dafür sorgte, dass die Dunkle Zeit hereinbrach.«

Lodrik verstand gleich, wen der Ritter meinte. Nur zu gut erinnerte er sich an das Gespräch, das er mit dem Ulldrael-Gläubigen geführt hatte. »Ist es diese Kensustrianerin? Sie hat ihre Verletzungen überlebt?«

»Lasst sie am besten selbst erzählen, hoheitlicher Kabcar«, empfahl Nerestro. »Soll ich sie hereinbitten?«

Neugierig geworden nickte der junge Mann, auch die Gesichter der anderen, Stoiko, Waljakov und Norina, verrieten Wissbegier. Der Vertraute des Kabcar schenkte eilig eine zusätzliche Tasse Tee aus, während der Krieger die Tür öffnete und der Unbekannten Platz machte, die eintrat. Wie immer hatte der Leibwächter die Hand am Säbel.

Eine Frau, gekleidet in eine knöchellange, braune Robe aus feinstem Stoff, kam etwas zögernd herein. Ihre Haut schimmerte in einem Bronzeton, dunkelgrün leuchteten ihre schulterlangen Haare. Nichts erinnerte an den schlechten Zustand, in dem sie dem Ritter begegnet war.

Nach einem kurzen Blick in den Raum ruhten die bernsteinfarbenen Augen sanft auf Lodrik. Langsam ging sie auf ihn zu, bis sich Waljakov in all seiner Breite vor den Herrscher schob.

»Das ist nahe genug«, sagte er knapp. »Stell dich vor.«

»Ich heiße Belkala und bin Priesterin von Lakastra, des Gottes des Südwindes und des Wissens«, begann sie freundlich. Sie legte die rechte Hand in Herzhöhe auf die Brust und hielt dem Leibwächter die linke hin. »Ich bin aus Kensustria und komme in Frieden.«

»Aha.« Etwas unschlüssig sah der Hüne auf die dargebotene Hand. »Glauben wir das?«, erkundigte er sich nach hinten, ohne Belkala aus den Augen zu lassen.

»Wir glauben das«, antwortete Lodrik heiter, schob den Leibwächter etwas zur Seite und reichte ihr die Hand. »So sieht also eine Kensustrianerin aus.«

Sie lächelte und zeigte die spitzen Eckzähne ein wenig. Waljakovs Augenbrauen wanderten in die Höhe, seine Miene verfinsterte sich, aber er blieb ruhig. Norina atmete laut aus und wich unwillkürlich einen Schritt zurück.

»Hoheitlicher Kabcar, es ist mir eine Ehre, Euch kennen zu lernen«, sagte die Frau. »Gleichzeitig muss ich mich bei Euch für das, was durch meine Mithilfe unter Umständen geglückt wäre, entschuldigen. Aber die Worte Matucs klangen einst sehr überzeugt. Nun scheint er zur Einsicht gekommen zu sein, dass Ihr das Beste seid, was Tarpol passieren konnte.«

»So viele Lorbeeren habe ich mir noch nicht verdient«, wehrte der Kabcar ab. »Aber ich gestehe, ich gebe mir alle Mühe, die Armen zu unterstützen und die Reichen gegen mich aufzubringen. Vielleicht nicht die klügste Idee, aber immerhin eine gerechte Sache.« Er musterte die Priesterin. »Ihr habt einen weiten Weg hinter Euch und noch mehr erlebt, wie ich bereits von Nerestro hörte. Ihr habt also Eure Verletzungen überlebt?«

Er bedeutete ihr mit einer Geste, Platz zu nehmen, bevor er sich selbst eine angenehme Sitzposition in seinem gepolsterten Lehnstuhl suchte. Beflissen reichte Stoiko ihr die Tasse mit dem dampfenden Getränk, was ihm ein dankbares Lächeln der Kensustrianerin einbrachte.

»Nach dem Überfall, der Euch gegolten hat, wie wir inzwischen wissen, fiel ich in einen Heilschlaf, hoheitlicher Kabcar. Wir, die Priester des Lakastra, sind in der Lage, unseren Herzschlag zu verlangsamen und die Temperatur unserer Körper herabzusetzen, um uns zu schonen und dem Körper bei der Heilung der Wunden zu helfen«, erklärte sie. Die Wahrheit über ihre Wiedererweckung wollte sie nicht preisgeben. »Nerestro und Matuc hielten mich für tot und begruben mich am Wegesrand, wo ich nach zwei Tagen aus meiner Starre erwachte und mich mit Mühe aus meinem Grab befreite.« Sie nippte am Tee und lächelte den jungen Mann an. »Um ein Haar wäre ich erfroren. Ein paar Reisende fanden mich, Lakastra sei Dank, und brachten mich zu einem Gehöft, wo ich von den Bauern versorgt wurde. Der Rest ist einfach erzählt. Ich suchte mir eine Mitreisegelegenheit und gelangte nach Ulsar. Hier erinnerte ich mich, dass Matuc in den Tempel wollte. Nachdem ich ein paar Tage sehr verwirrt durch die Straßen gelaufen bin, fand mich Nerestro und brachte mich hierher. Er hat mir meine Tat verziehen.«

»Eine seltsame Geschichte«, murmelte Waljakov, der Norina sehr genau beobachtete. Die junge Brojakin starrte die Kensustrianerin unentwegt an.

»Ihr hattet Glück, dass Ihr nicht unserem verrückten Mörder in die Hände gefallen seid«, meinte Stoiko. »Habt Ihr denn nichts von den Morden gehört?«

Belkala überlegte einen Moment. »Ich glaube doch. Die Menschen auf dem Markt sprachen davon. Aber Lakastra ist mit mir, so wie es aussieht. Ich kann meinem Gott nicht genug danken.«

»Wisst Ihr, dass meine … Beraterin, Norina Miklanowo, auf dem Weg …«, begann Lodrik und wollte das Erlebnis seiner Geliebten in dem granburgischen Wald erzählen, doch ein leichter Tritt gegen den Sessel ließ ihn verstummen. Irritiert warf er ihr einen Blick zu, aber sie schüttelte fast unmerklich den Kopf. »… dass meine Beraterin großes Verdienst an den geplanten Veränderungen in Tarpol hat?«

»Nein«, sagte die Kensustrianerin, »aber das Gespür einer Frau ist bei so etwas mit Sicherheit von großem Nutzen.«

»Ganz recht«, stimmte Nerestro von der Tür aus zu. »Hoheitlicher Kabcar, ich wollte Euch fragen, ob Belkala als mein Gast im Palast leben darf. Sie ist einiges in Tarpol noch nicht gewohnt, und ich würde ihr gerne die Eigenheiten des Landes nach und nach näher bringen.«

»Ich habe nichts dagegen«, willigte Lodrik ein. »Es würde mich sogar sehr freuen, Belkala, wenn Ihr an meiner Hochzeit teilnehmen würdet. Ihr wärt somit die offizielle Vertreterin von Kensustria. Was haltet Ihr davon?«

»Das ist zu viel der Ehre, hoheitlicher Kabcar«, versuchte sie abzulehnen, aber Lodrik wischte ihren Einwand mit einer Armbewegung zur Seite.

»Ich dulde in dieser Sache keinen Widerspruch. Ihr sollt sehen, dass ich in keinster Weise nachtragend bin. Denn eigentlich kann man Euch für Euer Engagement, mich beseitigen zu wollen, keinen Vorwurf machen. Hätte der Mönch tatsächlich mit seiner falschen Auslegung Recht behalten, stünde ganz Ulldart in Eurer Schuld. Wenn es Euch gelungen wäre. Da dem aber in beiden Fällen nicht so ist und Ihr rechtzeitig Euren Irrtum eingesehen habt, soll es vergeben und vergessen sein.«

»Was habt Ihr eigentlich nach der Hochzeit vor?«, fragte Stoiko interessiert. »Es muss doch einen Grund gegeben haben, weshalb Ihr unser schönes Reich besucht. An der guten Luft und an den warmen Temperaturen wird es ja wohl kaum liegen, nicht wahr?«

Belkala lachte. »Da habt Ihr ganz Recht. Ich möchte den Glauben meines Gottes verbreiten.«

»Na, dann viel Erfolg«, entfuhr es Waljakov. Alles schaute ihn an. »Ich meine, es wird nicht einfach sein, in Tarpol die Lehren eines kensustrianischen Gottes zu verbreiten. Ihr seht zudem für die einfachen Bauern zu, mit Verlaub, seltsam aus.«

»Unser Waljakov, immer wieder ein Beispiel an Geradlinigkeit«, feixte der Vertraute und hob seine Tasse. »Nehmt es ihm nicht übel, Belkala, er sagt immer, was er denkt.«

»Ich wurde bereits von Nerestro gewarnt, dass es nicht einfach sein wird«, erwiderte sie. »Aber Sendboten, die Unbekanntes bringen, haben es überall schwer.«

»Das trifft sogar auf mich zu«, nickte Lodrik. »Ich weiß, was es heißt, Unbekanntes und dazu noch Unliebsames zu verkünden. Aber ich habe den Vorteil, dass ich der Kabcar bin. Ihr dürft Euch nun zurückziehen, wir müssen noch einige Dinge wegen der Hochzeit regeln.« Für einen Moment stutzte er. »Wo ist eigentlich Euer Bart geblieben, Nerestro?«

Der Mann wurde zuerst rot, dann weiß im Gesicht. »Ein bedauerlicher Unfall. Ich rede nicht gerne darüber, hoheitlicher Kabcar.«

Belkala erhob sich, verneigte sich und verließ zusammen mit dem Ritter das Teezimmer.

»Ich habe da so allmählich eine Ahnung, dass Matuc nicht der Einzige war, der die Vision auch anders deutete«, eröffnete Stoiko. »Der erste Attentäter, der in Granburg auftauchte, ihr erinnert euch? Die dortigen Adligen konnten ihn nicht angeheuert haben, weil der zeitliche Ablauf nicht stimmte.«

»Und ein Tzulani war er ebenfalls nicht«, steuerte der Leibwächter zu den Überlegungen bei.

»Und daraus ergibt sich, dass der Assassine vermutlich von Dritten geschickt wurde, die ebenfalls an die andere Auslegungsweise der Vision glauben«, schloss Lodrik nachdenklich. Ein ungeheuerlicher Verdacht breitete sich lautlos bei den Anwesenden aus.

»Nur reiche Menschen können sich einen solchen Mörder leisten«, grübelte Norina.

»Der Ulldraelorden ist reich«, sprach Waljakov aus, was alle dachten. »Der Obere oder zumindest der Geheime Rat kannte den Wortlaut ebenso gut wie Matuc, nehme ich an.«

»Wir haben da einen ganz unheiligen Gedanken, liebe Freunde«, sagte Stoiko unangenehm berührt. »Das kann nicht sein.«

»Ich fasse es nicht«, rief der Kabcar und schlug mit der Faust auf die Lehne. »Diese Heuchler! In der Kathedrale machen sie mich zum Herrscher Tarpols, aber in Granburg hetzen sie mir einen Assassinen auf den Hals. Wenn wir Beweise hätten …«

»Nicht nur in Granburg, Herr«, unterbrach ihn der Hüne. »Der Armbrustschuss bei der Krönung, der den Mönch in den Arm traf, geht ebenso auf das Konto des Ordens, wenn Ihr mich fragt. Für die Wachen verbürge ich mich. Für die ganzen Robenträger, die dort oben waren, nicht.«

»Also hatte Nerestro beim Bankett mit seiner Vermutung Recht«, flüsterte Lodrik. »Nun macht das Verhalten des Geheimen Rates auch einen Sinn, wenn er denkt, ich sei lebend eine Gefahr für den Kontinent.« Er sprang auf und wanderte aufgeregt im Raum umher. »Ich muss sie durch Taten vom Gegenteil überzeugen. Und ich werde dem Oberen sofort einen Brief schreiben, der sich gewaschen hat.«

»Hoffen wir, dass es funktioniert«, murmelte Waljakov. »Ich rate ab, sich vorerst mit den Mönchen in einen Raum zu begeben.«

Der junge Mann blieb vor Norina stehen und umarmte sie. »Ich wünschte, ich wäre wieder Gouverneur in Granburg.« Sie schlang die Arme um ihn und drückte ihn ganz fest. »Warum hast du vorhin eigentlich gegen den Sessel getreten? Ich wollte Belkala doch nur erzählen, dass du an ihrem leeren Grab vorüberkamst.«

Seine Geliebte lächelte schwach. »Es war mir aber nicht recht. Ich fand es etwas unpassend, das war alles.«

»Wirklich, Herrin?«, fragte Waljakov. Seine grauen Augen forschten nach einem Hinweis auf Unwahrheit in ihrem Gesicht. Er hatte ihre Beklemmung bei der Anwesenheit der Kensustrianerin nicht vergessen. »Wenn Ihr noch mehr sagen wollt, tut es.«

»Nein, wirklich, es ist nichts.« Sie schüttelte den Kopf. »Nur ... es waren bestimmt ihre spitzen Eckzähne, die mich etwas befremdeten. Und ihre Haare. Sie haben mich an irgendetwas erinnert. Es ist aber nicht so wichtig.«

»Schön«, sagte Stoiko und klatschte in die Hände. »Lasst uns dann den Brief an den Oberen verfassen und weiter in der Planung für die Hochzeit fortfahren. Wir haben ja nun einen Gast mehr an der Tafel. Wir sind das erste Land, dass einen Menschen aus Kensustria bei einer offiziellen Feier am Tisch hat, wisst ihr das? Da platzen einige Herrscher vor Neid.«

»Hoffentlich beginnt Arrulskhán damit als Erster, dann wären wir die Sorgen mit Borasgotan los«, knurrte der Leibwächter, und alle mussten lachen.

Nur Norinas Gelächter klang nicht ganz echt. Sie wusste sehr gut, wo sie die grünen Haare der Priesterin schon einmal gesehen hatte, und das gefiel ihr überhaupt nicht. Und auch die Morde in Ulsar erschienen für sie mit ein wenig Fantasie in einem völlig neuen Licht.

»Das ist doch sehr gut für uns verlaufen«, meinte Nerestro und zeigte Belkala ihre Unterkunft. »Von nun an sind wir beide immer in der Nähe des Kabcar.« Leicht berührte er sie an der Schulter, damit sie sich zu ihm umdrehte. »Nun ist es an mir, um Verzeihung zu bitten.«

»Dafür, dass Ihr mir Euer Schwert durch den Hals gerammt habt?«, fragte sie kühl. »Oder dass Ihr mich mit Euren Armbrustbolzen gespickt habt, edler Ritter? Ihr redet nun wieder ganz vornehm zu mir.« Sie ging ein paar Schritte in den Raum hinein und drehte sich einmal um die eigene Achse. Leicht schwang der Stoff der Robe nach, als sie stehen blieb. »Als ich Euch vor zwei Tagen wieder aufsuchte, habt Ihr mir diese Kleidung geschenkt. Das war sehr nett, aber nicht notwendig.«

»Die tarpolische Tracht stand Euch nicht«, erklärte der Ritter etwas verlegen. »Belkala, ich bitte Euch, ich war verwirrt damals in der Seitengasse. Ich nahm an, Ihr wäret tot und ein Spuk hielte mich zum Narren. Ihr benahmt Euch auch irgendwie seltsam. Umso mehr freut es mich, dass ihr lebendig vor mir steht. So schön wie eh und je.«

Sie atmete langsam aus und kam auf ihn zu. Das Bernstein ihrer Augen leuchtete auf. Trotzdem hatte Nerestro das Gefühl, dass es eine Spur zu grell und zu gelb schimmerte.

»Ihr könnt Euch vorerst Eure Schmeicheleien sparen. Ich vergebe Euch Euer Verhalten. Aber vergessen werde ich es noch nicht. Wenn Lakastra nicht seine schützende Hand über mich gehalten hätte, wäre ich dank Eurer aldoreelischen Klinge zurück ins Grab gefahren, Nerestro.« Sie deutete zur Tür. »Und nun geht und versucht, den Mörder zu fangen, bevor er die ganze Stadt ausrottet. Ich wünsche Euch viel Glück.«

»Ich …«, setzte er an, doch die Kensustrianerin

wandte sich ab. Der Ritter verbeugte sich unsicher und verließ ihre Unterkunft.

»So leicht bekommst du mich nicht«, sagte die Priesterin leise, als sie hörte, dass die Tür sich schloss. »Du wirst erst noch ein wenig zappeln müssen, mein lieber Krieger. Dafür wird der Lohn umso süßer sein.«

Ulldart, Königreich Ilfaris, Herzogtum Turandei, Königspalais, Winter 442/443 n. S.

»Ja, was haben wir denn da?«, sagte König Perdór in freundlichstem Tonfall und beugte sich etwas herab, um besser unter den Kartentisch sehen zu können. »Das ist ja eine einsame Praline. Wo kommst du denn her?« Mit Daumen und Zeigefinger fasste er sie an und hob sie vor die Augen. »Du siehst aus wie neu, meine Kleine.«

Genüsslich schob das Staatsoberhaupt von Ilfaris seinen Fund in den Mund. Etwas abwartend hielt er die Süßigkeit auf der Zunge, bevor er sie ganz langsam zerbiss und auf den sich einstellenden Geschmack wartete. Intensives Orangenaroma verteilte sich in seinem Rachen. »Mh, eine ›wärmende Wintersonne‹. Und sie schmeckt immer noch vorzüglich. Das nenne ich Qualität.«

»Majestät, esst Ihr etwa immer noch gefundene Pralinen?«, rügte ihn Fiorell und ließ die Schellen seiner Narrenkappe laut klingeln.

»Es wäre eine Schande, einen solchen Genuss verkommen oder im Magen eines Hundes enden zu lassen«, rechtfertigte sich der betagte Mann und stand auf, um nach seinem Hofnarr zu sehen. »Kannst du mir sagen, wie es dir gelingt, trotz Glöckchen lautlos in den

311

Raum zu kommen? Ich hätte mich zu Tode erschrecken können.«

»Keine Angst, Majestät«, sagte der drahtige Hofnarr und hüpfte mit ein paar Sprüngen die lange Leiter hinauf, die am obersten Regal des Bücherschranks angelehnt war. »Euer Herz lässt sich durch nichts aus der Ruhe bringen. Wer solche Mengen an Pralinen, Konfekt, Kuchen und anderem Süßen übersteht, der stirbt so leicht nicht.«

»Du wirst einen Grund haben, mich in meinem Arbeitszimmer aufzusuchen, nehme ich an?« Er deutete auf die Karte. »Haben wir neue Kunde über die borasgotanischen Freiwilligen? Wo haben sie ihre Lager aufgeschlagen?«

»Majestät, der Bote hat sich sehr beeilt, um Euch Neues berichten zu können.« Mit einem Satz kam Fiorell zurück auf den Boden, machte eine Rolle vorwärts und stand genau neben seinem König, dem er eine Lederrolle in die Hand drückte. »Bitte sehr.« Dann ließ er sich auf alle Viere nieder und schnüffelte laut. »Wollt Ihr Euch nicht zu mir gesellen? Wir könnten gemeinsam auf die Suche gehen. Wenn ich noch eine Praline gefunden habe, Majestät, belle ich nach Euch.«

Perdór schnalzte missmutig mit der Zunge. »In den vielen Jahren, in denen ich mich über deine Späße freue, habe ich dich nicht einmal züchtigen lassen, wenn du über die Stränge schlugst. Ich denke, ich sollte das einmal ändern.« Die grauen Locken seines Bartes wippten leicht. »Du bist mir ein Kerl.« Er öffnete die Pergamenttasche und entrollte das Dokument.

Wie eine Sprungfeder war Fiorell in die Höhe und neben ihn geschnellt. Er imitierte den ernsten Ausdruck im Gesicht des Königs und rümpfte etwas die Nase, wie es der König zu tun pflegte, wenn ihm etwas missfiel. »Wer hätte denn das gedacht?«, sagte der Herrscher leise.

Der König von Ilfaris kraulte sich den lockigen Bart, dann ließ er die Nachricht sinken und stellte eine Reihe von kleinen bunten Holzmännchen auf die große Karte vor sich. »Arrulskhán scheint ja einiges vorzuhaben, wenn ich mir das so ansehe. Die Ansammlung von inzwischen fünftausend Freiwilligen ist schon eine stattliche Armee. Jedenfalls für die Verhältnisse auf Ulldart, oder?«

Der Spaßmacher nickte, dass die Glöckchen klangen. »Gut verteilt an der Grenze zur Provinz Granburg. Das ist etwas sehr auffällig, wie ich finde. Offensichtlicher kann man nicht mehr drohen.«

»Arrulskhán war noch nie sehr feinfühlig«, erinnerte ihn Perdór. »Es scheint, als interessiere ihn die Rückgliederung der unabhängigen Baronie Jarzewo nicht mehr sonderlich. Aber wenn er Tarpol wirklich angreifen wollte, warum macht er es dann nicht entlang der gesamten Grenzlinie?« Er tippte auf die eingezeichnete Provinz Worlac. »Warum, wenn er einen Krieg beginnen möchte, spart er sie aus?«

»Überlegen wir mal, welche Gründe das haben könnte«, regte Fiorell an. »Wer weiß denn heute noch, wie ein echter Feldzug geführt wird? Überlegt einmal, Majestät. Seit mehr als einhundert Jahren gab es keine Schlachten mehr. Scharmützeleinheiten sind gut und schön, aber es sind kleine Gruppen. Und in den Garnisonen sitzen Soldaten, die sich hin und wieder mit Räubern oder Sumpfbestien herumschlagen müssen. Es wäre schön, wenn Ulldart verlernt hätte, Kriege zu führen.«

»Glaubst du daran, mein lieber Fiorell?« Skeptisch wiegte der König sein graues Haupt. »Es gibt genügend Handbücher und Abhandlungen, die Anleitung geben.«

»Zumindest in der Theorie«, warf der Hofnarr ein. »Und der Herrscher von Borasgotan mag vieles sein,

313

aber gewiss kein belesener Mann. Von seinen Beratern hört man Ähnliches.«

»Also ist die Ansammlung entlang Granburgs lediglich auf die Unerfahrenheit zurückzuführen? Ich glaube aber nicht wirklich daran.« Nachdenklich standen sie in gleicher Pose vor der Karte. »Wir dürfen nicht den Fehler machen, ihn zu unterschätzen. Wissen wir etwas über die Unabhängigkeitsbewegung in Worlac?«

»Sicher doch.« Der Narr eilte mit ein paar Sprüngen zu einer Blattsammlung, die er seinem Herrn überreichte. »Alle geschnappt und eingesackt, meldete der Gouverneur dem neuen Kabcar. Wenn das mal nicht ein Erfolg ist.«

»Auch so eine Sache, die ich anzweifele. Ich brauche aber zunächst etwas Inspiration.« Perdór zog die Klingelschnur und orderte ein Dutzend Pralinen, etwas Kleingebäck sowie eine Kanne besten Shabb. Shabb war eine agarsienische Ware, direkt aus Übersee. Man brühte ein dunkles Pulver mit heißem Wasser auf und erhielt eine stark riechende, bittere Flüssigkeit, die aber den Verstand hellwach machte.

Genussvoll machte er sich über vier Stück Konfekt her, knusperte etwas von den Keksen und schlürfte eine Tasse des anregenden Getränks.

Fiorell jonglierte derweil mit fast allem, was er im Arbeitszimmer des Königs fand. Nichts war vor seinen Künsten sicher, selbst die zerbrechlichsten Sachen hielt er in der Luft, ohne sie fallen zu lassen. Ab und zu stibitzte er ein Plätzchen, was ihm einen bösen Blick Perdórs einbrachte.

»Nun ist es genug«, verkündete das Oberhaupt von Ilfaris. »Ich spüre, wie mich neue Kraft durchströmt.«

»Es könnte natürlich auch der viele Zucker sein, der in Euren Adern knirscht«, meinte der Spaßmacher und machte einen Handstand, wobei er nur einen Arm benutzte. »Ein wenig Bewegung würde Euch nicht schaden.«

»Du bewegst dich für mich mit, das reicht aus«, sagte Perdór huldvoll. »Wenn ich Bewegung bräuchte, würde mir das mein Körper sagen. Und ich höre nichts. Zurück zu den wichtigen Dingen.« Er schnalzte wieder mit der Zunge. »Übrigens war es eine bodenlose Schlamperei, dass wir von der Charade, die der Tadc so erfolgreich in Granburg vollführte, nichts erfuhren. Wir müssen blind gewesen sein, das kleine Schauspiel nicht zu durchschauen, nicht wahr? Wir werden in Zukunft all unsere Gedanken zusammennehmen, wenn uns etwas seltsam erscheint, Fiorell. Gerade jetzt, wo die Situation so interessant wird. Das Volk in Tarpol mag den neuen Kabcar zumindest.«

»Die Adligen und Brojaken mögen ihn auch. Aber am liebsten unter der Erde«, fasste der Narr zusammen und kam wieder an die Seite seines Königs. »Es weht ein Frühlingslüftchen in Tarpol, und das mitten im Winter.«

»Das Lüftchen wird aber von Hustraban und Borasgotan als Schwäche ausgelegt, wenn ich die Lage richtig einschätze«, ergänzte Perdór. »So lange der Kabcar sich nicht endgültig gegen seine Gegner mit einem Machtwort durchgesetzt hat, werden die Reiche den jungen Mann nicht ernst nehmen. Aber wir nehmen ihn ernst, immerhin strengt er sich an, sein Volk glücklich zu machen. Nach Dunkler Zeit sieht mir das im Moment nicht aus.«

»Man sollte Arrulskhán beseitigen«, meinte Fiorell bedächtig. »Er ist im Moment die größte Gefahr für den Kontinent, wie ich finde. Und die anderen beiden, die Zitronenfresserin und die Halsabschneider.«

»Ich vermute, du meinst unsere geschätzte Nachbarin Alana die Zweite und die ehrenwerten Händler Palestans?«, sagte der König amüsiert. »Sie erhoffen sich eine schnelle Münze von ihrer Drohung gegen die Kensustrianer. Aber da werden sie sich die Zähne ausbeißen. Es erstaunt mich, dass Alana dabei mitmacht.«

»Das Gold hat sie geblendet, vermute ich einfach.« Der Hofnarr versuchte eine Erklärung zu finden. »Niemand, der einigermaßen bei Verstand ist, bedroht die Langzähne. Alanas Gatte mag ja einen mächtigen Vater haben, aber die beiden Reiche werden sehr bald merken, dass sie sich gewaltig überhoben haben. Was mir nicht gefällt, wenn ich die Karte so betrachte: Wenn tatsächlich ein Krieg ausbricht, liegen wir mitten zwischen Tersion und Kensustria.«

»Ich gebe zu, das beunruhigt mich ebenfalls etwas«, stimmte Perdór zu. »Wir werden die Diplomatie in Person sein. Aber in einem Punkt werde ich hart bleiben und Alana das Durchmarschrecht nicht gestatten, denn das wird das Erste sein, um was mich Tersion bittet. Sollen sie sich ihre Schiffe gegenseitig versenken, durch mein Reich läuft mir kein Bewaffneter.«

»Was schenken wir eigentlich dem jungen Paar?« Fiorell kehrte gedanklich nach Tarpol zurück. »Die Hochzeitseinladung ist eingegangen, wir sollten uns also ein schönes Präsent ausdenken.«

»Ich wüsste schon etwas.« Der ilfaritische König lächelte plötzlich. »Lass Abschriften der borasgotanischen Aufstellungen und der Orte machen, an denen sich die Freiwilligen aufhalten. Ich werde dem Paar eine Torte backen, die es im wahrsten Sinne des Wortes in sich hat.« Er verschränkte die Arme vor der Brust. »Und hetze alle Spitzel los, die wir in der Provinz Worlac haben. Sie sollen kontrollieren, ob in letzter Zeit viele Menschen aus Borasgotan eingewandert sind. Ich fürchte beinahe, Arrulskhán ist nicht ganz so dämlich, wie wir alle lange Zeit gedacht haben. Diesen Erfolgsmeldungen des worlacischen Gouverneurs an den

Kabcar traue ich so weit, wie ich eine von meinen Pralinen werfen würde.«

»Ihr könntet doch niemals ein Stück Eures Konfekts von Euch schleudern«, sagte der Narr erstaunt.

»Eben«, murmelte Perdór listig, »eben.«

Es klopfte, und ein Diener trat ein, auf einem Tablett drei winzig klein zusammengefaltete Papierstreifen. »Majestät, neuste Kunde von unseren Spionen aus dem Norden. Und eine aus der Nachbarschaft.«

»Das ist ja wie bestellt.« Fiorell klatschte in die Hände, nahm die hauchdünnen Zettel und reichte sie dem König, der sie eilig, aber vorsichtig entfaltete.

»Wir sollten unseren Nachrichtendienst endlich auf Adler umstellen«, kommentierte der Hofnarr die Bemühungen Perdórs. »Die Vögel könnten mehr schleppen als die schwächlichen Brieftauben.«

»Brieftauben haben aber den Vorteil, dass man sie besser zubereiten kann, nachdem sie ihren Flug hierher geschafft haben«, widersprach der König.

Endlich lagen die Papiere offen, hieroglyphenhafte Zeichen wurden sichtbar, die der Herrscher aber mit Leichtigkeit übersetzen konnte. Alle wichtigen Botschaften wurden auf diese Weise verschlüsselt, damit kein anderer als ein Mitglied des Geheimdienstes den Inhalt entziffern konnte.

»Das ist aber interessant«, sagte Perdór nach einer Weile. »Die borasgotanischen Freiwilligen haben sich auf ein Drittel reduziert. Aber wo sind sie abgeblieben?«

»In Worlac?«, schlug Fiorell vor. »So, wie Ihr es vermutet?«

»Das sollten wir schleunigst herausfinden. Ich will, dass mein Geschenk an den Kabcar so eindrucksvoll wird wie möglich«, befahl der Herrscher, bevor er den zweiten Zettel zur Hand nahm und ihn überflog. »Sieh an. Es sind kensustrianische Diplomaten in Ulldart unterwegs. Es wurden Gesandtschaften nach Hustraban, Serusien, Aldoreel und Agarsien ausgeschickt. Eine weitere ist auf dem Weg hierher.«

»Suchen sich die Langzähne etwa Verbündete gegen Tersion und Palestan?«, wunderte sich der Hofnarr. »Sollten wir die Kampfkraft ihrer Krieger unterschätzt haben?«

»Ich weiß es nicht. Es gelingt mir nicht, auch nur einen einzigen Spitzel länger als einen Monat in ihrem Reich einzuschleusen, der erfolgreiche Arbeit leisten würde«, sagte der König. »Wir können aber gespannt sein, was die Botschafter von uns wollen. Sie müssten wissen, dass wir die Friedlichsten von allen Reichen sind.« Er las auch die letzte Mitteilung, die aus Tarpol stammte. »Von wegen zufälliger Einsturz«, lachte er ungläubig auf, »diese Ulldrael-Oberen haben die Kathedrale absichtlich eingerissen.«

»Welchen Hintergrund mag das wohl haben?«, grübelte sein Spaßmacher. »Zwar ging bei der Krönungszeremonie einiges durcheinander, und über göttliche Zeichen konnte man sich wahrlich nicht beschweren, aber weshalb verwandeln sie eines der schönsten Gebäude des Kontinents in einen Haufen Schutt?«

»Auch das werden wir herausfinden.« Der Herrscher nahm sich die letzte Praline und schloss genießerisch die Augen. »Suchen wir doch mal ein wenig in der Legende. Vielleicht entdecken wir in der Ordenschronik einen Hinweis. Welch ein Glücksfall, dass wir in den Besitz einer Abschrift gelangen konnten, nicht wahr? Wo das Buch doch so streng geheim ist.«

Er goss sich eine Tasse Shabb ein, biss ein Stückchen eines Kekses ab und setzte sich an sein schweres Arbeitspult. »Es gibt mir im Moment eindeutig zu viel Geheimniskrämerei auf diesem Fleck Erde. Und wir beide werden versuchen, einige von den Vorgängen einleuchtender zu machen.« Perdór deutete auf die kostbare Porzellankanne. »Nimm dir einen Becher, lieber Fiorell. Den Schlaf kannst du heute getrost vergessen. Und lass das Abendessen hierher bringen, wir haben zu tun.«

Nachdenklich ging er zu dem langen Regal, stieg ein paar Sprossen der Leiter hinauf und nahm sich eine Sammlung von vergilbten Blättern herunter. »Die müssen wir unbedingt neu abschreiben lassen«, sagte der König und verzog das Gesicht. »Sonst zerbröckelt mir das Wissen in den Händen.«

»Was ist denn das?«, wollte der Hofnarr wissen und kam neugierig näher. »Ach? Aufzeichnungen über Verträge und Abkommen zwischen den Reichen?«

»Genau, mein Bester. Und da werde ich mal eben nachsehen, auf wen sich Tarpol im Notfall verlassen könnte.« Perdór summte eine Melodie vor sich hin, während seine Augen suchend über die Zeilen huschten. »Da haben wir es ja. Tarpol hat vor dreizehn Jahren einen Militärpakt mit Tûris geschlossen. Ältere Verträge bestehen mit den Baronien Kostromo und Bijolomorsk. Es scheint, als wäre der alte Bardri¢ vorsichtiger gewesen, als ich annahm.«

»Den Nichtangriffspakt mit Borasgotan kann der junge Kabcar getrost in der Pfeife rauchen«, lachte Fiorell, der eine Zeile weitergelesen hatte. »Oder in einem Keks essen, wenn ihm das lieber ist.«

»Das ergibt aber ein völlig neues Bild.« Das Oberhaupt von Ilfaris knetete seine Unterlippe. »Wenn Arrulskhán wirklich einen Krieg beginnen würde, wovon ich inzwischen fast ausgehe, macht er sich eines doppelten Vertragsbruchs schuldig. Keine gute Ausgangslage für eine spätere Entschuldigung oder eine fadenscheinige Begründung, wie ich finde.«

Der Hofnarr nahm eine übertriebene Denkerpose ein. »Habe ich schon einmal erwähnt, dass Arrulskhán wahnsinnig ist? Könnte es nicht sein, dass es ihm in diesem Fall völlig gleichgültig wäre?« Er machte einen eleganten Hüpfer auf die unterste Sprosse der Leiter, senkte seine Stimme zu einem dumpfen Grollen, symbolisierte einen Schnurrbart mit Hilfe zweier Lakritzstangen und zog die Augenbrauen zusammen. »Wir gehen heute auf Wildschweinjagd«, ahmte er den polternden Tonfall des borasgotanischen Herrschers nach. »Und wenn wir keine Keiler finden, dann stecken wir eben ein paar Dörfler in Schweinehäute und erlegen die.« Sorgsam legte er die Süßigkeiten wieder zurück. »Majestät, diesem Mann traue ich alles zu. Er hat einen kompletten See ablaufen lassen, nur um zu sehen, wo denn sein Ring geblieben ist, der ihm bei einer Bootsfahrt über Bord ging, erinnert Euch. Dass er damit drei Dörfer trockengelegt hat, störte ihn wenig, ganz zu schweigen von der Wasserflut, die sich in fruchtbare Ebenen ergoss.«

»Je mehr ich darüber nachdenke, desto sicherer werde ich, dass wir ihm, wenn überhaupt, die Rückkehr der Dunklen Zeit verdanken werden«, grummelte Perdór beunruhigt. »All diese Überlegungen machen unser Geschenk noch wichtiger für den Kabcar.«

»Es wird ein großer Erfolg werden, Majestät.«

**Ulldart, Königreich Tûris,
Winter 442/443 n. S.**

Das Gasthaus der ontarianischen Handelsgilde, in dem sich Hetrál der Meisterschütze eine Unterkunft gesucht hatte, war eine der Herbergen, in denen sich neben Reisenden auch solche Männer trafen, die von der Kopfprämie, die das Reich auf die Sumpfbestien ausgesetzt hatte, lebten. Meistens schlossen sie sich in

Gruppen zwischen fünf bis sieben Kämpfern zusammen, um gemeinsam auf die Ungeheuer aus den Mooren Jagd zu machen. Es war eine gefährliche Tätigkeit, und nicht wenige verloren dabei ihr Leben.

Hetrál war vor vielen Jahren in Tûris wegen der Erfolge und Abschüsse, die er erreichte, eine Legende gewesen. Nachdem er aber quer durch Ulldart zog, geriet sein Gesicht schnell in Vergessenheit. Jüngere Helden hatten seine Aufgabe übernommen und waren berühmt geworden, den Meisterschützen hingegen kannten nur noch wenige Leute im Königreich, das vor vielen Jahrhunderten Sinurestan geheißen hatte und die Heimat von Sinured dem Tier gewesen war.

Der von Tzulan zum Bösen verführte Kämpfer hatte die Dunkle Zeit auf Ulldart eingeleitet und viele Jahre lang eine Schreckensherrschaft geführt, bis das Geeinte Heer ihn mit Hilfe Ulldrael des Gerechten vernichtete. Durch einen tapferen rogogardischen Admiral wurde das Flaggschiff von Sinured auf der Flucht versenkt, der grausame und abartige Herrscher mit Pfeilen im Leib auf den Grund des Meeres geschickt. Seit dieser Zeit hieß das Reich nicht mehr Barkis, wie vor Sinureds Zeit, sondern Tûris, benannt nach dem Rogogarder.

Die Turîten erhielten sich ihre scheinbar angeborene Kampfeslust, nicht zuletzt wegen der ständigen Bedrohung durch die Sumpfbestien, gegen die man sich immer wieder zur Wehr setzen musste. Aus den kleineren und größeren Moorflächen heraus, in denen die Kreaturen lebten, starteten die Bestien ihre Überfälle, beeinträchtigten den Handelsverkehr und machten selbst die ertragreiche Feldarbeit zu einer gefährlichen Angelegenheit.

Infolgedessen war es in Tûris jedem Mann gestattet, ein Kurzschwert zu führen, um sich verteidigen zu können. Selbst Frauen und Kinder wussten, wie man aus einer Hacke, einer Sense oder einer Sichel ein tödliches Instrument machte. Scheinbar hatte Ulldrael das Reich als Buße für seine Vergangenheit mit den vielen Sümpfen und Bestien versehen, um die Menschen für die Gefolgschaft zu Sinured dem Tier zu strafen.

Hetrál, der seine Lederrüstung vorsorglich zum besseren Schutz mit kleinen Metallplättchen versehen hatte, befand sich auf dem Rückweg von seinem Heimatdorf nach Tarpol.

Seine Schwester hatte ihm eine Botschaft zukommen lassen, in der sie um seine Hilfe als Bestienjäger bat. Eine besonders wilde Horde der Geschöpfe bedrohte die Bewohner der Siedlung, alle angeheuerten Männer hatten versagt oder wurden selbst Opfer der Wesen.

Dem Meisterschützen gelang es mit viel Wissen über Fallen und ein paar guten Schüssen, die Sumpfbestien zu vernichten. Etwas gewundert hatte er sich über die ungewohnte Hartnäckigkeit der Kreaturen, die zu seinem Erstaunen bis zum letzten Atemzug ihrer schrecklichen Körper kämpften, anstatt wie sonst üblich die Flucht zu ergreifen. Eine Erklärung für das veränderte Verhalten hatte er nicht.

Nach einem rauschenden Fest ihm zu Ehren machte sich der stumme Turît per Pferd auf den Weg zurück an den tarpolischen Hof, um dem jungen Kabcar beizustehen. Nun rastete er in der Nähe der ehemaligen Hauptstadt Sinureds, die mittlerweile die »Verbotene Stadt« genannt wurde, weil niemand ihre Ruinen betreten durfte.

Der jahrhundertealte Erlass, um zu verhindern, dass sich Tzulani in den Resten eine neue Bleibe einrichteten, musste nicht erneuert werden, denn kein Mensch wagte sich in diese Gegend.

Auf seltsame Art und Weise waren rund um die Reste der einst eindrucksvollen Gebäude, Statuen und Paläste große Sümpfe entstanden, deren giftige Gase einen Mann innerhalb von wenigen Lidschlägen zu töten vermochten. In den dichten Wäldern, deren Bäume sich bis in die Ruinen erstreckten, trieben Bestien und besonders üble K'Tar Tur ihr Unwesen.

Daher glich das Gasthaus auch mehr einer kleinen Festung als einer Herberge. Massive Steinquader sorgten dafür, dass die Mauern des Hauses einem Ansturm standhielten, Palisaden und ein Dutzend Wachen boten zusätzliche Sicherheit. Die ontarianischen Kaufleute, die den Landhandel in Tûris fast vollständig in ihrer Hand hielten, hatten ihre Pferdewechselstation gut ausgebaut und gerüstet. Dafür verlangten sie von Reisenden einige Batzen, wenn man hier Zuflucht erhalten wollte. Da sich der Meisterschütze nicht in Geldnöten befand, gönnte er sich den Luxus.

Zufrieden und satt saß er in der Schankstube, legte die Füße am Kamin hoch und hielt die Augen geschlossen, während er auf die Gespräche seiner Umgebung lauschte. Die acht noch sehr jungen Männer neben ihm schienen sich auf eine nächtliche Jagd vorzubereiten. Und sie wollten ganz in die Nähe der »Verbotenen Stadt«.

»Die Wachen der Handelsstation haben gesagt, dass sich dort wieder mehr von dem Bestienpack herumtreiben würden. Nachts lagerten sie mit ihrem Rudel in der Nähe der Stadt. Wir können sie uns in aller Ruhe vornehmen«, versuchte der Anführer sie seit einer ganzen Weile zu überzeugen. »So nahe an der Stadt rechnen sie nicht damit, dass sie von Jägern gestellt werden.«

»Ich bin doch nicht wahnsinnig«, verwarf ein Zweiter den Vorschlag. »Diese Biester sehen trotz Dunkelheit viel besser als wir.«

»Aber sie wissen nicht, dass wir kommen«, unterbrach ihn der erste Sprecher. »Wir haben die Überraschung auf unserer Seite. Was ist? Wollt ihr unsere Gelegenheit verschlafen wie der alte Mann da neben uns?«

Jetzt öffnete Hetrál die braunen Augen und sah den Sprecher an.

»Was ist, du Schlafmütze?«, sagte der Mann sofort und versuchte, in seinem kurzen Kettenhemd eindrucksvoll und einigermaßen einschüchternd zu wirken. »Hast du gehört, über was wir reden, und willst mitkommen?«

Der Meisterschütze schüttelte den Kopf, leise klingend schlugen die vielen Goldkreolen aneinander, und er machte eine abfällige Geste, um zu zeigen, was er von dem Vorhaben hielt.

»Wer nicht will, der hat schon«, meinte der Anführer und zuckte mit den Schultern. »Du wirst uns beneiden, wenn wir mit einem Dutzend Köpfe wieder erscheinen. Oder hast du Angst?«

»Lasst ihn in Ruhe«, meldete sich der Wirt zu Wort. »Der Mann ist stumm.«

»Ein Krüppel also«, lachte der Mann rau. »Ich weiß, wie das passiert ist. Du hast eine Bestie gesehen und vor lauter Schreck die Zunge verschluckt.« Seine Begleiter wieherten los. »Oder hast du sie sogar abgebissen?«

Hetrál war sich zu schade, um auf die Provokation einzugehen, und blieb ruhig an seinem Platz. Er bewegte nicht einmal die Füße.

Der andere erhob sich etwas enttäuscht, rückte sein Wehrgehänge zurecht und schlug auf den Tisch. »Los, wir gehen. Ich verspreche euch, noch heute Nacht werden Köpfe rollen.«

Ein Lächeln huschte über das Gesicht des Stummen. Diesmal war er mit dem Aufschneider einer Meinung.

Als die Gruppe den Gastraum verließ, machte sich Hetrál mit ein wenig Abstand an die Verfolgung. Er war neugierig, wie die Sache für die Jäger enden würde. Und einen Blick in die ehemalige Hauptstadt Sinureds zu werfen, was er als Jäger früher im Auftrag des

Königs öfter getan hatte, konnte nichts schaden. Vielleicht bekam er eine Erklärung für die Hartnäckigkeit der Bestien.

Pashtak verstaute das kleine, tote Kaninchen, dass er nach zäher Suche und langer Warterei vor dem Bau erlegt hatte, in dem groben Leinensack und hängte ihn an seinen Gürtel. Langsam erhob er sich. Gerade eben hatte er einen Geruch wahrgenommen, der ihn alarmierte. Er witterte das Scheußlichste, was einem begegnen konnte: Menschen.

Zuerst wollte er seiner Nase nicht glauben, denn dass sich die ängstlichen Wesen in die Nähe der Ruinen wagten, schien ihm unmöglich. Und dennoch trug ihm ein sanfter Wind erneut die Ausdünstungen eines Menschen zu, der sich seit langer Zeit nicht mehr gewaschen und Wein getrunken hatte. Er war nicht allein, andere waren bei ihm.

Er durfte die Männer keinesfalls auf das Lager aufmerksam machen, das ganz in der Nähe war. Dort hatten sich zahlreiche Frauen und Kinder versammelt, die den mit Sicherheit waffenstarrenden Menschen eine willkommene, einfache Beute wären. Unter ihnen befanden sich auch seine Gefährtin, Shui, und die drei Kinder. Vor rund einem Jahr war er aus einem unerklärlichen Drang hierher gekommen und hatte festgestellt, dass er nicht der Einzige seiner Art war, dem es so erging.

In Scharen versammelten sich seine Artgenossen aus allen möglichen Reichen in den Trümmern, um sich zu paaren, Gemeinschaften zu schließen oder Rangkämpfe auszutragen.

Keiner verspürte den Wunsch, die Ruinen wieder zu verlassen. Und es wurden immer mehr, sodass die Tiere in der Umgebung allmählich knapp wurden.

Pashtak fand sein Glück direkt nach seiner Ankunft

bei Shui und zeugte drei Kinder mit ihr, die sie gemeinsam erzogen. Nun schien es, als sei er bei seiner Suche nach Nahrung unvorsichtig geworden.

Er schlenderte über eine kleine Lichtung und hielt die gelben Augen offen, deren Pupillen rubinrot im Licht der Monde funkelten. Jeder Muskel seines behaarten, kräftigen Körpers war gespannt, die Sinne arbeiteten aufmerksam wie noch nie. Sein Herz schlug wesentlich schneller als sonst.

Ein leises Knirschen verriet ihm, dass einer der Menschen die Sehne seines Bogen spannte und sich zum Schuss bereit machte.

Pashtak warf sich zur Seite, damit ihn der Pfeil verfehlte, und sprintete vorwärts. Mit einem Satz verschwand er in dem dichten Unterholz, die schweren Schritte der Jäger hörte er dicht hinter sich. Auch wenn er wesentlich besser sah als seine Verfolger, auf einen Kampf gegen diese Übermacht wollte er sich nicht einlassen.

»Hier herüber!«, brüllte einer der Menschen. »Da läuft die Bestie!«

Ein stechender Schmerz zuckte durch Pashtaks Knöchel, als er wieder auf dem Boden auftraf. Eine Wurzel brachte ihn zum Stolpern. Zwar konnte er sich auf den Beinen halten, aber das Rennen wurde zu einer schmerzhaften Angelegenheit. Die Jäger schlossen auf.

Knapp sirrte ein Armbrustbolzen an seinem knochigen, flachen Kopf vorbei und bohrte sich stattdessen in einen Ast. Pashtak knurrte böse. Gleich würde er sich den Menschen stellen müssen. Aber selbst wenn er starb, er hatte die Gruppe weit genug von dem Lager weggeführt.

Überrascht nahm er eine neue Witterung auf, die ihm allerdings wesentlich vertrauter war.

Mit einem kurzen, warnenden Geheul bog er nach

links ab und hielt auf die Quelle des Geruchs zu. Zufrieden hörte er, dass die Menschen nur wenige Schritte hinter ihm waren.

Pashtak humpelte über eine weitere Lichtung, auf der mehrere zerbrochene, von Ranken überwucherte Säulen lagen. Diesmal traf ihn ein Pfeil in den Oberschenkel, und er stürzte schwer. Der Sack mit den erlegten Kaninchen rutschte aus dem Gürtel und flog neben seine krallenbewehrte Hand.

Viele Schritte näherten sich, er hörte das Gerassel von Rüstungen und Waffen, einige der Männer atmeten heftig.

»War das so schwer?«, sagte einer von ihnen, während Pashtak sich auf den Rücken rollte und versuchte, den Pfeil aus seinem Bein zu ziehen. Dafür erhielt er von dem Sprecher einen Tritt ins Gesicht, und er sank benommen zurück. Ein jämmerliches Heulen drang aus seiner Kehle.

»Wir haben ihn bei der Futtersuche für eine ganze Kompanie überrascht. Das heißt, es gibt mit Sicherheit noch mehr von seiner Sorte hier in der Gegend«, meinte ein Zweiter und zog sein Schwert. »Bringen wir ihn zum Sprechen. Er sieht so aus, als ob er es könnte.«

Wie aus dem Nichts wurde der Jäger plötzlich angesprungen und zu Boden gerissen. Dutzende kindgroße Schatten hüpften kreischend hinter den Säulen hervor und machten sich über die völlig überraschte Gruppe her.

Mit Knüppeln, Steinen und sogar mit den eigenen Waffen wurden die Jäger innerhalb weniger Minuten von der Flut der Angreifer getötet, die wie Kletten an ihnen hingen. Die Verteilung von Rüstungen, Schwertern und Frischfleisch begann übergangslos.

Pashtak schüttelte brummend seinen Schädel, zog den Pfeil aus der Wunde und verband die offene Stelle notdürftig mit einem Stück seines Ärmels. Um ihn herum schmatzte und rülpste es laut, das Festmahl war in vollem Gange. Es roch nach warmem Blut.

Als er vorhin die Ausdünstung der Nymnis wahrnahm, wusste er, dass er gerettet war. Die Nymnis, kleine nackte Wesen, die hauptsächlich aus Kiefern und Zähnen zu bestehen schienen, galten selbst in der großen Familie seiner Artgenossen als schlimme Menschenfresser. Und da sie ebenso unter dem Hunger litten wie alle anderen und sie nicht sehr wählerisch waren, konnte er sich ihres Eingreifens sicher sein.

Eines der Nymnis, denen er die willkommene Mahlzeit zugespielt hatte, riss einen Unterarm ab und hielt ihn Pashtak fragend hin.

Er lehnte die Gabe aber mit einem Fauchen ab. Er war kein Menschenfresser und wollte auch nicht auf den Geschmack kommen.

Humpelnd, aber einigermaßen zufrieden über den glücklichen Ausgang seines Abenteuers, verließ er die kleine Lichtung und seine Lebensretter, den Sack mit den Kaninchen warf er sich über die Schulter.

Hetrál hatte die Szene aus sicherer Entfernung beobachtet. Auf der Seite der Jäger einzugreifen hielt er für ein aussichtsloses Unterfangen, also ließ er es sein. Inmitten eines wimmelnden Haufens der wilden Kreaturen für unbekannte und dazu noch äußerst unhöfliche und dämliche Männer zu sterben, lag nicht in seiner Absicht. Das Wesen mit dem Sack voller Kaninchen zu verfolgen, erschien im wesentlich sinnvoller. Auf alle Fälle hatten die Wachen in der Handelsstation Recht, wenn sie sagten, es gäbe mehr Bestien als sonst in der Umgebung. So viele Nymnis hatte Hetrál noch nie auf einem Haufen gesehen.

Großräumig umging er das blutige Gelage zwischen den Säulen und setzte der Bestie nach.

Der Meisterschütze musste all sein Können aufbringen, um von der vorsichtigen Kreatur nicht entdeckt zu werden, die sich alle paar Schritte umdrehte oder schnüffelnd den flachen Kopf hob, um die Luft zu prüfen. Das breite Maul, so erkannte er im fahlen Mondenlicht, war gespickt mit langen, spitzen Zähnen, die zwischen den breiten Lippen hervorstanden.

Die verwundete Bestie benötigte einiges an Zeit und legte eine recht große Strecke zurück. Nach Hetráls Schätzungen würden sie bald ganz in der Nähe des einstigen Prunkplatzes sein, der vor der riesigen Festung lag. Nun hörte er vielstimmiges Brummen, Gekreisch, Singen und Lachen, das von irgendwoher undeutlich zu ihm herüber schallte.

Die Kreatur bog nach links ab und folgte der alten Straße, die zu den Überresten der Befestigung führte. Heller Feuerschein wurde zwischen den Bäumen sichtbar, deren Bestand zusehend lichter wurde.

Der stumme Mann blieb stehen und wartete, bis das Wesen verschwunden war, dann schlug er sich links von der Straße durch das Dickicht und näherte sich dem Platz an. Noch immer nahm er die vielen Laute wahr, doch die Ruine eines alten Tempels, wie es schien, versperrte ihm die Sicht.

Er hing sich den Bogen um und machte sich vorsichtig an den Aufstieg, darauf bedacht, keine losen Steine in die Tiefe zu stürzen, die ihn mit diesem Geräusch verraten konnten.

Höher und höher stieg der Meisterschütze an der hinteren Fassade hinauf, bis er auf einem breiten Sims angekommen war. Er schätzte seine Position gut und gerne auf achtzehn Säbellängen über dem Boden. Flach legte er sich auf den Bauch und sah sich um.

Unter ihm breitete sich der riesige gepflasterte Platz aus, dessen schwarze Marmorsteine von giftgrünem Pflanzenbewuchs entweder verdeckt oder mitunter zerbrochen worden waren.

Überall brannten Feuerstellen, um die die unterschiedlichsten Bestien in allen möglichen Größen saßen. Zelte waren aufgeschlagen oder Ruinenteile in die stellenweise sehr abenteuerlichen Stoffkonstruktionen miteingebunden worden. Gerade eben traf eine neue Gruppe der Kreaturen ein, schwer bepackt mit Säcken, Ledertaschen und Jurtengestänge, die sich nach einem kurzen Blick über die Ansammlung einen Platz am Rand der Fläche suchte.

Das kehlige Lachen, das unmenschliche Singen und die groben Unterhaltungen der Wesen in unverständlichen Dialekten drangen nun ungedämpft zu seinem luftigen Aussichtspunkt. Der Schein der Feuer warf die noch bizarreren Schatten der Bestien auf die stehengebliebenen Wände. Unheilvoll leuchteten die Sterne Arkas und Tulm, die Augen Tzulans, auf den Anblick nieder.

Hetrál rieb sich die Augen, damit er sicher sein konnte, nicht einem Trugbild aufzusitzen.

Niemals hatte er eine solche Menge und Vielfalt an Sumpfbestien gesehen. Er schätzte ihre Zahl vorsichtig auf vier- bis fünfhundert, die sich anscheinend friedlich zusammengefunden hatten und warteten.

Aber auf was? fragte sich der Meisterschütze. Er musste den König warnen, damit er wusste, was in der Verbotenen Stadt vorging. Es mussten Soldaten gefunden werden, die das Gebiet vollständig umschließen konnten.

Schon einmal hatten sich die Sumpfbestien auf einen Schlag in allen Königreichen erhoben und Tod und Verderben gebracht. Entweder durch ihre Morde oder durch die ihnen nachfolgenden Krankheiten, die sie aus den Sümpfen und Mooren ins Land schleppten. Das durfte sich nicht wiederholen. Und es war Hetral gleichgültig, ob ihn der König, Mennebar IV., wegen seines Verstoßes gegen den Erlass bestrafte oder nicht.

Bedächtig kletterte er zurück und machte sich auf den Weg zur ontarianischen Handelsstation. In seinen Gedanken wirkten die Palisaden nun auf einmal klein und lächerlich angesichts der Flut von Kreaturen, die jederzeit losmarschieren konnten.

Tûris benötigte seine Hilfe im anstehenden Kampf gegen diese Wesen mehr als je zuvor, und solange musste der Kabcar im fernen Ulsar warten.

VIII.

»*Als seine Geschwister der Gefahr gewahr wurden, war es fast zu spät. Es entbrannte ein großer Krieg zwischen den Ersten Göttern und den Zweiten Göttern, die Tzulan geschaffen hatte.*

Sowohl Ulldrael als auch Angor wurden schwer verletzt. Und während Götter gegen Götter antraten und keiner auf den Gebrannten Gott achtete, verbreitete Tzulan die Ungeheuer und Bestien heimlich auf der ganzen Welt.

Die Kämpfe zwischen den Göttern waren so mächtig, dass unsere Welt durch das Zittern und Beben näher an die Sonnen gerückt wurde.

Die brennenden Scheiben verteilten ihre Strahlen nun aber unregelmäßig über unsere Welt, an einigen Stellen wurde es für immer kälter, an anderen immer glühend heiß. Mächtige, zerstörerische Winde brausten über die Kontinente, die fünf Jahreszeiten entstanden.

Die Menschen begannen sich zu fürchten, als die großen Veränderungen auftraten, und riefen ihre Erschaffer um Hilfe an.

Doch Angor, Ulldrael, Senera, Kalisska und Vintera schlugen Schlachten, um die Welt und sich selbst zu verteidigen, hörten vor lauter Kampfeslärm die verzweifelten Schreie ihrer Kreaturen nicht.

Nur einer war zur Stelle: Tzulan.

Er versprach Unterstützung, blendete sie mit falschen Worten und sicherte sich die Anhängerschaft zahlreicher Länder auf allen Kontinenten.«

DER KRIEG DER GÖTTER UND DIE GABE DER MAGIE,
Kapitel 1

Zumindest die engere Umgebung des Kabcar wusste, dass es sich bei der Heirat mit seiner Cousine, Aljascha Radka, Vasruca von Kostromo, um eine Zweckehe handelte, der jedes tiefe Gefühl fehlte. Die Hochzeitsgäste bemerkten es spätestens dann, als die Zeremonie sehr schnell, sehr kühl und sehr sachlich durchgeführt wurde.

Da die zerstörte Kathedrale als Ort unmöglich infrage kam und Lodrik den Tempel des Ulldraelordens nicht betreten wollte, solange die Lage sich zwischen ihm und dem Geheimen Rat nicht entspannt hatte, setzte der Herrscher Tarpols kurzerhand fest, dass die Trauung im Palast stattfinden sollte. Eine Lösung, mit der vor allem Waljakov äußerst zufrieden war.

Die Beteiligung des Volkes empfand der Kabcar bei dieser Heirat als nicht erforderlich. Anders wäre das gewesen, wenn er Norina zur Gattin genommen hätte, die er gerne präsentierte, zumal sie in Wirklichkeit die Frau an seiner Seite war.

Dennoch wollte Lodrik die Form einigermaßen wahren, auch wenn die »Form« mit aller Sparsamkeit in die Tat umgesetzt wurde. Nur eine kleine Ausgabe wurde dem »Jubeletat«, wie Stoiko die Bezahlung für Musiker, zusätzliche Köche, Blumen und mehr nannte, bewilligt. Eine Spende seiner Zukünftigen hatte der junge Mann abgelehnt.

Der Ulldraelorden zeigte seine Verärgerung über das Verhalten des Kabcar bei der Krönung nachträglich, indem er kein Mitglied des Geheimen Rates zum Vollzug der Trauung schickte, sondern einen der etwas besseren Betmönche auftauchen ließ, der angesichts der vielen weltlichen Würdenträger um ihn herum sichtlich nervös wurde.

Entsprechend gestaltete sich die Zeremonie, geprägt vom Gestotter und Gestammel des Geistlichen, der eiskalten Miene der Vasruca und einem äußerst gleichgültigen Lodrik, der gelangweilt auf den erlösenden Segensspruch des Mönch wartete.

Danach schritt man zügig zur festlichen Tafel, die im Großen Festsaal hufeisenförmig arrangiert worden war, damit alle das »glückliche Paar« sehen konnten.

Endlich saßen alle fünfhundert Gäste zu Tisch. Fast sämtliche Herrscherhäuser, mit Ausnahme von Serusien und Rogogard, hatten Abordnungen geschickt, die nach dem Essen die Präsente überreichten. Auch einige Verwandte seiner Cousine waren unter den Geladenen, die aber weit weg saßen.

Überall wieselten Livrierte herum, reichten Getränke, rückten Stühle zurecht oder begannen damit, die ersten Vorspeisen aufzutragen. Die Luft hing voller verschiedener Parfüms, manche Perücke, die sich je nach Mode voneinander in Form und Farbe unterschieden, gab kleine Puderwölkchen von sich, wenn ihr Träger sich zu schnell bewegte. Leise Töne drangen von der Balustrade herunter, wo ein Dutzend Musiker für zusätzliche Unterhaltung sorgten.

Lodrik hatte sich den Spaß erlaubt und den Ulldraelgeistlichen direkt gegenüber der Kensustrianerin platziert, die natürlich alle Aufmerksamkeit auf sich zog.

Gegen das Ungewohnte ihres Anblicks verblasste die prunkvolle Aufmachung der vier Angor-Ritter ein wenig. Nerestro saß direkt neben Belkala und machte keinen Hehl daraus, dass er sie gut kannte. Herodin hatte sich zur Linken der Lakastra-Priesterin gesetzt, die anderen beiden Krieger flankierten den unglücklich wirkenden Mönch, der sich inmitten der blitzenden und blinkenden Rüstungsgebirge nicht mehr zu rühren wagte. Etwas betreten sah er auf seinen Teller und traute sich nur selten, den Kopf zu heben und sich an Gesprächen zu beteiligen.

Die Adligen und Brojaken unterhielten sich leise, auch der ein oder andere Botschafter, der mitunter dank ausgeprägter Staffage prächtig anzusehen war, tauschte ein schnelles Wort mit einem Amtsgenossen aus.

Ab und zu warf Fusuríl, der Gesandte aus Hustraban, Stoiko einen viel sagenden Blick zu, was auch Norina, die neben ihm auf einem Stuhl ruhte, sah, aber nicht zu deuten wusste. Noch immer hatte sich der Vertraute zu seinem Angebot, was die Beteiligung am Iurdumabbau und die dafür notwendige Einflussnahme auf den Kabcar anging, nicht geäußert.

»Warum schaut der Mann die ganze Zeit zu Euch herüber?«, erkundigte sich die Brojakin zwischendurch. »Kennt Ihr euch?«

Der Vertraute grinste und fuhr sich über den Schnauzer. »Sagen wir, er hat versucht, mich zu bestechen, und hofft, dass ich annehme. Das Angebot war wirklich sehr gut. Aber ich habe natürlich nicht einen Herzschlag lang daran gedacht«, beeilte er sich zu sagen, als er die forschenden Blicke von Norina und Waljakov auf sich sah. »So weit käme es noch. Seht euch seine Garderobe an. Er hat nicht einmal Stil.«

Die restliche Gesellschaft wartete gespannt auf die Rede des Herrschers, die unweigerlich kommen musste.

Endlich erhob sich der junge Mann, der die übliche Uniform mit dem blauen Stern der Bardri¢s trug, und schaute in die Runde. Sofort erstarben die Gespräche, die Musik brach ab.

»Liebe Hochzeitsgäste, geehrte Gesandte und Botschafter, Brojaken und Adlige, Tarpoler«, begann Lodrik. »Es freut mich, dass innerhalb von so kurzer Zeit wieder so viele zusammengekommen sind, um mit mir zu feiern. Zuerst die etwas turbulente Krönung zum Kabcar, nun die dafür ruhigere Ehelichung meiner bezaubernden Cousine, Aljascha Radka, Vasruca von Kostromo. Damit wachsen die beiden Länder, die ohnehin schon gute und verwandtschaftliche Beziehungen verbanden, nun endgültig zusammen. Kostromo und Tarpol werden in Zukunft in einem Atemzug genannt werden müssen.« Er sah hinüber zu Fusuríl. »Mir ist bekannt, welche Forderungen Hustraban gegenüber der Baronie erhebt. Da ich nun nicht nur als Kabcar sprechen kann, den ein Vertrag zum Beistand verpflichtet, sondern auch als Ehemann, der seine Frau zu unterstützen gedenkt, soll gesagt sein, dass Hustrabans Ansinnen eine Zurückweisung vom tarpolischen Hof erhält. Wir sind beide nicht gewillt, diesem völlig überzogenen und ungerechtfertigten Verlangen nachzugeben. Die Habgier, die Hustraban damit unmissverständlich zum Ausdruck bringt, macht das Niedere der Motive klar ersichtlich. Seit 212 ist die Baronie eigenständig, der hustrabanische König hat die Eigenständigkeit damals zugesichert. Wir denken, dass das Wort eines Herrschers gelten sollte.« Fusuríl lächelte unverbindlich bei den Ausführungen des Kabcar. »Und da schon Vertreter aller ulldartischen Reiche zusammengekommen sind, nutze ich die Gelegenheit, um auf die Neuerungen in Tarpol zu sprechen zu kommen.« Er reckte sich ein wenig. »Die Veränderungen sind mit Sicherheit nicht der Beweis von Instabilität meiner Führung, sondern ein Hinweis auf das Neue, das ich einleiten möchte. Im Gegensatz zu vielen anderen Ländern des Kontinents hatte Tarpol noch eine strenge Leibeigenschaft, die ich nach und nach zu lockern gedenke. Erste Schritte sind bereits in die Wege geleitet, und es wird so weitergehen. Tarpol ist auf dem Weg, zu einem glücklicheren Reich zu werden. Sind die einfachen Menschen zufrieden, ist der Frieden gewahrt, und den sah ich nach Rücksprache mit meinen Beratern in Gefahr. Ich rufe alle Brojaken des Landes auf, mich zu unterstützen. Es wird letztendlich nur zu ihrem eigenen Vorteil sein, wenn die Untertanen ohne zu murren ihren Verpflichtungen nachkommen.«

»Wenn sie überhaupt noch welche haben werden«, sagte Kolskoi halblaut und erntete an seinem Teil der Tafel leises Gelächter.

Lodrik hob seinen Pokal. »Und nun trinken wir auf die nächsten Jahre des Friedens. Das Jahr 444 ist nicht mehr allzu weit entfernt, und ein drohender Schatten der Dunklen Zeit ist nicht über Ulldart gefallen. Ganz im Gegenteil, in Tarpol zumindest hellt es sich auf.«

»Lang leben der Kabcar Lodrik und die Kabcara Aljascha«, rief Stoiko. Alle Gäste erhoben ihre Gefäße und wiederholten den Trinkspruch, danach wurden die Pokale in einem Zug geleert.

In die Stille hinein ertönte das einzelne Klatschen des Botschafters aus Ilfaris, in den nach und nach die anderen Diplomaten mit Ausnahme von Fusuríl und Sarduijelec, Gesandter seiner Majestät Arrulskhán, einstimmten. Kolskois Hände bewegten sich so langsam, als würde das Zusammentreffen der Flächen Schmerzen bereiten. Der ein oder andere Brojak musste sich die Zustimmung ebenfalls abringen, aber die Mehrheit der Gäste war von der Rede begeistert.

Der Kabcar strahlte. »Ich danke allen für diese mehr als freundliche Geste. Und nun greifen wir zu. Das Essen soll nicht kalt werden.«

Die Musik setzte wieder ein, Besteckgeklapper mischte sich zu den Tönen, die gedämpften Tischgespräche wurden fortgesetzt.

Norina warf Lodrik einen langen, liebevollen Blick zu und prostete ihm zu, was der Kabcar erwiderte und sich danach glücklich zurücklehnte. Die Aufregung ließ nach.

»Sehr gut, liebster Gatte«, sagte Aljascha kühl. »Hustraban weiß nun, wie die Dinge um das Iurdum stehen. Ich hätte es nicht besser machen können.« Sehr bedächtig führte sie die Gabel zum Mund und nahm einen vornehmen Bissen. »Du hast etwas gelernt, wie ich feststelle.«

»Stoiko und Waljakov haben hervorragende Arbeit geleistet. Oh, da wir schon gerade dabei sind.« Der junge Mann griff das Thema auf und steckte sich übermütig ein kleines Stück Gemüse mit den Fingern in den Mund. »Wir müssen uns dringend über eine nicht geringe Summe unterhalten, die ich aus den Minen zu ziehen gedenke.«

Seine Cousine ließ das Besteck sinken. »Erstens nehmen wir Messer und Gabel, teurer Ehemann, wenn wir etwas essen, schließlich werden wir von den Mächtigen Ulldarts beobachtet. Zweitens«, ihre Stimme war eiskalt, »bin ich nach wie vor die Vasruca von Kostromo. Mir alleine steht die Entscheidung zu, wem ich wie viel von dem kostbaren Metall überlasse. Und Entscheidungen überdenke ich normalerweise sehr gründlich.«

»Also gut, spielen wir Spielchen«, sagte Lodrik. »Ich brauche schnellstens Waslec, um die Schulden meines Vaters zu bezahlen. Sonst proben die Brojaken den Aufstand und meine Änderungspläne im Reich kann ich ins Feuer werfen.«

»Wie schade, nicht wahr?«, lächelte Aljascha gleichgültig. »Da hätte mein lieber Onkel wohl mehr auf seine Finanzen achten müssen.«

Der Kabcar spürte eine heiße Welle, die durch seinen Körper rollte. »Soll das heißen, liebe Gattin, dass du nicht bereit bist, mir die entsprechenden Iurdumlieferungen zukommen zu lassen?«

Ungerührt bedeutete seine Cousine einem Bediensteten, dass sie noch Wein wünschte, dann lächelte sie einem der Offiziere zu, bevor sie sich wieder ihrem Teller widmete.

»Ich rede mit dir«, knurrte Lodrik, fasste ihre Hand und presste zu. Doch sie zog ihre Finger weg, bevor es schmerzhaft wurde.

»Nun, ich werde es mir überlegen«, ließ sie sich nach einer ganzen Weile herab zu antworten. »Wie viel ist es denn, was du bezahlen musst?«

»220.100 Waslec gehen als Zinsen von der geliehenen Summe an die Großbauern, fünfzigtausend Waslec benötige ich, um die Wechsel der ontarianischen Handelsgilde auszulösen.«

Aljascha lachte so glockenhell auf, dass sich einige der Gäste erstaunt zu ihr wandten, und wollte sich von ihrer Heiterkeit fast nicht mehr erholen. Die Zornesröte schoss dem jungen Mann ins Gesicht.

Behutsam richtete sie ihre roten Haare wieder und lächelte Lodrik mitleidig an. »Träum weiter, kleiner Junge. Träum deinen Traum von einem neuen Tarpol. Ich hoffe, dass du sanft erwachst. Von mir erhältst du vorerst nicht einen einzigen Waslec. Die Investition in dich erscheint mir im Moment nicht sehr sinnvoll.«

Lodriks Muskeln spannten sich, da spürte er glücklicherweise eine Hand auf seiner Schulter, die ihn von allem weiteren zurückhielt. »Herr«, raunte ihm Waljakov zu, »Ihr müsst unbedingt das Fleisch versuchen. Kauen beruhigt die Nerven. Kaut lange und gründlich.«

Der Kabcar stach mit der Gabel in das Bratenstück, als wollte er das Tier noch einmal töten, aus dem der Leckerbissen stammte. Mit hastigen Bewegungen zerschnitt er es. »Über die Sache mit der Mine reden wir noch einmal«, kündigte er an. »Wenn wir allein sind.« Dann hielt er inne, legte das Besteck klirrend zur Seite, fischte sich ein Stück mit den Fingern und kaute mit offenem Mund seine Cousine an.

»Du bist kindisch«, kommentierte sie, ohne ihn anzusehen, und lächelte wieder dem Offizier zu.

»Na und?«, entgegnete er. »Ich kann machen, was ich will.« Er beugte sich zu ihr rüber und rülpste ihr ins Ohr. Das Gesicht seiner Cousine entgleiste gefährlich. Dann nahm er wieder sittsam das Besteck auf und beendete sein Mahl, als sei nichts geschehen.

Nach drei Stunden waren alle Gänge des Essens beendet. Nun war es an den Gästen, die Geschenke zu überreichen. Artig wurden die Präsente vor das Brautpaar auf den Tisch gelegt, angefangen von Kunstgegenständen bis zu prachtvollem Schmuck.

Als sich Fusuríl, der nur eine kleine Pergamentrolle in der Hand hielt, auf den Platz des Herrscherpaars zu bewegte, begannen bei Stoiko die bösen Vorahnungen.

Der hustrabanische Gesandte war heran und verbeugte sich. »Mein Name ist dem hoheitlichen Kabcar bekannt. Ich verkünde als Botschafter seiner Majestät Kumstratt, König von Hustraban, das großzügige Geschenk, das gemacht werden soll.« Etwas theatralisch entrollte er das Dokument. »Der Baronie, und somit auch Tarpol, wird angeboten, sich mit Hustraban gütlich zu einigen. Daher unterbreitet Majestät Kumstratt Folgendes: Kostromo liefert nur ein Drittel anstatt der bisher geforderten Hälfte seiner Iurdumerträge an unser Reich ab. Dafür anerkennen wir die vollständige Unabhängigkeit vom Mutterland Hustraban, von dem sich die Baronie unrechtmäßigerweise 212 nach Sinured getrennt hat. Zur Begründung: Die heutige Baronie ging aus einem nicht gerechtfertigen, damals sogar schärfstens verfolgten Aufstand hervor. Daher war die Gründung eines eigenständigen Gebietes niemals möglich. Aufständische, und das sollte dem Kabcar mehr als geläufig sein, haben keine Befugnisse. Und die offizielle Anerkennung der Baronie Kostromo seitens Hustraban fehlt bis dato. Das heutige Angebot soll endgültig Frieden schaffen und den Streit beilegen.« Fusuríl knickte in der Mitte ab, der Oberkörper klappte nach vorne und schnellte wieder in die Höhe.

»Wir danken Hustraban für das großzügige Angebot, aber wir lehnen ab«, antwortete Aljascha, noch bevor Lodrik etwas sagen konnte. »Ich befinde mich dabei mit meinem Gatten auf einer Linie. Nehmt Euer Geschenk und verschwindet, Fusuríl.« Sie winkte mit der Hand, doch der Gesandte bewegte sich nicht.

»Dann bin ich gezwungen, einen Schritt weiterzugehen.« Der Hustrabaner zückte eine zweite Rolle und las vor. »Hiermit erklärt das Königreich, an seiner Spitze König Kumstratt von Hustraban, dass die Geduld mit dem abtrünnigen hustrabanischen Land endgültig erschöpft ist. Da die selbst ernannte Baronie niemals offiziell von seinem Mutterland anerkannt wurde, fühlt sich Hustraban in diesem Fall nicht an die Verpflichtungen des Tausendjährigen Vertrages gebunden.« Fusuríl legte das Blatt auf den Tisch zu den anderen Geschenken. »Somit überreiche ich der Vasruca anlässlich ihrer Vermählung mit dem Kabcar von Tarpol den königlichen Beschluss über die Rückführung hustrabanischen Bodens. Mit sofortiger Wirkung werden hustrabanische Offizielle die Geschäfte übernehmen.« Der Diplomat verbeugte sich. »Wir hoffen auf einen friedlichen Ablauf der Angelegenheit.«

»Da könnt ihr lange warten«, giftete Lodriks Cousine. »Wir haben ein Bündnis mit Tarpol, das mit Sicherheit einen Teil seiner Garnisonen zu unserer Hilfe schicken wird.«

Fusuríl hob abwehrend die Hände. »Wir hegen keinen Groll gegen den Kabcar und halten uns sehr wohl an die sonstigen Bestimmungen des Vertrages. Wir führen keinen Krieg, wir nehmen uns zurück, was schon immer uns gehörte. Sollte der Kabcar dagegen eingreifen wollen, würde er gegen das Abkommen verstoßen.«

Im Großen Festsaal war es totenstill geworden. Selbst die Musik hatte aufgehört zu spielen. Was sich da anbahnte, erschien so ungeheuerlich, dass es keiner der Männer und Frauen zu denken wagte.

»Ich werde die Lage von meinen Beratern prüfen lassen«, sagte Lodrik bedächtig. »Trotzdem ist Euch klar, dass Tarpol auch ohne Verträge an die Baronie gebunden ist. Der Zeitpunkt, eine solche Übernahme zu beginnen, ist denkbar schlecht gewählt.«

»Wir haben unser Angebot unterbreitet und damit unseren Willen bewiesen, Frieden und sogar Unabhängigkeit zuzulassen«, entgegnete der Hustrabaner. »Es wurde von Euch abgelehnt.«

»Und es wird immer wieder abgelehnt werden«, warf Aljascha eisig ein. »Einen Kampf wird es so oder so geben.« Sie sah kurz zu ihrem Gatten. »Mit oder ohne die Unterstützung Tarpols. Aber da ich Mitherrscherin bin, wird sich Tarpol sehr wohl einmischen.«

»Alles, was an Gewalt passiert, liegt in Eurer Verantwortung.« Fusuríl verbeugte sich und kehrte zurück an seinen Platz.

»Ich hasse Hochzeiten«, murmelte Waljakov. Stoiko musste trotz allem grinsen.

Sarduijelec, Gesandter seiner Majestät Arrulskhán, erhob sich als Nächster und trat an die Tafel heran. Er trug ein kleines Kästchen und hatte ebenfalls ein Pergament in der Hand.

»Ich entbiete Euch den Gruß und die besten Wünsche seiner Majestät Arrulskhán, Herrscher von Borasgotan.« Er öffnete den Behälter und stellte ein kunstvoll geschnitztes Holzpferdchen auf den Tisch. »Symbolisch stellt das die Gabe meines Herrn dar. Es lässt der neuen Kabcara und dem Kabcar von Tarpol jeweils fünf der besten borasgotanischen Hengste und Stuten zukommen, direkt aus der Zucht des königlichen Hofes.«

»Das war alles?«, fragte Lodrik misstrauisch.

»Ihr wisst, dass die borasgotanischen Pferde die besten …«, erklärte Sarduijelec, aber der junge Mann schnitt ihm das Wort ab.

»Stellt Euch nicht dumm, Gesandter. Ihr habt da noch ein Pergament in Eurer Hand. Ist das nun eine Kriegserklärung Borasgotans an mich?«

»Oh, das.« Der Diplomat täuschte Vergesslichkeit vor. »Nein, das ist eine Gefälligkeit, um die mich der ehemalige Gouverneur von Worlac gebeten hat. Ich soll, da er im Moment nicht aus der Freien Baronie herauskommt, Euch seine Botschaft überbringen.« Knisternd entfaltete er das Papier, während Lodriks Augen schmal wurden. »Nach reiflicher Überlegung ist die ehemalige tarpolische Provinz Worlac zu der Überzeugung gekommen, dass sie ihre Freiheit haben möchte«, zitierte Sarduijelec. »Der Veränderungen gegenüber offen eingestellte Kabcar möge zur Kenntnis nehmen, dass das Land und seine Bewohner so glücklicher sind und auf das Verständnis des Herrschers hoffen, der die Unabhängigkeit aus diesem Grund anerkennen wird. Notfalls wird Worlac seine Freiheit verteidigen und mit Borasgotan ein Abkommen schließen.« Der Gesandte legte das Pergament neben das hustrabanische. »Übrigens hat die Großbaronie Ucholowo seinen freien Nachbarn anerkannt.«

»Das ist kein Wunder, schließlich ist der derzeitige Baron mit der Nichte der borasgotanischen Königin verlobt, nicht wahr?«, sagte Lodrik, der sich am Tisch festklammerte, um nicht über das Holz zu springen und den Mann mit dem Exekutionsschwert in zwei Teile zu spalten. »Nun, ich denke, dass meine Offiziere die Provinz«, der Kabcar machte eine Pause, um das Wort wirken zu lassen, »Worlac sehr schnell überzeugt haben werden, wieder ihre angestammte Rolle in Tarpol zu spielen. Ich danke Euch, dass Ihr mir die Nachricht des Gouverneurs überbracht habt. Ansonsten scheint mir rechtlich der umgekehrte Fall dessen vorzuliegen, was der hustrabanische Botschafter schilderte. Nennen wir also alle weiteren Aktionen, die stattfinden werden, ›Rückführung‹.«

»Nun, auch Arrulskhán hat die Freie Baronie inzwischen anerkannt«, sagte Sarduijelec fast ängstlich. »Mein Herr ist der Meinung, dass Ihr die Entscheidung annehmen solltet, denn es geschähe nur zum Wohl der Menschen, und die lägen Euch doch so sehr am Herzen.«

»Warum bin ich nicht selbst darauf gekommen?«, sagte Lodrik und stand auf. Die blauen Augen sahen streng auf den kräftigen Mann herab. »Ich löse Tarpol am besten heute noch auf. Ich gebe jeder Provinz die Freiheit und lasse die Großbauern tun und lassen, was sie wollen.« Er schlug mit der Faust auf den Tisch, und fast augenblicklich brannte jede Kerze, jede Lampe und jede andere Lichtquelle mit blauen Flammen. Ein Raunen ging durch den Saal. »Ich mag jung und noch ein wenig unerfahren sein, aber alles lasse ich mir nicht bieten. Wenn Arrulskhán, Kumstratt und alle Brojaken Tarpols denken, sie könnten mir auf der Nase herumtanzen, dann muss ich mir Anderes einfallen lassen. Ich biete allen zum Wohl meiner Untertanen die Stirn, und es glaube keiner in diesem Saal, dass die Menschen in der Provinz Worlac auch nur einen Hauch Freiheit zu spüren bekämen. Sie werden sich Borasgotan anschließen müssen, und das ist ja wohl schlimmer als hundert Jahre tarpolische Herrschaft zusammen.« Er senkte den Kopf. »Ich bringe die Provinz an den Platz zurück, an den sie gehört. Und der ist in Tarpol, nicht in Borasgotan, das schwöre ich bei Ulldrael dem Gerechten und allen Götter.«

Sarduijelec verbeugte sich und setzte sich wieder. Das letzte Geschenk kam von Ilfaris: eine riesige Torte in Form von Tarpol und durch eine stilisierte Brücke mit Kostromo verbunden, obenauf war der Palast aus Marzipan und Lebkuchen nachgebaut worden. Der Botschafter riet Lodrik leise, den Palast anzuschneiden, wenn er allein sei. Wie immer stecke so ein Gebäude voller Überraschungen.

»Dann werde ich nun das machen, was andere scheinbar schon viel früher planten«, verkündete der Kabcar bitter und ließ sich ein langes Messer bringen. »Ich teile Tarpol auf. Hier, ein Stück Worlac für den Gesandten Sarduijelec. Und da, ein Stück Kostromo für Fusuríl.« Mit energischen Schnitten verkleinerte er den Kuchen nach und nach. »Der Rest des Reiches geht dann wohl an die Brojaken und Adligen. Oder will vielleicht noch jemand ein Stück meines Landes? Fresst, fresst, bis ihr platzt oder Euch Tarpol im Hals stecken bleibt!« Er nahm den Marzipanpalast in beide Hände. »Aber noch ist es nicht so weit. Ich gebe mich nicht geschlagen. Zum Wohl der Untertanen.«

Lodrik setzte sich, Schweiß glitzerte auf seiner Stirn, so sehr hatte er sich in Rage geredet. Die Flammen der Kerzen brannten wieder in ihrer üblichen Farbe.

Norina machte ein besorgtes Gesicht und versuchte, ihren Geliebten mit Blicken zu beruhigen. Doch die Wut war zu groß. Schwer atmend saß der junge Kabcar im Sessel, die Fäuste geballt, die Wangenmuskeln zuckten. Aljascha wirkte nicht weniger zornig.

Scheppernd stand Nerestro von Kuraschka auf und begab sich vor den Herrscher. »Wer auch immer sich gegen den Kabcar von Tarpol stellt, ich, Nerestro von Kuraschka, Ritter vom Orden der Hohen Schwerter des Gottes Angor, werfe ihm den Fehdehandschuh hin.«

Klappernd schlug sein gepanzerter Handschuh auf den polierten Marmorboden. Nach einer kurzen Verbeugung in Richtung des überraschten Lodrik setzte er sich wieder. Der Gesandte von Tûris sagte ebenfalls, wenn auch etwas weniger spektakulär, die Unterstützung seines Reiches an Tarpol zu.

Stoiko bedeutete den Musikanten, wieder zu spielen, aber die Töne klangen sehr zittrig und unsicher. Erst nach einigen Minuten wurde das Spiel wieder so fehlerfrei wie vorher. Die Unterhaltungen begannen erneut. Gesprächsstoff hatte man genug.

Nach zwei weiteren Stunden hatte sich auch der letzte Gast zurückgezogen. Die Stimmung auf dem Fest war einfach zu schlecht, als dass man länger als notwendig bleiben wollte. Auch Aljascha war verschwunden. Der Panzerhandschuh lag unangerührt inmitten des Raumes.

Norina umarmte Lodrik und streichelte ihn. »Mein armer Kabcar. Du musst viel aushalten.«

Der junge Mann seufzte tief und vergrub sein Gesicht in ihren schwarzen Haaren. »So lange du in meiner Nähe bist.«

»Ich werde immer in deiner Nähe sein«, versprach sie und küsste ihn sanft. »Lass uns zu Bett gehen. Du musst dich ausruhen. Hast du übrigens bemerkt, dass wieder diese seltsame Sache mit den Flammen passiert ist?«

»Das habe ich veranlasst«, meldete sich Stoiko schnell. »Ich dachte, es wäre ein ganz hübscher Effekt. Das ist irgendso ein alchemistischer Kram, den man in die Kerzen miteinstreut. Erreicht der Docht das Pulver, dann wechselt die Flamme die Farbe. Ein paar Diener haben unbemerkt beim Feuer geholfen. Und ich habe das Zeug natürlich vorher reichlich getestet. So kann es sein, dass irgendwo Rückstände geblieben sind.«

»Eine sehr nette Idee«, stimmte Lodrik der Lüge zu. »Nur leider erhielt sie nicht die notwendige Beachtung, wie ich finde. Stoiko, setze für morgen eine Sitzung mit den Offizieren an. Wir werden uns mit den neuen Gegebenheiten auseinander setzen müssen.«

»Dann können wir auch gleich ins Zimmer Eurer Gemahlin gehen«, meinte der Leibwächter abfällig. »Dort werdet Ihr alle finden, die Ihr braucht, Herr.«

»Das war zwar respektlos, aber durchaus treffend.« Der Kabcar musste lachen. »Wenn ihr uns nun entschuldigt, wir ziehen uns zurück. Und schau bitte nach, was der ilfaritische Botschafter vorhin mit dem Marzipanpalast andeutete.«

Der Vertraute und der Leibwächter sahen den Verliebten nach, wie sie den Saal verließen.

»Es ist eine Schande«, meinte Stoiko nach einer Weile. »Warum ist Norina nicht die Vasruca von Kostromo?«

»Es ist besser so«, sagte Waljakov. »Kostromo wird demnächst nichts mehr zu lachen haben, wenn Hustraban seine Drohung in die Tat umsetzt. Eher gönne ich der rothaarigen Dämonin eine Niederlage als der Brojakin.«

Der Vertraute schnitt das essbare Miniaturgebäude vorsichtig auseinander und hielt eine Lederrolle in der Hand. Behutsam öffnete er sie und nahm das Dokument heraus. Nach einer Weile pfiff er durch die Zähne.

»Das wird den Kabcar aber mächtig freuen. Seine Majestät, Perdór von Ilfaris, hat uns soeben die kompletten Aufstellungspläne, die genauen Orte und die Zahlen der borasgotanischen Freiwilligen gemeldet, die von uns unbemerkt in Worlac eingesickert sind. Wieder etwas, das von langer Hand geplant worden war.« Stoiko brach ein Stück Marzipan ab und kaute es genießerisch. »Ich habe allmählich den Eindruck, dass unsere verehrten Nachbarreiche nur darauf gewartet hatten, dass der alte Bardriç stirbt, um alle auf einen Schlag loszulegen.«

»Was erwartest du? Das Jahr 444 kommt näher.« Der kahle Hüne zuckte mit den Achseln, während er sich mit der mechanischen Hand ebenfalls etwas von der süßen Fassade nahm. »Nicht schlecht. Ich schätze, Perdór ist so rund wie ein Fass.«

Die beiden Männer verließen den Saal und begannen, die notwendigen Karten herauszusuchen, die für die morgige Besprechung notwendig sein würden.

»Ich bin gleich wieder bei dir, Norina. Ich muss unbedingt die Angelegenheit mit dem Iurdum regeln, sonst kann ich heute Nacht nicht schlafen.« Lodrik entschuldigte sich bei seiner Geliebten, als er aus dem Gemach huschte. »Es wird nicht lange dauern.«

»Ich warte ungeduldig auf dich«, sagte die junge Frau, zog ihr Nachthemd über und rutschte unter die weichen Federdecken.

Zügig durchquerte der Kabcar einige Korridore des Palastes, bis er vor der Tür seiner Cousine stand. An den Geräuschen, die herausdrangen, erkannte er, dass die Hochzeitsnacht bereits in vollem Gange war. Nur offensichtlich nicht mit ihm, dem rechtmäßigen Ehemann.

Schwungvoll öffnete er die Tür und sah im Schein einer einsamen Kerze gerade noch, wie ein Mann sich mit einem Sprung hinter das Bett warf. Lodrik beschloss so zu tun, als habe er es nicht bemerkt. Vorerst.

»Teuerste Gattin.« Er breitete die Arme aus. »Ich bin bereit für unsere Hochzeitsnacht. Ich würde gerne das nachholen, was du mir damals in Granburg versprochen hast. Du weißt, das Land will bald einen Thronfolger sehen. Es ist sogar ein Teil des Vermächtnisses meines Vaters.«

Aljascha zog die Decke hoch, ihr Gesicht wirkte leicht errötet vom Liebesspiel mit dem Fremden. »Wag es, einen Finger an mich zu legen, und ich breche dir die Hand«, zischte sie.

»Du siehst aber aus, als hättest du mich schon sehnsüchtig erwartet. Aber keine Angst, ich wollte mit dir über das Iurdum reden. Hast du dir die Sache noch einmal gründlich überlegt? Ich brauche die Waslec, um die Brojaken ruhig zu stellen. Ich kann mich nicht auf die Verteidigung deiner Baronie konzentrieren, wenn mir die Großbauern in Tarpol wegen der Schulden meines Vaters ein Bein stellen. Das siehst du doch ein. Oder dein Titel ›Vasruca von Kostromo‹ gehört bald der Vergangenheit an.«

Sie musterte ihn mit ihren katzenhaft grünen Augen. Verführerisch zeichnete sich ihre Figur unter dem Laken ab, ihr Parfüm und ihr Körpergeruch stiegen dem jungen Mann angenehm in die Nase.

»Nun gut«, willigte sie ein. »Ich sehe, dass mir keine andere Möglichkeit bleibt.«

»Das freut mich.« Er berührte sie an der Schulter und fuhr über ihre weiße Haut. »Und wann begehen wir unsere Hochzeitsnacht?«

»Mit einem kleinen Jungen? Ich?« Wieder lachte sie laut auf. »Geh zurück zu deinem Mädchen, dieser Brojakentochter, und vergnüge dich mit ihr. Ich bevorzuge Männer.«

Der Kabcar erhob sich. »Eines sage ich dir. Du bist von heute an die Kabcara, die Frau an der Seite des mächtigsten Mannes von Tarpol. Als Vasruca konntest du mit jedem ins Bett steigen, der dir begegnet ist. Aber nun«, er beugte sich zu ihr hinunter und umfasste ihr Kinn, »werde ich ein solches Verhalten nicht mehr dulden.« Ohne dass er es wirklich wollte, presste er seine Lippen hart auf ihren Mund. »Wenn ich jemals wieder einen anderen Mann in deinem Bett finden sollte, lasse ich ihn umbringen. Und für dich denke ich mir etwas aus. Öffentliche Untreue gehört nicht zu den Vergehen in Tarpol, die belohnt werden.«

»Da greif dir selbst an deine eigene Nase«, giftete sie.

»Ich halte mich wenigstens im Beisein anderer zurück und habe nur eine Frau in meinem Herzen. Ich liebe Norina. Du dagegen liebst nur dich.« Er wandte sich zum Gehen.

»Einen Nachfolger wird Tarpol von mir niemals bekommen«, rief sie ihm nach.

Er blickte über die Schulter, die blauen Augen leuchteten intensiv in dem halbdunklen Raum auf. »Das, liebe Cousine, werden wir noch sehen.«

Erschrocken fuhr sie zurück. Lodrik verließ das Zimmer.

»Du willst mir also meinen Spaß verbieten, kleiner Junge. Du liebst dieses Mädchen tatsächlich?«, murmelte Aljascha. »Wir werden sehen, wie lange du sie halten kannst, lieber Gatte.« Sie zerrte ihren Besucher hinter dem Bett hervor.

»Komm her, du Held. Wir müssen ein wenig Theater spielen. Nun gut, er hat mir andere Männer nur in diesem Zimmer verboten. Aber der Palast ist glücklicherweise groß.«

Norina erwachte aus dem Dämmerschlaf, in den sie gefallen war. Lodrik war noch nicht zurückgekehrt, die Stelle neben ihr im Bett war unberührt und kalt.

Sie hörte leises Stöhnen aus dem Zimmer nebenan. Vorsichtig schlug sie die Decke zurück und stieg von der Matratze. An der Tür angekommen, öffnete sie den Eingang einen Spalt und spähte nach draußen, sah aber nur die Silhouetten zweier Menschen, die sich im Nebenraum intensivem Liebesspiel hingaben. Die Brojakin musste lächeln.

»O Lodrik«, hauchte die Frau, und Norina erkannte voller Entsetzen die Stimme Aljaschas.

Fassungslos fuhr sie von der Tür zurück, heiß und kalt durchfuhr es sie. Immer wieder vernahm sie den leise genannten Namen ihres Geliebten und heiße Liebesschwüre.

Zuerst wollte sie die Tür aufreißen und die beiden

stören, schon lag die Hand auf der Klinke, aber etwas hielt sie zurück. Vielleicht war es die Angst vor einer zusätzlichen Demütigung durch die Vasruca. Oder die große Enttäuschung, die sie innerlich spürte.

Sie hatte schon immer befürchtet, dass Lodrik den Reizen und dem betörenden Wesen seiner Cousine auf Dauer nicht standhalten konnte – und auch nicht durfte, denn das Land verlangte früher oder später einen Tadc. Aber dass er ausgerechnet vor ihrem Zimmer zugange war, verletzte sie tief.

Langsam ging sie zurück ins Bett, eine Träne der Enttäuschung rollte ihre Wange hinab.

Sie wusste nicht, wie lange sie ohne zu denken auf den Baldachin gestarrt hatte, aber irgendwann erschien das sorgenvolle Gesicht des Kabcar vor ihren Augen. Sie drehte sich zur Seite und wich ihm aus.

»Wenn du unbedingt deinen Pflichten als Ehemann nachkommen musstest, dann tu es nicht direkt vor unserem Schlafzimmer«, sagte sie leise. »Und sage diesem Weib nicht, dass du sie liebst! Oder hast du mich mit all deinen Schwüren und Beteuerungen belogen?«

Lodrik sah Norina überrascht an. »Was ist mit dir, Liebste? Ich war nur noch schnell etwas Wein holen«, zum Beweis hob er die Gläser und die Flasche, »nachdem ich mit meiner Cousine geredet habe. Stell dir vor, sie hatte einen Mann bei sich.«

»Das habe ich gehört und gesehen«, fauchte sie, stand auf und warf sich einen Morgenmantel über.

»Was ist denn passiert?« Ratlos lief der Kabcar ein paar Schritte neben ihr her.

»Bleib, wo du bist.« Ihre braunen Mandelaugen sprühten vor Wut. »Fandest du es passend, ausgerechnet vor dieser Tür mit Aljascha zu schlafen? Und warum heute schon? Hätte das nicht noch Zeit gehabt, bevor du für einen Thronfolger sorgst?« Sie strich sich über ihre schwarzen Haare. »Du hast mich tief verletzt, Lodrik.«

Sie lief zum Ausgang. »Ich übernachte heute in meiner eigenen Unterkunft.«

Dröhnend fiel die Tür ins Schloss, und einen Lidschlag lang glaubte der verblüffte junge Mann, das glockenhelle Lachen seiner Cousine zu hören.

Nach der Besprechung mit den Offizieren, die sich mehr als besorgt und mit einer gewissen Verlegenheit über die Lage äußerten, rief Lodrik den Brojakenrat zusammen, um den Sachverhalt zu erläutern. Es wunderte niemanden, dass die Sitze der Großbauern, die aus Worlac stammten, heute leer blieben.

Anhand der aufgehängten Karte erklärte Oberst Mansk dem Gremium die Aufstellung der borasgotanischen Truppen, die sich sowohl entlang der Grenze Granburgs als auch innerhalb von Worlac in Position gebracht hatten. Auch in Ucholowo, so lauteten zumindest die ilfaritischen Zahlen, hatte Arrulskhán seine »Freiwilligen« platziert, um notfalls von der Flanke aus Beistand leisten zu können.

Alles in allem mussten die Militärs von rund sechstausendfünfhundert Bewaffneten ausgehen, die ihnen im schlimmsten Falle gegenüberstanden. Und eine solche Menge tarpolische Soldaten konnte innerhalb der kurzen Zeit nicht aus den Garnisonen an die Nordgrenzen geschafft werden. Höchstens achthundert reguläre tarpolische Waffenträger und zwei Scharmützeleinheiten mit jeweils fünfzig Mann konnten gegen die Angreifer auf die Schnelle mobil gemacht werden.

Hinzu kam der traurige Umstand, dass die von Hustraban gleichzeitig bedrohte Baronie Kostromo keine Hilfe zu erwarten hatte, dafür war die Rückeroberung der abtrünnigen Provinz zu wichtig.

Somit fiel aber etwas weg, das Lodrik dringend gebraucht hätte: Die Iurdumlieferungen aus Kostromo würden unter diesen Umständen niemals bis nach Tarpol geschweige denn Ulsar gelangen. Und nach dem zufriedenen Gesicht Kolskois zu urteilen, das der Kabcar sehr genau beobachtete, wusste das der Adlige und Großgrundbesitzer sehr genau. Somit war der junge Mann noch größerem Druck ausgesetzt.

Lodrik erhob sich, nachdem der Oberst seine Ausführungen beendete hatte, und legte eine Hand auf die Rechnungsbücher seines Vaters. »Wir haben den Grund für die Schulden gefunden. Es wurde in Garnisonen und Offiziere investiert, die offensichtlich jetzt nicht in der Lage sind, mein Reich und Euer Land zu verteidigen oder gar zurückzuerobern. Die wichtigen Iurdumlieferungen, mit denen ich Euch alle auf einen Schlag ausbezahlt hätte, können wegen der angespannten Lage nicht hierher gebracht werden. Ich bitte Euch, dem Wohl Tarpols zuliebe, verzichtet auf Eure Forderungen.« Er trat in die Mitte des riesigen Raumes, wo normalerweise die Bittsteller ihre Anliegen vortrugen. »Wenn Ihr es wünscht, dann flehe ich die Brojaken um einen Aufschub der Zahlungen an.« Langsam senkte er sich auf ein Knie herab.

Waljakovs Zähne mahlten bei dieser Szene hörbar aufeinander, Stoikos Mund war verkniffen. Die Mächtigen des Reiches erfuhren einen großen Triumph, denn eine solche Geste hatte es in der ganzen Zeit, in der die Linie der Bardri¢s auf dem Thron saß, niemals gegeben.

Das Gremium tuschelte untereinander, schnelle Blicke wurden getauscht. Es dauerte eine Weile, bis sich der neue Sprecher des Rates erhob. Der granburgische Adlige blähte die Nasenflügel. »Hochwohlgeborener Kabcar, erhebt Euch. Die Brojaken Tarpols sind zu einer Einigung gekommen, die nicht einfach herbeizuführen war.« Kolskoi nickte in die Runde, während Lodrik mit aller Würde aufstand. »Angesichts der großen Schwierigkeiten, in der sich das Reich befindet, haben wir uns dazu entschlossen, Euch die Zinszahlungen zu erlassen. Dafür werden keinerlei weitere Zahlungen mehr an den Hof erfolgen, bis die erlassenen Veränderungen von Euch, Hoheit, zurückgenommen worden sind.«

Lodrik schloss für einen Moment die Augen. Ohne die Einnahmen war es auf lange Sicht nicht möglich, den Haushalt aufrecht zu erhalten, die Staatskasse würde innerhalb eines Mondumlaufes leer sein. »Das ist nicht rechtens, Kolskoi. Ihr seid verpflichtet …«

»Hoheitlicher Kabcar, auch Ihr seid uns gegenüber verpflichtet«, unterbrach ihn der dürre Adlige scharf. »Wir haben unseren guten Willen bewiesen, nun ist es an Euch. Wir erwarten Eure Entscheidung mit Neugier.«

»Wenn ich die Reformen zurücknehme, werden es Borasgotan und Hustraban als Schwäche auslegen«, versuchte es Lodrik. »Und das stärkt ihre Absichten zusätzlich. Versteht das doch!«

»Es hat Euch niemand gezwungen, die Neuerungen einzuführen, hoheitlicher Kabcar«, sagte Kolskoi mit Herablassung in der Stimme. »Auch wenn da vielleicht Einflüsse auf anderer Ebene am Werk waren.« Er sah zu Norina hinüber, die seinem Blick wütend standhielt.

Der junge Mann legte die Stirn in Falten. »Ich werde diese Entscheidung nicht hier, nicht heute fällen. Ich habe für den späten Nachmittag die Diplomaten zusammenrufen lassen und versuche, an deren Verantwortung zu appellieren. Vielleicht können sie beruhigend auf unsere Nachbarn einwirken und Auseinandersetzungen verhindern. Es dürfte wohl keiner daran interessiert sein, dass ein echter Krieg auf Ulldart ausbricht. Diese Verhandlungen möchte ich abwarten, danach tagen wir wieder. Die Versammlung ist geschlossen.« Lodrik kehrte zu seinem Stuhl zurück.

»Das hättet Ihr ihnen nicht gönnen dürfen«, sagte

Waljakov bitter. Klackend legten sich die mechanischen Finger um den Säbelgriff.

»Ich werde alles versuchen, um diesen Konflikt friedlich zu lösen«, widersprach Lodrik, wenn auch sehr müde. »Wie soll ich meine Untertanen in eine bessere Zeit führen, wenn ich mich auf einen Krieg einlasse? Und um ehrlich zu sein: Ich sehe keinen guten Grund, weshalb wir ihn gewinnen sollten, dafür sind wir im Moment nicht stark genug. Auch wenn ich die Soldaten im Eiltempo aus allen Provinzen habe anrücken lassen, es wird Wochen dauern, bis sie an der Grenze angekommen sind. Und bis dahin hat uns Borasgotan zur Hälfte erobert, wenn es möchte.«

»Ihr habt Recht, Herr«, stimmte Stoiko zu. »Arrulskhán wird sich nur zurückhalten, wenn alle anderen Reiche ihr Missfallen ausdrücken. Und darauf setze ich all unsere Hoffnungen. Selbst wenn wir ihn mit seinen Plänen nur hinhalten, bringt uns das kostbare Zeit, unsere Truppen zu sammeln.« Oberst Mansk nickte zustimmend.

Der Leibwächter fuhr sich über die Glatze. »Arrulskhán ist wahnsinnig, wenn mich einer fragt. Und da Borasgotan zu weit im Norden und dazwischen noch Hustraban liegt, muss er im Grunde niemanden fürchten, der ihm Einhalt bieten könnte.«

»Es ist zum aus der Haut fahren. Wartet im Audienzsaal auf mich. Ich muss etwas klären.« Der junge Herrscher sprang unvermittelt auf und lief Norina nach, die langsam in Richtung Ausgang wanderte. Der Rest der Großbauern war bereits verschwunden.

»Warte einen Moment«, rief er. Sie blieb stehen, ohne sich umzudrehen. »Kannst du mir erklären, was du gestern Nacht gemeint hast? Ich verstehe es nicht.«

Die Brojakin seufzte. »Den Dummen zu spielen wird nicht funktionieren, Lodrik.«

Er ging um sie herum und umfasste ihre Schultern.

Tief blickte er seiner Geliebten in die braunen Augen. »Ich schwöre dir, dass ich noch immer so ratlos wie gestern Abend bin.«

Norina schilderte ihm mit einem zornigen Funkeln in den Augen, was sich vor ihrer Tür abgespielt hatte. Lodrik war sofort klar, dass sich Aljascha auf diese Weise für seine Drohung revanchiert hatte.

Eindringlich redete er auf sie ein, erzählte, was sich im Zimmer der Vasruca ereignet hatte, und von der Ankündigung, die Eskapaden seiner rechtmäßigen Gattin nicht weiter hinnehmen zu wollen. Dass er tatsächlich so etwas wie Verlangen verspürte, verschwieg er und würde es vor ihr auf keinen Fall zugeben. Er konnte es sich selbst kaum erklären, woher das immer wieder aufflackernde Gefühl kam.

»Es war nicht ich, den du gesehen hast, sondern vermutlich der Mann, mit dem sie davor im Bett war«, beendete er seine Ausführungen. »Sie möchte uns auseinander bringen, siehst du das nicht? Sie hat eine bösartige Freude daran, uns ins Unglück stürzen zu wollen. Wieso sollte ich dich, meinen stärksten Halt, so leichtfertig aufs Spiel setzen?«

Norina zögerte. Je mehr sie darüber nachdachte, desto mehr Sinn ergaben die Worte Lodriks. Aber in der Nacht hatte sie sich zu sehr von ihren Ängsten blenden lassen und das für sie Schlimmste angenommen.

»Verzeih mir«, sagte sie leise und umarmte ihn. »Ich muss blind und unendlich töricht gewesen sein, etwas anderes anzunehmen.«

Der junge Mann drückte sie fest an sich und fühlte, wie eine immense Anspannung abfiel.

Stoiko wollte Waljakov wieder in die Seite rempeln, erinnerte sich aber im letzten Moment an die schmerzliche Erfahrung, die sein Ellbogen mit dem Brustpanzer gemachte hatte, und versetzte dem Leibwächter dafür einen leichten Schlag auf den Rücken. »Das sieht doch ganz gut aus, nicht wahr?«, fragte er den kahlen Hünen.

»Ja«, grinste Waljakov lakonisch.

»Komm, wir sollten zu den Botschaftern und Abgesandten gehen.« Zusammen mit dem Leibwächter rollte Mansk die Karte zusammen und nahm sie mit aus dem Sitzungssaal des Ratsgebäudes.

Lodrik verabschiedete sich mit einem langen Kuss von einer erleichterten Norina und folgte ihnen zur wartenden Kutsche samt Garde.

Wenig später erreichte das Trio den Audienzsaal, in dem sich wirklich die Diplomaten, die vor kurzem noch auf der Hochzeit auf das Wohl des Kabcar getrunken hatten, versammelt hatten. Aljascha, die am Eingang auf ihn wartete, begrüßte ihren Gatten mit einem tiefen Knicks, hakte sich bei ihm unter und geleitete ihn an den Kopf des Tisches.

»Dein Plan, Norina und mich auseinander zu bringen, wird nicht aufgehen«, flüsterte er. »Wir haben deine widerliche Theatervorstellung von gestern durchschaut.«

»Welche Vorstellung denn?« Seine Cousine spielte die Unschuldige und rückte eine Perlenverzierung am silbernen, stark auf Taille geschnittenen Kleid zurecht. »Ich war die ganze Zeit auf meinem Zimmer. Habt ihr beiden euch gestritten?« Sie lächelte ihn an. »Etwa wegen mir? Nein, wie niedlich. Das junge Glück, bei aller Liebe doch so zerbrechlich und angreifbar.«

»Hör damit auf«, zischte Lodrik ihr ins Ohr, während er ihr den Stuhl zurechtrückte.

»Aber ich habe noch nicht einmal richtig angefangen, lieber Gemahl«, sagte sie arrogant und sah aus den Augenwinkeln zu ihm hinüber. »Und darauf kannst du dich schon mal freuen. Wenn du meinst, du kannst mir in meine Art zu leben hineinreden, dann mach dich auf etwas gefasst.« Mit dem Ruck ihres Handgelenks entfaltete sie einen Fächer als Zeichen, dass das Gespräch für sie beendet war.

Die Bediensteten waren damit beschäftigt, die Karte auf dem Tisch auszubreiten. Als sie damit fertig waren, erläuterte Oberst Mansk den Diplomaten, wie sich die militärische Lage gestaltete, ohne mit einem Wort zu verraten, woher die Auskünfte stammten. Der borasgotanische Botschafter verlor die Farbe aus dem Gesicht und schenkte sich aus der Weinkaraffe ein, um den Pokal auf einen Zug zu leeren.

»Wir ziehen die Garnisonen aus den Provinzen Restyr und Sora an den Grenzen zu Worlac zusammen, Granburgs Soldaten sichern die Übergänge nach Borasgotan, während die restlichen Garnisonen aus Ker, Berfor und Ulsar als Verstärkung aufbrechen.« Mansk deutete mit Hilfe eines Zeigestabs die Wege der Truppen an. »Da wir den Fluss Repol nutzen können, rechnen wir mit einem zügigen Aufmarsch.« Seine letzte Bemerkung war eine Finte, aber sie sollte den Eindruck eines durchaus schlagkräftigen, durchorganisierten tarpolischen Reiches untermauern. »Somit sind wir in der Lage, in die Provinz Worlac notfalls von drei Seiten einzumarschieren.«

»Ich möchte, dass allen Versammelten klar ist, was sich hier anbahnt, verehrte Botschafter«, betonte der Kabcar. »Arrulskhán droht dem tarpolischen Reich einen Krieg an, und das trotz eines geschlossenen Nichtangriffspaktes, von dem Tausendjährigen Vertrag einmal ganz abgesehen. Wenn Euer Herrscher mich tatsächlich angreifen möchte, macht er sich doppelt schuldig«, sagte Lodrik in Richtung des Gesandten Sarduijelec. »Und das, so denke ich, wird kein anderes Land akzeptieren.«

»Offen gesprochen, hoheitlicher Kabcar, unser Land befindet sich derzeit in einer ähnlich schwierigen Lage«, begann der Abgesandte von Tersion. »Und wir verhalten uns, so lange die Streitigkeiten mit Kensustria nicht geklärt sind, neutral. Es gibt für uns keine andere Möglichkeit.« In die gleiche Kerbe mit der gleichen Begründung schlug der Botschafter Palestans.

Alle anderen Reiche äußerten sich zu Lodriks Entsetzen merkwürdig zurückhaltend, gaben als Grund die verworrene rechtliche Lage des Streits an und hielten sich mit einer Zu- oder Absage zurück. Lediglich Tûris unterstrich seine notfalls auch militärische Unterstützung des Nachbarn.

Das anfängliche bleiche Gesicht des Borasgotaners gewann an Farbe zurück, je länger die Besprechung dauerte. Es wurde ziemlich deutlich, dass Tarpol auf sich allein gestellt blieb.

Der Kabcar vertagte die für ihn enttäuschende Versammlung und setzte zusammen mit Stoiko und Norina einen Brief an den Oberen des Ulldraelordens auf. Schweren Herzens bat er ihn darum, sich umgehend in die Verhandlungen einzuschalten und beschwichtigend darauf einzuwirken.

Tags darauf erhielt Lodrik eine Einladung in den Tempel, um beim Geheimen Rat vorzusprechen. Mit einem starken Kontingent an Gardisten, Waljakov, Stoiko und Nerestro samt Rittern marschierte der junge Mann in das große, prächtig gestaltete Gebäude und sprach bei dem geistigen Oberhaupt des Ordens vor.

»Bevor wir über meine Rolle als Vermittler sprechen«, fing der Mann in der goldenen Robe an, »möchte ich mich für Euren offenen Brief, den Ihr mir vor ein paar Wochen gesandt habt, bedanken. Ich schwöre Euch, bei Ulldrael dem Gerechten, dass der Orden niemals die Absicht hegte, Euch umzubringen. Das widerspräche allem, was uns unser Gott vorgegeben hat.« Er formte mit den Händen eine Kugel, das Symbol für das Allumfassende Ulldraels. »Nicht ausschließen möchte ich dagegen, dass es einzelne Verblendete gibt, die eine andere Auslegung der Vision von Karadc bevorzugen. Aber diese Zahl ist mit Sicherheit verschwindend gering. Sollte es aus deren Reihen in der Vergangenheit zu irgendwelchen Taten gegen Euch gekommen sein, dann solltet Ihr nicht den gesamten Orden dafür verantwortlich machen, hoheitlicher Kabcar. Übrigens hatten wir tatsächlich einen solchen Wahnsinnigen unter uns, der während der Krönung ein Attentat ausüben wollte. Aber wir haben ihn zur Rechenschaft gezogen. Ich kann Euch versichern, hoheitlicher Kabcar, dass wir Euch in Eurer Politik der Erneuerung unterstützen.«

Waljakov schnaubte, und Nerestro schüttelte den Kopf angesichts der Dreistigkeit, die der Obere an den Tag legte.

»Das ist ein Umstand, über den ich mich sehr freue, denn die Hilfe Ulldraels des Gerechten ist notwendiger denn je«, meinte Lodrik erleichtert. »Und die Hilfe des Ordens. Um genau zu sein, brauche ich Eure Unterstützung bei den Verhandlungen mit den Diplomaten und Gesandten. Euer Wort hat mit Sicherheit mehr Gewicht als das meine. Ich bitte Euch inständig, versucht alles, um einen Krieg zu verhindern.«

Der Obere verschränkte die Arme hinter dem Rücken und sah auf die grauen Schwaden, die aus dem Kohlebecken stiegen. Der Geruch des Räucherwerks hing im gesamten Tempel in der Luft und wirkte entspannend. Stoiko ertappte sich dabei, wie er den Rauch tief einatmete.

»Ich werde die Verhandlungen für Euch führen. Aber wir sollten die Gespräche jeweils unter vier Augen führen, damit das ein oder andere offene Wort mit mir geredet werden kann, ohne dass es die anderen Vertreter der Reiche erfahren. Als neutralen Ort schlage ich daher auch den Tempel vor. Wenn es etwas gibt, was alle Länder und Regenten Ulldarts verbindet, dann ist es der gemeinsame Glaube an Ulldrael den Gerechten. Stimmt Ihr mir zu?« Der Obere lächelte unter seiner Kapuze hervor. »Oder vertraut Ihr mir immer noch nicht?«

»Ich muss wohl, Oberer«, gab der Kabcar zurück. »Ihr seid meiner Ansicht nach der Einzige, der etwas bewirken kann. Wenn Ulldraels Stimme nichts mehr zählt, wer könnte mir dann noch beistehen?«

»Ja, wer sonst?« Ein Schatten huschte kurz über das größtenteils verdeckte Gesicht des Oberen. »Wir sollten keine Zeit mit weiteren Plaudereien vergeuden, hoheitlicher Kabcar. Ich lasse sofort Einladungen an die Diplomaten und die Großbauern von Worlac schicken. Ich unterrichte Euch sofort über die Ergebnisse der Verhandlungen. Nun entschuldigt mich, ich werde mich ein wenig vorbereiten müssen. Und lasst mir ein paar Notizen darüber hier, was Ihr unter Umständen abzugeben bereit seid. Etwas Entgegenkommen könnte beruhigend wirken.« Der Mann in der goldenen Robe verließ den Saal.

Lodrik diktierte einem Mönch seine eventuellen Zugeständnisse, die er allerdings nur der Form halber machte. Es waren lediglich minimale Abänderungen, denn die Provinz Worlac musste unter allen Umständen wieder an Tarpol angeschlossen werden, daran führte für den jungen Herrscher kein Weg vorbei. Lediglich in der Frage der Baronie Kostromo würde er etwas Entgegenkommen zeigen, da überhaupt keine Möglichkeit der militärischen Präsenz möglich war.

Bereits wenige Stunden später fanden die ersten Unterredungen im Tempel statt, es herrschte ein ständiges Kommen und Gehen. Selbst die aus dem Brojakenrat verschwundenen Großgrundbesitzer Worlacs ließen sich blicken und vertraten im Namen des ehemaligen Gouverneurs und jetzigen Barons die Interessen der neuen Baronie.

Doch anscheinend fruchteten die Worte des Oberen wenig. Am folgenden Tag verkündete Sarduijelec, dass sein Reich nicht tatenlos beim Angriff auf die Baronie Worlac zusehen würde, mit der inzwischen ein offizielles Bündnis eingegangen worden war. Serusien schloss sich plötzlich Hustraban an, versprach militärischen Beistand und verlangte dafür Anteile am Iurdum. Hustraban wiederum wollte sein Angebot, das bei der Hochzeit gemacht worden war, nicht mehr erneuern, und die Brojaken Worlacs pochten, ermuntert durch Borasgotan, auf die Selbstständigkeit der einstigen Provinz. Der enttäuschte und aufgelöst wirkende Obere bedauerte immer wieder, dass seine Reden keine Auswirkungen auf die störrischen Köpfe der Diplomaten hatten.

Stoiko erschien es merkwürdig, dass niemand einer solch wichtigen und angesehenen Person zuhören wollte, und seine Bedenken äußerte er offen gegenüber Lodrik.

Aber auch der junge Mann hatte längst den Eindruck gewonnen, dass der Ulldraelorden nicht den Einsatz in den Verhandlungen brachte, wie es sich angesichts der Situation gehört hätte. Fast schien es, als würden sich die Fronten seit dem Eingreifen des Oberen noch verhärten.

Was keiner von ihnen wusste, war, dass das Haupt des Ordens alles tat, um die Parteien immer weiter voneinander zu entzweien, indem er falsche oder fehlerhafte Botschaften weitergab. Die Mönche in den Schreibstuben leisteten ganze Arbeit, um Unterschriften zu fälschen und Siegel perfekt zu imitieren.

Der Obere wollte diese Auseinandersetzung mit Borasgotan und Hustraban herbeiführen, denn er hoffte, dass der Kabcar im Laufe der Kampfhandlungen ums Leben kam oder sich wenigstens eine bessere Gelegenheit bot, ein weiteres, unauffälliges Attentat durchzuführen. Die Schuld konnte man dann viel besser auf eine der Kriegsparteien schieben.

Nach wie vor war der Geheime Rat davon überzeugt, dass nur der Tod Lodriks die Rückkehr der Dunklen Zeit verhindern könnte. Und das Gremium fand sich daher bereit, zum Segen des Kontinents ein paar Hundert Menschenleben zu opfern. Für den Orden bestand nur die Frage der Abwägung, und die hatte sich bereits vor Monaten in einer geheimen Sitzung aller Oberen der Ulldraelorden geklärt.

Mit Borasgotan war deshalb ein geheimes Abkommen geschlossen worden. Sollte es Arrulskhán gelingen, den jungen Kabcar gefangen zu nehmen und zu töten, würde der Orden den Anspruch Borasgotans auf den tarpolischen Thron mit gefälschten, historischen Zeugnissen untermauern, damit die anderen Reiche gezwungenermaßen zustimmten.

Außerdem versprach der Obere, dass man endlich die rechtmäßige Interpretation der Prophezeiung verkünden wollte – wenn Arrulskhán seine Bedingungen erfüllt hatte.

Auf Anraten der Offiziere zögerte Lodrik den Einmarsch in Worlac noch hinaus, um auf die Unterstützungskontingente aus den anderen Provinzen zu warten.

Währenddessen übernahm Hustraban die Baronie Kostromo, schlug den ein oder anderen zaghaften Versuch eines bewaffneten Widerstandes nieder und begann mit der schnellen Ausbeutung der Iurdum-Minen.

Aljascha schäumte und tobte, als sie die Berichte aus ihrem Land lesen musste, beschimpfte und schmähte Lodrik aufs Ärgste und machte ihm fortan das Leben im Palast zur Hölle. Sie demütigte ihn vor aller Augen, indem sie ihre Liaisons in aller Öffentlichkeit vorführte, Theater und Bälle mit fremden Männern besuchte oder bei aller Kriegsangst und dem Schuldendruck, der auf der Staatskasse lastete, rauschende Feste feierte, wie sie noch kein Mensch zuvor in Tarpol gesehen hatte. Griff sie scheinbar nur auf ihre eigenen Reserven zurück, bediente sie sich doch im Verborgenen und dank der Hilfe einiger Schatzmeister aus den Kassen ihres Gatten.

Lodrik hatte keine Kraft und keine Zeit, sich gegen seine aufständische Gemahlin zu stemmen, zu sehr beschäftigten ihn die Vorbereitungen auf den Krieg.

Nach zwei Wochen waren die Verhandlungen endgültig gescheitert. So brachen er, Waljakov, Stoiko und Nerestro sowie die Kensustrianerin nach Norden auf, um sich selbst an den Kriegsschauplatz zu begeben. Er hoffte, dass sein Auftreten den wenigen Soldaten mehr Mut und Entschlossenheit gab.

Norina bestand zunächst darauf, ihren Geliebten begleiten zu wollen, aber eine seltsame schwindlige Übelkeit erfasste sie im Laufe der Verhandlungen. Sie konnte sich ihren Zustand nicht erklären, aber Lodrik bestand darauf, dass sie im sicheren Schutz des Palastes blieb.

Arrulskhán schien sich wegen die Zähigkeit der Entwicklung zu langweilen und bewies sozusagen zu seinem persönlichen Zeitvertreib in der Zwischenzeit die Schlagkraft seiner Truppen, indem er die Baronie Jarzewo, die seit mehr als vierhundert Jahren von seinem Reich unabhängig war, praktisch im Handstreich einnehmen ließ. Der benachbarten Baronie Kasan stellte der rücksichtslose Herrscher ein Ultimatum, da auch sie in der Geschichte Teile Borasgotans einverleibt hatte, die er sich nun zurückzuholen gedachte.

Der Rest Ulldarts sah dem Treiben Arrulskháns mit gemischten Gefühlen zu.

Lodriks Verlassen der Hauptstadt öffnete seiner Cousine Tür und Tor. Als Kabcara hatte sie in Abwesenheit des Herrschers von Tarpol alle Rechte, und diese nutzte sie leidlich aus. Das luxuriöse Leben, das sie aus Kostromo gewohnt war, setzte sie ohne Rücksicht auf die Finanzen fort. Und während ihr Gemahl sich immer weiter in Richtung Norden durchschlug, schrumpfte der Staatsetat mehr und mehr. Norinas warnende Worte wurden absichtlich überhört oder verlacht.

Die Offiziere der tarpolischen Armee versuchten im Eiltempo, ihren Männern die Theorie der Kriegskunst zu vermitteln, aber da sie selbst so gut wie keine Erfahrung mit größeren Schlachten hatten, die ihnen nun unweigerlich bevorstehen sollten, blieb es bei spielerisch anmutenden Trockenübungen auf freiem Feld, die die Unsicherheit der Kämpfer vollends ans Tageslicht brachten. Einen Haufen Bestien zu vertreiben oder eine Straßenbande zu stellen war eine Sache, einer gerüsteten Armee gegenüberzustehen eine andere. Voller böser Vorahnungen gab Lodrik, sobald er in der Provinzhauptstadt Sora angekommen war, den Angriffsbefehl auf Worlac.

Kaum betraten die tarpolischen Einheiten den Boden der Abtrünnigen, preschten die borasgotanischen Soldaten über die granburgische Grenze, und die »Freiwilligen« in Worlac leisteten nicht nur erbitterten Widerstand, sondern begannen, die tarpolischen Kontingente regelrecht aufzurollen.

Arrulskhán hatte seine Männer besser ausbilden lassen, als es die Offiziere des Kabcar vermutet hatten, und so wurde aus der versuchten Rückeroberung eine Verteidigungsschlacht. Bis zum Frühjahr des Jahres 443 waren die tarpolischen Regimenter in den Provinzen Granburg, Sora und Restyr auf dem Rückzug.

Die borasgotanischen Einheiten stießen auch aus Ucholowo vor, sodass sich die Truppen Arrulskháns wie eine gewaltige Walze vorwärtsbewegten. Nur selten ließen sich die Angreifer lange aufhalten. Die Ucho-

Iowesen ihrerseits annektierten den kleinen Nachbar Bijolomorsk, der kurz vor dem Anschluss an Tarpol gestanden hatte. Die Lage auf der Landkarte wurde allmählich mehr als bedrohlich.

Daran sollte sich zunächst nichts ändern. Der Nachschub an Lebensmitteln aus dem tarpolischen Hinterland rollte schon lange nicht mehr, denn die ontarianische Handelsgilde hatte ihre Niederlassungen angewiesen, jegliche Transporte für den Hof einzustellen, bis die fünfzigtausend Waslec Schulden bezahlt würden. Als Aljascha die neuerliche Forderung las, zerriss sie das Schreiben der Gilde und befahl, die Beförderungen in die Hände der Brojaken zu legen. Die Großbauern schafften es jedoch nicht, eine Planung in die Tat umzusetzen. Bisher musste man sich niemals mit solchen unnötigen Aufgaben auseinander setzen, nun rächte sich die Abhängigkeit von den Ontarianern. Dementsprechend überfordert fühlten sich die Brojaken, und nur mit unendlich viel Aufwand gelang es Norina, nach zwei Monaten geregelten Nachschub an die breite Front zu karren.

Hilfreich waren die Bemühungen des Königreichs Tûris, auch wenn Mennebar IV. mitteilen ließ, dass er unmöglich so viele Soldaten wie versprochen schicken konnte. Er benötigte seine eigenen Männer, um die »Verbotene Stadt« abriegeln zu lassen, denn mehr und mehr Sumpfbestien versammelten sich in den Ruinen. Der König befürchtete einen baldigen Angriff der Kreaturen und wollte gerüstet sein, um die eigenen Untertanen schützen zu können. Dafür sandte er wenigstens Proviant nach Tarpol.

Auch König Tarm von Aldoreel unterstützte das immer schwächer werdende tarpolische Heer mit Korn, Mehl und dringend notwendigem Verbandsmaterial.

Der junge Kabcar wurde angesichts der ständigen Rückschläge immer verbitterter. Seine Wutausbrüche erlangten bei seinen Leuten legendären Ruf, mehr als einmal mussten ihn Waljakov und Stoiko zügeln, wenn Lodrik seinen angestauten Hass und die Hilflosigkeit an Untergebenen auslassen wollte.

Als würde von einem Lidschlag auf den anderen ein ausgewechselter Mensch vor ihnen stehen, entschuldigte sich der Kabcar bei den zu Unrecht Misshandelten und gelobte Besserung.

Sonderbar waren die Geschehnisse in der Umgebung des wütenden Lodrik. Gefäße zersprangen, Menschen wurden von unsichtbaren Kräften zu Boden oder in die Luft gerissen, Feuer und Flamme wandelten ihre Farbe von Rot zu Dunkelblau. Stoiko gingen allmählich die an den Haaren herbeigezogenen Erklärungen aus, und bald haftete dem Kabcar ein leicht abergläubisch gefärbter Ruf an.

Mit dem Einsetzen des Frühlings und des Tauwetters kam der borasgotanische Vormarsch zum Halten, Matsch und Regen behinderten die Truppen zu sehr. Tarpol erhielt eine Atempause, Lodrik und seine Freunde kehrten erschöpft nach Ulsar zurück.

Norina empfing einen Geliebten, der sich verändert hatte. Auch wenn er sich selbst bisher an keiner Schlacht beteiligt hatte, das Gesehene und die Ereignisse hatten seine Züge hart werden lassen. Selbst die liebevolle Umarmung der Brojakin schien sein Innerstes nicht erreichen zu können. Erst am zweiten Tag nach seiner Ankunft kehrte das alte, freundliche Wesen zurück.

Die junge Frau spürte die tiefe Verzweiflung, die in ihm steckte, als sie sich am dritten Tag ins Teezimmer des Palastes zurückgezogen hatten. Ohne etwas zu sagen, sank er vor ihr auf die Knie und klammerte sich wie ein kleines Kind an ihren Leib. Zärtlich fuhr sie über seine blonden, langen Haare. Dann setzte sie sich und zog ihn neben sich auf die Liege.

»Was ist nur aus all unseren Plänen für ein besseres Tarpol geworden?«, fragte er leise und starrte in die Flammen. »Ich wollte nichts Schlimmes, im Gegenteil. Meine Untertanen sollten mehr Freiheiten bekommen, als sie jemals vorher hatten. Und nun gehört ein Drittel meines Reiches dem wahnsinnigen Arrulskhán. Warum lässt Ulldrael das zu?« Er sah Norina in die Augen, als ob dort die Antwort auf seine Frage liegen würde. »Wenn er doch der Gerechte sein will, warum tut er nichts? Ist denn das gerecht, was mir und Tarpol im Moment widerfährt?«

»Nein, das ist es nicht«, sagte sie in beruhigendem Ton. »Und deshalb wird Ulldrael dich unterstützen.«

»Wann?«, rief er verzweifelt und sprang auf. »Wann lässt sich der Gerechte«, er spie das Wort fast aus, »dazu herab, etwas zu tun? Ich warte und bete, aber nichts geschieht. Stattdessen vernichten die Borasgotaner meine Männer, plündern die Dörfer und misshandeln meine Untertanen. Und der feine Rest dieses Kontinents schaut zu, faselt etwas von ›unklarer Rechtslage‹. Die Könige lehnen sich in ihrem Thron zurück. Es ist zum Erbrechen!« Voller Wut schlug er gegen den Kaminsims, dann lehnte er die Stirn an den kühlenden Stein. »Ich stand auf einem Hügel und blickte auf das Schlachtfeld zu meinen Füßen. Meine Männer wurden niedergemacht, ganz gleich, ob sie die Waffen streckten oder nicht. Ich habe es ihnen nicht einmal verdenken können, als sie aufgeben wollten. Aber anstatt Schonung zu gewähren, wurden sie an Ort und Stelle hingerichtet.«

Lodrik wandte sich um, seine Schultern bebten. »Knapp hundert Männer. Einfach geköpft.« Langsam ließ er sich auf den Boden rutschen, der letzte Rest von Fassung war dahin. Schnell war Norina an seiner Seite und nahm ihn in die Arme. Hemmungslos weinte der Kabcar von Tarpol. »Ich will nicht mehr, Norina. Wenn

369

mir Ulldrael nicht bald Beistand gewährt, dann ist es vorbei.«

»Du darfst den Glauben nicht verlieren.« Die Brojakin wiegte ihn hin und her. »Es hat so gut begonnen, deshalb darf es so nicht enden. Das Wetter ist auf unserer Seite, und das Glück wird sich zu unseren Gunsten wenden. Ich habe den Nachschub inzwischen organisieren können, und es haben sich viele Freiwillige gemeldet, die bei der Verteidigung des Landes helfen wollen.«

»Sie werden genauso vernichtet werden wie meine Soldaten. So darf es nicht weitergehen.« Lodrik schüttelte den Kopf. Dann wischte er sich die Tränen aus den Augen. »Ich habe dich so vermisst, Norina. Zwei Monate ohne dich waren kaum auszuhalten.« Er küsste sie. »Ich habe mir überlegt, Arrulskhán ein Angebot zu unterbreiten. Ich will endlich Frieden machen. Ich bin die sinnlose Kämpferei so satt. Soll Worlac meinetwegen seine Unabhängigkeit bekommen, sie werden sich bald wünschen, sie hätten es nicht getan. Aber bevor ich mit Botschafter Sarduijelec rede, muss ich meine Gemahlin aufsuchen. Hast du eine Vorstellung, was sie alles an Waslec durchgebracht hat?« Die Verzweiflung war von einem Lidschlag auf den anderen dem puren Hass gewichen. »Ich habe mir die Rechnungsbücher bringen lassen. Sie hat nicht einmal den Versuch unternommen, ihre Prasserei zu vertuschen. Aber nun ist eine Lektion fällig.«

Voller Sorge betrachtete Norina den jungen Mann. »Was hast du vor?«

Lodrik stand auf, zog die Uniform straff, ordnete das Wehrgehänge und schritt zur Tür. »Ich werde ein paar Takte mit ihr reden. Das wird ein Tanz, den sie nicht vergisst.« Er sah seine Geliebte forschend an. »Hat sie dich so schlecht behandelt, wie ich es vermute, oder war es sogar noch schlimmer?«

»Nein, nein«, schwächte die Brojakin ab. »Wir sind uns aus dem Weg gegangen. Sie hat mir die notwendigen Unterschriften erteilt, um den Nachschub zu organisieren.«

»Immerhin. Ich bin gleich wieder bei dir.« Lodrik stapfte hinaus.

Nachdenklich schaute die junge Frau auf den Eingang. Die Entwicklung, die Lodrik vollzog, gefiel ihr gar nicht.

Seufzend legte sie eine Hand auf ihren Unterleib, in dem sich neues Leben entwickelte. Diese Neuigkeit, von der nur sie wusste, hatte sie ihm noch gar nicht erzählen können. Sie spürte aber, dass der Zeitpunkt nicht der richtige gewesen wäre.

Vorsichtig nippte sie am heißen Tee und wartete auf die Rückkehr ihres Geliebten.

Je näher der Kabcar an das Zimmer seiner Gattin kam, umso wütender wurde er.

Gedanken schossen ihm durch den Kopf, die seine Laune nicht gerade verbesserten. Die Situation gestaltete sich für ihn und jeden anständigen Tarpoler als ungeheuerlich.

Während sich seine Geliebte um die Staatsgeschäfte kümmerte, verschleuderte seine rechtmäßige Gemahlin den Staatsetat, als gäbe es irgendwo unter dem Palast eine geheime Schatzkammer, in der unendlich viel Gold oder Iurdum lagerte. Und sie wälzte sich mit anderen Männern im Bett wie eine billige Straßenhure. Nerestro gab ihm durch die Blume zu verstehen, dass sie es auch bei ihm versucht hatte. Er dagegen durfte sie noch kein einziges Mal berühren, obgleich es ihm als Einziger zustand. Es brodelte in ihm wie in einem Vulkan.

Als er die Tür zu ihrem Gemach aufriss und das über die Störung erboste Gesicht eines halbbekleideten

Mannes vor sich sah, das provozierende, glockenhelle Gelächter seiner Cousine, die sich im Bett räkelte, klingen hörte, schwappten die Gefühle über.

Mit einem unmenschlichen Schrei zog er das wuchtige Henkersschwert, das ihm schon mehrfach gute Dienste geleistet hatte.

Wieder zur Besinnung gekommen, stand er etwas benommen über einem völlig verstümmelten, verbrannten und noch leicht qualmenden Toten. Blut troff von der Schneide des Henkersschwertes, das er in der rechten Hand hielt, sein Atem ging schwer, Schweiß und Blut des Mannes rannen ihm über das Gesicht. Die Fingerspitzen des Handschuhs an seiner Linken wirkten wie weggebrannt.

Aljascha kauerte hinter dem Bett, die Decke an sich gezogen, und starrte ihn an. Das blanke Entsetzen lag in ihrem hübschen Gesicht.

Lodrik ging wortlos zu ihr hinüber, um das Blut der Leiche an ihrem Laken abzuwischen.

»Ich habe dir gesagt, dass ich das nicht länger dulden werde.« Er überspielte mit vorgetäuschter Kaltblütigkeit seine eigene tiefe Bestürzung über seine Tat, deren Hergang er nicht nachvollziehen konnte. »Über alles andere, was du dir in meiner Abwesenheit geleistet hast, sprechen wir nach dem Essen. Und ich möchte eine gute Entschuldigung hören.«

Der Kabcar warf einen Blick auf den Toten. Dessen Körper schien von einer gewaltigen Energie verbrannt worden zu sein. Der Geruch von verschmortem Fleisch hing übelkeitserregend in der Luft.

Schnell verließ er den Raum, damit seine Cousine die Unsicherheit nicht bemerkte. Dass Norina im Teezimmer auf ihn wartete, hatte er völlig vergessen, und gedankenversunken wandelte er durch die Korridore des Palastes.

So sehr er sich bemühte, es erschien ihm nicht möglich, sich an die Geschehnisse zu erinnern. Er wusste nur noch, dass er seine Waffe gezogen hatte.

Er hob den teilweise verbrannten linken Handschuh vor die Augen. Sollte das das Kribbeln in den Fingerspitzen gewesen sein? Aber wie konnte das möglich sein? Was war das für eine Macht, die ihn so etwas tun lassen konnte?

Ohne eine Antwort zu finden, begab er sich in Richtung des eigenen Schlafzimmers. Etwas fiel ihm allerdings auf: Er fühlte sich so entspannt wie seit Beginn des Krieges nicht mehr, sein Kopf war freier als je zuvor.

Beinahe in euphorischer Laune wechselte er die Kleidung, betrachtete sich zufrieden im Spiegel und begab sich zum Abendessen.

Die Stimmung am Tisch war merkwürdig. So ziemlich zum ersten Mal, seit Aljascha im Palast wohnte, sagte sie keinen einzigen Ton. Lodrik hatte sich dagegen wortreich bei Norina entschuldigt, sein ganzes Wesen strahlte gute Laune aus. Die Brojakin freute sich über den Sinneswandel ihres Geliebten und schob es auf ihr Wiedersehen, das ihm neue Kraft, neuen Mut und Hoffnung gegeben hatte.

Waljakov fing während des Essens einen recht aufgeregten Diener ab, den er nach kurzen Anweisungen wieder davon schickte. Nerestro und Belkala unterhielten sich leise.

Stoiko berichtete derweil, dass die Botschafter und Gesandten erneut für morgen früh in den Audienzsaal bestellt worden waren. Die Entwicklung des Krieges war der Gesprächsgegenstand im gesamten tarpolischen Reich.

»Und ich erzähle Euch gewiss nichts Neues, Herr, wenn ich Euch sage, dass das einfache Volk nach wie vor hinter Euch steht«, schloss der Vertraute. »Die Menschen wissen sehr wohl, was sie an ihrem jungen Kabcar haben.«

»Was ihnen aber nichts nützen wird, wenn es so weitergeht«, grummelte der Leibwächter. »Wir haben gesehen, wie der Feind kämpft. Die einzigen, die einigermaßen Stand halten, sind die Scharmützeleinheiten.«

»Hoheitlicher Kabcar, ich habe eine kleine Überraschung für Euch.« Der Ritter erhob sich. Sein Bart hatte sich von der Attacke der Kabcara erholt, und eine kleine gefärbte und sorgsam gefettete Strähne baumelte bereits wieder am Kinn herab. »Ihr erinnert Euch doch an den Vorschlag, im Frühjahr ein Turnier in Ulsar abzuhalten?«

»Etwas unpassend derzeit, findet Ihr nicht?«, meinte Stoiko vorsichtig und legte das Besteck zur Seite.

»Eben. Aber ich hatte die Einladungen nicht aufgehoben. Und ich kann Euch nun voller Stolz verkünden, dass sich der Orden der Hohen Schwerter auf Eurer Seite in den Krieg stürzen wird.« Nerestro verneigte sich leicht. »Meine Waffenbrüder sind der gleichen Meinung wie ich. Etwas Besseres als Euch hätte Tarpol niemals passieren können, daher werden wir alles tun, um Euch zum Sieg zu verhelfen.«

»Wie viele?«, fragte der Leibwächter neugierig.

»Es sind inzwischen rund fünfzig Ritter hier. Dazu kommen jeweils zwischen fünf bis zehn Kämpfer und Gefolge. Ihr hättet somit mehr als dreihundert zusätzliche und erfahrene Männer«, erklärte Nerestro mit einem gewissen Befriedigung.

»Donnerwetter!«, entfuhr es dem Vertrauten. Lodrik strahlte über das ganze Gesicht und fasste nach Norinas Hand.

»Meinen Dank, Nerestro von Kuraschka. Dafür habt Ihr erneut das Wohlwollen des Kabcar geerntet. Wenn diese Angelegenheit mit Borasgotan erledigt ist, müssen wir unbedingt über Euren Ländereibesitz sprechen.« Der junge Mann hob sein Glas. »Vielen Dank. Auf die Hohen Schwerter, auch wenn ich nicht gedenke, das großzügige Angebot wahrzunehmen.«

»Herr!«, kam es sofort von einem fassungslosen Waljakov, aber Lodrik lächelte.

»Es soll schnell wieder Frieden herrschen, und auch wenn ich mir sicher bin, dass ich mit der Kampfkraft Eures Ordens früher oder später einen Sieg herbeiführen könnte, möchte ich die Kämpfe beenden. Es sind mir schon zu viele Menschen umgekommen.« Er nickte dem Ritter zu. »Aber wenn Eure Ordensbrüder schon mal hier sind, dann sollten wir zur Feier des Friedens, den ich morgen zu schließen gedenke, eben doch ein Turnier veranstalten.«

»Sollten die Verhandlungen nicht so verlaufen, wie Ihr hofft, wir sind bereit, Euch wieder an die Front zu begleiten«, beendete der Krieger seine Rede und nahm Platz.

Belkala stand auf. »Auch ich möchte Euch helfen, hoheitlicher Kabcar. Zwar ist Kensustria weit weg, und es ist normalerweise auch nicht die Art meines Volkes, sich in die Angelegenheiten anderer einzumischen, aber ich möchte eine Ausnahme machen.« Sie sah in die Runde, strich sich die grünen Haare zurück und zeigte ihre spitzen Eckzähne. Norina drückte Lodriks Finger unwillkürlich, sodass er sie für einen Moment fragend ansah. Doch sie schüttelte den Kopf. »Wie Ihr wisst, ist mein Gott der des Wissens. Ich würde für Euch Männer unterrichten, wie man aus einem Boden mehr Ertrag mit einer Ernte herausholt. Diese könnten dann in die Dörfer reisen und das Wissen weitergeben. Ich denke, die Tarpoler werden froh darüber sein, wenn sie in den anstehenden Zeiten wenigstens halbwegs gefüllte Kornkammern haben. Es ist ganz einfach, wenn man weiß, wie es geht.«

»Hätte ich gewusst, dass nur gute Botschaften hier

auf mich warten, ich wäre schon viel früher zurückgekehrt«, sagte der Kabcar.

»Wenn wir schon bei Neuigkeiten sind«, fiel ihm seine Cousine beiläufig ins Wort, »hast du deinen Freunden schon von deiner glorreichen Tat in meinem Schlafzimmer berichtet?« Sie nahm ihr Messer und hielt es wie eine Waffe. »Stellt euch vor, er hat einen unbewaffneten Mann in kleine Stücke zerhackt. Und aus seinen Fingern sprühten orangene Blitze. Es war nichts von dem armen Mann übrig als ein rauchendes Bündel verkohlten Fleisches.«

»Sicher. Und das macht er ständig. Überall, wo er geht und steht«, fügte Stoiko todernst hinzu. »Mit den Blitzen steckt er normalerweise die Fackeln an.« Dann lachte er los, Waljakov fiel nach etwas Zögern ein, und bald bog sich die ganze Gesellschaft vor Heiterkeit, außer Norina. Aljascha funkelte sie alle an.

»Ihr denkt wohl, ich erzähle Unsinn, nicht wahr? Aber ich habe es gesehen!«, empörte sie sich.

»Gar nichts hast du, werte Gemahlin«, sagte Lodrik amüsiert. »Ich habe dich besucht, um dich auf deine Geldverschwendung anzusprechen, und ich fand dich äußerst betrunken in deinem Bett. Als ich dich wecken wollte, fiel mir die Kerze zu Boden, und die Flammen musste ich löschen. Vielleicht hast du den Brandfleck damit verwechselt.«

Die Kabcara verzog missmutig die Mundwinkel. »Natürlich kannst du es vor deinen Freunden nicht zugeben, ich weiß. Aber ich werde nicht vergessen, was du angerichtet hast.« Sie warf ihr Besteck klirrend auf den Teller und ging.

»Hoheitlicher Kabcar, einen Sinn für Übertreibungen hat Euer Weib schon, oder?«, erkundigte sich Nerestro und wischte sich die Tränen aus den Augenwinkeln. »Blitze aus den Fingern, das gefällt mir.«

Zum Beweis hielt der junge Mann seine makellosen

Hände in die Höhe. »Sieht hier irgendjemand eine Spur von Ruß oder ähnlichem?«

»Nur ein bisschen Dreck«, meinte Stoiko und fachte das allgemeine Lachen von Neuem an.

Damit war die Geschichte von Aljascha erledigt, keiner ging mehr näher darauf ein oder hakte nach. Bald verschwanden alle in ihre Gemächer. Stoiko und Waljakov widmeten sich ihrem abendlichen Schachspiel.

Nach dem vierten Zug hielt es der Vertraute nicht länger aus. »Was wollte der Diener vorhin?«

Der Leibwächter starrte geistesabwesend auf das Brett. »Du kannst es dir denken, vermute ich.«

»Dann hat Aljascha nicht gelogen?« Beunruhigt strich sich Stoiko den Schnauzer glatt.

»Ich weiß nicht, was passiert ist.« Waljakov setzte den Vertrauten matt. »Aber der Mann wollte wissen, was man mit der Leiche machen sollte. Ich befahl eine schnelle, unauffällige Entsorgung. Ich wusste nicht, ob die Kabcara oder Lodrik Schuld hatte, es war mir auch egal. Jedenfalls muss es niemand erfahren.«

»Mir schwant Übles, wenn es mit ihm so weitergeht«, murmelte sein Gegenüber nachdenklich. »Was geschieht mit ihm? Dem halben Regiment ist die Veränderung aufgefallen. Bei jedem Wutanfall ereignen sich die seltsamsten Dinge um ihn herum.« Er sah dem Leibwächter ins Gesicht. »Wenn ich es nicht besser wüsste, würde ich sagen, es ist Magie.«

»Unsinn.« Waljakov wischte die Vermutung mit der mechanischen Hand zur Seite. »Es waren nur Zufälle. Es gibt keine Magie.«

»Ach ja? Und rein zufällig wechselt das Feuer seine Farbe?«

»Es wird Blütenstaub gewesen sein.« Der muskulöse Kämpfer zuckte mit den Schultern. »Kennst du Bärlappsamen? Das Zeug brennt wie Zunder. Vielleicht hat so eine Staubwolke die Flammen verändert?«

»Das habe ich den Männern erzählt, ich weiß«, winkte Stoiko ab. »Aber wir beide wissen es besser.«

»Was sollen wir deiner Meinung nach tun?« Ruhig fixierten die eisgrauen Augen Waljakovs die von Stoiko. »Wir können nichts tun. Außer dafür zu sorgen, dass mit ihm alles gut geht. Nichts deutet auf die Dunkle Zeit hin, und wenn doch, dann wegen Arrulskhán, nicht wegen Lodrik. Wir bleiben in seiner Nähe und passen auf ihn auf. Erst wenn er stirbt, kehrt der Schrecken nach Ulldart zurück. Vielleicht sammelt Ulldrael seinen Segen in ihm? Der Blitz, damals in Granburg, konnte ihm auch nichts anhaben.« Sorgsam ordnete er die Figuren neu an. »Mach dir weniger Gedanken. Morgen ist der Krieg hoffentlich vorbei, und wir alle haben keinen Grund mehr, uns über irgendetwas aufzuregen.«

»Hoffen wir es mal«, seufzte der Vertraute und beugte sich vor, um die Eröffnung zu machen.

Als Norina die Bibliothek betrat und die Kensustrianerin inmitten von Büchern sitzen sah, wollte sie direkt wieder den Rückzug antreten. Doch die Priesterin hatte ihr Eintreten bemerkt und sich umgewandt.

»Ich grüße Euch, Norina Miklanowo.« Sie verneigte sich. »Auch Ihr sucht den niedergeschriebenen Rat der Gelehrten?«

»Ja. Ich suche etwas darüber, wie man Übelkeit bekämpft.« Die junge Frau nahm all ihren Mut zusammen und trat in den Raum, wobei sie allerdings einen großen Bogen machte, damit sie am anderen Ende des Tisches anlangte und Belkala genau im Blick hatte.

»Da kann ich Euch vielleicht weiterhelfen, wenn Ihr möchtet.« Sie nahm sich ein Stück Papier von dem Stapel unbeschriebener Blätter vor sich, tunkte den Federkiel in das Tintenfass und schrieb mit kräftigem Schwung einige Zutaten auf. Dann hielt sie Norina ihre

Aufzeichnung entgegen. »Ihr müsst die Kräuter einfach nur in heißem Wasser ziehen lassen. Trinkt jeden Morgen ein Tasse davon, und Ihr werdet den restlichen Tag nicht ein einziges Mal ein laues Gefühl im Magen haben.« Sie lächelte, ihre Reißzähne schimmerten ein wenig. »Ich musste am Anfang selbst etliche Tassen davon trinken, weil mir die fette tarpolische Küche so gar nicht bekam. Aber inzwischen habe ich mich daran gewöhnt.«

Zögernd kam die Brojakin näher und nahm vorsichtig die Rezeptur entgegen. »Danke vielmals. Ich werde es ausprobieren.« Als würde sie etwas am Regal an der anderen Seite des Zimmers suchen, schlenderte sie aus der Reichtweite der Kensustrianerin. Sie zog ein zufällig ausgewähltes Buch aus der Reihe und blätterte darin.

»Ihr habt übrigens hervorragende Arbeit geleistet«, lobte Belkala plötzlich.

»Bitte?« Sie drehte sich um.

»Die Organisation des Nachschubs«, erklärte die Priesterin. »Nicht viele junge Frauen wären in der Lage gewesen, auf die Schnelle eine solche Transportkette auf die Beine zu stellen.«

Norina erwiderte das Lächeln. »Sie läuft zwar noch nicht ganz so reibungslos, wie ich mir das erhofft hatte, aber bis die Kämpfe wieder beginnen, müsste alles soweit in die Wege geleitet sein. Die Großbauern sind zäh.«

»Die Großbauern sind ängstlich, weil sie ihre Macht verloren sehen, wenn der junge Kabcar auf dem Thron bleibt. So sehe ich es zumindest.« Belkala stützte die Unterarme auf die Tischplatte. »Wenn es dem Herrscher gelingt, Arrulskháns Truppen zurückzuschlagen, werden die Brojaken ihre Zusammenarbeit sehr schnell wieder einstellen, befürchte ich.«

Norina klappte das Buch zu und setzte sich neugierig. »Ihr macht Euch also ebenso Gedanken um Tarpol wie Lodrik und ich? Das freut mich sehr. Wenn Ihr einen Rat habt, dann ...«

Die Priesterin hob abwehrend ihre Linke. »Nein, ich werde mich nicht weiter einmischen, als ich es bereits getan habe. Euren Bauern Hilfestellungen zu geben, wie man den Ertrag eines Feldes steigert, war schon sehr viel für kensustrianische Verhältnisse. In Politikfragen kenne ich mich nicht gut genug aus, um mitsprechen zu können. Aber in kleineren Angelegenheit gebe ich gerne meine Meinung dazu ab.«

»Seid Ihr deshalb immer in der Nähe des Kabcar?«, fragte die junge Frau und warf die langen, schwarzen Haare zurück. »Der Ritter und Ihr, einer von Euch beiden ist ständig um ihn herum.«

»Ja, auch«, antwortete Belkala nach einer Weile. »Nerestro und ich wissen um die Prophezeiung. Wir folgten beide zunächst der falschen Auslegung eines Ulldraelmönchs, der für seine Deutung von seinem Gott selbst bestraft wurde, wie Ihr wisst. Wir haben es uns nun zur Aufgabe gemacht, zu verhindern, dass dem hoheitlichen Kabcar ein Leid geschieht. Zum einen wegen seiner Bemühungen um Tarpol. Zum anderen wäre sein Tod das Schlimmste, was unserem Kontinent zustoßen könnte. Feinde hat er sich inzwischen mehr als genug gemacht, wie Ihr zugeben müsst, nicht wahr?« Ihre goldenen Augen glommen schwach und zogen den Blick Norinas beinahe magisch an. »Ich freue mich übrigens sehr, dass wir beide in aller Ruhe ein paar Worte wechseln können.«

Die Brojakin, eben noch von einem Gefühl anfänglichen Vertrauens beherrscht, wurde mit einem Schlag aufmerksam. »Wie meint Ihr das?« Unauffällig legte sie eine Hand auf den Rücken, um sie in der Nähe des Dolches an ihrem Gürtel zu haben.

Die Kensustrianerin versuchte, den Kontakt der Augen aufrechtzuhalten. »Mir ist nicht entgangen, dass Ihr bei unserem ersten Zusammentreffen im Teezimmer des Kabcar bei meinem Erscheinen verstört wirktet. Gibt es dafür einen Grund? Habe ich etwas an mir, was Euch in irgendeiner Weise abstößt?« Wieder zauberte sie das freundliche Lächeln ins Gesicht, das Wärme und Offenheit vermittelte. »Sind es etwa die spitzen Zähne? Ich kenne die Sagen mittlerweile, die sich um unsere Abstammung ranken, und ich gestehe, ich finde sie sehr amüsant. Seid beruhigt, es stimmt nichts davon. Was wollt Ihr über mich wissen?«

»Ihr könntet mir etwas über Euren Gott erzählen«, schlug Norina vor. »Oder davon, wie man bei Euch in Kensustria lebt.«

»Aber gerne. Fangen wir mit Lakastra an.« Sie zog eine Kette unter ihrer dunkelbraunen Robe hervor und präsentierte Norina ein Schmuckstück, an das sich die junge Frau noch sehr genau erinnerte.

Es war das augengroße Amulett, das der Soldat im Wald vor Granburg aus dem Grab genommen hatte. Sie erkannte die poröse Metalloberfläche und die merkwürdigen Symbole, die sie nun für kensustrianische Schriftzeichen hielt.

In der Mitte des Talismans war ein haarfeiner Riss zu erkennen, an dem er offensichtlich zusammengesetzt worden war.

Belkala fixierte das Braun von Norinas Augen, ihre Iris glühte grellgelb auf. »Was macht Euch Angst, Norina Miklanowo?«

»Ihr macht mir Angst.« Etwas zwang die junge Frau, wie angewurzelt auf ihrem Stuhl zu sitzen. Liebend gerne wäre sie aufgesprungen und aus dem Zimmer gerannt. Gebannt starrte sie stattdessen in die Augen der Kensustrianerin, und ihre geheimsten Gedanken wanderten an die Geistesoberfläche, ohne dass sie es wollte. »Ich glaube, ich habe Euch schon einmal gese-

hen. Ihr wart das Wesen, das in Granburg einen Soldaten getötet hat. Und ...« Sie stockte.

Beruhigend und zärtlich legte die Priesterin ihre
kühle Hand auf die Rechte der jungen Frau. »Ihr müsst
Euch nicht fürchten. Nicht vor mir. Und nun sprecht
weiter.«

»Und ... ich denke, dass Ihr die Morde in Ulsar be-
gangen habt«, sagte Norina widerstrebend. »Die Opfer
starben auf bestialische Weise, und nach allem, was ich
damals in diesem Granburger Wald gesehen und
gehört habe, bleibt nur diese Möglichkeit. Einer unserer Begleiter starb später hier. Er hatte sich damals das
Amulett, das Ihr nun um den Hals tragt, als Glücksbringer mitgenommen.«

»Dann hätte er wohl ziemlich versagt, oder? Aber
nein, da täuscht Ihr euch, Norina Miklanowo. Ihr seid
den Märchen, die man sich in Tarpol über Kensustria
erzählt, aufgesessen. Und den Anhänger trage ich
schon sehr lange. Habt Ihr über Eure lustige Annahme
mit irgendjemandem gesprochen?«

Die junge Frau schüttelte den Kopf. »Nein. Ich wollte, aber ...«

»Nein, lasst es«, befahl die Priesterin. »Es ist gut so.
Wir wollen niemanden damit unnötig beunruhigen.«
Sie rückte näher an die Brojakin heran. »Ihr werdet zu
keinem Menschen über diese Angelegenheit reden,
versprecht Ihr mir das?« Das goldene Glühen ihrer Augen verstärkte sich und brannte sich in den Verstand
der jungen Frau. Gehorsam nickte Norina. Belkala
bleckte die Zähne. »Damit könnte ich durchaus einem
Wesen die Kehle zerreißen, wenn ich wollte, vergesst
das nicht.« Sie löste ihre Hand von Norinas und widmete sich völlig entspannt ihrem Buch. »Ich bedanke
mich für Eure Verschwiegenheit.«

Als würde ihr Eiswasser ins Gesicht geschüttet, kehrte die Brojakin aus der dumpfen Betäubung, die sich in

ihrem Geist breit gemacht hatte, zurück. Schnell erhob sie sich und wandte sich fluchtartig zum Ausgang.

»Norina Miklanowo, einen Moment noch«, traf sie die Aufforderung in den Rücken.

Zitternd blieb sie stehen, während sich leise Schritte von hinten näherten. Ihre Hand ruckte an den Dolch, dann wurde ihr das Blatt mit der Rezeptur vor die Nase gehalten. Beinahe hätte sie aufgeschrien.

»Das hättet Ihr um ein Haar vergessen«, raunte ihr Belkala freundlich ins Ohr. Warm streifte ihr Atem die rechte Gesichtshälfte der jungen Frau, die mit Schaudern daran denken musste, wie wenig entfernt die Reißzähne von ihrer Halsschlagader waren.

»Danke«, presste sie knapp hervor und stürzte zur Tür, hinaus in den sicheren Gang. Jetzt war sie sich sicher, dass diese Priesterin mehr als nur gefährlich war. Nur welche Rolle sie in dem Gewirr von Figuren rund um Lodriks Schicksal spielte, wusste sie nicht.

Die Gesandten Sarduijelec und Fusuríl wirkten am folgenden Tag wie die Sieger im Audienzsaal, als Lodrik und Aljascha eintraten.

Ohne weiteren Kommentar begab er sich an den Kopf des Tisches und schaute auf den Frontverlauf, wie er sich seit dem Stillstand präsentierte. Seine Cousine blieb etwas abseits stehen. Worlac sowie jeweils zwei Drittel der Provinzen Granburg und Restyr hatte das tarpolische Reich eingebüßt. Borasgotan stand, wenn der Regen nachließ, unmittelbar davor, die Ostgrenze der Provinz Sora komplett in seine Gewalt zu bekommen. Er musste feststellen, dass die verlorenen tarpolischen Gebiete bereits in den Farben Borasgotans eingefärbt waren.

»Ich war so frei, hoheitlicher Kabcar«, beeilte sich Sarduijelec zu erklären, »die Kennzeichnung vorzunehmen, damit die Versammlung besser sieht, was wem gehört.«

»Sehr liebenswürdig«, sagte der junge Mann knapp. »Aber leider etwas zu voreilig. Ich habe die Versammlung einberufen lassen, um Frieden zu schließen. Ich werde Worlac seine Unabhängigkeit lassen, wenn es wünscht.« Er nahm einen Zeigestock und befestigte blaue Kreide an der Spitze. Damit übermalte er die roten Striche von Sarduijelec, nur die ehemalige Provinz sparte er aus. »Aus dem restlichen Tarpol wird sich Arrulskhán wieder zurückziehen.« Der Stock schwenkte auf Kostromo. »Hustraban erhält achtzig Prozent des Iurdums, zieht sich dafür aus der Baronie zurück und erkennt sie als unabhängig an. Und Ucholowo rückt auf der Stelle Bijolomorsk heraus.«

»Darf ich?«, fragte der Botschafter Borasgotans und nahm das lange Holz entgegen, friemelte rote Kreide an die Spitze und zeichnete demonstrativ den Frontverlauf nach. »Das möchte mein Herr, Arrulskhán, aber behalten. Und er sieht auch keinen Grund, warum er es hergeben sollte. Die tarpolischen Soldaten scheinen etwas zu eingerostet zu sein, um ein ernsthafter Gegner zu sein. Borasgotan möchte einen Sicherheitsgürtel als Schutz für die neue Baronie errichten, um eine schnelle Übernahme durch Euch, hoheitlicher Kabcar, zu verhindern.« Er reichte den Stock an Fusuríl weiter, der Kostromo sofort rot umrandete.

»Was Hustraban gehört, wird Hustraban behalten«, meinte er nur und verbeugte sich zackig.

Lodrik verschränkte die Arme, dann spielte er an seinem blonden Bart. »Ich mache Euch das Angebot zum Frieden, und Ihr schlagt es wissentlich aus?«

»Um genau zu sein«, Sarduijelec wuchtete seinen kleinen, aber massigen Körper über die Landkarte, um mit dem Stock weiter über die Karte zu kommen, »möchte Borasgotan den Sicherheitsgürtel sogar breiter wissen, um Worlac in den ersten Jahren seines Bestehens absolute Gewähr geben zu können.« Mit einem hässlichen Quietschten fuhr die Kreidespitze über das Pergament und malte einen dicken roten Strich von oben nach unten. Die Hälfte des Reiches war damit abgetrennt. »Und Ihr könnt Euch glücklich schätzen, dass mein Herr Arrulskhán nicht mehr fordert.«

Ungläubig besah sich der junge Mann die Linie. »Seid Ihr betrunken, Sarduijelec? Was Ihr da betreibt, ist die sichere Fortführung des Krieges. Wollt Ihr das?«

Der Botschafter lächelte nur, und Lodrik verstand.

»Gut. Da die Verhandlungen nicht mehr fruchten, greife ich zur einfachen Erpressung.« Der Kabcar zog ruckartig einen Dolch aus seinem Gürtel. Sarduijelec machte einen erschrockenen Satz rückwärts, die Diplomaten tuschelten aufgeregt.

»Wenn Ihr mich tötet, erreicht Ihr gar nichts, hoheitlicher Kabcar«, jammerte der Dicke vorsichtshalber und zog sich immer weiter zurück.

»Wer will das denn? An Euch mache ich mir die Finger nicht schmutzig.« Anstatt auf den borasgotanischen Gesandten loszugehen, setzte er sich die Klinge selbst an die Kehle. Ein kleiner Blutstropfen quoll an der Stelle, wo die Spitze ruhte, hervor, lief den Hals hinab und färbte die graue Uniform dunkel.

Waljakov wollte nach vorne gehen, aber Stoiko hielt ihn zurück. »Lass ihn. Er weiß, was er tut.«

»Was ich nun sage, meine ich äußerst ernst«, verkündete Lodrik und drehte sich dabei, damit ihn alle sehen konnten. »Ich werde das Verhalten von Borasgotan und Hustraban nicht hinnehmen. Da kein anderes der Reiche, abgesehen von ein paar rühmlichen Ausnahmen, etwas gegen die Brüche des Tausendjährigen Vertrages unternimmt, muss ich eine Drohung ausstoßen, wie sie schlimmer nicht sein kann.« Ein dünner Blutfaden sickerte aus der Wunde. »Wenn ich nicht die Versicherung erhalte, dass sich Eure Truppen sofort dahin zurückziehen, wo sie hergekommen sind, dann bringe ich mich um, Sarduijelec. Und wenn ich sterbe, dann geht der Kontinent unter. Alle hier kennen die Prophezeiung.« Sein Adamsapfel hüpfte, wieder kam etwas Lebenssaft zum Vorschein. »Von mir aus kann die ganze Welt versinken, wenn ich tot bin. Für mein Volk macht es keinen Unterschied, ob die Dunkle Zeit zurückkehrt oder ob es von dem wahnsinnigen Arrulskhán beherrscht wird, das ist eins. Nur die anderen Königreiche werden Borasgotan und Hustraban wegen ihrer Habsucht und sich selbst wegen ihrer Untätigkeit verfluchen.«

»Beruhigt Euch doch, hoheitlicher Kabcar«, versuchte Sarduijelec zu beschwichtigen. »Lasst uns in aller Ruhe darüber reden. Ich …«

»Erhalten Eure Truppen den Befehl oder nicht?« Lodriks Muskeln spannten sich unter der Uniform, mit beiden Händen hielt er den Griff umklammert. Aljaschas grüne Katzenaugen glitzerten erwartungsvoll.

Stöhnend sank der Borasgotaner etwas in sich zusammen. »Nein.«

»Ich habe mich hoffentlich soeben verhört«, sagte Lodrik schneidend. »Und wenn nicht, dann sagt Eurem geliebten Borasgotan schon einmal auf Wiedersehen.«

Fusuríl räusperte sich. »Wir schreiben das Jahr 443, hoheitlicher Kabcar, nicht 444. Die Gefahr, dass die Dunkle Zeit nun zurückkehrt, ist nicht gegeben. Wir haben noch fast ein Jahr, um uns auf alles vorzubereiten, was kommt.« Der Hustrabaner legte den Kopf etwas schief. »Und es muss ja nicht jeder an die Prophezeiung glauben, nicht wahr? Es könnte doch ein raffinierter Trick sein. Wenn ich als Kabcar wüsste, dass ich einen Sohn hinterlasse, der als Herrscher nicht unbedingt die beste Wahl ist, würde ich mir vielleicht auch so eine ›göttliche Botschaft‹ ausdenken, damit keiner auf den Gedanken kommt, den Sohn anzugreifen.« Einige Botschafter machten nun verunsicherte

Gesichter. »Wenn Ihr Euch unbedingt töten wollt, nur zu. Hustraban hat keine Angst.«

Aljascha stellte sich an die Seite ihres Gemahl. Die reine Gier nach Macht lag in ihrem Gesicht, als ihre schlanke, ringgeschmückte Hand sich um den Knauf des Dolches legte. »Ich helfe dir, wenn du möchtest, mein tapferer Mann«, flüsterte sie.

Die Arme Lodriks begannen zu zittern. Sanft erhöhte sie den Druck auf das Endstück, schmerzhaft bohrte sich die Spitze tiefer ins Fleisch.

»Ich zähle bis drei«, sagte sie laut. »Kommt zu einer Entscheidung, werte Botschafter und Abgesandte.«

Fusuríl schaute zuerst nach rechts, dann nach links. »Wir Ihr seht, hoheitliche Kabcara, hat hier niemand Angst vor einer Drohung. Nur zu.«

Aljascha atmete schnell. Nur noch ein paar Zentimeter trennten sie davon, die Herrscherin über Tarpol zu sein. Alles Weitere, von Gebietsfragen bis Iurdum, ließe sich nach dem selbstlosen Tod ihres Gatten regeln.

»Eins.«

»Aldoreel fordert die beiden Reiche Borasgotan und Hustraban auf, die Forderungen des Kabcar zu erfüllen«, sagte Tafur eindringlich. »Bedenkt, werte Herren, dass hier unter Umständen Millionen von Leben auf dem Spiel stehen. Es geht um mehr als nur die Eroberung von ein bisschen tarpolischem Land.«

»Abgelehnt«, kam es fast gleichzeitig aus den Mündern der Botschafter.

»Zwei«, zählte Aljascha weiter. Ihre Stimme war lauter geworden.

»Das Königreich Tûris verlangt den sofortigen Rückzug oder ich bin ermächtigt, den Kriegsbeschluss gegen Borasgotan, Hustraban sowie gegen alle ihre Verbündeten zu verhängen«, schaltete sich der turîtische Botschafter, Betaios, besorgt ein.

»Recht so, recht so«, lachte Fusuríl meckernd. »Jetzt

treten ja beinahe alle den Vertrag mit Füßen. Aber ich glaube nicht, dass ich als Gesandter meines Herrschers Kumstratt Euer Reich als ernsthafte Bedrohung ansehen muss. So klein und so weit weg.«

»Exakt«, nickte Sarduijelec überheblich. »Und wenn wir Tarpol eingenommen haben, dann seid ihr an der Reihe.« Damit waren alle Pläne verraten. Sarduijelec hatte seinen Versprecher nicht einmal bemerkt, sondern legte die Hand vor die Augen. »Und nun stoßt zu, Kabcara. Aber verzeiht, ich kann kein Blut sehen.«

»Ich fürchte, dieses Weib weiß ebenfalls genau, was es tut«, flüsterte Stoiko Waljakov zu und ließ als Zeichen für den Einsatz dessen Arm los.

»Dr …«

Der Leibwächter schoss heran, umschloss den Dolch mit der mechanischen Hand und fing den Stoß, den Aljascha der Waffe gegeben hatte, im letzten Moment ab. Etwas weniger als fingerkuppentief drang das geschliffene Metall in den Hals ein, Blut floss nun stärker hervor.

Doch die Kabcara gab nicht auf, zu nahe hatte sie sich dem Thron gesehen.

Wütend legte Lodriks Cousine all ihr Gewicht auf den Knauf des Dolches, Waljakovs Oberarmmuskel schwoll an, dann stieß er die Frau nach hinten, dass sie gegen den Kartentisch fiel. Sanft entwand er dem Herrscher Tarpols den Dolch und zerbrach die Klinge zwischen seinen stählernen Fingern. Scheppernd landeten die Stücke auf der Karte des Kontinents.

»Du verdammter Hund wagst es, Hand an deine Kabcara zu legen?« Aljascha machte zwei schnelle Schritte nach vorne und versetzte Waljakov eine Reihe von brutalen Ohrfeigen, die der Hüne ohne Regung hinnahm. Einer ihrer Ringe hinterließ eine blutige Schramme am Unterkiefer, der weiße Bart wurde rot. »Dafür wirst du noch mehr büßen, das schwöre ich dir.« Ein verächtlicher Blick traf ihren Gemahl.

Lodriks Knie gaben nach, Stoiko schob ihm vorsorglich einen Stuhl unter, auf den er sich dankbar niederließ. Mit seinem Taschentuch versuchte er, das Blut aus seiner kleinen Wunde zu stillen. Er fühlte sich hundeelend.

»So viel also zum Mut des Kabcar«, sagte der Hustrabaner höhnisch. Sein borasgotanischer Amtsgenosse wirkte erleichtert.

»Werdet Ihr, hoheitlicher Kabcar, nun die Hälfte des Reiches auf unbestimmte Zeit abtreten, oder sollen wir es uns nehmen?«, erkundigte sich Sarduijelec grinsend.

»Sagt Eurem Herrn, Tarpol wird sich gegen seine Eroberung stemmen«, sagte Lodrik leise. »Ihr habt vorhin Euer wahres Vorhaben verraten. Wenn Arrulskhán schon das ganze Land haben möchte, dann soll er es sich teuer erkaufen. Für mein Volk werde ich diesem Wahnsinnigen so lange Widerstand wie möglich entgegenbringen.«

»Wie schade«, meinte der Borasgotaner mit falschem Bedauern in der Stimme. »Dann werden sich unsere Truppen wohl bald wieder auf den Weg machen müssen. Ich verabschiede mich und lade Euch aber bereits jetzt schon ein, beim Einzug Arrulskháns in Ulsar dabei zu sein. Gehabt Euch wohl.« Ohne Verbeugung verließ er den Saal, gefolgt von Fusuríl und den anderen Diplomaten. Nur Tafur und Betaios waren geblieben.

»Mennebar lässt sein tiefes Bedauern ausrichten, aber wir werden höchstens die vierhundert Kämpfer unserer Scharmützeleinheiten senden können«, sagte der Turît unglücklich.

»Aldoreel empfindet es als erschreckend, wie ein so junger, hoffnungsvoller Herrscher behandelt wird.« Tafur verneigte sich. »Ganz gleich, ob diese Prophezeiung nun wahr ist oder nicht, Ihr habt Euch den Beistand mehr als verdient. Natürlich werden wir weiterhin Vorräte schicken, hoheitlicher Kabcar. Bis zum Letzten unterstützt König Tarm seinen Nachbarn, bei dem so viel versprechende Veränderungen stattgefunden haben. Mit Ulldraels Hilfe werdet Ihr es schaffen.«

»Tarpol bedankt sich für die Großzügigkeit und wird den Einsatz der Reiche niemals vergessen.« Stoiko bedeutete den beiden Männern, dass sie besser gingen. »Der Kabcar muss sich nun ausruhen.«

Kaum waren die Botschafter verschwunden, folgte der Auftritt Aljaschas.

»Du bist ein jämmerlicher Versager! Siehst du, was du aus dem Reich deines Vaters gemacht hast?« Sie hielt die Karte hoch. »Siehst du das? Noch nicht einmal ein halbes Jahr an der Macht, und die Hälfte Tarpols ist dahin. Bravo, kleiner Junge, bravo. Und selbst deiner Selbstmorddrohung wollte keiner Glauben schenken.« Sie lachte ihm ins Gesicht. »Oh, ich glaube fast, ich sehe den Keksprinzen aus Granburg vor mir. Nicht mehr fett, aber immer noch unfähig.« Sie warf ihm die Karte verächtlich vor die Füße. »Wenn du ein bisschen mehr Mut gehabt hättest, säße ich auf dem Thron. Und unter meiner Herrschaft würden die Dinge besser für das Land laufen.«

Lodrik sah ins Nirgendwo und reagierte nicht, während seine Cousine weiterhin keifend Kreise um ihn zog, bis sie sich heiser geschrien hatte und ebenfalls ging.

Langsam schloss der junge Mann die Augen, eine Träne rollte die Wange hinab. Alles, was er im Moment spürte, war Hilflosigkeit.

Mit einer Handbewegung schickte er auch seine beiden Freunde hinaus, dann erhob er sich und zog das Henkersschwert.

Langsam legte er die Karte auf den Tisch, dann schlug er mit voller Wucht auf das eingezeichnete Borasgotan ein, dass die Holzspäne der Platte darunter umherflogen. Danach richtete er Hustraban. Tief rammte er die Spitze zum Schluss in die Baronie Kostromo.

Alle sollten vor ihm kriechen, auch die selbstherrlichen Brojaken Tarpols. Doch davon befand er sich weit entfernt. In einigen Monaten war er entweder tot oder irgendwo Gast an einem Hof in einem Nachbarreich. Das Ende der Bardri¢linie hatte sich sein Vater bestimmt nicht so vorgestellt.

Der junge Mann fuhr mit dem Zeigefingern über die Gravuren der Klinge. Danach schritt er zum Fenster, stieß die beiden Flügel auf und lief ins Freie. Ein sanfter Nieselregen benetzte sein Gesicht und vermischte sich mit den Tränen, die er geweint hatte.

Wieder schlugen seine Gefühle von einem Moment auf den nächsten um. Die plötzliche aufkommende Wut ließ er an einigen Büschen und Bäumen aus, in die das Schwert breite Kerben fraß. Insgeheim stellte er sich dabei Sarduijelec, Fusuríl und seine Gattin vor. Das Kribbeln und Ziehen kehrte in die Finger zurück.

Immer schneller und stärker schlug er zu, ein dumpfes Grollen stieg aus seiner Kehle, bis er sich mit einem gewaltigen Hieb und einem dröhnenden Schrei Luft machte. »Tzulan! Gebrannter Gott, hilf mir!«

Ein orangener Blitz zuckte aus seiner linken Hand und spaltete mit Ohren betäubendem Krachen die große Ulldraeleiche im Garten.

Und die Energie ließ sich nicht mehr aufhalten. Von einer Pflanze zur nächsten sprang der knisternde, zuckende Strahl. Lodrik spürte die zerstörerische Macht, die ihn heiß durchströmte und von ihm ausging, wusste jedoch nicht, wie er sie kontrollieren sollte.

Als er die Hand senkte, frästen die Strahlen tiefe Furchen in die Erde, und als er sich voller Angst zur Seite drehte, leckte die Energie die Fensterfront des Audienzsaales entlang. Das teure Glas zerbarst knallend in einer glitzernden Scherbenkaskade. Lodrik schrie voller Entsetzen auf.

So plötzlich, wie es begonnen hatte, endete es. Wieder waren die Handschuhe an den Fingerspitzen weggebrannt, und der junge Mann hatte eine ungefähre Ahnung von dem, was gestern im Gemach seiner Cousine geschehen war.

»Herr, seid Ihr verletzt?«, hörte er die Stimme seines Leibwächters, der kurz darauf mit gezogener Waffe durch die kokelnden Trümmer der Tür gesprungen kam. »Allmächtige Taralea, was ist denn hier geschehen?«

Der Kabcar verstaute sein Schwert an seiner Seite und zog die Handschuhe aus. »Ich weiß es auch nicht genau, aber ich brenne darauf, das an meinen Gegnern auszuprobieren«, antwortete er nach einer Weile. »Sagen wir einfach, es war ein göttliches Zeichen.«

»Das Ulldraeleichen zerlegt?« Waljakov kratzte sich an der Glatze. »Das sieht nicht gut aus.«

Lodrik ignorierte seinen Leibwächter und schritt über das knirschende Glas zurück in den Palast, wo er Stoiko begegnete, ein Dutzend Wachen im Schlepptau. »Es ist nichts passiert«, beruhigte der Herrscher sie von weitem. »Schickt nur ein paar Diener, die die Unordnung beseitigen sollen.«

»Und ein paar Gärtner«, kam es ergänzend von draußen.

»Wie Ihr befehlt.« Der Befehlshaber der Wache salutierte.

Stoiko gesellte sich zu Waljakov und besah sich schweigend die Bescherung. Flämmchen loderten stellenweise, kleinere Brände an den Fensterrahmen wurden von Lakaien eilig gelöscht, und ein völlig aufgelöster Gartenmeister schlug die Hände über dem Kopf zusammen, als er sah, was aus seinen Blumen geworden war.

»Sag nichts«, würgte der Vertraute den Leibwächter ab, als der den Mund öffnen wollte. »Ich denke mir lieber meinen Teil.«

Waljakov legte den Kopf in den Nacken und schaute hinauf zu den Sternen. »Täusche ich mich, oder erscheinen Arkas und Tulm größer als sonst?«

»Ich bete zu Ulldrael dem Gerechten, dass du dich täuschst«, murmelte Stoiko.

IX.

»*I*n der Zwischenzeit besiegten Angor, Ulldrael, Senera, Kalisska und Vintera zusammen mit Taralea die Geschöpfe des Gebrannten Gottes.

Doch als sie sich nach unserer Welt umsahen, entdeckten sie, dass die Menschen und Kontinente untereinander Krieg führten. Die einen im Namen Tzulans, die anderen im Namen Angors, Ulldraels, Seneras, Kalisskas oder Vinteras.

Das betrübte sie sehr, wussten sie doch, dass die wundervolle, sorgenfreie Zeit für unsere Welt vorüber war. Ihr Schmerz war so groß, dass sie sich voller Entsetzen abwandten und sich zurückzogen.

Tzulan sah, wie seine Geschwister die Flucht ergriffen, und lachte voller Freude über seinen Sieg.

Doch die Allmächtige Göttin bot ihrem Sohn die Stirn und verlieh einigen Menschen, die nicht dem Gebrannten Gott vertrauten, magische Fertigkeiten.

Bevor Tzulan sich versah, wurden seine Anhänger bis auf wenige Ausnahmen ausgelöscht. Die Menschen dankten der Allmächtigen Göttin, die sie nicht im Stich gelassen und sie mit dem Geschenk der Magie gesegnet hatte.

Taralea suchte ihren Sohn, kämpfte mit ihm und zerriss ihn in kleine Stücke, die sich über alle Kontinente verteilten. Seine glühenden Augen heftete sie zu den Sternen an das Himmelsgewölbe und nannte sie Arkas und Tulm, die einzigen Sterne, die sich nicht drehen und für alle Zeiten am Firmament stehen.«

DER KRIEG DER GÖTTER UND DIE GABE DER MAGIE,
Kapitel 2

Das kleine Fischerboot dümpelte in den sanften, eisigen Wellen und wurde von der Strömung langsam vorwärts in Richtung offenes Meer gezogen.

Die beiden Fischer, Jarrel und Varno, warfen mit kalten und klammen Händen in gleichmäßigem Rhythmus ihre Netze aus, wie sie das täglich taten. Seit Jahren gingen sie hier auf Fang, denn die Fische sammelten sich gerne in dem bewegten Wasser. So waren ihre Fahrten normalerweise immer von Erfolg gekrönt, nur heute schien etwas die Meeresbewohner vertrieben zu haben. Obwohl sie seit den frühen Morgenstunden auf See kreuzten, hatte sich noch kein einziger Fisch in den Maschen verheddert.

Ratlos schob sich Jarrel, der Ältere der beiden, die Mütze ins Genick und kramte ein Stück Kautabak aus der Hosentasche. Genüsslich versenkte er das Stück aus gepressten Fasern im Mund.

Varno holte das Netz erneut ein und hob die leeren, miteinander verflochtenen Seile in die Höhe. »Nichts.« Enttäuscht legte er die Maschen auf die Planken. »Das ist das erste Mal seit zwei Jahren, dass sich nicht einmal ein Stück Treibholz verfängt. Ist heute ein besonderer Tag?«

»Lass es gut sein«, meinte sein Freund und reichte ihm den Tabak. »Ich wette, dass ein großer Raubfisch vor uns seine Kreise gezogen hat. Entweder sind die lieben Fische deshalb geflüchtet, oder er hat sie gefressen. Wir werden morgen mehr Glück haben.« Die kalte Luft verwandelte seinen Atem in weiße Wolken.

»Ich dachte, der Frühling kommt.« Varno schüttelte sich und hielt die Hände gegen den kleinen, bauchigen Kohleofen, den sie zum Aufwärmen immer an Bord hatten. »Ich spüre nicht viel davon.«

»Vielleicht sind die Fischlein eingefroren«, lachte Jarrel gutmütig, und musste sich plötzlich an der Bordwand fest halten, als eine größere Welle gegen das Boot rollte. »Nanu?«

Varno hatte sich erhoben und spähte aufs Meer. Die Wellen wurden unvermittelt stärker, ein seltsam warmer Wind jagte gelblich schwarze Wolken am Himmel entlang. »Da draußen scheint sich etwas zusammenzubrauen. Besser, wir kehren um, bevor uns ein Sturm überrascht.« Er balancierte in Richtung Bug, um an den Mast zu kommen und das kleine Segel zu setzen. »Dann essen wir heute eben mal nur Brot.«

»Mit dem richtigen Schluck Bier dazu wird es ausreichen«, sagte sein Freund und nahm das Ruder in die Hand, um einen Kurs zurück in den heimischen Hafen einzuschlagen.

Bedrohlich türmten sich die Wolken auf, verwirbelten ineinander und verdunkelten die beiden Sonnen. Das blassgelbe Licht wirkte unheimlich und bizarr. Dann wandelte es sich in düsteres Orange.

»Was, bei Ulldrael dem Gerechten, passiert hier?«, rief Jarrel nach vorne. »Das ist das seltsamste Unwetter, das ich jemals gesehen habe.«

Gleißend entlud sich ein erster blassroter Blitz aus den Wolken und schoss eine halbe Meile vom Boot entfernt zischend ins Meer. Eine Wasserfontäne spritzte in die Höhe und sandte salzige Gischtschauer zu den beiden Männern. Aber anstatt zu erlöschen, dauerte der Blitz an und brachte das Meer rundherum zum Kochen. Eine zweite und dritte Energiebahn zuckte herab, bald bildete sich ein ganzes glühendes Geflecht. Wie brennende, knisternde Seile verbanden sie scheinbar Himmel und Meer. Varno und Jarrel hielten sich die Ohren zu, solchen Lärm veranstaltete das Spektakel. Heißer Nebel bildete sich, es roch intensiv nach Salz.

Das Meer begann von tief unten zu leuchten, und ein

enormer Schemen hob sich der Oberfläche entgegen. Zuerst dachten die Fischer, es sei ein Wal, aber dann erkannten sie, dass es sich dabei um ein Schiff handelte. Ein sehr großes Schiff.

Als der Mast das Wasser durchbrach, schlugen weitere, kurze Entladungen ein. Eine unsichtbare Kraft hob eine Galeere immer weiter aus den Fluten, die Strahlen wollten nicht enden und wühlten die See auf. Das Fischerboot kam bedrohlich ins Wanken.

Zwischen den Planken und aus größeren Löchern im Rumpf des Kampfschiffes quoll das Wasser heraus, danach schlossen sich die offenen Stellen wie von Zauberhand.

Endlich war das komplette Schiff aus der Tiefe gehoben. Die Blitze endeten, nur noch ein schwaches, orangenes Leuchten umgab die unheimliche Galeere, die mit Moos, Algen und anderen Ablagerungen überzogen war.

Varno nahm vorsichtig die Hände von den Ohren und sah genauer hin. An Deck liefen tatsächlich einige Gestalten umher, und die ersten Ruder begannen sich zu bewegen. Dumpfe Trommelschläge gaben den Takt an. Das mächtige Gefährt nahm Kurs in Richtung Norden.

»Das ist doch nicht möglich«, stammelte Jarrel, die Augen weit aufgerissen und wie gebannt auf das Geschehen gerichtet. »Ulldrael der Gerechte möge uns vor dem Bösen beschützen!«

»Was für ein Schiff mag das sein?«, wunderte sich sein kreidebleicher Freund.

»Das fragst du noch? Sieh es dir an und erinnere dich an die alten Geschichten.« Jarrel spuckte aufgeregt seinen Kautabak über Bord. »Es gibt nur eine Galeere, die hier gesunken ist.« Ein toter Fisch trieb vorbei, und als der Mann danach greifen wollte, zog er seine Hand schnell wieder zurück. Das Meer war kochend heiß.

Der warme Wind legte sich, die Wolken rissen auf. Varno deutete auf die offene See, wo sich die Wellen allmählich beruhigten.

Zahlreiche weiße Punkte hoben sich gegen den Horizont ab. Jarrel zählte mehr, als er Daumen und Finger hatte. Jeder einzelne Punkt war ein Segel, und noch nie hatte er eine solch große Flotte gesehen, selbst die Palestaner und Agarsiener waren niemals in solchen Verbänden unterwegs. Scheinbar schlugen sie die gleiche Route wie die Galeere ein.

»Ob sie das Ding verfolgen?«, fragte der jüngere der Fischer.

»Woher soll ich das wissen? Nichts wie weg von hier«, ordnete Jarrel an, »bevor noch andere Sachen auftauchen. Diese Neuigkeit macht uns zu wichtigen Leuten. Dafür bekommen wir bestimmt einige Biere umsonst.« Die Angst der Männer wich einer gehörigen Portion Aufgeregtheit.

»Wenn uns jemand glaubt«, warf Varno skeptisch ein. »Ich glaube es ja selbst kaum, was wir gesehen haben. Nur, was hat es zu bedeuten?«

»Darüber sollen sich andere den Kopf zerbrechen.« Sein Freund scheuchte ihn zum Mast. »Los, setz die Leinwand, damit wir schnell zurück sind. Ich will die Gesichter im Dorf sehen, wenn sie unsere Geschichte hören.«

Ulldart, Königreich Ilfaris, Herzogtum Turandei, Königspalais, Frühjahr 443 n. S.

»Die Delegation aus Kensustria wäre nun bereit«, sagte der Diener in Richtung König Perdór, stellte das Tablett mit den Pralinen, Keksen und Baumkuchenspitzen auf den gewaltigen Arbeitstisch und wartete auf weitere Anweisungen.

Der Herrscher von Ilfaris nickte mehrmals, wobei er darauf achtete, dass eine Perücke nicht verrutschte. So etwas Peinliches war ihm schon einmal passiert, und ausgerechnet vor den Kensustrianern sollte es sich nicht wiederholen. »Sollen reinkommen. Wenn ich Hilfe bräuchte, ist mein tapferer Hofnarr Fiorell ja an meiner Seite.«

Der Spaßmacher machte ein tiefe Verbeugung, dass die langen Zipfel seiner Narrenkappe den Boden berührten und die Glöckchen doppelt so laut schellten. Dann sprang er mit einem Satz auf die Tischplatte, verschränkte die Arme und grinste.

Der Livrierte rollte mit den Augen und rief die Abordnung des Nachbarreiches herein.

Zwei im Vergleich zu ihm große Kensustrianer mit den typischen langen, dunkelgrünen Haaren traten ein. Seltsam anmutende Rüstungen aus Metall, Leder und Holz schützten ihre Körper, darunter trugen sie offensichtlich weite, weiße Kleider. Jeder trug zwei Schwerter auf dem Rücken.

»Ich entbiete den kensustrianischen Botschaftern, Moolpár dem Älteren und Vyvú ail Ra'az, meinen Gruß«, begrüßte sie Perdór lächelnd und machte eine einladende Geste, die auf die beiden Stühle vor seinem Tisch zielte. »Kommt näher, liebe Nachbarn, und bedient Euch. Tee oder Shabb? Mein Weinkeller hätte auch einen hervorragenden Tropfen aus dem Jahre 401 zu bieten.«

»Wir bedanken uns, dass wir so freundlich empfangen werden«, sagte Moolpár. Die beiden Krieger deuteten eine Verbeugung nur an und nahmen dann Platz. »Wasser für uns, wenn es recht ist.« Der Diener verschwand.

Vyvú warf Fiorell, der auf dem Schreibtisch stand, einen langen Blick zu.

»Ihr habt wohl keine Hofnarren, was?«, fragte der König amüsiert.

»Nein, das haben wir nicht«, antwortete der Ältere bedächtig. »Was genau ist die Aufgabe eines solchen Mannes?«

»Ich sorge dafür, dass es am Hof nicht allzu ernst hergeht. Ich mache Späße und bin für die Unterhaltung bei Tisch zuständig.« Fiorell jonglierte augenblicklich mit ein paar Pralinen.

»Nicht schon wieder, bitte«, unterbrach sein Herr die Vorstellung. »Ich mag keine Fingerabdrücke auf meinen Kostbarkeiten, du Narr.« Gehorsam hörte der Spaßmacher auf und imitierte die Regungslosigkeit einer Marmorstatue.

»Ist ein Hofnarr teuer?«, wollte Vyvú wissen. »Er leistet nichts Besonderes.«

»Nein, nein. Der hier war ganz billig«, winkte Perdór ab und amüsierte sich passenderweise königlich. »Essen und Unterkunft, mehr benötigt er nicht. Aber abgesehen davon: Was führt Euch her, liebe Nachbarn?«

»Ihr wisst es schon, wie ich vermute. Wir befinden uns im Krieg mit Tersion und Palestan sowie dem Kaiserreich Angor wegen einer unserer Meinung nach falsch geklärten Rechtssache.« Moolpárs lange Eckzähne schimmerten kurz auf. »Nachdem die Frist von vierzig Tagen unverrichteter Dinge verstrich, wurde uns der endgültige Beschluss der Reiche mitgeteilt. Nur bisher hat keines der Länder es gewagt, Truppen gegen uns zu schicken. Wir hegen die Befürchtung, Majestät, dass Tersion Euer Land als Durchmarschgebiet nutzen möchte. So etwas könnten wir nicht dulden. Wir müssten die Angreifer vor unserer Grenze abfangen, was wiederum Kämpfe auf ilfaritischem Gebiet bedeuten würde. Es würde nicht ohne Verwüstung abgehen, und das wollen wir im Vorfeld verhindern.«

»Ihr habt also Sorge um Euer Land?« Fiorell gab das

Dasein als Statue auf, hockte sich auf den Tisch und ließ die Beine baumeln.

»Nein«, widersprach Vyvú freundlich, »wir tragen Sorge um Euer Land. Die Beziehungen zu Ilfaris waren seit alter Zeit gut, es steht sogar unter dem Schutz unseres Reiches. Eure Vorfahren haben unseren Vorfahren die Erde verkauft, die wir zum Siedeln benötigten.«

»Wenn wir mögliche Angreifer zurückschlagen müssten, würden wir das mit allem tun, was wir zur Verfügung haben«, ergänzte der ältere Kensustrianer.

»Und da sollen die Krieger ja einiges auf Lager haben, was man sich so erzählt«, fiel ihm der Hofnarr schnell ins Wort. Doch der Gesandte nahm ihm seinen Einwurf nicht übel.

»Ich hätte es vielleicht anders formuliert, aber Ihr habt Recht.« Moolpár lächelte. »Es würde einiges Feuer fangen.«

»Ich gedenke nicht, Alana der Zweiten zu erlauben, mein Reich mit ihren Truppen zu durchqueren, das habe ich ihr bereits mehrfach geschrieben.« Der Herrscher von Ilfaris angelte sich eine Praline von dem Berg. »Und einen Einmarsch kann sie sich wegen des Tausendjährigen Vertrages nicht leisten. Im Gegensatz zu Euch hat Ilfaris den nämlich unterzeichnet.«

»Glückliches Ilfaris«, sagte Vyvú. »Aber soweit wir wissen, hat ein anderer dieses Dokument nicht unterschrieben.«

»O Unheil«, entfuhr es Perdór, und prompt verschluckte er sich an dem Konfektstück. Hilfreich trommelte der Hofnarr auf dem Rücken seines Herrn herum, bis die Erstickungsgefahr gebannt war. Gleichzeitig mit den Worten des Kensustrianers hatte ihn die Eingebung getroffen.

»Ich sehe, Ihr seid soeben auf den gleichen Gedanken gekommen wie wir«, vermutete der Ältere. »Der Gemahl der Regentin, Lubshá Nars'anamm, hat nirgends seinen Namenszug hinterlassen, ganz zu schweigen von seinem Vater, Ibassi Che Nars'anamm, Kaiser von Angor. Würde Euch Alana bitten, ihren Mann mit seinen Truppen durchziehen zu lassen, befändet Ihr Euch in einer gewaltigen Zwickmühle, Majestät. Vermutlich müsstet Ihr ein solches Unternehmen zum Schutz Eures Landes sogar zulassen.«

»Unsere Küsten sind so gut gesichert, dass es den drei Reichen nicht möglich sein wird, einen Erfolg auf diesem Weg zu erlangen. Daher rechnen wir fast damit, dass ein Angriff über Land erfolgt. Unser Besuch soll Euch gleichzeitig Warnung sein«, fuhr Vyvú fort.

»Fiorell, warum bist du nicht eher auf diese durchaus wichtige Idee gekommen?« Der König kraulte sich den grauen, vollen Lockenbart. »Ich werde Alana aber keinesfalls darauf hinweisen, dass wir auch ihren Gemahl stillschweigend in den Vertrag miteinbeziehen. Sonst wecken wir am Ende noch schlafende Hunde. Habt Ihr einen Vorschlag, liebe Nachbarn?« Er hielt den Kensustrianern das Tablett mit den Pralinen hin.

Moolpár nahm eine davon, biss die Hälfte davon ab und kaute sie vorsichtig. »Sehr süß«, fasste er seinen ersten Eindruck zusammen. Dann steckte er den anderen Teil in den Mund. »Aber man kann sich daran gewöhnen. Nun, wir dachten daran, dass uns die Spione Eures Landes einen Dienst erweisen könnten.«

»Ich und Spione?« Perdór wandte sich an seinen Spaßmacher. »Fiorell, haben wir etwa Spione?« Dann schaute er zu dem Kensustrianer. »Natürlich haben wir Spione. Und zwar die Besten, die es auf diesem Kontinent gibt. Sie sitzen überall.«

»Mit Ausnahme von Kensustria«, warf Vyvú ein, und der König verzog etwas das Gesicht. »Das Angebot lautet, dass Ihr unser Land in Kenntnis setzt, sobald sich das Kaiserreich zu einem Durchmarsch bereit macht. Ihr haltet sie ein wenig hin, bis sie fast die Geduld verlieren, dann sorgen unsere Truppen dafür, dass kein einziger angorjanischer Kämpfer einen Fuß auf Ilfaris setzen wird.«

»Ach?« Neugierig geworden, rutschte der König in seinem Sessel nach vorne. »Und wie wollt Ihr das anstellen?«

Vyvú schüttelte den Kopf. »Nein, Majestät, dazu werden wir nichts sagen. Aber um Euch einen weiteren Anreiz zu geben, erhöhen wir unser Angebot. Erinnert Ihr Euch zufällig, wie viele Spione Ihr nach Kensustria entsandt habt?«

Perdór machte ein unschuldiges Gesicht. »Ich?«

»Es müssten fünfzehn Männer und Frauen gewesen sein«, antwortete Fiorell stattdessen ehrlich.

»Nun, Ihr werdet sie alle wieder zurückerhalten.« Moolpár weidete sich an dem verblüfften Gesicht des Herrschers. »Mehr oder weniger wohlbehalten, das muss ich noch hinzufügen. Aber mit dem Wissen, das sie sich angeeignet haben, bevor wir sie in Gefangenschaft steckten.«

»Nun, da muss ich nicht länger überlegen, zumal es ohnehin in meinem eigenen Interesse ist.« Der König ging auf den Handel ein. »Abgemacht.« Er hielt Moolpár die Hand hin. Der Kensustrianer zögerte etwas. »Ihr werdet wohl kaum annehmen, dass ich solche Absprachen zu Papier bringe, oder? Mein Wort als Herrscher muss Euch genügen.«

»Wir haben mit Herrschern zwar erst kürzlich ein paar unangenehme Erfahrungen gemacht«, sagte der Ältere der beiden nach einer Weile. »Aber Euch, Majestät, wird Kensustria vertrauen.« Die Hände wurden geschüttelt, beide Männer sahen sehr erleichtert aus.

»Wohin wird Euch der Weg als nächstes führen?«, erkundigte sich der Hofnarr, der die Hände von Vyvú ordentlich auf und ab gerüttelt hatte. »Es sind ja einige aus Eurem Volk auf Ulldart unterwegs, was man so hört. Sogar in Tarpol, im Schlepptau des jungen Kabcar.«

Die beiden Kensustrianer wechselten einen schnellen Blick. »Wer genau sollte denn das sein? Die diplomatischen Delegationen waren nur im südlichen Teil des Kontinents unterwegs«, sagte Moolpár nach kurzem Schweigen.

»Sie ist eine ... Moment einmal.« Perdór lief zur großen Bücherwand und zog ein dünnes Werk hervor, das er eigens für den neuen Kabcar angelegt hatte und in dem er alles festhielt, was in dessen Umgebung geschah. »Da steht es ja. Ich werde ganz schön vergesslich. Eine junge Frau, eine Priesterin namens Belkala, kam an den Hof nach Ulsar, zusammen mit einem Ritter vom Orden der Hohen Schwerter, der ...«

»Wiederholt den Namen!«, unterbrach Vyvú hart und unhöflich.

»Belkala. Und sie ist Priesterin des Gottes Lakastra, des Wesens des Wissens und des Südwindes. Aber wem sage ich das? Ihr seid ja aus Kensustria.« Kichernd stellte er das Büchlein ins Regal zurück. »Ist denn etwas Besonderes damit?« Listig beobachtete der König die markanten Gesichter seiner Besucher. »Oder hat sie dort oben nichts verloren?«

»Ich weiß es nicht.« Moolpár versuchte gleichgültig zu wirken. »Sie ist Priesterin und damit nicht meine Kaste, Majestät. Um genau zu sein, steht sie unter mir. Was kümmert den Adler, was die Krähe macht? Nun entschuldigt uns, wir müssen zurück und den Erfolg der Verhandlungen mitteilen. Wir tauschen uns per Brieftauben aus?«

»Aber sicher«, sagte der Herrscher. »Es ist nach wie vor das schnellste Mittel.«

»Wir haben vorerst rund drei Dutzend mitgebracht. Schickt uns ab der fünften Taube immer den Hinweis, dass Ihr bald neue benötigt. Mein Land dankt Euch.«

Die Kensustrianer erhoben sich, verbeugten sich und verließen das Arbeitszimmer, nicht ohne dass der Ältere sich noch eine Praline genommen hatte.

Perdór lehnte sich grübelnd in den Sessel zurück, legte die Füße hoch und stellte sich das Tablett mit den Süßigkeiten auf den rundlichen Bauch. Fiorell nahm das dünne Heft wieder aus der Reihe und positionierte es auf dem Tisch.

»Unsere grünhaarigen Langzähne haben doch tatsächlich ein kleines Geheimnis vor uns«, begann der König nach einer Weile. »Nicht, dass das etwas Neues für mich wäre, aber diesmal wissen wir, wo wir ungefähr ansetzen müssen.«

»Ich habe bereits einen Vermerk an ihrem Namen gemacht.« Der Hofnarr kritzelte mit der Feder auf der Seite herum. »Unsere Spione sollen sich die Dame etwas näher anschauen, oder, Majestät?«

»Es scheint, als sei sie einen gelegentlichen Blick wert«, stimmte Perdór zu und nagte an einer Baumkuchenspitze. »Aber Tersion und die Südländer haben Vorrang. Veranlasse das Notwendige. Hopp, hopp.«

»Und die Bestienbewegungen, die aus Tûris gemeldet wurden?« Fiorell spitzte den Mund. »Interessant oder weniger interessant?«

»Da sie nichts tun, außer sich mehr oder weniger friedlich in der verbotenen Stadt zu sammeln, würde ich sagen, dass wir sie im Auge behalten«, entschied sein Herr. »Vor allem sollten wir das auf alle Sumpfgebiete ausdehnen. Auf der Karte werden wir die Wanderbewegungen, wenn es welche gibt, genauestens festhalten. Ich glaube nämlich nicht daran, dass nur die Viecher in Tûris verrückt geworden sind. Wenn es etwas mit dem Jahr 444 zu tun hat und das die Vorboten auf etwas Größeres sind, müssen wir genau über die Entwicklung Bescheid wissen. Notfalls erteile ich in diesem Fall kostenlose Hinweise an die Reiche.«

»Wie edel. Ich huldige Eurer wahrlich königlichen Gesinnung, Majestät.« Der Hofnarr warf sich vor dem Tisch flach auf den Bauch. »Lang lebe Perdór der übermenschlich Gute.«

»Schon gut. Steh auf, Possenreißer.« Ein Keks verschwand im Mund des Herrschers. Dann seufzte er. »Wie schade, dass ich anscheinend nun der einzige König bin, der Süßigkeiten zu schätzen weiß. Seit aus dem Tadc der Kabcar geworden ist, hat er die Leckereien zur Seite gelegt.«

»Ich an seiner Stelle würde aus lauter Verzweiflung fressen«, kommentierte Fiorell vom Boden aus und hob das Gesicht. »Aber bei seinem Vater wird er wohl eher dem Suff verfallen.«

Perdór hob drohend den Zeigefinger. »Na, na, na. Sag so etwas nicht über einen mächtigen Mann. Und wer weiß, vielleicht lebt er bald bei uns im schönen Ilfaris im Exil, während sich Arrulskhán sein Land unter den Nagel gerissen hat.«

Der Spaßmacher sprang auf und legte sich quer über den Tisch. »Unser Hochzeitsgeschenk kam zwar an, aber gebracht hat es dem jungen Mann leider gar nichts. Und nun?«

»Warte ich ab.« Der König deutete zur Tür. »Und du wirst die Anweisungen für die Spione in Tersion und Beobachter in den Sumpfgegenden auf den Weg schicken. Hopp, hopp!«

Missmutig und übertrieben schlurfend wandelte Fiorell zum Ausgang.

»Wenn Ihr noch einmal ›Hopp, hopp‹ sagt, Majestät, dann werde ich in Zukunft jede einzelne Praline ablecken, bevor Ihr sie esst. Oder noch besser, ich lecke nur eine an und sage nicht, welche es war.«

Lodrik saß in dem verwaisten Audienzsaal, der neue Scheiben bekommen hatte, und brütete in der Dämmerung über der Landkarte, auf der die Bewegungen der verschiedenen Truppen eingezeichnet waren. Es sah so aus, als würden sich in wenigen Wochen zwei große Kontingente der verfeindeten Parteien in Dujulev, zweihundert Warst östlich von Ulsar, gegenüberstehen.

Der Ausgang der Schlacht würde über das Schicksal von Tarpol entscheiden, da waren sich seine Offiziere und er sicher. Gelang es seinen Soldaten, die Borasgotaner vernichtend zu schlagen, war das Reich gerettet. Alles andere bedeutete den Untergang. Ein Sieg musste unter allen Umständen her, die Vorbereitungen liefen auf Hochtouren.

Um seine Männer bis aufs Äußerste anzuspornen, würde er mitreiten und sich diesmal an der Schlacht beteiligen.

Der Kabcar vertrat gegenüber Stoiko und Waljakov die Annahme, dass es wegen der Prophezeiung keiner der Gegner wagte, ihn anzugreifen, geschweige denn zu töten. So sehr sich die Botschafter gleichgültig gegeben hatten, Lodrik glaubte fest daran, dass die einfachen borasgotanischen Kämpfer vorsichtig waren und das Schwert nicht gegen ihn richteten. Damit wollte er Vorteile für seine Armee erzielen.

Noch regnete es in Strömen im Kampfgebiet, aus dem sich die restlichen tarpolischen Truppen zurückzogen, um sich in Dujulev zu sammeln. Von den achthundert Männern waren knappe zweihundert geblieben, die Zahl der Feinde hatte sich dagegen nicht wesentlich verringert. Immer noch galt es, fünftausend Kämpfer zu besiegen.

Alles in allem, mit dem Nachschub aus den Garnisonen, den Freiwilligen und den Einheiten aus Tûris konnte Lodrik dreitausend Bewaffnete dagegenstellen. Hinzu kamen die fünfzig Ritter der Hohen Schwerter und ihr Gefolge, von denen sich die tarpolischen Offiziere aber nicht viel versprachen. Die Kampfesweise der Ordenskrieger sei überholt, zu schwerfällig und wenig tauglich.

Seufzend stützte der junge Herrscher seinen Kopf in die Hände und blies die farbigen Hölzchen, die borasgotanische Truppen symbolisierten, um.

Nachdenklich kratzte er sich am Bart. Eine rettende Kriegslist wollte ihm einfach nicht einfallen. So musste er auf den Beistand eines Gottes hoffen, ganz egal, wer ihm die helfende Hand reichen wollte. Und Tzulan schien ihm bereits einen Vorgeschmack gegeben zu haben.

»Ich empfehle dem Hohen Herrn, die Bauern ganz offiziell zu den Waffen zu rufen. Schließlich habt Ihr ihnen große Zugeständnisse gemacht. Nun wäre es an ihnen, sich erkenntlich zu zeigen«, sagte eine angenehme, sanfte Männerstimme irgendwo aus dem Zimmer. »Es wäre die einfachste Lösung.«

Lodriks Nackenhaare stellten sich auf. Niemand, den er kannte, klang so. Er sprang auf, zog den Exekutionssäbel und spähte im halbdunklen Raum umher. »Zeig dich! Was willst du?«

»Ihr müsst Euch nicht vor mir fürchten, hoher Herr«, sagte die Stimme leise. Noch immer konnte der Kabcar nicht herausfinden, in welcher Ecke des Raumes der Sprecher stand. »Ich bin hier, um Euch beizustehen. Ein Freund, den Ihr um Beistand gebeten habt, schickt mich.« Eine Silhouette trat aus dem Schatten einer Säule hervor und kam auf Lodrik zu. »Ich bin Mortva Nesreca, Hoher Herr, und Euch mit Leib und Leben zu Diensten.«

Insgeheim hatte der Herrscher mit einem Attentäter, einer Bestie oder einer anderen Spukgestalt gerechnet, aber seine Fantasie wurde vom Anblick des Unbekannten eher enttäuscht.

Ein Mann um die dreißig Jahre von durchschnittlicher Statur stand vor ihm. Auffällig waren seine glatten, grausilbernen Haare, die er offen trug und die bis unterhalb der Schulterblätter hingen. Sein Körper steckte in der üblichen tarpolischen Uniform, jedoch fehlten die Rangabzeichen. Waffen führte er keine mit sich, jedenfalls keine sichtbaren.

Ein grünes und ein graues Auge ruhten neugierig auf Lodrik, das bartlose Gesicht des Unbekannten wirkte freundlich, als er dem Kabcar die obligatorische Verbeugung entbot. »Lang lebe der Kabcar von Tarpol.«

Lodrik musterte den Fremden auf der anderen Seite des Kartentisches von oben bis unten, senkte den Säbel, behielt ihn aber vorsichtshalber in der Hand. »So, so. Ein Freund, den ich um Hilfe angerufen habe.« Er dachte nicht weiter darüber nach, wen sein Gegenüber gemeint hatte, sondern beschloss, den Strohhalm zu ergreifen, der sich ihm und seinem Land bot. »Und was genau ist nun Eure Aufgabe?«

»Nennt mich Mortva, Hoher Herr«, schlug der Unbekannte vor. »Ich werde immer in Eurer Nähe sein, um mit Rat und Tat zur Seite zu stehen. Als Konsultant.«

»Das wird allmählich sehr eng. Ich habe schon sehr gute Vertraute, die …«, wollte der junge Mann erklären, aber Nesreca ergänzte den Satz ungefragt.

»… Euch in der momentanen Lage nicht weiterhelfen können, Hoher Herr. Ich dagegen garantiere Euch, dass, wenn Ihr auf meine Ratschläge hört, wir den Borasgotanern und all Euren Feinden im eigenen Land eine gehörige Lektion erteilen werden. Durch mich werdet Ihr zu einem angesehenen Herrscher, vor dem Ulldart Respekt haben wird. Und ich biete Euch an, Euch zu schulen.«

»Schulen?« Lodrik blinzelte verwundert, die blauen Augen spiegelten echte Verblüffung. »In was denn? Ich finde, Stoiko und Waljakov leisten sehr gute Arbeit.«

Mortva kam um den Tisch herum und streckte die Hand aus. »Zieht Eure Handschuhe aus, spreizt Eure Finger und hebt die Rechte etwas an«, bat er. Zögerlich kam der Herrscher der Aufforderung nach.

Ein fadendicker, orangener Strahl sprang aus der Handfläche des Mannes und schlug in den Zeigefinger Lodriks ein.

Ein warmes Gefühl durchströmte ihn, das vertraute Kribbeln setzte ein. »O nein. Nicht schon wieder«, murmelte er und dachte voller Schrecken an die zerstörten Glasscheiben. Rund um sein Handgelenk entstand ein Glühen, aus den Fingerspitzen flog ein astdicker Strahl geradewegs auf die Fenster zu.

»Wir wollen nicht, dass etwas zu Bruch geht, nicht wahr?« Lächelnd hielt Mortva die andere Hand in die ausgetretene Energie. Seine Haut schien die strahlende Kraft restlos zu absorbieren, grell schimmerten die silbernen Haare in dem Widerschein auf. Dann erlosch das Rot.

Lässig schüttelte der mysteriöse Konsultant die Finger aus. »Ihr seid stark, Hoher Herr. Und mit meinem Unterricht werdet Ihr bald in der Lage sein, diese Macht gezielt einsetzen zu können.«

Fassungslos starrte der Kabcar seinen neuen Berater an. »Wie habt Ihr das gemacht? Und was ist das?«

»Magie.« Mortva lächelte. »Ihr seid wichtig für das Schicksal eines ganzen Kontinents und von einem Gott auserwählt, genau wie ich oder die Cerêler. Bei Euch ist es noch reinste, purste und ungestaltete Magie, die einiges an Schliff bedarf, bis sie Euch gehorcht, wie Ihr wollt. Sie ist sehr frisch, jung, ungestüm. Und sie möchte nach draußen. Habt Ihr das nicht bemerkt, Hoher Herr?«

Lodrik ging ein Licht auf. Die ganzen unerklärlichen Vorkommnisse um ihn herum, das alles hatte er selbst ausgelöst, weil er die Kraft in sich noch nicht beherrschte. »Ich glaube, ich habe sie unbewusst angewendet«, gestand er. »Ich habe damit versehentlich einen Menschen getötet, fürchte ich.«

Der Mann nickte. »Dann wird es höchste Zeit, dass wir mit der Ausbildung beginnen. Ihr müsst schnell lernen, Eure Gabe noch geheim zu halten. In Zukunft werdet Ihr dann nur noch absichtlich töten.«

»Ich will aber nicht töten«, widersprach der junge Kabcar. »Was kann man damit noch alles machen?«

»Alles, was Ihr wollt, Hoher Herr. Wenn Ihr Euch Mühe gebt und lernt.« Mortva sah auf die umgestürzten Holzmännchen. »Man kann damit auch Winde erschaffen, die Armeen durch die Luft wirbeln. Oder lautlos ein Zimmer betreten. Aber so weit seid Ihr noch lange nicht. Daher müssen wir uns zunächst mit herkömmlichen Mitteln behelfen.« Er bedeutete Lodrik, näher an den Tisch zu treten. »Wenn wir aus den Gebieten rund um Dujulev alle Männer und Kinder heranziehen, denen wir eine Mistgabel oder einen angespitzten Stock in die Hand drücken können, müssten wir doppelt so viele Bewaffnete wie bisher zusammenbekommen.«

»Kinder?«, wiederholte der junge Mann. »Ist das ein Scherz?«

Der Konsultant zog die Wangen zusammen, missbilligend schaute er auf die Karte. »Hoher Herr, wollt Ihr Tarpol behalten oder nicht?«

Lodrik wand sich wie ein Wurm um die Antwort herum. »Ja, ich will.«

Mortvas Gesicht wurde sofort wieder freundlicher. »Die Kinder werden mit Freuden an der Seite ihrer Väter stehen. Gut, nennen wir sie nicht Kinder, nennen wir sie ›junge Männer‹. Alles ab zwölf Jahre sollte herangezogen werden, notfalls könnte man sie zum Schanzen einsetzen. Was meint Ihr, Hoher Herr?«

»Ich werde es mir durch den Kopf gehen lassen«, sagte der Herrscher.

»Ich sehe schon, Ihr werdet eine gewisse Zeit benötigen, bis Ihr mir vertraut, nicht wahr?« Der geheimnisvolle Konsultant überlegte kurz. »Ich schlage Euch eine Abmachung vor. Ich sorge dafür, dass Kolskoi und der Rat der Brojaken entgegenkommender sind, und wenn ich das erreicht habe, werdet Ihr dafür meine Ratschläge befolgen. Würde Euch das überzeugen, Hoher Herr?«

Lodrik knetete seine Unterlippe. »Gut. Es wäre ein viel versprechender Anfang. Wie Ihr selbst sagtet, ich muss schon zu der Überzeugung gelangen, dass Eure Empfehlung etwas taugt.«

»So soll es sein.« Mortva verneigte sich tief vor dem Kabcar. »Bei Gelegenheit solltet Ihr mir ein Zimmer im Palast zur Verfügung stellen und mich den anderen vorstellen, Hoher Herr. Sagt ihnen, ich sei ein lang vermisster Verwandter, der in der Stunde der Not zurückkehrte, um seinem Vetter vierten Grades zu helfen. Ansonsten überlasst die Erklärungen beruhigt mir.«

»Wie Ihr wollt, Mortva.« Der junge Mann deutete auf seine Uniform. »Wo habt Ihr die eigentlich her? Und wo ist der Säbel dazu?«

»Oh, die habe ich noch aus meiner Zeit bei der tarpolischen Armee. Das ist schon lange her, und ich habe sie ehrenhaft verlassen, nachdem ich mich für das Studium entschieden habe. Ich finde sie sehr kleidsam. Waffen mag ich nicht besonders, sie sind nicht sonderlich elegant, zu roh und blutig. Magie ist viel poetischer in der Anwendung. Und fürs Grobe habe ich zwei exzellente Begleiter, Hoher Herr.« Zu Lodriks Überraschung traten bei diesen Worten ein Mann und eine Frau hinter Säulen hervor. Sie trugen dunkle, nietenverstärkte Le-

413

derrüstungen, kombiniert mit Eisenplatten und Ketten-
elementen sowie jeweils ein Schwert an der Seite. Im
Gegensatz zu Mortva machten sie keinen Vertrauen er-
weckenden Eindruck auf den Herrscher von Tarpol.
Ihre Gesichter hatten in dem Halbdunkel des Audienzzimmers etwas Brutales. Nähere Details konnte er in
diesem schummrigen Licht nicht erkennen. »Ihr seht,
ich bin durchaus gut geschützt.«

»Dann wünsche ich Euch viel Erfolg bei Kolskoi«,
sagte der Herrscher. »Ich werde mich nun verabschie-
den. Wie Ihr aus dem Palast kommt, ist Eure Sache,
Mortva. Ich bin gespannt ...«

Es klopfte an der Tür, und Lodrik drehte sich um.
»Herein.« Nichts geschah, auch nach wiederholter Aufforderung.

»Da ist wohl jemand schwerhörig«, meinte Lodrik
ungehalten, als er sich wieder zu seinem rätselhaften
Konsultanten wandte. Mortva war jedoch ebenso verschwunden wie seine lautlose Begleitung. Auch vor der
Tür stand niemand.

Tarek Kolskoi rammte seinem Pferd die Sporen in die
Flanken und hetzte es durch das dichte Unterholz, ohne
Rücksicht auf sich oder das Tier. Rechts und links neben
ihm rannten seine beiden borasgotanischen Kampfhunde Arkas und Tulm, die die Fährte der verwundeten Beute aufgenommen hatten. Die Jagdgesellschaft,
mit der er aufgebrochen war, ritt irgendwo weit abgeschlagen hinter ihm.

Der dürre Adlige machte sich ganz flach und klebte
förmlich am Hals seines Pferdes, dem die Äste und
Zweige ins Gesicht peitschten. Den flüchtenden Hirsch
vor sich verlor der Mann nicht einen Moment aus den
Augen. Ein eilig abgefeuerter Pfeil hatte das Wild nur
verwundet, nun galt es, der edlen Beute so schnell wie
möglich den Garaus zu machen. Am Ende würde das

kostbare Fleisch noch in den Mägen von hungrigen Bauern landen, und das wollte Kolskoi auf keinen Fall.

Mit einem anfeuernden Ruf rammte er das Metall an seinen Stiefelenden erneut tief in die weiche Seite des Pferdes, Blut troff von Flanken herab. Der Hirsch rückte näher.

Endlich war er neben dem geschwächten Tier, zog seinen Säbel und schlug ins Genick des verletzten Wildes. Mit einem dumpfen Röhren brach der Hirsch zusammen, überschlug sich mehrfach und lag zuckend im Matsch. Hart riss Kolskoi die Zügel zurück und brachte seinen Hengst zum Stehen. Ein kurzer Befehl, und seine beiden Hunde setzen sich.

Eilig sprang er aus dem Sattel, lief zu seiner Beute und durchstach mit einem Dolch das schnell klopfende Herz. Dann wischte er sich den Schweiß von der Stirn, nahm den Trinkschlauch vom Sattel und gönnte sich einen großen Schluck Branntwein.

»Halali«, prostete er dem toten Hirsch zu, dann schlug er seinem Pferd auf die Nüstern, das wiehernd zurückwich. »Lahmer Gaul. Dich werde ich noch härter rannehmen müssen.«

»Ich denke nicht, dass der Hengst Schuld trägt«, sagte eine Männerstimme hinter ihm. »Ein mittelmäßiger Reiter macht ein gutes Pferd nicht schneller.«

Kolskoi spuckte erschrocken den Alkohol aus und drehte sich um. In seinem Rücken hatte sich, unbemerkt von ihm und den normalerweise wachsamen Rüden, ein Mann mit langen, silbernen Haaren in einer Jagdkluft zwanglos an einem Baumstamm positioniert. »Du wagst es, einen Harać zu beleidigen? Sag, wer du bist, bevor dich meine Hunde zerreißen.« Auf seinen Wink hin stellten sich die kalbgroßen Rüden knurrend an seine Seite.

»Oh, wir werden uns von nun an öfter sehen, schätze ich. Ich bin Mortva Nesreca, Cousin vierten Grades des

Kabcar. Und Ihr könnt nur Tarek Kolskoi sein, der Sprecher des Brojakenrates.« Der Mann verbeugte sich. »Ich habe schon einiges von Euch gehört.«

»Ich von Euch nicht.« Zufrieden bemerkte der Adlige, dass der Unbekannte waffenlos war. »Seid Ihr auch auf der Jagd?«

»Nach Euch«, entgegnete Mortva lächelnd. »Ich habe Euch gesucht.«

»Ach? Sollte ich darüber erfreut sein oder mir Sorgen machen?« Aus weiter Entfernung waren die Signalhörner der Gesellschaft zu hören. Kolskoi nahm sein Rufhorn vom Gürtel und blies hinein, um zu antworten. Kein Laut ertönte aus dem Horninstrument.

»Nanu? Sollte es dem guten Stück den Ton verschlagen haben?« Der angebliche Verwandte des Herrschers hob amüsiert die Augenbrauen. »Los, versucht es noch einmal. Sonst werden sie Euch in diesem Dickicht nie wieder finden.«

Der dürre Mann warf das Horn achtlos zur Seite. »Was wollt Ihr von mir, Nesreca?«

»Ich bitte Euch in aller Freundschaft, legt meinem Cousin im Rat keinerlei Steine mehr in den Weg. Er hat es so schon schwer genug, Hara¢.«

Kolskoi lachte laut los, dass ihm die Tränen von den Wangen liefen. »Darauf habe ich nur eine Antwort: Es war schön, Euch kennen gelernt zu haben, Nesreca.« Die Heiterkeit wich. »Arkas, Tulm! Fasst ihn!«

Die beiden borasgotanischen Kampfhunde rührten sich nicht.

Mortva ließ sich in die Hocke nieder und streckte die linke Hand aus. »Na, kommt her, ihr zwei Braven.«

Schwanz wedelnd liefen sie auf den Mann zu, leckten ihm die Finger und rollten sich zu Kolskois Entsetzen auf den Rücken, um sich von dem Fremden den Bauch kraulen zu lassen.

»Da habt Ihr aber zwei prächtige Exemplare, Kolskoi.

Die Namen passen.« Der Verwandte des Herrschers umfasste die Schnauze eines Rüden und zog die Kiefer auseinander, damit er sich die Reißzähne betrachten konnte. »Stattliches Gebiss, würde ich sagen. Einem Erwachsenen würde der Junge glatt den Oberschenkel durchbeißen.«

Prüfend fuhr er über eine Zahnreihe, dann tätschelte er dem Hund den großen Kopf und schmuste mit ihm, während der schmale Granburger fassungslos auf die Szenerie starrte. Wenn er nicht selbst schon gesehen hätte, wie Arkas und Tulm mit Leichtigkeit einen Menschen getötet hatten, würde er meinen, es wären zwei völlig andere Rüden, die sich dort wie Schoßhündchen zu den Füßen des Mannes rollten, wie blöde vor Freude jappsten und hechelten.

Wütend machte Kolskoi einen Schritt nach vorne. »Seid ihr beiden Köter toll geworden?«, schrie er die Tiere an. »Ihr sollt ihn fassen!«

Zahm wie Welpen drückten sich seine Hunde an Mortva und genossen die Streicheleinheiten.

»Aufgepasst!« Der Mann mit den silbernen Haaren hob den Zeigefinger, und sofort setzten sich die beiden Rüden aufmerksam hin, die Ohren stellten sich auf. Mortva deutete auf Kolskoi, und sofort begannen die Kampfhunde zu knurren, die kurzen Nackenhaare stiegen in die Höhe.

Gemächlich erhob sich der Cousin des Kabcar. »Wenn Ihr den Befehl von vorhin wiederholen möchtet, Kolskoi, tut Euch keinen Zwang an. Aber ich fürchte, die Hunde würden anders reagieren als Ihr denkt.«

Der Hara¢ wurde bleich und schaute auf die gebleckten Reißzähne, die sich zum ersten Mal gegen ihn richteten.

»Um auf unser Gespräch von vorhin zurückzukommen«, begann Mortva genüsslich und schwang sich in den Sattel von Kolskois Hengst, »Ihr werdet Lodrik

Bardri¢ keine Schwierigkeiten mehr bereiten. Eure Hunde könnten sonst nachts plötzlich an Eurem Bett stehen und sehr hungrig sein.« Der granburgische Adlige ballte die Fäuste, die Flügel der Hakennase blähten sich. Nur mühsam kontrollierte er die Wut. »Wir sehen uns bestimmt wieder in Ulsar. Ein Fußmarsch kann Euch nichts schaden.« Der Mann klopfte dem Pferd beruhigend auf den Hals, und ruhig setzte sich das Tier in Bewegung. »Vergesst Eure Trophäe nicht, Hara¢. Es wäre schade um den Hirsch.«

Der Reiter verschwand im Gebüsch, und Kolskoi stand seinen beiden Kampfhunden gegenüber, die ihr Knurren verstärkt hatten. Der nächste Baum war nur ein paar Schritte entfernt. Unendlich weit, wenn man gegen zwei solche Bestien im Wettlauf antreten musste.

Der Adlige gab sich einen Ruck und sprintete schreiend zu der Eiche, sprang an dem unteren Ast hinauf und zog sich empor. Dann sah er nach unten, wo Arkas und Tulm saßen und ihn aufmerksam beobachteten.

»Sitz, verdammt!«, brüllte Kolskoi, und artig senkten die Tiere ihre Hintern. »Blöde Köter«, fluchte der dürre Mann und schaute nach links, um vielleicht noch etwas von dem anderen Mann zu sehen, der sein Pferd gestohlen hatte. Doch er entdeckte niemanden.

»Also schön. Dann räumen wir den neuen Mitspieler eben zuerst aus dem Weg«, murmelte er und sprang zurück auf den Boden. »Kommt her, ihr Verräter«, rief er die Hunde. »Ich habe den passenden Lohn für euch.« Während er auf die Rüden zuging, zog er den Jagddolch.

Matuc klopfte dem Esel vor seinem Karren mit dem
Stock auf den Rücken, um den Vierbeiner anzutreiben.
Noch vor Einbruch der Nacht wollte der Geistliche wenigstens in die Nähe seines angestammten Ulldrael-
klosters kommen, damit er Morgen in aller Frühe seinen geliebten Posten als Vorsteher wieder aufnehmen
konnte. Die entsprechende Pergamentrolle mit der Anweisung des Oberen verwahrte er sicher zwischen dem
Gepäck, den Kisten und Tonnen, die hinter ihm auf der
Ladefläche lagerten.

Der Kabcar hatte Matuc seine Dankbarkeit bewiesen,
indem er ihm Tier und Gefährt schenkte, zudem alles an
Vorräten, was der Mann gewünscht hatte. So reiste er
nun fast einen halben Monat in gemütlichem Tempo
durch die Provinz, um all seine Erlebnisse hinter sich zu
lassen und die vermisste Ruhe in Tscherkass zu finden.

Immer wieder begegneten dem Mönch nun kleinere
Flüchtlingsgruppen, die sich vor den borasgotanischen
Truppen nach Westen absetzten. Seit einer Woche war
er der einzige, der sich in diese Himmelsrichtung bewegte. Matuc hatte keine Angst vor den feindlichen Soldaten, sie würden den Häusern Ulldraels nichts tun,
dafür war ihr Glaube an den Gott zu stark. Sorgen
machte er sich nur um das Wohl der vielen Tarpoler, die
bereits von den Borasgotanern unterjocht wurden. Sie
mussten mit weniger Rücksicht rechnen.

Ein Gehöft erschien am Horizont, und der Geistliche
beschloss, eine kurze Rast einzulegen, um dem Esel einen Schluck Wasser zu gönnen und sich selbst ein wenig zu strecken. Die lange Sitzerei auf dem Karren
machte ihn steif und unbeweglich.

Nach einer knappen halben Stunde hielt er vor dem Haus an, kletterte ungeschickt von seinem Karren und band die Zügel des Esels an einem Eisenring fest. Bei jedem Schritt, den er mit dem rechten Bein machte, ertönte ein leises Klacken, wenn das künstliche Gelenk seines Holzbeines arretierte und dem Mönch einen einigermaßen sicheren Gang ermöglichte. Dennoch war sein Humpeln unübersehbar.

Laut klopfte er an die einfache Holztür, um auf sich aufmerksam zu machen.

Ein Mann, ungefähr in Matucs Alter, öffnete. Die einfache, gebraucht wirkende Kleidung und die kurzen Haare ließen erahnen, dass es sich um einen Landpächter handelte.

»Was gibt es? Ich habe nichts zu essen.« Sein abweisendes Gesicht wandelte sich innerhalb eines Lidschlags, als er an der dunkelgrünen Robe erkannte, dass er es mit einem Ulldraelmönch zu tun hatte. »Oh, verzeih mir. Ich dachte, es sei wieder einer der Flüchtlinge, der bettelt.« Er öffnete die Tür und bat den Geistlichen mit einer Geste, einzutreten. »Der Segen Ulldraels ist mir willkommen. Ich bin Daromir. Willst du etwas essen?«

»Danke für deine Einladung, Daromir«, sagte Matuc und hinkte in den großen, rußgeschwärzten Raum. »Aber du solltest allen Menschen etwas geben, nicht nur denen, die sich gut mit dem Gott verstehen. Auch das sieht Ulldrael der Gerechte gerne.« Er ließ sich auf einen groben Stuhl fallen und hievte sein Holzbein in eine angenehme Position, damit die Prothese nicht zu sehr auf den Stumpf drückte. Ab und zu hatte er das Gefühl, sein echtes Bein noch zu spüren. Aber es war nur die Erinnerung seines Körpers, die ihm das vorgaukelte. »In den Zeiten der Not sollten die Tarpoler zusammenhalten.«

Wortlos stellte der Pächter eine Holzplatte mit Brot,

Schinken und Käse vor den Mann. Danach schenkte er ihm einen Becher Milch ein. »Anfangs habe ich das auch noch getan«, sagte er schließlich. »Aber es sind zu viele, die hier vorüberziehen. Ich wäre selbst arm, wenn ich allen etwas geben würde.« Er sah aus dem Fenster, als der Esel laut schrie, um sich bemerkbar zu machen. »Ich werde dein Grautier ausspannen und tränken. Wasser habe ich wenigstens mehr als genug.«

Während Daromir nach draußen ging, kaute Matuc nachdenklich auf den Gaben herum. Auf seinen Orden würde viel Arbeit warten, um den Menschen den notwendigen Halt zu geben. An eine solche Lage konnte sich niemand mehr auf Ulldart erinnern, der letzte Krieg lag mehr als hundert Jahre zurück. Eine derartige Not war neu für die einfachen Leute.

Der Landpächter kehrte zurück. »Es schmeckt dir?«

»Es ist sehr gut«, bedankte sich der Mönch und spendete den Segen seines Gottes. Zwar sprach er die Worte und Formeln wie immer, aber es spürte, dass die echte Überzeugung darin fehlte. Doch Daromir, der sich sogar niedergekniet hatte, schien nichts zu merken. »Wo sind deine Frau und deine Kinder?«

»Ich habe sie weggeschickt zu meinem Bruder«, antwortete der Mann und entzündete die Feuerstelle inmitten des Raumes. »Es ist mir zu gefährlich hier für sie. Nachdem die Borasgotaner so schnell vorrücken, ist nichts und niemand mehr sicher. Ich habe ihnen das Vieh und die Vorräte mitgegeben. Eine Kuh und wenig Proviant genügen mir vorerst.«

»Was machst du noch hier?«, erkundigte sich der Mönch weiter.

»Ich beschütze das Haus vor Plünderern. Und wenn die Soldaten kommen, laufe ich davon. Ich bin kein Krieger.« Zwei Scheite Holz wanderten in die Flammen. »Ich wollte mich zuerst freiwillig melden, um für den Kabcar zu kämpfen, aber ich traue mich nicht. Vielleicht

421

tut der Herrscher auch nicht genug. Als wir noch von seinem Vater regiert wurden, hätte es keiner gewagt, in Tarpol einzumarschieren.«

»Das stimmt nicht«, widersprach Matuc. »Der Kabcar gibt sich alle Mühe, den Vormarsch aufzuhalten. So, wie er sich Mühe gibt, dem einfachen Volk hilfreich unter die Arme zu greifen. Er hat doch schon einiges getan, oder? Und unter seinem Vater hatten die Bauern weniger zu lachen. Erinnere dich, so lange ist es nicht her.«

»Sicher, das hat er.« Daromir brachte noch ein Stück Wurst und setzte sich zu Matuc. »Ich hoffe, Ulldrael der Gerechte steht ihm bei, damit wir die Borasgotaner verjagen.«

Der Mönch seufzte und fuhr sich über die Bartstoppeln an der Wange. »Das hoffe ich auch. Meine Gebete begleiten ihn bei allem, was er tut.«

Der Esel schrie aufgeregt, dann hörten die Männer eine leise Kinderstimme, die scheinbar beruhigend auf das Tier einsprach. Der Landpächter ging zur Tür, Matuc folgte ihm humpelnd. Um ein Haar wäre er auf dem unebenen Boden gestürzt.

»Ha, du Dieb! Schon wieder hier? Dir prügele ich Verstand ein«, hörte er den Mann böse von draußen rufen, während er noch mit dem Gleichgewicht kämpfte.

Es knallte, dann weinte ein Mädchen leise. Eilig hüpfte der Mönch zum Ausgang.

»Daromir, hör auf!«, sagte er laut und sah, wie der Landpächter erbost ein Kind am Arm packte und die Hand zu einer weiteren Ohrfeige erhoben hatte. Mit einem Blick sah er, dass eine seiner Proviantkisten geöffnet war.

Daromir schüttelte die Diebin ordentlich, woraufhin Zwieback aus den Taschen ihres einfachen Leinenkleids auf die Erde fiel. »Da haben wir's!«

»Lass mich los«, forderte das Mädchen, das Matuc anhand der Gestalt auf dreizehn Jahre schätzte. Ihr Gesicht wirkte jedoch erwachsener, ernster als das der Kinder ihres Alters. Sie trug kurze, schwarze Haare; braune Augen funkelten ihren Peiniger an. »Ich hatte Hunger.« Ihr Akzent klang etwas polternd.

»Dieb ist Dieb. Und der Ring an deinem Finger gehört sicher auch nicht dir.« Der Landpächter packte sie im Genick und schüttelte sie wie ein Ungeziefer. Ein Schmerzenslaut, gefolgt von einer derben Verwünschung, entfuhren dem Mädchen. »Was machen wir mit ihr, Bruder Matuc?«

»Warum hast du nicht gefragt, ob du etwas haben kannst?«, wollte der Mönch von ihr wissen und humpelte zu den beiden hin. »Ich hätte dir gerne etwas abgegeben. Daromir bestimmt auch.«

»Hätte er nicht«, widersprach das Kind trotzig. »Ich habe ihn schon mal besucht.«

»Und mir eine Wurst gestohlen«, ergänzte der Landpächter. »So leicht kommst du diesmal nicht davon.«

»Bring sie ins Haus«, entschied der betagte Mann. »Wir besprechen das in aller Ruhe. Es wird ohnehin dunkel, da wird sie froh sein, wenn sie ein Dach über dem Kopf hat.«

»Ich soll der Diebin …?«, begehrte Daromir auf, dann erinnerte er sich an die Ratschläge von vorhin. »Du hast Glück, dass du in Bruder Matuc einen so guten Fürsprecher hast«, zischte er ihr ins Ohr. Sie trat ihm ans Schienbein. »Au, verfluchte Göre!«

»Benimm dich«, warnte Matuc. »Du wirst heute Gast sein, wie ich, und Dankbarkeit zeigen.«

Sie gingen wieder ins Innere zurück, wo der Landpächter eine Talgkerze entzündete. Grummelnd stellte er dem Mädchen ein Stück Brot vor die Nase. Als er den mahnenden Blick des Mönchs sah, kramte er umständlich nach Schinken und einem kleinen Stück Trockenfleisch. »Da. Iss.«

Das Kind sah abwechselnd zwischen den Männern

hin und her. Dann nahm es zögernd ein angebissenes Stück Wurst heraus und reichte es dem völlig verwunderten Daromir. »Da hast du deine Wurst wieder.«

Matuc lächelte und fuhr dem Mädchen über die struppigen Haare. »Siehst du, Daromir. So kommen wir alle weiter. Das war sehr nett von dir. Wie ist dein Name, Kind?«

Hungrig schlug sie ihre Zähne in das Brot. »Fatja«, antwortete sie mit vollem Mund und grinste, dass die Krümel regneten.

»Und wohin wolltest du?«, setzte der Geistliche das freundliche Verhör fort. Zwischen Trockenfleisch, Brot und Schinken erzählte sie mehr undeutlich als deutlich, dass sie auf dem Weg nach Rundopâl war, um sich mit ihrer Verwandtschaft zu treffen, die sie unterwegs verloren hatte.

So recht überzeugend fand Matuc ihre Geschichte nicht. Er konnte sich nicht vorstellen, dass Eltern eines ihrer Kinder in dieser Lage zurücklassen würden, damit es von selbst nachkommen sollte. Er vermutete, dass es sich schlicht um eine kleine Streunerin handelte, die auf der Suche nach dem großen Abenteuer war. Nur fürchtete er, dass sie Menschen in die Hände fallen könnte, die wenig Gutes mit ihr anstellen würden.

»Wie wäre es, wenn du mich auf das Ulldraelkloster in Tscherkass begleitest?«, schlug er ihr vor. »Ich könnte Hilfe unterwegs sehr gut gebrauchen.« Er klopfte auf sein Holzbein.

»Ja. Du bist auch nicht mehr der Jüngste«, sagte Fatja ohne Bosheit in den braunen Augen. »Ich werde mit dir · kommen.« Sie schaute auf die Prothese. »Wie ist das denn passiert?«

Ein Schatten legte sich auf Matucs Gesicht. »Jemand hat mir das Leben gerettet, indem er mir das eingeklemmte Bein abschlug und mich davor bewahrte, von einem anderen Stein erschlagen zu werden.«

»Du hattest großes Glück«, sagte das Kind und schob sich ein Stück Schinken in den Mund. »Du kannst weiterleben. Andere Menschen werden in den nächsten Tagen nicht so viel Gnade von den Göttern erfahren.«

Daromir deutete auf die leeren Schlafkojen an der Wand. »Sucht euch eine aus, wenn ihr müde seid. Ich bringe den Esel in den Stall und lege mich hin, der Tag war heute sehr lang.« Gähnend verzog er sich nach draußen.

»Du bist nicht zufällig aus Borasgotan?«, fragte Matuc plötzlich.

Fatja hob erschrocken den Kopf und musterte sein Antlitz. »Warum?«

»Dein Akzent hat es mir verraten«, erklärte er seinen bestätigten Verdacht. »Das wird dich in Tarpol im Moment nicht gerade beliebter machen.«

Fatjas Mundwinkel sanken. »Deshalb will ich ja auch nach Rundopâl.«

»Und Verwandtschaft hast du vermutlich keine dort?«

»Nein. Keine echte. Nur Bekannte«, gestand sie zögerlich. »Meine Leute sitzen in Granburg, vermutlich mitten zwischen den Soldaten des wahnsinnigen Arrulskhán, und spielen zum Tanz auf.«

»Ach?« Der Geistliche rieb sich die müden Augen. »Und warum bist du nicht bei ihnen?«

»Ich musste schnell weg«, druckste sie herum und fischte zielsicher eine Laus aus den Haaren, die sie routiniert zwischen den Fingernägeln knackte. »Jemand hatte etwas gegen mich. Nachdem ich die ganze Zeit durch die Gegend gewandert bin, begann dieser Krieg. Und ich mache mich daher lieber aus dem Staub, bevor mich die Tarpoler noch für einen Spion halten.«

»Umso wichtiger, dass du an meiner Seite bleibst.« Matuc erhob sich umständlich und humpelte zur untersten Koje, auf deren Rand er sich setzte. Mit ein paar

Handgriffen schnallte er das Kunstbein ab und stellte es neben das Bett. Interessiert sah Fatja dabei zu.

»So etwas habe ich noch nie gesehen«, sagte sie nach einer Weile und deutete auf die Mechanik. »Wer macht denn das?«

»Das war ein gelehrter Mensch in Ulsar«, erzählte der Mönch. »Dort ist das möglich.«

»In Ulsar?«, staunte das Mädchen und hob die Augenbrauen. »In der Hauptstadt? Ist es schön dort?«

»Nein, Kind«, entgegnete Matuc, dem die Fragerei zu viel wurde. »Und nun möge Ulldrael der Gerechte dir einen gesegneten Schlaf geben.«

»Ich finde das sehr nett, dass du mich mitnimmst«, redete Fatja unbeirrt weiter und war mit wenigen Schritten an der Koje des Geistlichen. »Dafür lese ich dir völlig kostenlos die Zukunft. Ich kann das sehr gut. Für manche sogar zu gut.«

»Nein, lass das«, versuchte der betagte Mann zu protestieren, während das Mädchen seine Hand schnappte und die Innenlinien nachfuhr. »Mich interessiert meine Zukunft nicht. Sie liegt nicht in meiner, sondern in Ulldraels Hand, und da gehört sie auch hin.«

»Oh, das sieht aber bemerkenswert aus«, machte sie übertrieben geheimnisvoll, und man spürte deutlich, dass es für sie nur ein Spaß war. »Du wirst sehr alt werden und zufrieden sterben.«

»Wie beruhigend«, stöhnte Matuc, der eigentlich ins Reich der Träume sinken wollte. »Das sagst du vermutlich allen.« Er setzte sich auf und schaute in ihre braunen Augen. »Lass den Unsinn und leg dich …« Mit einem Mal fühlte er einen mächtigen Sog, der von ihren Pupillen ausging und all seine Gedanken aus dem Geist zu ziehen schien. Eine innere Leere breitete sich aus, und er fühlte einen Zustand ungewöhnlicher Leichtigkeit.

»Bruder Matuc, du hast noch einige Aufgaben vor

dir, wie ich es sehe.« Er hörte die Stimme Fatjas wie durch dichten Nebel, diesmal ernster als vorher. »Von dir wird das Schicksal eines Kindes abhängen. Ein wichtiges Schicksal, das Licht in die drohende Nacht bringen kann. Aber es wird dauern, bis dieser Tag gekommen ist. Und nur mit deinem Wirken wird sich die Dunkle Zeit vertreiben lassen, wenn sie kommt.« Das Mädchen schwieg. »Ich sehe noch etwas. Ein Mann in einer goldenen Robe will, dass du stirbst. Er hat Attentäter gesandt, die auf dem Weg nach Tscherkass sind, um dort auf dich zu warten und dich umzubringen. Ein Geheimnis soll geschützt werden.« Fatja atmete schwer. »Es geht um den Ulldraelorden. Dein Tod soll verhindern, dass jemals irgendjemand dem Oberen auf die Spur kommen kann. Niemand soll beweisen können, dass er dich gesandt hatte, den Kabcar zu töten.«

Matuc schüttelte diese Leichtigkeit in seinem Kopf ab und starrte das Kind an. »Niemand weiß etwas davon. Woher …«

Fatja plumpste zu Boden. »Ich habe dir gesagt, ich bin zu gut«, murmelte sie müde. »Ich bringe mich damit nur in Schwierigkeiten. Aber du musst mir glauben! Komm mit mir nach Rundopâl, ich bitte dich.« Inständig blickte sie ihn an. »Nur du kannst eines Tages verhindern, dass die Dunkle Zeit für immer auf Ulldart Einzug hält. Und sich auf andere Kontinente ausdehnt.«

»Auf andere Kontinente?« Der Geistliche legte sich hin und sah an die schwarze Decke. »Und warum soll ich nach Rundopâl?«

»Ich weiß es nicht«, sagte Fatja leise. »Ich weiß ja auch nicht, wann dieser besondere Tag sein wird.«

Matuc senkte die Lider. »Ich werde darüber schlafen müssen.«

Aber sein Entschluss, den er vor dem Eindämmern fand, stand fest. Er würde nach Tscherkass reisen. Wenn es Attentäter geben würde, sollte Ulldrael ihn retten.

Einen besseren Beweis für die Visionen Fatjas als ein Wunder zu seinen Gunsten konnte es nicht geben.

Ein Lichtstrahl kitzelte Matucs Nase, und verschlafen öffnete er die Augen. Die Sonnen sandten ihre Wärme und Helligkeit durch eine undichte Stelle im Dach der Hütte, genau in sein Gesicht. Grummelnd richtete er sich auf und hielt nach Fatja Ausschau.

»Guten Morgen!« Das Mädchen saß am Tisch und strahlte ihn an. »Taralea hat uns einen wunderschönen Tag geschenkt. Da werden wir schnell vorwärts kommen. Und der Esel ist auch ausgeruht.«

»Guten Morgen«, erwiderte er ihren Gruß. »Wo ist denn Daromir?« Umständlich setzte sich der Mönch zurecht und schnallte sich sein Holzbein an. Erst nach einigen Anläufen gelang es ihm, sich zu erheben. Dann war auch schon das Kind an seiner Seite und half ihm. Dankbar ließ er sie gewähren, als sie seine Hand zur Stütze auf ihren Kopf legte.

»Er ist auf die Weide, um der Kuh etwas Gras zu mähen«, erklärte sie. »Hast du dir überlegt, was du tust?«

Matuc nickte. »Ich werde nach Tscherkass reisen. Und du solltest mit mir kommen.«

Fatja schob ihm den Stuhl zurecht. »Aber dort wird dich der Tod ereilen. Glaub mir. Meine Visionen haben mich noch nie getrogen.«

»Weißt du, Kleine, ich habe in den letzten Monaten so viel erlebt, dass ich an fast nichts mehr glauben möchte.« Er nahm sich Brot und einen Becher von der Milch. »Wenn ich so wichtig bin, dann wird mich Ulldrael retten. Sterbe ich, war es sein Wille.«

Sie musterte ihn vorwurfsvoll. »Du machst es dir sehr einfach, nicht wahr?«

»Ich habe nur keine Lust mehr, mich in die Hände anderer zu begeben und auf deren Ratschläge, Visionen oder Empfehlungen zu hören«, erklärte er. »Das hat mir den Verlust meines Beins eingebracht. Sonst nichts.« Er stand auf und wehrte die Hilfe Fatjas mit einer Handbewegung ab. »Nein, lass mich. Ich gehe in den Stall und sehe nach dem Esel.«

Der Mönch humpelte nach draußen, blinzelte einen Moment in die Sonnen und ging in den Schuppen, wo der Landpächter das Grautier für die Nacht neben der Kuh einquartiert hatte.

»Na, mein Guter?« Er kraulte das Tier zwischen den Ohren. »Jetzt sind wir bald zu Hause.«

Mehrfacher Hufschlag näherte sich dem kleinen Hof, dann hielten Pferde schnaubend an. Matuc hörte das leise Klingeln von Kettenhemden, als die Reiter abstiegen.

Zu hastig wandte er sich zum Ausgang, strauchelte und stürzte. Verzweifelt versuchte er, sich an einem Strick fest zu halten, der von der Holzdecke hing, aber das Seil gab nach.

Quietschend öffnete sich eine Holzluke über ihm, und loses Stroh fiel bergeweise auf den Mönch hinab. Der Esel schrie, und der Mann fand, dass es irgendwie schadenfroh klang.

Er hörte, wie Stiefel sich dem Schuppen näherten, dann trat jemand ein. Ein Schwert wurde gezogen.

Von draußen drangen wütende Stimmen an das Ohr des Geistlichen, dazwischen vernahm er von dem wohl zurückgekehrten Daromir die Beteuerungen, dass niemand hier vorbeigekommen sei. Fatja jammerte Herz zerreißend und bat die Fremden immer wieder, ihrem »Vater« nichts anzutun.

Die Klinge fuhr wenige Zentimeter vor der Nase des Mönchs ins Stroh und bohrte sich tiefer hinein. Dann begannen wuchtige Hiebe, seine Deckung büschelweise abzutragen.

Matuc stieg der Strohstaub in die Nase, ein trockenes

Gefühl im Hals brachte ihn beinahe zum Husten. Meisterhaft beherrschte er sich und konzentrierte sich auf den Dritten Lobgesang zu Ehren Ulldraels.

Viele Schritte kamen zu dem kleinen Stall, lautstark wurde auf Daromir eingeredet, den die Unbekannten mitschleppten und auf den Strohhaufen warfen. Ein Schmerzenslaut entfuhr Matuc beim Aufprall, den er nur mit Mühe unterdrückte.

»Das hier sind nicht dein Esel und dein Karren«, wurde der Landpächter angeschrien. »Woher hast du sie? Rede, Bursche, oder ich schneide dir die Haut vom Leib!«

»Ich habe sie von einem alten Mann mit einem Holzbein«, gestand Daromir jammernd. »Er kam gestern hier an. Ich weiß nicht, wo er hin ist. Er wollte nach Tscherkass, das habe ich gehört, als er sich mit … meiner Tochter unterhielt.«

»Vater, warum sagst du den Männern nicht, dass er unser Pferd gestohlen hat und weggeritten ist?«, log Fatja unverfroren. »Ich glaube nicht, dass das ein Mönch war.«

»Ganz recht, Kleine«, stimmte einer der Fremden zu. »Wir suchen ihn, weil er uns nämlich den Esel und den Karren gestohlen hat. Mit allen Vorräten. Die nehmen wir natürlich mit.«

»Natürlich«, sagte der Landpächter schnell.

»Los, ihr geht ins Haus«, befahl ein anderer. Das Schwert wurde wieder eingesteckt. »Lomov, du hilfst mir, den Esel anzuspannen.« Wieder hörte Matuc Fußgetrappel, die Last von seinem Körper wich. Daromir kehrte zurück in seine Hütte. Regungslos verharrte der Mönch.

»Wenn er mit einem Pferd unterwegs ist, kann er schon in Tscherkass sein«, sagte einer der Fremden. »Der Karren macht uns nur langsam.«

»Und wenn schon? Dann steigen wir nachts ins Kloster ein und entführen ihn. Sobald wir weit genug weg sind, bringen wir ihn um und verscharren ihn irgendwo«, antwortete ein Zweiter. Metall rieb über Leder, das Zaumzeug wurde dem Esel angelegt. »Es wäre eine ziemliche Schande, wenn uns ein Krüppel entkommen würde.« Die Männer lachten rau.

Matuc spürte das warnende Kribbeln in seinem rechten Nasenflügel, doch da war es schon zu spät. Laut nieste er, dass das Stroh hüpfte. Durch die Erschütterung rutschte ein Teil der Deckung weg, sodass der Mönch geradewegs auf die Stiefelspitzen der Männer vor sich sehen konnte.

»Ich wollte den Proviant nur ungern zurücklassen«, sagte der erste Sprecher ungerührt. »Wenn er schon uns gehört.«

Ein neuerliches Niesen, gefolgt von einem krächzenden Husten, entfuhr dem Geistlichen. Doch die beiden Unbekannten hörten es anscheinend nicht und unterhielten sich weiter.

Vorsichtig stand Matuc auf und stellte sich direkt neben das bewaffnete Duo, das noch immer keine Notiz von ihm nahm.

Ein letzter Rest der getrockneten Halme rutschte aus der Luke und fiel zu Boden.

Sofort fuhr einer der beiden herum, zog sein Schwert und ging zu der Öffnung. »Hast du da oben schon nachgesehen, Lomov? Ich traue dem Mädchen nicht unbedingt.«

»Nein«, gestand der andere, stellte sich unter das dunkle Loch und formte eine Räuberleiter für seinen Begleiter. Matuc sah dem Treiben fassungslos zu. Sie ignorierten ihn. Ihn, den sie doch offensichtlich töten sollten.

Über sich hörte er die Schritte des Mannes, der nach wenigen Lidschlägen aus der Luke herabsprang. »Nein, da ist er auch nicht. Er scheint wirklich unterwegs zu sein.«

»Dann sollten wir uns auch wieder auf den Weg machen«, meinte Lomov und lief nur eine Handbreit von Matuc entfernt vorüber, sodass der Geistliche den knoblauchgeschwängerten Atem riechen konnte.

Die beiden verließen zusammen den Schuppen, das angeschirrte Grautier führten sie mit sich. Ein kurzer Pfiff, und die restlichen zwei Männer der Gruppe kamen aus dem Haus und schwangen sich in die Sättel ihrer Pferde.

Der Mönch trat verwundert in die Stalltür. Spätestens jetzt mussten alle ihn bemerken. Doch selbst Fatja und Daromir sahen durch ihn durch, als bestünde er aus Glas.

»Danke für deine Hilfe«, nickte der Anführer dem Landpächter vom Karren aus zu. »Wir haben dir ein Fass hier gelassen, weil du uns die Wahrheit gesagt hast.« Der Tross setzte sich schnell in Bewegung und rollte in Richtung des Klosters.

»Matuc!«, rief das Mädchen plötzlich. »Da bist du ja!«

»Ich stand die ganze Zeit hier«, sagte der Mann etwas verwirrt. »Du hättest mich bemerken müssen.«

»Wir haben dich nicht gesehen.« Fatja umarmte ihn. »Du hattest großes Glück. Wo hast du dich versteckt? Die Männer haben alles abgesucht.«

»Ich verstehe das nicht. Sie haben mich ebenso übersehen und überhört wie ihr«, betonte der Mönch. »Und du hast auf mir gelegen, Daromir. Vorhin, auf dem Strohstapel. Das hättest du spüren müssen.«

Der Landpächter schüttelte den Kopf. »Ich habe nichts bemerkt. Ulldrael der Gerechte hat seine schützende Hand über dich gehalten.«

Ein Wunder, zuckte es durch Matucs Kopf. »Gut, ich werde dich nach Rundopâl begleiten. Da du dich mit den Attentätern nicht getäuscht hast, vermute ich, dass auch deine andere Vorhersage eines Tages in Erfüllung gehen wird.«

»Wir sollten uns aber beeilen«, drängte Fatja und lief zu dem Proviantfass, aus dem sie Händeweise Zwieback hervorholte. »Die Männer werden bald merken, dass du nicht im Kloster angekommen bist. Vielleicht kommen sie zurück.« Sie sahen den Landpächter an.

»Oh, ich werde mich verstecken, sobald ich Hufschlag höre«, versprach er. »Sie werden nichts aus mir herausholen können.«

»Der Segen Ulldraels des Gerechten sei mit dir«, sagte Matuc feierlich zu Daromir, der mit gesenktem Haupt die Worte vernahm. Seit langer Zeit spürte der Geistliche wieder Zuversicht und eine Überzeugung in dem, was er sagte. Ulldrael hatte ihn letztendlich nicht vergessen.

Ulldart, Königreich Tarpol, Provinz Ulsar, Hauptstadt Ulsar, Frühjahr 443 n. S.

Tarek Kolskoi erwachte mitten in der Nacht, geweckt von einem drohenden Knurren unmittelbar neben seinem Ohr.

Stocksteif, aber mit wachen Sinnen lag der dürre Adlige in seinem Bett und wagte nicht, sich zu bewegen. Diese Laute kannte er nur zu gut. Arkas und Tulm, seine beiden Kampfhunde, gaben sie von sich, kurz bevor sie ihre Beute anfielen.

Langsam kroch seine linke Hand unter das Kopfkissen, wo er einen Dolch aufbewahrte. Dann zog er die Waffe aus der Scheide und umfasste den Griff fest. Das tiefe Grollen verstärkte sich. »Das ist ein Traum, Tarek«, sagte der Granburger und zog die Beine an den Körper. »Das kann nur ein Albtraum sein.«

In diesem Moment spürte er die Zähne eines Hundes

433

am linken Unterschenkel, die starken Kiefer schlossen sich, und knirschend zerbrach der Knochen.

Kolskoi schrie auf und stach nach dem Hund, als sein Arm vom zweiten Rüden abgefangen wurde. Das Handgelenk splitterte unter den Kräften, die der Hund beim Zupacken aufbrachte, dann begannen die Tiere, an ihrem Opfer zu reißen. Der Sprecher des Brojakenrates brüllte aus Leibeskräften, während die Rüden seinen schmalen Körper in unterschiedliche Richtungen zerrten.

Einer der beiden, der seinen Unterschenkel zwischen den Zähnen hatte, riss ihn aus seinem Bett. Hart schlug der Adlige auf dem Boden auf und hielt die Arme als Schutz vor seine Kehle. Doch der Rüde zwängte seinen breiten Kopf durch die Deckung. Stinkender Atem blies Kolskoi ins Gesicht, Speichel troff ihm auf Mund und Nase. Im nächsten Moment legte sich ein klingenbesetzter Schraubstock um seinen Hals und drückte zu, so schien es ihm. Warme Flüssigkeit quoll aus seiner Kehle, während der Hund seine Attacken fortführte. Das zweite Tier machte sich über seine Bauchdecke her.

Der Granburger hörte, wie die Zimmertür aufgestoßen wurde. Der Lichtschein vieler Lampen näherte sich ihm, dann sah er die beunruhigten Gesichter seiner Diener vor sich, die ihn vorsichtig aufhoben und zurück auf seine Schlafstätte legten.

»Herr, kommt zu Euch!«, sagte einer der Bediensteten und rüttelte ihn an der Schulter. »Ihr hattet einen bösen Traum.«

»Die Hunde«, stammelte Kolskoi unentwegt, »die Hunde haben mich angegriffen. Holt einen Cerêler! Ich sterbe, schnell!«

»Herr, Ihr habt Euch mit Eurem Dolch verletzt«, beruhigte ihn ein Zweiter, der ihm ein Tuch auf den Hals drückte. »Es ist nur ein kleiner Kratzer, er blutet nur recht stark.«

Ruckartig richtete sich der Granburger auf, legte die Hand an seine Kehle und betrachtete das Rot, das schwach durch den notdürftigen Verband sickerte. »Die Hunde, wo sind sie? Wo stecken die Bastarde?«

Als er den irritierten Ausdruck auf den Gesichtern seiner Diener und den ansonsten leeren Raum sah, fiel es ihm wieder ein. Er hatte die Tiere gestern eigenhändig im Wald aufgeschlitzt.

Als er seinen Kopf hob, dachte er für einen Moment, einen lächelnden Mortva Nesreca in der Tür stehen zu sehen.

»Schnell, ich brauche Feder und Tinte«, befahl er seinen Dienern. Blass sank er zurück in die Kissen.

»Einen Vetter vierten Grades gibt es nicht«, sagte Stoiko langsam und stellte sich neben den Sessel des Kabcar. »Zufälligerweise kenne ich mich ziemlich genau aus, was den Stammbaum der Bardri¢s angeht, und ein solcher Name ist mir noch nie begegnet. Wer auch immer dieser Mensch ist, er ist nicht mit Euch verwandt.« Norina schenkte ihm Tee ein und reichte die Tasse hinüber.

»Ihr beherbergt also einen Fremden in Eurem Palast.« Waljakov runzelte die Stirn. »Ich werde sofort eine Wache an seiner Tür positionieren lassen, bis wir das alles aufgeklärt haben.«

Lodrik rutschte unruhig hin und her. »Ich habe eine bessere Idee. Ruft ihn herein, er wird Euch alles erklären, wie er es mir erklärt hat. Und mich hat er jedenfalls damit überzeugt. Wir können doch über jede Hilfe froh sein, nicht wahr?«

Sein Vertrauter strich sich über den braunen Schnauzbart. »Ich bin gespannt, was er uns für ein Märchen auftischt. Ich habe ihn jedenfalls noch nicht gesehen, seid er hier eingezogen ist. Nur die Diener berichten von dem Mann mit den langen, silbernen Haaren.« Er schickte einen Livrierten los, den seltsamen Verwandten ins Teezimmer zu bringen.

Wenige Minuten darauf klopfte es, und Mortva Nesreca trat ein. Wie immer war er tadellos gekleidet, die Uniform saß perfekt an seinem Körper. Freundlich sah er in die Runde und absolvierte eine Verbeugung. »Es freut mich, dass wir uns nun offiziell vorgestellt werden«, begrüßte er die Anwesenden.

»Wer immer Ihr auch seid, erklärt auf der Stelle, was Ihr wollt«, entgegnete Stoiko wenig freundlich. Der Leibwächter richtete sich zu seiner vollen Größe auf, die eisgrauen Augen lagen aufmerksam auf dem Neuankömmling.

»Was ich hier will? Nun, ich unterstütze meinen lieben Vetter im Kampf gegen seine inneren und äußeren Feinde. Wobei die inneren die Gefährlicheren sind.« Mortvas ansprechendes Gesicht zeigte ein warmes Lächeln. »Natürlich hätte ich viel früher am Hof sein müssen, aber der Weg aus der Provinz Berfor hierher gestaltete sich lang und beschwerlich. Aber kein Weg war mir zu weit, nachdem ich gehört habe, wie sehr sich mein lieber Vetter um sein Volk bemüht.«

»Habt Ihr einen Beweis für Eure Abstammung?«, fragte Stoiko barsch. »Da könnte ein jeder hierher kommen und behaupten, er sei mit dem Kabcar verwandt.«

Lodrik sah zu Norina, die den Fremden aufmerksam betrachtete, und wusste nicht, was er sagen sollte. Letztendlich verließ er sich darauf, dass sein Konsultant sich selbst aus der misslichen Lage manövrieren konnte. Daher nahm er die Haltung des Beobachters ein.

»Aber sicher«, entgegnete sein angeblicher Vetter höflich. »Habt Ihr ein Stammbaumverzeichnis hier? Ich bin sicher, mein Zweig ist darin enthalten.«

Der Vertraute deutete auf ein dickes Buch auf dem Teetisch. »Wir haben einen Blick hinein geworfen, aber Euren Namen nicht finden können.«

»Dann habt Ihr mich übersehen. Mein Name wurde bestimmt nicht in großen Lettern geschrieben. Gebt mir einen winzigen Augenblick.« Der Konsultant nahm das Werk auf, blätterte suchend hin und her, bis er triumphierend eine Seite aufschlug und sie Stoiko hinhielt. »Bitte sehr, hier steht es.«

Verblüfft schnappte sich der Vertraute den Folianten und schaute auf den Eintrag. »Mortva Nesreca«, las er halblaut, »laut Stammlinie tatsächlich Vetter vierten Grades, Letzter des Geschlechts der Podrows.« Immer noch misstrauisch sah er den Mann mit den silbernen Haaren an. »Könnt Ihr das beweisen?«

Wortlos streckte Mortva die rechte Hand aus und zeigte den Siegelring mit dem verkleinerten, etwas variierten Familienzeichen der Bardriçs. Nacheinander zog er Urkunden aus dem Ärmelaufschlag seiner Uniform, die seine Herkunft einwandfrei belegten.

»Habt Ihr noch weitere Fragen, die ich Euch beantworten soll?«, erkundigte er sich, auch wenn der Tonfall nun eine Spur härter geworden war.

»Ich lasse das prüfen, hoheitlicher Kabcar«, sagte Stoiko zu dem jungen Herrscher und sammelte die Papiere ein. »Wenn es Fälschungen sein sollten, werden unsere Gelehrten es herausfinden.« Er wandte sich Mortva zu. »Verzeiht mir das große Misstrauen, Nesreca. Aber in diesen Zeiten …«

Der Mann nickte verständnisvoll. »Ich fühle mich keinesfalls durch Eure Fragen beleidigt, wenn es das ist, was Ihr damit sagen wollt. Ich bin sogar froh, dass mein Vetter einen solchen aufmerksamen Vertrauten hat.« Er reichte Stoiko die Hand. »Zu zweit werden wir dem Hohen Herrn noch mehr als bisher helfen können.« Der Vertraute schüttelte sie, wenn auch mit wenig Begeisterung.

Norinas Mandelaugen wurden schmal. Genau diese Anrede hatte sie damals von den Modrak gehört, als es um den Besitzer des verfluchten Amuletts ging, das glücklicherweise in den Flammen verbrannt war.

»Na, also, da haben wir doch alles zu einem guten Anfang gebracht«, freute sich Lodrik und ließ eine Flasche Wein öffnen. »Darauf stoßen wir nun alle an.« Gehorsam füllte ein Diener die Gläser, die erhoben wurden. »Möge Arrulskhán bei Dujulev sein blaues Wunder erleben. Und mit deinen Ratschlägen können wir es schaffen, nicht wahr, Vetter?«

»Ratschläge?«, fragte Stoiko neugierig. »Seid Ihr Experte in Sachen Militär? Ihr habt studiert, nehme ich an? Und wo genau war das?«

Jetzt wurden die Augen Mortvas hart, während um seinen Mund weiterhin ein unverbindliches Lächeln lag. »Ihr habt ganz Recht, Gijuschka. Ich bildete mich an der Universität von Berfor in Sprachen und Geschichte, vor allem Militärgeschichte. Eine Zeit lang unterrichtete ich selbst einige Studenten. Und nun bin ich hier, um die Theorie in die Wirklichkeit umzusetzen. Was damals funktionierte, wird auch bei Dujulev seine Wirkung nicht verfehlen.«

»Und das wäre?«, hakte der Vertraute nach und schwenkte das Glas Wein. Lodrik kam sich immer mehr vor wie ein Zuschauer in einer Theateraufführung, bei der sich zwei Rivalen auf der Bühne ein Rededuell lieferten. So ganz war er sich dabei nicht sicher, zu wem er halten sollte.

»Es wäre eine gute Idee, wenn man die Bauern der Umgebung zu den Waffen ruft. Sie werden ihre Freiheit gerne mit allem verteidigen, was sie haben. Einschließlich ihres Lebens.« Mortva stellte sein Glas auf den Tisch. »Man müsste aber alle Wehrfähigen heranziehen.«

»Wann beginnt bei Euch die Wehrfähigkeit?« Der Vertraute ordnete seinen Schnauzbart, bevor er sich ein Stück Gebäck von der Silberschale nahm.

»Bei zwölf Jahren«, antwortete der Konsultant ruhig. Stoiko und Waljakov wechselten einen viel sagenden Blick. »Ihr meint nicht, dass es ein wenig zu jung wäre? Es sind Kinder.«

»Kinder, die zusammen mit ihren Familien unter die Regierung von Arrulskhán fallen würden«, ergänzte der andere lächelnd. »Ich weiß, dass es hart klingt, aber es wird uns keine andere Wahl bleiben. Mit der momentanen zahlenmäßigen Unterlegenheit können sich unsere Truppen auch gleich an Ort und Stelle selbst das Schwert in die Brust rammen. Dann sparten sie sich wenigstens die Warterei.« Mortva schenkte sich Wein nach. »Wir müssen die Kinder nicht in die erste Reihe stellen. Es genügt, wenn wir sie als Reserve positionieren. Nur für den Notfall. Und es würde den Anschein machen, als hätte das tarpolische Reich mehr Truppen zur Verfügung, als die Borasgotaner glauben. Diese Taktik wurde übrigens mehrfach in der Geschichte Ulldarts angewandt. Wir erfinden damit nichts Neues.«

»Bei allem Respekt«, wandte Stoiko ein, »aber ich denke nicht, dass es ein guter Vorschlag ist, Nesreca. Wir sollten mehr Bauern dazunehmen, das sehe ich ein. Aber Zwölfjährige? Sie würden einem Ansturm nicht standhalten.«

»Der Gedanke ist reiner Unsinn, Herr«, sagte der Leibwächter zu Lodrik. »Da könnt Ihr gleich die Weiber noch dazustellen.«

»Das wäre eine weitere Möglichkeit«, kommentierte Mortva. »Obwohl mir das ein wenig zu weit geht. Frauen sind im Kampfrausch kreischende Furien und wirklich kein schöner Anblick.« Nun sahen ihn alle drei Männer an. Der Konsultant lachte. »Ein Scherz. Nichts weiter als ein Scherz.«

»Wir werden sehen«, begann der Kabcar. »Ich werde alle Bauern zu den Waffen rufen lassen. Das bringt uns mehr als nur die Freiwilligen, die wir bisher haben. Da hat mein Vetter Recht. Alles andere entscheide ich zu einem späteren Zeitpunkt.«

»Wenn ich noch etwas hinzufügen dürfte«, erhob Mortva seine angenehme Stimme. »Vetter, Ihr solltet einige der Offiziere bereits nun schon nach Dujulev senden. Noch ist der Boden nicht gut genug, um eine Schlacht einzuleiten, aber ein paar Bauern könnten unter deren Anleitung durch nächtliche Überraschungsangriffe auf die Borasgotaner dem Gegner Verluste zufügen.«

»Sie würden dafür abgeschlachtet werden«, warf Waljakov ein. »Es würde sich kaum lohnen.«

»Aber die Borasgotaner würden kein Auge mehr zumachen«, hielt der Konsultant dagegen. »Wer nicht ausgeruht ist, kämpft schlecht.« Der Mann mit den silbernen Haaren trank etwas von dem rot schimmernden Alkohol. »Es würde die Feinde zermürben, Hoher Herr.«

»Auch darüber werde ich demnächst entscheiden.« Lodrik versuchte jede weitere Auseinandersetzung zu unterbinden. »Wir sollten uns nun alle zur Ruhe begeben. Morgen wollen viele Entscheidungen getroffen sein.«

»Bevor ich es vergesse.« Der Vetter drehte sich an der Tür noch einmal um. Ein weiteres Papier wurde aus dem Uniformärmel gezogen. »Der Rat der Brojaken hat beschlossen, unter diesen Umständen die Zahlungen an den Hof wieder aufzunehmen. Die Verhandlungen mit den Ontarianern laufen noch. Es sieht aber recht gut aus.«

»Wie habt Ihr denn das zustande gebracht?« Lodrik studierte die Erklärung der Großbauern freudig überrascht, die von Tarek Kolskoi persönlich unterzeichnet worden war.

»Ich habe mich ein wenig mit ihm unterhalten. Er kann einsichtig sein, wenn man die richtigen Argumente findet, die er versteht, Hoher Herr.« Mortva ging nach einem Gruß in die Runde, danach folgten der Kabcar und eine nachdenklich wirkende Norina.

»Was hältst du von unserem neuen Berater?«, wollte Stoiko nach einer Weile von dem Leibwächter wissen. »Er scheint Wunder vollbringen zu können.«

»Er schickt andere ohne Bedenken in den Tod.« Der Hüne streckte sich. »Sinured hat ähnlich gekämpft. Und gewonnen. Aber beliebt war er nicht.«

Der Vertraute machte ein verwundertes Gesicht. »Das heißt, du unterstützt seine Vorschläge?«

»Nein.« Waljakov leerte sein Glas in einem Zug. »Seine Art gefällt mir nicht. Er ist zu freundlich, zu glatt. Und ich denke, er will an deine Stelle treten. Pass auf dich auf.«

Stoiko schauderte. »Seine Augen machen mich wahnsinnig. Es ist schwer, seinen Blick zu deuten, die verschiedenen Farben verunsichern mich.« Er hob die Papiere auf, die die Verwandtschaft Nesrecas mit Lodrik beweisen sollten. »Und dass er ein Vetter sein soll, davon bin ich auch noch nicht überzeugt.«

»Ich schon, denn er und die Kabcara sind vermutlich aus einem Holz geschnitzt. Irgendwo im Stammbaum der Bardri¢s muss sich etwas eingeschlichen haben, was die Triebe recht eigenwillig und verkorkst wachsen ließ.« Der Leibwächter legte seine echte Hand auf die Schulter seines Freundes. »Ich meinte das mit der Warnung vorhin ernst, Stoiko. Ich kann nicht überall sein, und der Palast ist groß.«

»Was soll er mir schon großartig antun? Mich mit seinen langen, silbernen Haaren erwürgen?« Er lachte und klopfte dem Kämpfer auf den Brustpanzer. »Pass du auf den Kabcar auf, ich achte auf mich selbst. Und jetzt sollten wir allmählich unsere Siebensachen zusammensuchen. Es wird bald nach Dujulev gehen.«

»Oh, Ihr seid demnach der Vetter, von dem ich niemals erzählt bekam«, hörte Mortva eine Frauenstimme in seinem Rücken neugierig sagen, als er unterwegs zu seinem Zimmer war. »Es gibt nicht viele Männer im Palast, die solch schöne Haare haben.«

»Vielen Dank.« Der Konsultant wandte sich lächelnd um und betrachtete seine Verwandte. Die Kabcara trug ein großzügig geschnittenes, grünes Kleid mit viel Spitzen, das ihre Figur wie immer hervorragend betonte. Dunkelrot rahmte ihre Lockenpracht das hübsche Gesicht ein. »Die meisten Männer in meinem Alter wünschen sich, sie hätten noch keine grauen Haare. Ich dagegen finde, sie stehen mir sehr gut.«

»In der Tat. Und nun erzählt mir, verehrter Nesreca, wie es kommt, dass niemand in unserer Familie je Euren Namen hörte.« Ihre grünen Augen wanderten unverhohlen an seinem Körper hinab. »Jetzt erscheint Ihr wie ein Retter in der Not. Ich habe gehört, Ihr habt es geschafft, Kolskoi und den Rat zur Weiterzahlung zu bewegen?«

Mortva kam näher und verbeugte sich vor der Frau. »Was sollte man sich in der Linie der Bardri¢s über einen Menschen erzählen, der rein gar nichts mit dem üblichen Militärgehabe zu schaffen hat? Ich bin kein echter Soldat, sondern ein Gelehrter, was wohl der Grund war, mich zu verschweigen, wie ich annehme. Doch nun möchte ich mein Wissen meinem Cousin und Euch zur Verfügung stellen.« Er nahm ihre Hand und drückte einen gehauchten Kuss auf. »Und ich war ein guter Kartenspieler. Daher verstehe ich es, mit hohen Einsätzen umzugehen. Kolskoi war mir nicht gewachsen. Seid Ihr es? Ich habe gehört, Ihr mögt es, Euch zu amüsieren. Wollt Ihr ein Spiel mit mir wagen?« Seine verschiedenfarbigen Augen strahlten sie an. »Um Eure Seele vielleicht?«

Sie schlug den Fächer auf und lächelte. »Ihr seid ein echter Draufgänger, Nesreca.«

»Nein, meine Kabcara. Ich bin ein Dieb«, flüsterte er, ließ ihre Hand los und wanderte langsam um sie herum, dass seine Haare die nackten Schulter Aljaschas berührten. »Möglicherweise bin ich gekommen, um Euch das Herz zu stehlen. Oder Euch den Verstand zu rauben.« Dann stand er plötzlich vor ihr, immer dichter kam sein Gesicht an das der Frau. »Oder Euch noch Schlimmeres anzutun.«

Die Kabcara machte einen Schritt rückwärts. »Das sind kühne Worte, verehrter Vetter.« War sie zunächst überzeugt, dass sie auch diesen Mann um den Finger wickeln konnte, nun wich ihre Zuversicht. Etwas völlig Neues ging von ihrem Verwandten aus, das sie bei keinem anderen bemerkt hatte.

»Und unter Umständen werden bald Taten folgen. Wir beide werden ein paar Sachen bereden müssen, was Eure Zukunft als Herrscherin angeht«, meinte er ruhig. »Aber lasst zuerst die wichtige Schlacht geschlagen sein, danach sehen wir weiter. Ich vermute, Ihr werdet die Regierungsgeschäfte so lange in Ulsar leiten, während Euer Mann in den Kampf zieht?« Sie nickte. »Gut. Kolskoi dürfte Euch keine weiteren Schwierigkeiten machen. Ich schätze, ich habe ihn mehr als nur überzeugt.«

»Wie habt Ihr das eigentlich bewerkstelligt?«, wollte sie wissen. Heftig wedelte sie mit dem Fächer.

»Ich kann Menschen sehr gut umstimmen. Ich habe geheimnisvolle Fähigkeiten und bin dazu mindestens so charmant wie Ihr, wenn es sein muss, meine Kabcara.« Er wandte sich zum Gehen. »Auch wenn ich nicht das blendende Äußere habe.«

»Aber Ihr seid sehr bezaubernd«, rief sie amüsiert hinterher.

»Wie Recht Ihr habt, liebe Cousine, wie Recht Ihr habt«, sagte Mortva, ohne sich umzudrehen, und verschwand im Gang.

Sinnierend blickte Aljascha den Korridor hinunter und überlegte, was Besonderes an diesem Mann war, und landete immer wieder bei dem gleichen Resultat. *Er schafft es, mich mit seinen Worten und seinem Blick völlig durcheinander zu bringen.* Ein Schreck durchfuhr sie. *Bin ich etwa gerade dabei, mich zu verlieben? Das darf nicht sein. Liebe ist etwas für Schwächlinge, die sich an etwas klammern müssen.* Sie schalt sich selbst eine schwärmerische Närrin. Ihr Herz wollte sie an keinen Mann vergeben. Gespannt war sie jedoch, was er mit ihr besprechen wollte. *Die Zukunft als Herrscherin,* wiederholte sie innerlich. *Das klingt doch sehr spannend.*

X.

»*Die Boshaftigkeit des Gebrannten Gottes war jedoch noch in seinem Tod so groß, dass sich selbst die Erde dort, wo ein Körperteil niederfiel, veränderte, schwarz wurde und abstarb. So entstanden die Sümpfe und alle anderen unfruchtbaren, giftigen Gebiete.*

Die Ungeheuer und Bestien spürten die Ausstrahlung Tzulans und wanderten in diese Regionen, um dort zu bleiben. Die wenigen überlebenden Menschen, die dem Gebrannten Gott gefolgt waren, suchten ebenfalls diese Stellen auf und schlossen Abkommen mit den Bestien und Ungeheuern.

Doch der Gebrannte Gott war nicht wirklich tot.

Sein Geist hatte überlebt und führte alle die in Versuchung, die von ihrer Art her ähnlich schlecht veranlagt waren. Und er versprach ihnen große Reichtümer und Macht, wenn sie in seinem Namen töten würden.«

DER KRIEG DER GÖTTER UND DIE GABE DER MAGIE,
Kapitel 3

Ulldart, Königreich Tarpol, Provinz Sora, die Ebene von Dujulev, Frühsommer 443 n. S.

Im Abstand von einem Warst lagen sich die verfeindeten Truppen gegenüber.

Die borasgotanischen Soldaten verteilten sich auf drei große Haufen, die diszipliniert ihre Zelte aufgeschlagen und das Gelände drumherum jeweils mit einem tiefen Graben und Palisadenzäunen befestigt hatten. Zweitausend Mann beherbergte ein Heerlager, und damit stellte Borasgotan eine Kampfkraft auf die Beine, wie sie Ulldart schon lange nicht mehr gesehen hatte. Das erste Feldlager des Gegners lag am Rand eines Sumpfes und war somit vor Überraschungsangriffen geschützt, das Dritte schmiegte sich an ein Waldstück an, das die Borasgotaner kontrollierten, und das Zweite befand sich genau in der Mitte der beiden auf offenem Feld.

In einem Warst Entfernung erhob sich ein kleiner Hügel von knapp zwölf Metern Höhe, vor dem die Tarpoler ihre viertausend Kämpfer zusammengezogen hatten. Auch dieses Lager erschien einigermaßen gesichert.

Seit zwei Wochen waren Lodrik und sein Gefolge anwesend und sprachen den Soldaten sowie den Freiwilligen Mut für die bevorstehende Schlacht zu, die in einer Woche stattfinden sollte.

Es gab niemanden in der Armee, der keine Angst verspürte. Aber alle wussten, dass nichts an dieser Auseinandersetzung vorbeiführte, wollte man nicht eine Entscheidung über die Zukunft des Reiches herbeiführen.

Lodrik hatte, nachdem der Brojakenrat auf so wunderliche Weise nachgegeben hatte, den Ratschlag seines

Vetters Mortva Nesreca befolgt und Bauern in nächtlichen Aktionen gegen die Lager der Borasgotaner ausgesandt. Die Verluste auf der Seite des Gegner waren verschwindend gering, während insgesamt mehr als zweihundert Landpächter ihre Leben lassen mussten, fünfzig weitere lagen verletzt in den Zelten. Doch die ständigen Angriffe bewirkten zumindest, dass der Feind wirklich wenig Schlaf bekam. Auf inständiges Bitten des Konsultanten ließ der Kabcar seit einer Woche die Überfälle sogar noch verstärken. Auch die Kinder waren eingezogen worden: Sie hatten die Befestigungen des Lagers errichtet, damit sich die Kämpfer ausruhen konnten.

In jeder freien Minute, in der er und sein Vetter unbeobachtet waren, lehrte der Mann mit den silbernen Haaren Lodrik, wie der junge Herrscher die Magie in sich kontrolliert einsetzen konnte.

Es war schwer, sehr schwer, die gewaltigen, frischen und ungestümen Kräfte zu beherrschen.

Verstanden hatte der Kabcar, dass er mit seiner Magie etwas Größeres anstieß, das sich wie eine Welle fortpflanzte und aufbaute, um dann mit aller Stärke loszubrechen. Das Ganze verlief lautlos, zumindest die Einleitung des Vorgangs.

Körperbeherrschung gehörte dazu, exakte Gesten und minuziös genaue Bewegungen wurden zusammen mit immenser geistiger Konzentration verlangt.

Was beispielsweise einmal im Palastgarten mit einem goldenen, harmlosen Glitzern zwischen seinen Fingern begann, wurde plötzlich zu einer feurigen Halbkugel, die ihn einschloss und sich abrupt mit einem lauten Fauchen nach allen Seiten gleichmäßig ausdehnte. In einem Durchmesser von beinahe fünf Metern, mit ihm als Mittelpunkt, wurde alles weggebrannt, was im Weg stand, bevor es ihm gelang, die Energie zu stoppen.

Mortva war beeindruckt gewesen, der Gartenmeister

hatte beim Anblick der schon wieder zerstörten Pflanzen wortlos seine Schürze ausgezogen und gekündigt.

Auch wenn diese Erscheinung mehr Unfall als Absicht gewesen war, ein nennenswerter Erfolg von Lodriks Bemühungen war zumindest, dass sich bei spontanen Wutanfällen nichts mehr in seiner Umgebung rührte, zerbarst oder Feuer seine Farben wechselte. Seine Soldaten fürchteten sich nun weniger, auch wenn er nach wie vor mit einer gewissen abergläubischen Angst betrachtet wurde. Mortva beruhigte ihn, indem er sagte, dass ein gewisser Respekt nur von Vorteil sei, wenn man Menschen führen müsste.

Vor zwei Tagen hatte sich ein Aufsehen erregender Zwischenfall im tarpolischen Lager ereignet. Lautes Toben und wütende Wortwechsel waren aus dem Besprechungszelt gedrungen, und ein äußerst aufgeregter Nerestro von Kuraschka stürmte kurz darauf heraus.

Belkala folgte ihm und redete beschwichtigend auf ihn ein. Ihre Bemühungen sollten nicht von Erfolg gekrönt sein.

Eine Stunde später rückten die fünfzig Ordenskrieger der Hohen Schwerter in ihren prächtigen, blinkenden Rüstungen und ihre dreihundert Mann Gefolge aus dem tarpolischen Feldlager ab, sehr zur Freude der johlenden Borasgotaner auf der anderen Seite der Ebene, die den Auszug lautstark begrüßten.

Gerüchten zufolge musste Oberst Mansk versucht haben, dem stolzen Ritter Anweisungen für die bevorstehende Schlacht zu geben, was der strikt von sich gewiesen hatte. Nachdem es zu keiner Einigung gekommen war, verlor der Kabcar diesen strategisch wichtigen Teil seiner Truppen. Entsprechende Bestürzung herrschte bei den Tarpolern, die nur mit Mühe und der ganzen Wortgewandtheit von Lodrik, Stoiko und Mortva sowie großzügigen Zusagen seitens der Offiziere zum Bleiben bewegt werden konnten.

Und ein seltsames Gerücht sorgte für Unruhe in den Zelten. Im Schein der Kerzen und Petroleumlampen kam eines Nachts das Märchen auf, eine zweite borasgotanische Armee würde sich von Westen her annähern und Tarpol von See her aufrollen. Arrulskhán, so erzählte man hinter vorgehaltener Hand, hatte eine Flotte bauen lassen, mit der er vor einem Mondumlauf weitere zweitausend Kämpfer an der ungeschützten Küste abgesetzt hätte, die sich inzwischen kurz vor Ulsar befänden.

Sofort ließ Lodrik Brieftauben aufsteigen, um sich zu erkundigen, jedoch hatte er bisher keine Antwort erhalten, was nicht unbedingt zur Verbesserung der Lage beitrug.

Nach fast drei Wochen kam der Zeitpunkt der Entscheidung. An einem diesigen Morgen, die Sonnen drangen nur mit Mühe durch die Nebelschwaden, die sich über dem Gras gebildet hatten, begannen die Borasgotaner mit dem Aufstellen ihrer Schlachtordnung.

Die erste Reihe bestand aus Bogenschützen und Fußtruppen, etwas versetzt nach rechts und links folgten zwei Kavalleriepulks, hinter denen sich das Gros der restlichen Kämpfer scharte.

»Das sieht aber interessant aus«, kommentierte Oberst Mansk die Bewegungen der Gegner. »Eine solche Formation habe ich noch nie gesehen.« Er sah in die Runde seiner Offiziere. »Vorschläge, meine Herren?«

Einer der höher gestellten Soldaten baute mit den Holzfiguren eine Gegenformation auf, die nach und nach kritisiert, umgestaffelt und verschoben wurde, bis sich alle auf eine Variante geeinigt hatten: in der Mitte die Fußtruppen, die an den Flanken von den Bogenschützen gedeckt wurden, dahinter stand die geballte Kavallerie.

Mortva schüttelte den Kopf und riet dringend davon ab, weil die Fernkämpfer seitlich ungeschützt stünden, doch die Offiziere setzten sich beim Kabcar gegen die Meinung des Konsultanten durch.

Waljakov nickte dem Mann mit den silbernen Haaren anerkennend zu. Der Leibwächter hätte ebenfalls eine andere Formation gewählt. Doch die Entscheidung war gefallen, die Offiziere und niedrigen Dienstgrade brüllten Befehle, um die Truppen in Position zu bringen. Belkala hatte beschlossen, bei den Kindern und Verwundeten im Lager zu bleiben.

Gegen Mittag waren die Vorbereitungen auf beiden Seiten abgeschlossen. Schweigend stand man sich in einem Abstand von etwas mehr als einem halben Warst gegenüber.

Lodrik, Waljakov, Stoiko, Mortva und Mansk saßen auf ihren Pferden, zwischen der Reiterei und dem Pulk des Fußvolks.

»Es war ein Fehler«, raunte der Konsultant dem Leibwächter zu, der grimmig die Gegenseite im Auge behielt. Kameradschaftlich klopfte Waljakov seinem massigen Streitross, Treskor, auf den Hals, das im Gegensatz zu vielen anderen Pferden kein Zeichen von Aufregung zeigte.

»Ich weiß«, antwortete er. »Die Offiziere haben die borasgotanische Reiterei völlig falsch eingeschätzt. Ihre Pferde sind den unsrigen bei weitem überlegen. Mansk und seine Leute werden für viele Tote verantwortlich sein.«

»Wie beruhigend, dass wenigstens einer meiner Meinung ist«, sagte Mortva, der ebenfalls Helm und Brustpanzer angelegt hatte und damit ein sehr ungewohntes Bild abgab.

»Aber bringen wird es nichts«, gab der Hüne zurück und zog seinen Säbel. »Sie kommen.«

Die gegnerische Armee setzte sich langsam in Bewegung und rückte singend näher. Im Takt klopften die Soldaten auf ihre Schilde, und steigerten dabei allmählich das Tempo.

Lodrik sah sich um und blickte auf so viele Gesichter, in denen er Angst erkennen konnte.

Er zog sein Henkersschwert, drängte sich nach vorne und ritt an der Front seiner Fußtruppen entlang.

»Ihr kämpft heute nicht für mich, Männer!«, rief er. »Ihr kämpft nicht für den Kabcar, nicht für den Herrscher von Tarpol. Wenn wir gleich ins Gefecht stürzen, dann wird ein jeder von euch um sein Leben kämpfen. Denkt immer daran: Wir schlagen uns mit den Borasgotanern, weil sie uns angegriffen haben. Sie haben unsere Städte und Dörfer angezündet, unsere Freunde erschlagen und Frauen geschändet. So wird es weitergehen, wenn wir sie hier und heute nicht aufhalten.« Er stellt sich in die Steigbügel. »Wir werden sie in ihr verdammtes Land zurückschicken. Lasst uns Arrulskhán zeigen, dass mit Tarpol nicht zu spaßen ist. Wir schlagen die Eindringlinge und erhalten unsere Freiheit! Ulldrael der Gerechte ist auf unserer Seite!«

Die Männer jubelten ihm zu, während ein leises Sirren die ersten Pfeilschauer ankündigte. Ein paar Bauern gingen zu Boden, aber die meisten hatten ihre Schilde zur Abwehr rechtzeitig über sich gehalten. Der Kabcar ritt zu seinen Freunden zurück.

Die eigenen Schützen erwiderten das Feuer, und so lieferten sich die beiden Heere einen lang anhaltenden Schusswechsel, bis die tarpolischen Offiziere ungeduldig den Befehl zum Angriff gaben und das Fußvolk gegen die feindlichen Reihen der Bogenträger und Schwertkämpfer schickten. Die Absicht war es, den Schutz vor der gegnerischen Reiterei zu beseitigen, um sie besser attackieren zu können.

Mortva schüttelte nur den Kopf. Eine Geste, die man seit der Ankunft sehr häufig bei ihm sah.

Kurz bevor die Tarpoler die Feinde erreichten, wichen diese nach rechts und links aus, durch die Lücke preschte eine Kavallerieeinheit und pflügte durch das

Fußvolk. Auf ein Trompetensignal hin setzten sich nun auch die beiden großen Reitereiflügel in Bewegung und unternahmen Angriffe auf die Flanken der tarpolischen Bogenschützen, die sich angesichts der anstürmenden Pferdeleiber fluchtartig in alle Winde zerstreuten und leichte Beute zu werden drohten.

So musste Lodriks Kavallerie, die dazu gedacht war, den Fußtruppen zur Unterstützung zu eilen, die Fernkämpfer verteidigen.

Auf der anderen Seite des Schlachtfelds standen die Bauern auf verlorenem Posten, denn nun waren auch die unberittenen Feinde heran und nahmen die kampfunerprobten Männer in die Zange.

Lodrik, Stoiko und Waljakov kämpften Seite an Seite und schickten manchen borasgotanischen Reiter zu Boden. Pferdeleiber drängten sich dicht an dicht, das Klingen der Säbel war ohrenbetäubend laut, zwischendurch hallten wütende Rufe oder die Schmerzensschreie von Getroffenen.

Mit dem Mut der Verzweiflung hielten die Tarpoler den Feinden stand, die Borasgotaner griffen mit dem Ansporn des nahenden Triumphes immer wieder hartnäckig an. Freund und Feind vermischten sich, Gestürzte gerieten unter die metallbeschlagenen Hufe, Geschosse zischten durch die Luft und trafen zufällige Ziele.

Mortva schaffte es immer irgendwie, gerade dort zu sein, wo kein Gegner an ihn herankam, er hatte nicht einmal seinen Säbel gezogen, um sich im Notfall verteidigen zu können. Der Konsultant verfolgte in diesem Wirrwarr ein ganz anderes Ziel, und als er einen Pfeil geflogen kommen sah, nutzte er die Gelegenheit. Er fixierte die Spitze mit seinen Augen.

Abrupt änderte das Geschoss seinen Kurs und schlug von hinten in die Panzerung Stoikos ein. Mit einem Keuchen richtete sich der Vertraute auf, da traf ihn bereits der nächste Pfeil, knapp unterhalb des ersten.

Auch ein dritter Schuss saß, Stoiko rutschte unbemerkt von Waljakov und Lodrik aus dem Sattel und verschwand zwischen den schnaubenden und wiehernden Pferden.

»Wir sollten einen Dreck auf die Meinung der Offiziere geben und uns sofort sammeln«, rief der Leibwächter dem Kabcar zu. »Sonst verlieren wir auch den Rest der Bauern.«

Lodrik erteilte einem Trompeter den entsprechenden Befehl, und Schritt für Schritt formierte sich die tarpolische Reiterei neu, bis sie wieder zu einem geschlossenen Körper wurde und sich vom Gegner befreien konnte. Ein Teil blieb zum Schutz der Bogenschützen zurück, dann ritten sie in die tobende Schlacht auf der anderen Seite der Ebene, um den Bauern zu Hilfe zu kommen.

Dort hatten sich die Reihen bedrohlich gelichtet, nur die Hälfte der Landpächter stand noch und war inzwischen komplett eingeschlossen.

Etwas Grelles blendete Lodrik auf dem Weg zum zweiten Kampfschauplatz, als würde ihn jemand mit einem Spiegel in die Augen leuchten. Schützend hielt er die Hand vor sich, um durch einen schmalen Spalt zwischen den Fingern nachzusehen, was da so glänzte.

Über all dem Lärm glaubte er, so etwas wie ein Rufhorn zu hören, dann schien die Erde zu erzittern.

»Da kommt unsere Rettung«, deutete Mortva nach Westen. Auch die Borasgotaner waren teilweise auf das Geräusch in ihrem Rücken aufmerksam geworden und wandten sich der neuen Gefahr zu.

Eine lebende Wand aus blinkendem Stahl walzte die Ebene hinauf, schwer gepanzerte Ritter und Pferdeleiber rollten in einer Linie auf das deckungslose borasgotanische Fußvolk zu. Dahinter stand eine Zweite, die sich aber noch nicht in Bewegung gesetzt hatte. Lodrik schätzte, dass eine Phalanx aus hundert Rittern und Knappen bestand.

»Das sind die Hohen Schwerter«, brüllte der Kabcar voller Freude und drückte seinem Tier die Sporen in die Seite. »Jetzt gibt es für den Feind ein blutiges Erwachen.«

Die erste Welle Ordenskrieger brach mit gesenkten Lanzen in den Pulk der Feinde. Die Wirkung des Aufpralls war erschreckend und faszinierend zugleich. Der Druck des Aufschlags pflanzte sich nach hinten fort und presste diejenigen, die nicht von den Speerspitzen durchbohrt worden waren, wie Stoffpuppen zusammen. Die leichten Metall- und Lederrüstungen hielten nicht stand.

Danach gingen die Ritter mit ihren langen Schwertern in den Nahkampf und droschen vom Rücken ihrer Pferde auf die verängstigten Gegner ein.

Ein weiteres Hornsignal ertönte, und die zweite Phalanx rollte heran, die das Fußvolk an einer anderen Stelle mit dem gleichem Erfolg wie der erste Angriff niedermähte. Die Borasgotaner hatten den gepanzerten Kämpfern nichts entgegenzusetzen, zu groß war zudem immer noch der Schock über den vernichtenden Angriff. Mit dem dritten Signal rannten die bewaffneten Knechte der Hohen Schwerter schreiend in den Kampf und unterstützten ihre Herren.

Die Disziplin und Präzision, mit der diese dreihundert Kämpfer unaufhaltsam Linie für Linie aus dem Weg räumten, waren dem Feind zu viel. Die Borasgotaner bliesen zum schnellen Rückzug, zumal nun auch die tarpolische Reiterei heran war und sich ins Getümmel stürzte. Der Tagessieg ging damit an den Kabcar, der von seinen Männern mit lautem Jubel gefeiert wurde.

Die letzten Reste des tarpolischen Bauernkontingents zogen sich zum Lager zurück, während die Hohen Schwerter den geordneten Abzug deckten, falls die Gegner einen plötzlichen Ausfall wagen sollten.

Nerestro, von Kopf bis Fuß eingehüllt in eine nun arg ramponierte, blutbespritzte Vollrüstung und nur an seinem Wappen erkennbar, ritt heran.

»Überholt, zu schwerfällig und wenig tauglich, was?«, rief er schon von weitem und wiederholte damit die Einschätzung, welche die tarpolischen Offiziere über die Hohen Schwertern geäußert hatten. »Da haben sich wohl einige geirrt, nicht wahr?«

»Es freut mich, dass Ihr es Euch doch anders überlegt habt, Nerestro von Kuraschka«, begrüßte ihn Lodrik strahlend. »Ohne Eure Ordensbrüder hätte der Gegner vermutlich gewonnen.«

»Verzeiht mir meine Komödie, die wir Euch vorspielen mussten. Aber so war die Überraschung für den Feind größer.« Der Ritter klappte das Visier seines Helms hoch, sein schweißnasses Gesicht war nun zu sehen. Das Feuer des Kampfes loderte in seinen Augen.

»Komödie?« Lodrik verstaute das Henkersschwert. Sein Arm schmerzte von dem ständigen Hauen und Abwehren. Länger hätte auch er nicht mehr durchgehalten. »Was meint Ihr damit?«

»Mortva und ich hatten abgemacht, dass die Hohen Schwerter sich scheinbar im Zorn vom Kabcar trennen«, erklärte der Ritter. »Borasgotan sollte nicht damit rechnen, dass wir in das Gefecht eingreifen. Falls Spione in unseren Reihen sein sollten, mussten sie getäuscht werden, daher war es unmöglich, andere einzuweihen.«

»Ein sehr gutes Täuschungsmanöver«, lobte Waljakov den Konsultanten, dessen Panzerung aussah, als habe er sie eben aus der Waffenkammer geholt.

»Dennoch war der Sieg teuer«, wies Nerestro mit einem Kopfnicken zurück auf die Ebene.

Auf der einst grünen Wiese lagen die Toten nebeneinander. Verwundete stöhnten und jammerten, verletzte Pferde wieherten qualvoll oder versuchten, sich trotz ihrer Verletzungen aufzurichten. Die ersten Krähen kamen herbei und hüpften zwischen den Gefallenen hin und her, um sich ein Stück Fleisch zu sichern.

Das Grauen packte Lodrik, als er die vielen, oftmals schrecklich verstümmelten Leichen erblickte. In erster Linie hatte es die tarpolischen Bauern getroffen, da sie am schlechtesten von allen gerüstet waren.

»Wir werden die Toten vom Feld schaffen müssen«, sagte Mortva. »Lasst die Arbeit die Kinder machen, unsere Kämpfer müssen sich ausruhen.« Niemand widersprach ihm diesmal. Der Anblick, der dem Kontinent seit vielen Jahrzehnten erspart geblieben war, fesselte alle und belegte sie mit einem traurigen Entsetzen.

»Wo ist eigentlich Stoiko?«, erkundigte sich Nerestro in das betroffene Schweigen hinein.

»Bei Ulldrael dem Gerechten«, stieß der junge Herrscher hervor und trabte zurück auf das Feld, um nach seinem Vertrauten zu suchen. Die anderen Männer folgten ihm beunruhigt. Inständig betete er, dass sein Freund nicht zwischen den Toten lag.

Es war Waljakov, der Stoiko fand. Mit seltsam verdrehten Gliedmaßen lag der Vertraute halb unter einem verendeten Pferd, drei Pfeile steckten in seinem Rücken. Zu Mortvas großer Enttäuschung lebte er allerdings noch, wenn auch seine Atmung mehr schlecht als recht funktionierte. Das Herz schlug viel zu schnell.

Eilig ließ Lodrik einen der vier Cerêler kommen, die er mitgebracht hatte, um den schwer Verletzten an Ort und Stelle behandeln zu können. Das tote Tier hatte dem Mann durch seine Last die Beine gebrochen, deutlich zeigten sich die Abdrücke von Hufeisen auf der Rückenpanzerung.

Mehr Sorge bereiteten dem Heiler jedoch die Geschosse. Die Borasgotaner verwendeten die üblichen Kriegspfeile mit den aufgesteckten Spitzen. Zog man den Schaft aus der Wunde, blieb das Eisen im Körper.

Ein Durchstoßen war wegen der Lage der Treffer nicht möglich.

Also schnitt der Cerêler das Holz bis auf wenige Zentimeter ab, danach ließ er Stoiko den Harnisch abnehmen. Auf dem Bauch liegend, wurde der Vertraute ins Lager gebracht, wo die weitere Behandlung erfolgen sollte. Um eine Entzündung der Wunde zu verhindern, mussten die Spitzen so schnell wie möglich entfernt werden. Und dieser Eingriff würde viel Blut, von dem er ohnehin schon einiges verloren hatte, kosten.

Lodrik war am Boden zerstört, als er seinen Freund regungslos auf dem Bett liegen sah. Mehr als je zuvor wünschte er sich Norina in seiner Nähe.

Beruhigend legte Mortva seine Hand auf die Schulter des niedergeschlagenen Herrschers. »Wir werden einen Weg finden, ihn zu retten. Habt keine Angst, Hoher Herr.«

Mit ernstem Gesicht trat Oberst Mansk in das Zelt. »Wir haben nur noch knapp fünfhundert Bauern, die wir morgen aufstellen können, hoheitlicher Kabcar. Die Borasgotaner haben furchtbar gewütet. Dazu kommen rund zweihundert Mann aus den Scharmützeleinheiten und die dreihundert Kämpfer der Hohen Schwerter.«

»Und die dreihundert Wehrfähigen«, ergänzte der Konsultant. »Wenn ich das richtig gesehen habe, sind die Gegner, dank des Eingreifens der Ritter, mit immensen Verlusten bei ihren Fußtruppen vom Feld. Ich schätze, dass wir sie auf unter tausend Mann gedrückt haben.«

»Ihre Kavallerie ist das Gefährliche für uns«, sagte Waljakov. »Aber ohne den Schutz der Unberittenen haben sie nichts, wohin sie sich zurückziehen können.«

Seufzend hockte sich Lodrik neben Stoiko. »Also tausend Soldaten gegen rund dreitausend Feinde. Das wird nichts, oder?«

Mortva zog den Helm ab. Das Haar glitt wie dünne

Fäden aus Quecksilber hervor und schmiegte sich glatt an den Rücken an. »Wir haben noch eine andere Möglichkeit, Hoher Herr. Aber es werden alle dabei helfen müssen, damit bis zum Morgengrauen alles vorbereitet ist. Auch die Kämpfer und Ritter.«

Neugierig drängten sich die Männer um den Konsultanten, der seinen Plan erläuterte.

Nerestro stand auf der Spitze des kleinen Hügels, wo die Wachen sich postiert hatten, lehnte seine schwere Doppelarmbrust gegen den Oberschenkel und ließ den Blick über die nächtliche Ebene schweifen. Kleine leuchtende Punkte auf dem Schlachtfeld verrieten, wo die Totensammler unterwegs waren.

Fünfzig der Kinder hatten sie mit Karren losgeschickt, um die gefallenen Väter zu bergen. Die Habseligkeiten wurden gesammelt und sollten später unter den Angehörigen verteilt werden. Dreißig weitere Jungen waren damit beschäftigt, tiefe Gruben auszuheben, in welchen die Leichen begraben werden sollten, nachdem sie den Segen Ulldraels empfangen hatten. Ähnliche Unternehmungen betrieb man auf borasgotanischer Seite, die beiden Parteien ließen sich bei ihrer traurigen Tätigkeit in Frieden.

Zu seinen Füßen herrschte geschäftiges Treiben. Die Zelte waren bis auf wenige Ausnahmen abgebrochen worden, aus den Gestängen machte man Palisaden, die in den eilig aufgetürmten Erdwall rund um den Hügel gerammt wurden, und Unterstände gegen Geschosse. Aus der kleinen Erhöhung baute man Stück für Stück eine provisorische Festung mit drei Palisadenwällen. Unwillkürlich musste der Ritter bei dem Anblick an einen Igel denken.

Die tarpolische Armee bereitete sich auf eine Verteidigungsschlacht vor, um bei einer günstigen Gelegenheit einen Ausfall gegen die Borasgotaner zu machen und sie überraschend zu schlagen. Das war die Aufgabe von Nerestro und seinen Männern. Alle anderen mussten den Hügel gegen die Angriffe halten und ausharren.

Wieder war es der Einfall des Konsultanten gewesen, sich auf eine aussichtsreichere Verteidigung zu verlegen, als die Männer in den sicheren Untergang zu führen. Dabei hatte der Vetter des Kabcar keinen Hehl daraus gemacht, dass er nicht aus Menschenfreundlichkeit handelte, sondern weil ihm diese Vorgehensweise strategisch sinnvoller erschien.

Und noch etwas hatte der Gelehrte angeregt. Aus dem nicht benötigten Gestänge und den Schnüren wurden notdürftige Bögen gebaut, um die Zahl der Fernkämpfer aufzustocken. Bei der Masse an Gegnern kam es nicht auf die Zielgenauigkeit eines Einzelnen an, sondern auf die Menge von Pfeilen.

Der Ritter mochte den so geheimnisvoll schnell aufgetauchten Mann mit den silbernen Haaren nicht besonders, aber er musste zugeben, dass er taktisch klüger handelte als das komplette tarpolische Offizierskorps, das einen reichlich schlechten Eindruck hinterlassen hatte. Die Soldaten waren nicht mehr gewillt, den Vorgesetzten zu folgen, sondern hörten nur noch auf die Befehle des Kabcar oder Waljakovs und der Ritter. Die Offiziere hatten den Vertrauensverlust akzeptiert und sich sogar in die restlichen Einheiten eingegliedert, wo sie nun genauso schufteten wie die Landpächter und Scharmützelkämpfer. Die einzigen, die weniger hart herangenommen wurden, waren die Hohen Schwerter, weil auf ihnen die Hauptlast in der Schlacht liegen würde.

Nerestro hatte seinem Gott Angor bereits mehrfach in Gebeten für den glorreichen Sieg gedankt und hoffte nun weiterhin auf den Beistand seines Beschützers.

Er musste grinsen, als er an die Unterhaltung mit dem Ulldraelmönch in der Kathedrale in Ulsar zurückdachte. Er hatte dem Mann damals gesagt, dass die Zeit kommen würde, in der Lanze und Schwert wieder geschätzt würden. Zufrieden kreuzte er die Arme vor der metallgeschützten Brust.

Da entdeckte er zufällig eine Gestalt, die sich ohne Fackel zwischen den halb errichteten Palisaden hindurchzwängte und in Richtung des Schlachtfelds lief.

Nerestro runzelte die Stirn, nahm seine Fernwaffe auf und machte sich an die Verfolgung.

Wenn es ein borasgotanischer Spion sein sollte, würde er ihn abfangen. Allein. Diesen Spaß gönnte er sich.

Auch wenn die fünf Monde einigermaßen hell auf die Ebene schienen, Wolken sorgten immer wieder dafür, dass es vorübergehend stockdunkel wurde.

Das schien der Gestalt nichts auszumachen, die sich ohne Zögern in der Finsternis weiter bewegte und nicht ein einziges Mal ins Straucheln geriet. Der Gestank nach beginnender Verwesung und Fäulnis, der bereits leicht über der Wiese hing, stieg in Nerestros Nase.

Der Ritter bemerkte unterwegs, dass der Unbekannte den Fackelträgern auswich und sich in einen Abschnitt des Feldes begab, wo nur noch borasgotanische Tote lagen. Dann kniete er sich hin.

So leise es in seinem wattierten Waffenrock und dem Kettenhemd ging, schlich er sich an, die Armbrust hielt er schussbereit vor sich.

Voller Abscheu erkannte er, was der Unbekannte vor ihm tat. Eine Klinge funkelte im Mondenschein auf, eine schmale Hand trennte mit geübten Schnitten das Fleisch von einem entblößten Unterschenkel. Dann verschwand das Stück hörbar Bissen für Bissen im Mund.

»Steh auf, Mann, und erkläre dein Treiben«, herrschte Nerestro ihn an.

Die Gestalt schaute ruckartig über die Schulter, ein Stück Fleisch noch in den Wangentaschen, die Augen leuchteten grellgelb in der Dunkelheit. Die Erkenntnis traf den Ritter wie ein Schlag in den Magen. Das, was er sah, vermischte sich dem grauenvollen Albtraum, den er einst von Belkala geträumt hatte. Die Kensustrianerin war wirklich eine Menschenfresserin. Er spürte das Brennen der Narben in seinem Genick.

Langsam stand die Priesterin auf, schluckte den Rest hinunter und lächelte den Mann unsicher an. »Denkt nichts Falsches, Nerestro. Ich kann Euch alles erklären, wenn Ihr mir nur zuhören möchtet.« Sie verstaute ihr Messer an ihrem Gürtel. »Bitte.«

»Ich habe es seit langem befürchtet.« Der Ordenskämpfer hielt seine Waffe weiterhin auf die Frau gerichtet. »Ich hatte einen seltsamen Traum, in dem ich Euch bei dem gesehen habe, was Ihr gerade tatet. Ihr werdet verstehen, dass ich eine Erklärung für dieses Verhalten verlange.«

»Lakastra ist ein sehr mächtiger Gott. Aber seine mächtigsten Wunder haben Nachteile.« Belkalas Augen verloren das Glühen allmählich. »Er hat mich zu den Lebenden zurückgeholt. Aber nur durch das Fleisch der Lebenden bleibe ich bestehen. Es ist Segen und Fluch zugleich.«

Nerestro schüttelte sich. Das Entsetzen und die Vorstellung, dass die Kensustrianerin Menschen mordete, um sie zu essen, waren zu groß. »Das heißt, Ihr müsst, so lange Ihr noch leben werdet, diese … Nahrung haben? Es gibt keinen anderen Ausweg?«

Belkala stellte sich direkt vor die Mündung der Armbrust. »Nein, es gibt keinen anderen Ausweg. Jede Woche muss ich diese ›Nahrung‹, wie Ihr es nanntet, einmal zu mir nehmen, um weiterhin zu leben. Je mehr ich mich anstrenge, umso mehr brauche ich davon. Das ist der Preis, den ich bereit zu zahlen war, um Ulldart und damit Kensustria vor Unheil zu bewahren.« Sie lächelte traurig. »Vergleichsweise gering, wenn man bedenkt, dass Ihr mich schon für tot hieltet, nicht wahr? Und dass keine Waffe mir etwas anhaben kann.«

»Wer weiß noch von Eurem Geheimnis?«

»Ich denke, dass Norina etwas ahnt. Als sie und ihre Begleiter von Granburg nach Ulsar ritten, kamen sie durch den Wald, in dem Ihr mich zur Ruhe gebettet hattet. Ich war hungrig und kaum aus der Welt der Toten zurückgekehrt und brauchte dringend Stärkung. Einer ihrer Begleiter war unachtsam. Ich habe ihn mir geholt, und dabei muss sie mich gesehen haben«, erklärte sie. »Ich habe sie eingeschüchtert. Ich denke nicht, dass sie jemandem etwas erzählt. Außerdem klingt eine solche Erklärung zu abstrus, als dass man ihr Glauben schenken würde.«

Langsam senkte sich die schwere Armbrust. »Angor hat mir gesagt, dass Ihr Euch verändert. Er sprach aber auch davon, dass Ihr wieder ganz wie früher sein werdet.«

»Solange ich dem Verlangen nach«, sie stockte, ›Nahrung‹ nachkomme, bleibe ich die Belkala, die Ihr kennt und …« Sie machte eine weitere Pause. »Vielleicht geliebt habt?«

Nerestro legte die Waffe auf den Boden. »Die ich immer noch liebe. Im Grunde stärker als jemals zuvor. Als Ihr gestorben wart, hätte ich Matuc am liebsten umgebracht, weil er schuld war, dass ich Euch nicht retten konnte. Und nun seid Ihr etwas, das lebt, aber ein furchtbares Schicksal hat.« Zögernd machte er einen Schritt auf sie zu. »Und dann diese ganze Lügerei des Mönches über falsche Visionen und Gift, das Ihr mir angeblich verabreicht hättet. All das hat sich aber als Unwahrheit herausgestellt. Wenn Ihr mich immer noch als Gefährte wollt, dann …«

Die Kensustrianerin blickte auf die Erde. »Wenn Ihr nur nicht so eingebildet wärt, Nerestro von Kuraschka, dann hätte ich Euch schon lange mein Herz geschenkt. Damals schon.« Sie sah ihn unvermittelt an, aus dem Gelb ihrer Augen war wieder das Bernstein geworden.

»Aber Ihr habt eine unnachahmliche Art, für die ich Euch schon lange verprügelt hätte, wenn ich ein Mann wäre. Alleine Euer herablassender Spruch ›Dankt mir nicht für meine Milde‹ ist eine Anmaßung.« Sie fuhr ihm zärtlich über die Wange. »Und dennoch.«

»Und dennoch was, Belkala?«, drängte er sie und nahm ihre Hand.

»Und dennoch kann ich nicht anderes«, sagte sie leise und küsste ihn sanft auf den Mund.

Langsam beugte sich der Mann etwas herab und umfasste die Priesterin mit seinen starken Armen.

Eng umschlungen standen die beiden auf dem totenstillen Schlachtfeld, beschienen vom gedämpften Licht der wolkenverhangenen Monde.

Der folgende Tag begann mit Nebel und dem vielfachen Gekrächze der Raben und Krähen, das unbestimmbar von allen Seiten zu hören war. Grau und undurchdringlich hingen die Schwaden über der Ebene von Dujulev und erlaubten keiner der Kriegsparteien, den Feind zu sehen.

Die unermüdlichen Arbeiten an den Befestigungen wurden im Schutz des Dunstes abgeschlossen. Mortva war mit dem Resultat sehr zufrieden. Etwa die Hälfte der Toten lag mittlerweile in tiefen Gruben, die Zeit hatte jedoch gefehlt, um weitere Leichen zu bergen.

Das Warten auf den Ansturm der Borasgotaner begann.

Lodrik saß zusammen mit Waljakov und seinem Cousin in einem Unterstand auf der Spitze des Hügels, um den besten Überblick zu haben und Anweisungen geben zu können. Nerestro stand zwischen seinen Ordensbrüdern, die sich hinter dem zweiten Palisadenwall in Position gebracht hatten. Der Erste sollte von den restlichen Bauern gehalten werden, fast ganz oben saßen die Bogenschützen, um die heranstürmenden

Feinde besser treffen zu können. Die zahlreichen Verwundeten hatte man in kleinen Nischen, die in aller Eile in das Erdreich getrieben worden waren, abgelegt, wo sie unablässig von Cerêlern und Belkala versorgt wurden.

Gedämpfte Geräusche aus dem feuchten Grauschleier verrieten den Tarpolern, dass der Gegner sich aufstellte. Gegen Mittag zerriss der Nebel und gab den Blick auf die Schlachtordnung frei.

In breiter Front rückten die Fußtruppen vor, nur wenige Meter dahinter folgte die Reiterei, flankiert von den Bogenschützenkontingenten. Die erste Reihe trug dicke, scheinbar auf die Schnelle zusammengezimmerte Holzschützungen vor sich her, um den Geschossen der feindlichen Fernkämpfer nicht hilflos ausgeliefert zu sein.

Dann fächerte die Formation auseinander, nachdem die Befehlshaber entdeckten, dass die Gegner sich auf das Verteidigen verlegt hatten, verteilte sich in kleinere Gruppen und begann, den Hügel einzukreisen.

Danach verhielt man sich still. Offenbar mussten sich die Borasgotaner erst darüber klar werden, wie die neue Lage anzugehen sei.

Der Anblick von der Spitze herab auf die Masse der Feinde wirkte nicht ermutigend auf den jungen Kabcar. Er war froh, dass keiner seiner Männer diese Aussicht hatte, sonst würden sie sich seiner Meinung nach sofort alle ergeben.

Die Borasgotaner versuchten eine Belagerung. In aller Ruhe wurden ihre drei Lager hierher verlegt und rings um die Erhebung Zelte aufgeschlagen. Der erwartete Angriff blieb aus, die Nacht senkte sich herab, ohne dass ein einziger Schuss gefallen oder ein Säbelhieb geführt worden war. Mortva passte diese Entwicklung keineswegs.

»Wir werden das nicht lange durchhalten, Hoher

Herr«, sagte der Konsultant mit nachdenklicher Miene. »Unsere Vorräte halten im besten Fall drei Tage, das Wasser geht noch schneller zur Neige. Wir sollten den Verwundeten daher die Rationen streichen. Ich weiß, es ist beinahe unmenschlich. Aber sie nutzen uns im Kampf nichts. Die Soldaten dagegen werden all ihre Stärke benötigen.«

»Nein«, entgegnete Lodrik bestimmt. »Wir versorgen sie mit. Sie haben sich mit ihrem Leben für Tarpol eingesetzt, und das soll ihnen wenigstens so gedankt sein.« Er sah sich um. »Ich weiß, dass wir es nicht lange aushalten werden, Mortva, deshalb werden wir einen Ausfall machen. Jeder soll heute Nacht noch einmal richtig zu Kräften kommen, lasst von mir aus den ganzen Proviant verteilen. Dann werden wir im Morgengrauen losstürmen und das Ende, wie auch immer es aussehen wird, nicht länger hinauszögern. Ich werde Nerestro und die Hohen Schwerter darüber in Kenntnis setzen.« Er verließ den Unterstand, ging grüßend durch die Reihen seiner Männer, verteilte aufmunternde und anspornende Worte, bis er bei dem Ordenskrieger angelangt war.

Nachdem er ihm seinen Plan erläutert hatte, nickte Nerestro zustimmend.

»Besser ein glorreicher Abschluss, Mann gegen Mann, als durch einen heimtückischen Pfeil zu sterben.« Ernst sah er dem jungen Mann in die Augen. »Aber wenn Ihr sterbt, hoheitlicher Kabcar, was wird dann aus Ulldart?«

»Vermutlich wird die Dunkle Zeit hereinbrechen.« Lodrik zuckte mit den Schultern und versuchte, gleichgültig zu wirken. »Ich habe bei den Verhandlungen gebettelt, aber keiner hat mir zur Seite gestanden. Um Aldoreel und Tûris tut es mir Leid, aber ändern kann ich es nicht. Schuld tragen Borasgotan und Hustraban. Sie wollten den Krieg, sie bekamen den Krieg. Letztendlich haben sie den Kontinent ins Verderben geführt.« Er lehnte sich an das grobe Holz der Palisade. »Oder seht Ihr das anders?«

»Wenn unser Orden das anders sehen würde, wären wir nicht hier«, gab der Ritter zurück. »Und seit langen, langen Jahren spielen wir wieder eine wichtige Rolle in der Geschichte. Das wird Angor sehr freuen, denn wir kämpfen für die gute Seite. Alle, die morgen fallen, werden von ihm aufgenommen. Und das ist ein sehr großer Ansporn für uns. Seid gewiss, die Hohen Schwerter sind Euch treu bis zum letzten Atemzug.«

»Ich habe Ulldrael angefleht, mir zu helfen«, sagte Lodrik leise. »Aber der Gerechte scheint sich schwer zu tun. Ich wäre bereit, jede Hilfe anzunehmen, um mein Volk vor den Borasgotanern zu schützen.«

»Ihr werdet bestimmt Unterstützung erfahren«, sagte Mortva plötzlich im Rücken der beiden.

Unbemerkt war er näher gekommen und hatte sich hinter ihnen auf einem großen Stein im Schneidersitz niedergelassen. Helm und Brustpanzer glänzten unbeschädigt, frei von Kratzen, Dellen oder Blutspritzern. »Ich bin mir sicher, dass Euch jemand beistehen wird. Erinnert Euch, Ihr habt darum gebeten. Und es wurde, soweit ich weiß, nicht vergessen. Manchmal dauert es, bis der Boden für die richtige Saat bereitet ist, das ist alles.«

»Von was redet Ihr, Nesreca?«, wollte Nerestro wissen, dem die Ankündigung etwas merkwürdig vorkam. »Wer wollte uns zu Hilfe kommen? Tûris hat seine eigenen Probleme.«

»Erinnert Ihr Euch an die Gerüchte über die angebliche borasgotanische Armee, die Tarpol von See her überfallen hätte?« Mortva legte den stählernen Kopfschutz zur Seite. »Ich glaube nicht, dass Arrulskhán ein solches Vorhaben koordinieren könnte. Bleibt die Frage: Wer ist sonst noch auf dem Weg?«

»Kensustria?«, schlug Lodrik mit aufkeimender Hoffnung vor. »Natürlich! Belkala war so etwas wie die Vorhut und hat ihr Reich über die Geschehnisse informiert. Und sie sind unterwegs, um mir beizustehen.«

»Das wäre eine Möglichkeit«, sagte der Konsultant und lächelte freundlich.

»Wenn auch eine sehr unwahrscheinliche«, schwächte der Ordenskrieger vorsichtig ab. »An Gerüchten muss nichts dran sein, hoheitlicher Kabcar.«

»Exakt«, stimmte Mortva zu. »Aber den Truppen würde das Märchen von der anrückenden Unterstützung die gleiche Zuversicht geben, wie sie Euch eben durchströmt hat, Hoher Herr. Also sollten wir das Gerücht unter den Leuten verbreiten.« Er erhob sich. »Ich werde am besten gleich damit anfangen.« Er verneigte sich und kletterte über die Leiter zurück hinter den dritten Palisadenwall.

»Ein seltsamer Mensch«, meinte Nerestro in Gedanken versunken und bemerkte zu spät, dass der Kabcar noch immer neben ihm stand. »Ich meine, das geht nicht direkt gegen Euren Verwandten, hoheitlicher Kabcar. Aber sein Auftauchen ist immer noch ein kleines Wunder. Sein Beistand ist viel wert.«

»Ich weiß«, bestätigte Lodrik. »Auch wenn er nach der Ansicht vieler ›nur‹ Gelehrter ist, er hat sich in der Schlacht als tauglicher Berater erwiesen. Wenn wir gleich auf seine Meinung gehört hätten, würden viele Tarpoler noch leben.«

»Trotzdem würde mich brennend interessieren, wie viel an diesem Gerücht dran ist.« Der Ritter winkte Herodin bei, um ihn in die Pläne für den folgenden Tag einzuweihen. »Kam noch keine Nachricht aus Ulsar bis hierher durch?«

Etwas niedergeschlagen und mit verkniffenem Mund schüttelte der junge Herrscher den blonden Kopf. »Vermutlich werden die Brieftauben von irgendjemandem abgefangen. Aber darum müssen wir uns vermutlich sowieso bald keine Sorgen mehr machen.« Er legte dem Ordenskrieger dankbar eine Hand auf die gepanzerte Schulter. »Danke für alles, was Ihr für mich getan habt, Nerestro von Kuraschka. Einen Lohn für Eure Mühe werde ich Euch unter Umständen nicht mehr geben können.«

»Hoheitlicher Kabcar«, Nerestro deutete eine Verbeugung an, »ich bin geehrt, für einen solchen Herrscher, dem das Wohl seiner Untertanen so am Herzen liegt, in den Kampf ziehen zu dürfen. Und weil auch Ulldrael Euch zu schätzen weiß, werden wir siegen.«

Mortvas Weg, auf dem er die Nachricht von der vermeintlichen Unterstützung verbeitete, führte auf Umwegen zu den Nischen, wo die Verwundeten lagen.

An Stoikos Bett blieb der Mann mit den silbernen Haaren stehen und sah auf den schwer Verletzten, dem bereits zwei der Spitzen aus dem Rücken entfernt worden waren. Danach hatte der Cerêler die Wunden magisch gereinigt, auch die, in der das letzte Eisen steckte, und verordnete eine Pause, damit sich der Körper des Vertrauten erholte. Der Blutverlust machte dem Mann schwer zu schaffen. Ohne die gebündelten Fertigkeiten aller vier Heiler wäre Stoiko, den sie in einen magischen Heilschlaf versetzt hatten, gestorben.

Der Konsultant blickte auf die weißen Rückenverbände des Mannes. »So viel kostbarer Lebenssaft, der einfach im Dreck verrinnt«, murmelte er mit gespieltem Mitleid. Sofort bildeten sich rote Flecken auf den Bandagen. Die Wunden waren unversehens aufgebrochen. »Und kein Cerêler weit und breit. Armer Gijuschka.«

»Was«, dröhnte Waljakovs polternde Stimme, »tut Ihr da, Nesreca?« Mit ein paar Schritten war er an der Seite des überrumpelten Mannes und stieß ihn zur Seite.

Sofort sah er das austretende Blut. »Warum habt Ihr nicht nach dem Heiler gerufen?«

»Ich war gerade im Begriff, es zu tun«, erklärte Mortva, der sich bereits gefangen hatte. »Aber es hat niemand auf mein Rufen geantwortet.«

Der Leibwächter schenkte dem Konsultanten einen vielsagenden Blick seiner eisgrauen Augen, die Wangenmuskeln arbeiteten, als müsste der Hüne Holzstämme kauen. Die mechanische Hand presste er auf die Verbände, dann schrie er nach den Cerêlern, die innerhalb weniger Lidschläge angelaufen kamen und sich sofort um die Verletzungen kümmerten.

Immer noch wütend auf den Verwandten Lodriks, beobachtete Waljakov, wie die kleinwüchsigen Menschen ihre grün schimmernde Magie zum Einsatz brachten und sich dabei leise unterhielten. Wenn er die dünnen Stimmchen richtig verstand, hätten sich die Wundränder unter keinen Umständen öffnen können.

»Wenn Ihr dabei die Finger im Spiel hattet«, wandte er sich drohend zu Mortva um, doch der Mann war verschwunden.

Das anfängliche Misstrauen, das sich etwas gelegt hatte, erwachte zu voller Stärke. Nun war sich der Leibwächter vollends sicher, dass der Konsultant seinem Freund nach dem Leben trachtete. Ein zweites Mal wollte er dem Fremden eine solche Gelegenheit nicht mehr bieten. Nur was der Vetter des Kabcar mit all dem bezwecken wollte, war ihm schleierhaft.

Der Ausfall der Hohen Schwerter in den frühen Morgenstunden verlief mit einem Erfolg, den sich keiner erträumt hätte. Die noch verschlafenen borasgotanischen Soldaten direkt vor der Stelle, an der die Ritter hinauspreschten, wurden von den gepanzerten Reitern samt ihrer Zelte niedergeritten, die Überlebenden suchten ihr Heil in der vorläufigen Flucht.

Doch bald war der Widerstand organisiert und die Bogenschützen zur Stelle, die den Ordenskriegern schwere Verlust unter dem Fußvolk zufügten.

Nach dem Rückzug begannen die Borasgotaner, an unterschiedlichen Stellen heftige Angriffswellen gegen die ersten Palisadenreihe zu werfen. Gegen Mittag hatten sie unter großen Verlusten eine Bresche in die Holzpflöcke gerissen und versuchten nun, sich am zweiten Ring gegen die Hohen Schwerter durchzusetzen. Die fünfhundert tarpolischen Bauern waren zuvor vollständig aufgerieben worden.

Immer wieder unternahmen die Ritter präzise Ausfälle, die dem Gegner massenweise Tote bescherten. Aber die Borasgotaner sahen den Sieg näher als jemals zuvor. Ganz oben auf der Spitze des Hügels saß ihr Faustpfand in Form des jungen Kabcar, das sie gegen das noch unbesetzte Tarpol einsetzen konnten, und das wollten sie unter allen Umständen in ihre Hände bekommen.

Am späten Nachmittag, als die feindlichen Truppen einen Sturm von allen Seiten gleichzeitig auf die Befestigungen durchführten, zogen sich dunkle Wolken am Himmel zusammen. Erste Tropfen kündigten einen gewaltigen Regenschauer an. Blitze zuckten am Horizont entlang, das Licht der Sonnen färbte sich schmutzig orange.

Ein warmer Wind kam auf, der den Geruch von Schwefel, Verwesung und Fäulnis mit sich führte. Lodrik glaubte sogar, einen schwachen Hauch von Seewasser zu riechen.

»Hoher Herr.« Mortva verneigte sich vor dem Kabcar, das silberne Haare wehte in dem stinkenden Wind. »Die Zeit ist gekommen. Da, seht. Ihr wurdet nicht vergessen.«

Etwas Langes, Gewaltiges senkte sich aus den Wolken herab. Gleißende Energiebahnen umspielten den

Rumpf einer gewaltigen Galeere, die dem Boden immer näher kam und knirschend auf der aufgewühlten Erde des gestrigen Schlachtfeldes aufsetzte.

Mit einem Ächzen senkte sich das Schiff nach Backbord, stützte sich auf die zahlreichen Ruder und lag still.

Die Kämpfe auf dem Hügel hatten schon lange aufgehört, Freund und Feind starrten auf die Galeere, die wie durch ein Wunder durch die Luft geflogen war.

Planken, so breit wie drei Männer, wurden von unsichtbaren Kräften als Rampen ausgelegt. Dann schritten seltsam anzuschauende Krieger das dunkle Holz hinab. An ihren alten, verrosteten Rüstungen hing mitunter vermoderter Seetang, die Gesichter wirkten bleich und leblos, die Augen blickten stumpf geradeaus. Als Bewaffnung trugen sie lange Schilde und Speere, mit denen sie sich, sobald sie am Boden angelangt waren, zu einem wandelnden, mit Spitzen besetzten Wall formierten.

Die ersten Borasgotaner begannen, die Sturmleitern hinabzuklettern und sich zurückzuziehen.

Auch die Tarpoler wussten nicht so genau, was sie davon halten sollten. Als jemand ein halblautes Gebet an Ulldrael murmelte, fielen nach und nach alle Kämpfer mit ein.

Auf dem Deck des Schiffes erhob sich eine riesige Gestalt, drei Mal so groß wie ein ausgewachsener Mann. Schlohweiß leuchteten die langen Haare jedes Mal auf, wenn ein Blitz aus dem Orange des Himmel krachte, eine mächtige Rüstung lag über dem breiten Körper. In der einen Hand hielt das Wesen eine eisenbeschlagene Deichsel als Keule, in der anderen einen Schild so groß wie ein Mühlstein.

Bedächtig kam die Figur, die jedem Kind auf Ulldart aus den alten Legenden bekannt war, die Rampe hinab und marschierte an der Spitze der unheimlichen Truppen auf den Hügel zu. Über die Toten der Schlacht marschierte er achtlos hinweg, krachend zerbarsten Knochen unter seinem Gewicht.

»Herr, wen habt Ihr um Hilfe gebeten?«, flüsterte Waljakov, der so bleich wie eine Leinwand war. »Wen, um alles in der Welt, habt Ihr aus der Vergangenheit heraufbeschworen?«

Lodrik war gebannt von dem Schauspiel und von seinem Verbündeten. Aber je näher das gigantische Wesen kam, desto mehr schwand die Überzeugung, dass es gut gewesen war, Tzulan als Ausweg aus seiner Lage zu benutzen. Dass er sich Mortva bis Anfang des Jahres 444 vom Hals schaffen konnte, daran zweifelte er nicht. Aber wie er dieses Ungeheuer vorher beseitigen sollte, dazu fehlte ihm jede Vorstellungskraft. *Ulldrael der Gerechte, ich bitte dich inständig um Verzeihung. Gib mir die Kraft, mich rechtzeitig gegen diese Macht stemmen zu können. Aber ohne sie wäre Tarpol verloren gewesen.*

Er kletterte aus dem Unterstand, um besser sehen zu können. »Ohne ihn wäre Tarpol verloren gewesen«, sagte er, diesmal laut. In Waljakovs Ohren klang es mehr nach verzweifelter Entschuldigung als nach einer Erklärung.

Als schiebe das Wesen eine unsichtbare Barriere vor sich her, wichen die Borasgotaner zur Seite, um Platz zu machen. Nicht ein einziger der Kämpfer erhob seine Waffe, der Anblick wirkte lähmend und entzog allen den Mut.

Nur Nerestro brüllte Befehle gegen den Wind. Die Hohen Schwerter erklommen die Palisaden und bereiteten sich auf den Empfang vor.

»Nein, nicht«, schrie ihnen der Kabcar zu. »Sie kommen, um uns zu helfen!«

Der Ritter drehte sich voller Überraschung um. »Was glaubt Ihr, wer da unterwegs ist? Und ausgerechnet er soll uns unterstützen?« Seine Augen wurden mit einem

Mal groß. »Ihr habt ihn gerufen, nicht wahr? Seid Ihr noch bei Sinnen? Wollt Ihr uns alle in den Untergang führen?«

»Das muss ich Euch allerdings auch fragen«, sagte der Leibwächter. »Ich werde Euch immer treu dienen, aber mit diesem Schritt habt ihr dem Land keinen großen Gefallen getan, Herr.«

»Keine Angst.« Mortva lächelte den kahlen Hünen von der Seite an. »Er kommt als Freund Tarpols.«

»Und bis 444 wird er wieder verschwunden sein«, knurrte Waljakov. »Und wenn ich ihn persönlich umbringen muss.«

»Das«, warf der Konsultant freundlich ein, »wäre dann ja wohl Verwandtenmord, wenn ich mich nicht sehr täusche. Und ich täusche mich selten.«

Das Wesen mit der schwarzen, verbrannt wirkenden Haut stand nun am Fuß des Hügels. Die übermenschlichen Kräfte seiner Muskelpakete wischten die Palisaden so mühelos zur Seite, wie ein Kind Holzklötze vom Tisch fegt. Deutlich waren die Löcher in der Panzerung sichtbar, in der vor 443 Jahren die Pfeile des rogogardischen Admirals eingeschlagen waren.

Doch das Fleisch darunter war nun unversehrt. Selbst dem beherztesten Ritter sank der Mut angesichts dieser Überlegenheit. Auch sie gaben den Weg frei, Schilde und Schwerter zur Abwehr erhoben.

Schritt für Schritt stapfte der riesige Mann die Anhöhe hinauf, bis er vor dem Unterstand ankam und mit seinen rot glühenden Augen auf den winzig wirkenden Kabcar herabsah.

Schwungvoll riss er die Keule in die Luft und rammte die eisenbesetzte Spitze in den Hügel, dass die Erde erbebte.

»Ich, Sinured, bin erschienen, um Euch gegen Eure Feinde beizustehen.« Die dunkle Stimme des Kriegsfürsten grollte wie Donner in das Schweigen.

Dann sank er auf die Knie und beugte den schloh-weißen Schopf vor dem jungen Herrscher. »Lang lebe der Kabcar von Tarpol.«

Das Rennen und Flüchten, das von einem Moment auf den anderen auf der Anhöhe einsetzte, verband Borasgotaner und Tarpoler gleichermaßen. Männer, die sich eben noch die Schädel spalten wollten, rannten nebeneinander her, um so weit wie möglich von dem personifizierten Grauen wegzukommen. Die Wälle auf dem Hügel leerten sich, nur die Tapfersten der Hohen Schwerter wichen nicht, sondern hielten sich bereit.

Lodrik hörte den Eid, den der einst verhassteste Mensch des Kontinents soeben auf ihn geleistet hatte, konnte die Worte aber nicht fassen. Er brachte nicht einen Ton über die trockenen Lippen, seine Kehle war wie zugeschnürt, während der monströse Kriegsfürst immer noch kniend seine Demut bezeugte. Tzulan hatte sein Versprechen gehalten.

»Schwörst du, meinen Befehlen immer zu gehorchen, bei allem, was dir heilig ist?«, verlangte der junge Mann heiser. »Schwörst du, all meinen Befehlen zu folgen, die ich dir und deinen Truppen erteile? Schwörst du, das tarpolische Reich und das tarpolische Volk gegen alle seine Feinde zu beschützen und die Menschen, Sitten und Gebräuche zu achten?«

Sinured hob den Kopf. »Ich schwöre, hoheitlicher Kabcar, dass ich alles tun werde, was Ihr von mir verlangt.« Voller Bosheit funkelten die rot glühenden Augen den Kabcar an.

So mussten die Augen Tzulans geleuchtet haben, dachte der Herrscher einen Moment.

»Herr, es ist nicht rechtens, das Gute mit allen Mitteln des Schlechten zu wollen«, warnte Waljakov leise. »Schickt ihn zurück auf den Grund des Meeres, von wo er gekommen ist. Die Borasgotaner sind geflüchtet. Unsere Leute übrigens auch.«

»Sie kommen wieder«, beruhigte Mortva. »Sie haben den Eid gehört.«

»Ich werde Sinured aus meinen Diensten entlassen, wenn ich mir sicher bin, dass Borasgotan es nie wieder wagen wird, mein Reich anzugreifen«, sagte Lodrik zu seinem besorgten Leibwächter. »Es ist eine Gelegenheit, die sich kein zweites Mal mehr bieten wird. Ich muss sie wahrnehmen, verstehst du, ich muss einfach.« Er wandte sich zu dem Kriegsfürsten. »Ich erteile dir hiermit den Auftrag, die borasgotanischen Truppen zu verjagen und alle verlorenen tarpolischen Gebiete so schnell wie möglich für mich zurückzuerobern.«

»Ich habe Euren Wunsch vernommen.« Sinured erhob sich zu seiner beinahe turmhohen Größe. »Und Euer Wunsch, Hoher Herr, ist mein Befehl.«

Er rief in einer unbekannten Sprache Anweisungen zu seinen wartenden Truppen, die aus ihrer Trance zu erwachen schienen und sich an die Verfolgung der Gegner machten. Währenddessen sammelten sich die tarpolischen Einheiten wieder zögerlich.

»Reichen die Leute überhaupt aus, die du mitgebracht hast?«, fragte Lodrik nach.

»Hoher Herr, zerbrecht Euch nicht Euren Kopf«, sagte Sinured dröhnend, nahm eine Hornmuschel von seinem Gürtel und blies hinein. Ein Mark erschütternder Ton drang aus dem von der Natur geschaffenen Instrument.

Brüllend tauchten auf der anderen Seite der Ebene Tausende von Kriegern auf, die sich den Flüchtenden entgegenstellten und in einen rücksichtslosen Angriff übergingen.

»Meine Freunde sind ebenso begierig wie ich, Euch beizustehen«, erklärte der monströse Mann. »Sie haben sich von der anderen Seite Tarpols bis hierher durchgeschlagen, um die Borasgotaner für Euch zu verjagen, Hoher Herr.« Ein Sprung aus dem Stand brachte ihn zum Fuß des Hügels. Wieder schien der Boden zu erzittern. »Und nun verzeiht. Ich muss einen ersten Sieg für Euch erringen.«

Der Kabcar und die restlichen tarpolischen Soldaten beobachteten schweigend von ihrem Hügel aus, wie Sinured und seine Männer unter den Feinden wüteten. In dem orangefarbenen, trüben Licht und den grellen Blitzen wirkte das widerliche, abscheuliche Gemetzel bizarr und unwirklich.

Nichts war der eisenbeschlagenen Keule Sinureds gewachsen. Geführt mit der Stärke von zehn Männern, zerschmetterte die Waffe alles, was sie traf und zerquetschte es. Die ungebändigte Wildheit seiner Leute vernichtete jeden Versuch der Borasgotaner, sich zu ordnen. Wie wilde Wespen stießen die Männer Sinureds in Pulks zu, zogen sich wieder zurück, trieben sich gegenseitig die Flüchtenden zu, um sie unter Gegröle abzuschlachten.

Nerestro stellte sich neben den Herrscher. »Wir werden dieses Ungeheuer spätestens in einem halben Jahr verjagen. Oder noch besser, wir müssen es töten. Versprecht mir das, hoheitlicher Kabcar«, forderte der Ritter eindringlich. »Schwört es bei Eurem Leben.« Lodrik nickte abwesend.

»Ulldrael der Gerechte und alle anderen Götter seien uns gnädig«, sagte Waljakov mit ernstem Gesicht, als er sich irgendwann von dem Anblick auf der Ebene abwandte. Er hatte genug gesehen.

»Schau an, wer hätte das gedacht«, sagte Perdór gut
gelaunt und wedelte mit den Blättern, auf denen die
neuesten Nachrichten zu finden waren. »Nicht nur,
dass der junge Kabcar die borasgotanische Hauptarmee
vernichtet hat, er wirft auch die Besatzungstruppen
Kontingent für Kontingent hinaus.« Er überflog die Zeilen. »Es scheint aber nicht so einfach zu sein. Die Soldaten klammern sich an ihr neu gewonnenes Land. Und
dann wird der Herrscher noch die Aufgabe haben, sowohl Kostromo als auch Bijolomorsk zu befreien.«

Fiorell, der auf dem Schreibtisch seines Herrn hockte,
zog seine Narrenkappe ab, hauchte auf eines der Glöckchen und polierte das Kupfer. »Nach diesem großen militärischen Erfolg dürfte das kein Problem sein, oder,
Majestät? König Kumstratt von Hustraban macht sich
vermutlich jetzt schon die Hosen voll, wenn er hört,
dass die Tarpoler nicht einen einzigen Gefangenen gemacht haben.« Er setzte seine Kopfbedeckung wieder
auf. »Ich würde mir die Hosen an seiner Stelle jedenfalls
mächtig voll machen.«

»Diese Härte bringt mich, gelinde gesagt, zum Stau-
nen«, gestand der König von Ilfaris. »Es wurde nicht
mal der Versuch unternommen, hohe Offiziere zu fangen und Lösegeld zu erpressen.«

»Ich denke, der junge Kabcar wollte, bei allem Respekt vor Euren Amtskollegen, den hochwohlgeborenen
Hasenfüßen, die seinem drohenden Untergang zugese-
hen haben, mal so richtig zeigen, wie Tarpoler kämpfen
können.« Der Hofnarr machte ein überlegenes Gesicht.
»Gut, nicht wahr?«

»Vermutlich hast du sogar Recht.« Die Tür öffnete
sich, und ein Diener brachte eine Schale, in der klares

Eis zusammen mit einem Schuss Rum, etwas Zucker, Sahne und frischen Erdbeeren püriert worden war. Dazu reichte er lockeres Gebäck. »Das ist doch genau das Richtige an einem solch heißen Sommertag, nicht wahr?«, seufzte Perdór mit einem seligen Lächeln, nachdem er an dem Getränk genippt hatte.

»Wenn Euch der Alkohol nur nicht zu sehr zu Kopf steigt«, warnte Fiorell. »Wir müssen noch ein wenig nachdenken, Majestät.«

Missmutig setzte der König das Glas ab. »Schön, du Narr. Was noch?«

»Nun, ich erinnere da an die Erzählung eines wahnsinnigen Borasgotaners, der, bevor die Schlacht bei Dujulev geschlagen war, flüchtete und erschrockenen Tarpolern etwas von einem fliegendem Schiff erzählte, das mitten in einem Gewitter gelandet sei. Dummerweise starb der Mann, bevor einer unserer Spione ihn näher befragen konnte. Man fand ihn morgens erhängt in einer Scheune.«

»Sehr dumm«, bedauerte Perdór. »Aber Wahnsinnige gibt es überall. Da kannst du sehen, was der Krieg mit dem Geist eines Menschen anstellen kann.«

»Das Besondere an dieser Sache ist«, mahnte ihn der Hofnarr mit einer listigen Miene und wühlte in den Unterlagen nach einer weiteren Meldung, die schon vor längerer Zeit eingegangen war, »dass der Wahnsinn sehr weite Entfernungen überbrückt hätte.«

Der Herrscher von Ilfaris nutzte das Herumkramen seines Spaßmachers, um einen weiteren Schluck von dem köstlich frischen Getränk zu sich zu nehmen. Die Sahne färbte seinen Oberlippenbart weiß, ohne dass er es merkte.

Fiorell blinzelte. »Sehr schick, Majestät.« Er hob seinen Fund hoch. »Ich meinte vorhin die Erzählung von zwei turîtischen Fischern, die allen, die es hören wollten oder auch nicht, berichteten, dass sich in einem tobenden Gewitter eine Galeere an der Stelle aus dem Wasser gehoben hätte, wo das Flaggschiff Sinureds vor 443 Jahren versenkt wurde.«

Jetzt war Perdór aufmerksamer geworden. »Dann kann sehr wohl etwas an beiden Geschichten dran sein? Das wäre sehr schlecht.« Schnell sprang er auf und kramte in einem anderen Stapel herum. »Da ist es. Späher in Tarpol berichteten von einundzwanzig Schiffen, die von der Westküste her den Repol hinauffuhren und dass deren Soldaten die restlichen Warst bis Dujulev in einem Gewaltmarsch zurücklegten, nachdem es auf dem Fluss nicht mehr weiterging. Wohlgemerkt, Schiffe unbekannter Bauart und mit völlig unbekannten Fahnen. Das müssten die Truppen sein, die dem Kabcar zum Sieg verhalfen. Aber woher kamen sie?«

»Nicht von Ulldart«, steuerte der Mann in dem Narrenkostüm den Überlegungen bei. »Und nach der Art zu schließen, wie sie sich bei der Schlacht benommen haben, müssen es ziemlich üble Zeitgenossen sein. Das Kaiserreich Angor scheidet bei den Überlegungen aus. Ihre Wassergefährte sind bekannt. Zudem hätten sie wenig Grund, in Tarpol einzugreifen, wo sie ohnehin erfroren wären.«

»Gehen wir vom Schlimmsten aus und nehmen an, es war die Galeere Sinureds, die aus welchen Gründen auch immer aus den Fluten auftauchte«, grübelte Perdór und drehte die grauen Locken seines Bartes zwischen den Fingern. »Wer würde diesem Ungeheuer helfen? Und warum sollte es in die Schlacht eingreifen? Das gefällt mir alles gar nicht, lieber Fiorell.«

»Tzulandrien«, sagte der Hofnarr ohne Vorwarnung und schlug die Beine übereinander. »Nur Menschen von diesem Kontinent würden Sinured helfen.«

»Verwünscht«, fluchte sein Herr und nahm noch einen Zug aus der Schale. »Das gäbe alles sogar noch einen Sinn. Bis auf den Umstand, dass Sinured, wenn er denn dabei war, für den jungen Kabcar Partei ergreift. Nur dessen Tod würde doch die Dunkle Zeit zurückbringen.« Nach dem nächsten Ansetzen war das Gefäß leer. »Ich will wissen, ob dieses Ungeheuer aufgetaucht ist oder nicht. Ein fliegendes Schiff erregt Aufmerksamkeit. Einer unserer Spione wird es hoffentlich ausmachen. Und sie sollen sich an diese Truppen hängen, die im Namen das Kabcar das tarpolische Reich von den Borasgotanern säubern.«

Eifrig notierte Fiorell die Anweisungen des Herrschers, der eine weitere Schale des Getränks und ein Stück Torte orderte. Vorwurfsvoll verzog der Hofnarr das Gesicht. »Ihr könntet so alt werden, aber nein, Ihr bringt Euch mit diesem süßen Zeug noch um. Freiwillig. Oder zwingt Euch jemand, das Gesöff zu trinken?«

Mit majestätischer Gelassenheit überhörte Perdór den Hinweis und hielt das Dossier über Lodrik in die Höhe. »Wir haben es mit einem neuen Mitspieler in Ulsar zu tun. Dieser Mann, Mortva Nesreca, ist ebenso geheimnisvoll wie die Erzählung von dem Schiff. Angeblich hat er seine Abstammung in den entsprechenden Büchern nachweisen können. Aber in unseren Aufzeichnungen über die Herrscherhäuser des Kontinents taucht er nicht auf.« Klatschend landete das Heft auf der Schreibtischoberfläche. »Wir wissen, wie viele uneheliche Söhne Kumstratt hat oder dass der König Serusiens sich in seinen alten Jahren zu Knaben hingezogen fühlt. Sogar, dass die Regentin von Tersion bereits zwei Töchter hat, von denen ihr Mann keine Ahnung hat.« Fiorell verdrehte die Augen und schaute an die Decke. Er hatte es gleich geahnt, der Alkohol tat seine Wirkung: Perdór redete sich in Rage. »Wie um alles in der Welt schafft es dann ein offizieller Verwandter des Kabcar, ein Vetter vierten Grades, wie er selbst behauptet, über dreißig Jahre unbemerkt zu bleiben? Dreißig Jahre, man stelle sich das vor! Habe ich nur Schlafmützen, die für mich arbeiten?«

»Nicht nur«, sagte der Hofnarr grinsend. »Aber was kann man bei dem Vorbild auch erwarten?«

»Kopf ab«, knurrte der Mann in seine Richtung und beruhigte sich allmählich wieder. »Was machen die Bestien in der Verbotenen Stadt? Haben sie schon einen Ausfall gewagt?«

»Mitnichten und mit Neffen«, versuchte Fiorell einen Scherz. »Sie zeigen aber ein äußerst seltsames Verhalten für Ungeheuer. Sie machen nämlich nichts kaputt. Sie putzen.«

»Bitte?«, glotzte ihn der König von Ilfaris an.

»Ihr habt schon richtig gehört«, nickte der Mann in dem rautengeschmückten Trikot und schichtete aus Büchern kleine Häuschen. »Sie legen die Ruinen der Verbotenen Stadt frei. Ziemlich akribisch, wie unser Informant bei der turîtischen Armee gemeldet hat. Der Anführer der Einheit, die das Gebiet absperrt, ist ein Meisterschütze und ein guter Freund von Euch.«

»Hetrál?«, fragte Perdór erfreut. »Das ist aber schön, dass er wieder zu Ehren kommt. Niemand kennt sich mit diesen Viechern besser aus als dieser Mann. Was haben wir ein Glück, dass wir über keine Sümpfe verfügen. Und sie bauen die Stadt wieder auf, hast du gesagt?«

»Nein, ich habe gesagt, sie legen vorerst die Ruinen frei«, wiederholte Fiorell und schnalzte missbilligend mit der Zunge. »Hört doch auf zu saufen, Majestät. Wir bereden wirklich wichtige Dinge.« Wortlos schnappte er sich das Glas und süffelte daran. »Mh, sehr lecker. Ich behalte das besser bei mir.«

»Vielleicht wollen sie die Gebäude später aufrichten? Aber ohne Anleitung von Architekten und Ingenieuren wäre das vergebliche Liebesmüh.«

Sein Spaßmacher lachte. »Die werden vielleicht nachkommen, Majestät.«

»Wäre möglich. Die Ungeheuer werden das Putzen nicht aus einer Laune heraus tun.« Der Herrscher kratz-

481

te sich unter seiner Perücke und rückte seinen leichten Brokatrock zurecht. »Die Galeere Sinureds, Männer aus Tzulandrien, Bestien, die die Verbotene Stadt aufräumen, und was kommt als Nächstes?«

»Wenn ich die Uhr richtig gelesen habe, die Abordnung aus Tersion«, schlug Fiorell vor. »Ihr erinnert Euch, dass Alana die Zweite eine Delegation anmelden ließ?«

»Ich muss nicht einmal überlegen, was sie wollen«, seufzte Perdór und schielte nach dem Getränk, das in den Händen seines Hofnarren rapide weniger wurde. »Sie werden nach dem Durchmarschrecht fragen.«

Es klopfte, und ein Livrierter bat nach einem Handzeichen des Herrschers die tersionischen Diplomaten herein.

Wie alle Tersioner waren sie mit stark gebräunter Haut versehen, trugen kurzes Haar und leichte Seidengewänder in hellen Farben sowie offene Riemenschuhe, das beste Mittel, um in der herrschenden Hitze nicht vor Schweiß zu zerfließen.

»Ich entbiete Euch den Gruß von Alana der Zweiten, Regentin von Tersion«, begann der vorderste Diplomat und verbeugte sich vor Perdór. »Mein Name ist Parlass Nirwel.«

»Nun, mein lieber Nirwel, dann bin ich einmal ganz Ohr, was denn unser geschätzter Nachbar von uns möchte«, sagte der König.

»Wie Ilfaris sicherlich weiß, befinden wir uns derzeit im Krieg mit den Kensustrianern«, holte der Gesandte aus, wurde aber direkt von Fiorell gut gelaunt unterbrochen.

»Was ein äußerst ungeschickter Zug war, nicht?«

»Es steht mir nicht zu, die Politik der Regentin zu kommentieren.« Nirwel ließ sich nicht aufs Glatteis führen. »Tatsache ist, dass Palestan und Tersion den geforderten Schadenersatz nicht erhielten. Daher ist es nur unser Recht, auf Ausgleich zu beharren.«

»Wenn diese Rechnung nur aufgeht«, unkte der Hofnarr und stellte das leere Glas zur Seite.

»Natürlich haben wir alle von der Kriegserklärung gehört«, schaltete sich Perdór ein. »Es ist sehr traurig, dass der Kontinent gleich an zwei Plätzen von Schlachtenlärm erschreckt wird. Und Tersion scheint sich auf einen gewaltigen Schlag vorzubereiten, wie man unschwer an den vielen angorjanischen Schiffen erkennen kann, die sich dort sammeln. Die Regentin hat sich einiges an Unterstützung von ihrem Schwiegervater geholt, nicht wahr?«

»Kaiser Ibassi Che Nars'anamm unterstützt das Anliegen voll und ganz«, bestätigte Nirwel. »Wir sind nicht an einem ewig andauernden Konflikt mit Kensustria interessiert, sondern möchten innerhalb kürzester Zeit eine Entscheidung zu unseren Gunsten herbeiführen.« Allmählich näherte sich der Gesandte seinem eigentlichen Anliegen. »Auf dem Seeweg wird es aber nur schwer zu erreichen sein.«

»Das dachte ich mir schon. In einem ersten kleinen Gefecht sind, soweit ich gehört habe, nur Eure Schiffe versenkt worden.« Perdór nahm ein Gebäckstück und kratzte seine beinahe leere Schale aus, um die Reste des Getränks nicht verkommen zu lassen. »Und?«

»Und nun sind wir hier, um das Königreich Ilfaris zu bitten, unseren Truppen das Durchmarschrecht zu gewähren.« Der tersionische Diplomat wartete die Reaktion des Königs ab.

»Einfach so?«, erkundigte sich Fiorell und lachte, dass die Glöckchen seiner Kappe klingelten. »Ihr kommt an den Hof und bittet darum, dass wir heuschreckengleiche Scharen durch unser schönes Land ziehen lassen? Mitten zur Erntezeit? Majestät, da stehen die neuen Bewerber für die Ämter weiterer Narren.«

»Mein Spaßmacher ist zwar ein wenig vorlaut«, entschuldigte sich Perdór, »aber er trifft den Nagel auf den

Kopf. Wir werden uns in diesen Krieg, Konflikt, Auseinandersetzung oder wie immer Ihr es nennen wollt, nicht einmischen, weder direkt, noch indirekt.« Seine Stimme wurde härter. »Alana die Zweite hätte sich vorher überlegen müssen, was sie bereit ist zu tun. Ilfaris hat das Tausendjährige Abkommen unterzeichnet, um den Frieden zu wahren. Dass Kensustria das Dokument nicht unterschrieben hat, sollte kein Grund sein, das Reich unter irgendwelchen fadenscheinigen Vorwänden anzugreifen. Die Palestaner müssen Eurer Regentin große Gewinne versprochen haben, anders kann ich mir nicht erklären, dass sie ihren Verstand verloren hat.«

»Wenn ihr unseren Männern wegen des Vertrags das Durchqueren nicht gewähren wollt«, versuchte es der Diplomat, »dann vielleicht den angorjanischen Einheiten? Ilfaris befände sich nicht in der Zwickmühle, auch nur annähernd gegen das Abkommen zu verstoßen.«

Perdór seufzte. »Ihr habt mich nicht verstanden, geschätzter Nirwel. Ich werde freiwillig weder Kensustria noch Tersion noch Palestan noch Kaiser Ibassi Che Nars'anamm persönlich genehmigen, nur einen einzigen Kämpfer in mein Land zu schicken. Ilfaris mag an sich unbedeutend sein, aber wir sitzen auf dem gleichen Kontinent und haben die gleichen Rechte wie Tersion.«

»Wenn die Regentin nun aber bereit wäre, für das Recht zu zahlen?« Nirwel ließ nicht locker und klang sehr eindringlich. »Majestät, Tersion würde pro Kämpfer einen Heller bezahlen.«

»Zuerst Bitten, dann Bestechung«, meinte Fiorell bedächtig. »Was kommt als Nächstes? Eine Drohung?«

Der Abgesandte wand sich. »Nein, keine Drohung.« Er machte ein ausdrucksloses Gesicht und gab sich Mühe, gelassen zu wirken. »Aber Ibassi Che Nars'anamm möchte darauf hinweisen, dass es ein Leichtes sei, auch ohne eine offizielle …«

Perdór, üblicherweise ein gemütlicher Mensch, sprang

bei dieser Unverfrorenheit wutentbrannt auf und warf das Glas nach dem Mann, der sich schleunigst unter dem Geschoss wegduckte. Er hatte wohl mit einer solchen Reaktion gerechnet. Wirkungslos zersplitterte die Schale an der Wand.

»Das«, bebte der König, und die Locken seines Bartes wippten, »ist eine Unverschämtheit! Wenn es das Kaiserreich Angor wagen sollte, auch nur die Nase in mein Ilfaris zu stecken, werden wir es mit allem bewerfen, was unsere Speisekammern hergeben.«

»Und ein geräucherter Schinken kann verdammt wehtun, wenn er an der richtigen Stelle trifft«, fügte der Hofnarr grinsend hinzu.

»Ich bitte Majestät, sich das Angebot in aller Ruhe zu überlegen«, beschwichtigte Nirwel und rieb an den Flecken herum, welche die Reste des Getränks auf seinem Seidengewand hinterlassen hatten.

»Gebt euch keine Mühe. Da kommen noch welche hinzu«, knurrte der Herrscher, nahm mit einer Flinkheit, die man dem beleibten Mann nicht zugetraut hätte, das Tortenstück und beförderte es mit Schwung in Richtung des Botschafters. Klatschend landete der Kuchen im Gesicht des Tersioners, der Teller zerschellte am Kopf.

»Der saß«, kommentierte der Hofnarr trocken. Er hielt seinem Herrn das Tablett mit Pralinen hin. »Falls Ihr noch mehr benötigt.«

»Nicht meine kostbaren Pralinen«, wehrte Perdór ab. »Und Ihr, Nirwel, geht in Euer Gästezimmer, überlegt Euch, ob es eine gute Idee war, Drohungen anderer Leute zu überbringen.«

»Wie Ihr möchtet, Majestät«, antwortete Nirwel undeutlich, Teile der Torte verstopften Mund und Nase. Der Mann verbeugte sich und ging etwas unsicher hinaus. Unterwegs fielen kleine Stückchen des Teigs ab.

Grummelnd setzte sich der Herrscher von Ilfaris wieder. »Er hat mich tatsächlich dazu gebracht, meinen Kuchen nach ihm zu werfen. Das schöne Stück.«

»Und nachdem die Wut von Majestät verraucht ist, werdet Ihr den armen Nirwel ein zweites Mal herbestellen, den völlig Zerknirschten spielen und einem kleinen Kontingent den Durchmarsch erlauben«, schlug der Spaßmacher vor. »Damit können uns weder Tersion noch Angor böse sein.«

»Ich weiß, was du sagen möchtest, aber ich hatte den gleichen Gedanken. Also halten wir uns an die Abmachung mit Kensustria.« Perdór atmete tief ein. »Wir schreiben Alana und ihren angorjanischen Verbündeten einen Ort vor, an dem der Übergang stattfinden soll. Dann halten wir sie ein bisschen hin, gleichzeitig setzen wir Kensustria über die Stelle in Kenntnis, und dann bin ich gespannt, wie sie verhindern wollen, dass ein einziger Soldat in mein Land gelangt.«

»Darauf ein Pralinchen. Aber nur eins, Majestät«, empfahl Fiorell und reichte dem König das Tablett. »Hoffen wir, dass alles gut geht.«

EPILOG

**Ulldart, Königreich Tarpol, Provinz Ulsar,
Hauptstadt Ulsar, Sommer 443 n. S.**

Als die restlichen tarpolischen Truppen und die Hohen
Schwerter mit Lodrik an der Spitze in Ulsar einritten,
stand das Volk zu Tausenden an den Straßen und jubel-
te den siegreichen Kämpfern zu. Blumen regneten von
den Hausdächern, Hochrufe wünschten dem jungen
Herrscher, dem niemand eine solche militärische Leis-
tung zugetraut hatte, ein langes Leben.

Immer wieder durchbrachen Menschen die Reihen
der Stadtwachen, um den Kabcar oder wenigstens einen Teil seiner Kleidung zu berühren. Andere wollten
ihm Geschenke überreichen, doch sie wurden wieder
zurückgedrängt. Nur stockend kam der Zug der achthundert Männer und Kinder vorwärts, der sich in Richtung Hauptmarktplatz bewegte.

Dort war von Norina alles für eine große Feier vorbereitet worden, der Sieg über die Borasgotaner sollte entsprechend gewürdigt werden. Da interessierte es keinen, wie genau dieser Triumph zu Stande gekommen
war. Dass Sinured zurückgekehrt war, wussten nur die
Soldaten, die an der Schlacht beteiligt gewesen waren,
und denen war vorerst verboten worden, über das Erscheinen des legendären Kriegsfürsten zu sprechen. Die
Menschen Tarpols waren der festen Meinung, dass sich
turîtische Verbündete überraschend in den Kampf geworfen hatten.

Musikanten spielten auf dem Platz vor der einge-stürzten Kathedrale zum ausgelassenen Tanz für die Menschen auf, Essen und Getränke waren auf Drängen Kolskois von den Brojaken bezahlt worden. Niemand sollte an diesem Tag nur einen Waslec auf den Tisch legen müssen. Fahnen knatterten im Wind, bunte Wimpel wehten an Fenstern der Straßen, und die Sonnen sorgten für bestes Wetter.

Strahlend saß Lodrik im Sattel, aufrecht, selbstbewusst, durch und durch das Abbild eines echten Bardri¢. Die blauen Augen leuchteten voller Freude, immer wieder winkte er den Menschen zu, fing Blumen auf und warf sie, nachdem er sie geküsst hatte, mit einer eleganten Bewegung zurück ins Volk.

Er fühlte sich großartig und beinahe unbesiegbar, das Huldigen der Menschen gefiel ihm einmal mehr. Seinetwegen könnten es hundert Mal mehr sein, die ihm zujubelten. So gebührte es auch einem Kabcar, der sein Volk vor einer Bedrohung gerettet hatte. Es war, wenn er es sich genau überlegte, nur rechtens, dass sie ihn so empfingen.

Auf dem Markplatz angekommen, erklomm er zusammen mit Waljakov, Mortva, der seit Stoikos Verwundung immer an der Seite des Herrschers zu finden war, und einem prachtvoll gerüsteten Nerestro die Tribüne, damit ihn seine Untertanen besser sehen konnten, und hob die Arme. Sofort erstarb der Lärm der Menge.

»Der Feind«, rief er glücklich, »ist besiegt und wird nun Stück für Stück aus unserem Land vertrieben. Tarpoler, für euch bin ich in den Krieg gezogen, und für euch habe ich ihn gewonnen. Jetzt, nachdem die Bedrohung nicht mehr vorhanden ist, werde ich mich wieder persönlich um die inneren Angelegenheiten von Tarpol kümmern. Und ich verspreche Euch, es wird sich einiges verändern. Nichts wird mehr sein, wie es vorher war. Die Macht der Brojaken wird geschmälert, und jeder, der sich mir dabei in den Weg stellt, wird den Zorn des Kabcar zu spüren bekommen!« Mortva reichte ihm einen Pokal mit Wein. »Lang lebe Tarpol. Es möge glücklich sein, wachsen und gedeihen!« Er leerte das Gefäß in einem Zug. »Dafür werde ich sorgen!«

Die Menschen brachen erneut in Jubelgeschrei aus, klatschten und johlten. Der Freudentaumel wirkte auf alle Gäste gleichermaßen ansteckend, man lag sich in den Armen, schlug sich auf die Schultern und ließ den Herrscher hochleben.

Lodrik zog sich aus der allgemeinen Aufmerksamkeit zurück und suchte nach Norina. Doch er konnte die junge Frau zwischen all den vielen Leuten auf der Tribüne nicht entdecken.

Dafür näherte sich seine Cousine, die mit ihrem freizügig geschnittenen Sommerkleid die Verführung in Person war. Tief verbeugte sie sich vor ihrem Gemahl.

»Jetzt fehlen dir wahrscheinlich die Worte, nicht wahr?«, meinte der Kabcar. »Oder hast du damit gerechnet, mich wieder zu sehen?«

»Aber, mein verehrter Ehegatte«, sagte sie mit gespielter Empörung. »Wie kannst du nur derart an deiner treuen Frau zweifeln? Ich kam schier um vor Sorge. Und nun, da du wohlbehalten ...«

»... und siegreich ...«, ergänzte Lodrik böse lächelnd.

»... zu mir zurückgekehrt bist, freue ich mich umso mehr«, fuhr Aljascha ungerührt fort.

»Schön. Und wo ist Norina?«, wollte er wissen.

»Wer? Ach, deine Gespielin.« Beleidigt zog sie die Schultern hoch. »Ich bin enttäuscht. Da sehen wir uns nach so langer Zeit wieder, und du interessierst dich nur für sie.«

»Sie bedeutet mir auch wesentlich mehr«, erklärte Lodrik knapp und sah sich dabei immer wieder um. »Also, wo steckt sie?«

»Such sie doch selbst«, fauchte seine Cousine ihn an und rauschte an ihm vorbei.

»Dort drüben«, wies ihm sein Konsultant die Richtung. Zielstrebig ging er, die beiden Männer im Schlepptau, zu der Brojakin und schloss sie in die Arme. Norina errötete, aber die Freude, Lodrik wieder bei sich zu haben, stand ihr unübersehbar ins Gesicht geschrieben.

»Lodrik«, versuchte sie halbherzig, ihn abzuwehren, »nicht vor allen Menschen! Was glaubst, was deine Untertanen sagen werden?«

Er zerrte sie hinter einen Vorhang und küsste sie leidenschaftlich. Sie erwiderte seine stürmische Zärtlichkeit, dann standen sie eng beieinander und lauschten dem pochenden Herzschlag des anderen, den man durch die Kleidung spürte.

»Ich habe dich so sehr vermisst«, seufzte der junge Herrscher glücklich und roch an ihren schwarzen Haaren. »Auf diesen Augenblick musste ich scheinbar eine Ewigkeit warten.«

Ihre Mandelaugen blickten ihn voller Wärme an. »Tapferer Junge. Ich bin froh, dich unversehrt zurückzuhaben. Ich habe einiges von der furchtbaren Schlacht gehört.«

Er senkte den Kopf. »Ich habe so etwas noch nie erlebt. Und ich möchte es auch nicht noch einmal erleben. Es sei denn, jemand zwingt mich dazu.«

Sie küsste ihn auf die Stirn. »Vergiss es, so gut es geht. Heute wird gefeiert, über alles andere machen wir uns morgen Gedanken. Und dann habe ich auch noch eine Überraschung für dich.«

»Eine Überraschung? Für mich?« Lodrik kniff die Augen zusammen und grinste. »Was ist es? Los, spann mich nicht zu sehr auf die Folter.«

Norina lachte und hob den Zeigefinger. »Nein, nein, mein Kabcar. Du musst dich gedulden.« Sie nahm ihn an den Schultern und drehte ihn um 180 Grad. »Und nun wirst wieder schön zurück auf die Tribüne gehen, um dich deinen Untertanen zu präsentieren. Du bist der Held von Tarpol. Das ist dein Tag.«

»Aber den Abend reserviere ich nur für dich«, versprach er. »Und die ganze Nacht.«

»Das sehen wir dann«, lächelte sie und schob ihn durch den Vorhang. Fröhlich sah sie hinter ihm her. Am nächsten Tag wollte sie ihm sagen, dass er Vater werden würde. Sie hoffte, dass er sich genauso darüber freuen würde, wie sie es bereits seit Wochen tat.

Wie aus dem Nichts trat der Mann mit den silbernen Haaren in ihr Blickfeld und versperrte ihre Sicht. Freundlich lächelnd drängte er die überraschte Brojakin etwas zurück.

»Mein Kompliment, Norina Miklanowo«, begann er. »Ihr seid nicht nur eine schöne, sondern auch eine kluge Frau. Euer Einsatz in Ulsar um die Versorgung der Truppen an der Front war bemerkenswert. Wir beide wissen, nein, eigentlich die ganze Hauptstadt weiß, wer hinter den weitsichtigen Anordnungen der Kabcara steckt.«

»Was wollt Ihr von mir, Nesreca?« Fest hielt sie dem Blick des Konsultanten stand.

»Was seid Ihr bereit zu tun, um als wahre Herrscherin von Tarpol neben Eurem Geliebten zu sitzen?« Der Mann stellte diese Frage, die nahe an den Hochverrat herankam, in einer Weise, wie sich ein Wirt nach der Bestellung des Gastes erkundigte. Er nahm ihre Linke und drückte einen Kuss darauf. »Ihr seid übrigens eine sehr begehrenswerte Frau.«

»Ich habe das zu Eurem eigenen Besten nicht gehört, weder das eine noch das andere«, sagte Norina scharf. »Und nun geht. Ich möchte nichts mit Euch zu schaffen haben, auch wenn Ihr ein Verwandter des Kabcar seid. Um genau zu sein, ich mag bisher niemanden besonders, der mit Lodrik verwandt ist.«

Mortva reckte sich. »Ich habe Euch verstanden, Brojakin. Wenn ich Euch das nächste Mal ein Angebot unterbreite, solltet Ihr es nicht ausschlagen. Eine Absage könnte sich schlecht auswirken.« Der Konsultant besaß sogar noch die Frechheit, ihr ein Zwinkern zuzuwerfen, bevor er Lodrik folgte, der sich im Gespräch mit ein paar Zunftmeistern befand.

Es passte der jungen Frau keineswegs, dass ihr Geliebter sich auf die Ratschläge des unverfrorenen Mannes verließ.

Stunden später feierte Ulsar immer noch. Die Adligen, Brojaken und geladenen Gäste zechten und speisten im Palast, das Volk machte die Straßen unsicher und leerte die Fässer der Gasthäuser.

Der junge Kabcar begab sich, nachdem er sich von der angemessenen Unterbringung Stoikos und dessen Fortschritten selbst überzeugt hatte, zurück zur Festgesellschaft, wo im Kleinen Festsaal bis in die frühen Morgenstunden ausgelassene Stimmung herrschte. Lodrik und Norina waren später so müde, dass sie zusammen einschliefen, kaum dass ihre Köpfe das Kissen berührten.

So mancher Gast war an der Tafel versackt, hatte sich auf eine Bank oder unter einen Tisch gelegt, um den Rausch auszuschlafen.

Inmitten des Durcheinanders aus Tischen, Stühlen, Bänken, Tellern, Tabletts, Torten, Fleisch- und Gemüseköstlichkeiten, Schläfern und Betrunkenen ruhte Mortva im Sessel des Kabcar, die Füße achtlos auf den Tisch gelegt. Grübelnd stützte er das Kinn auf die Fingerspitzen der zusammengefalteten Hände und sah in die Ferne. Er schmiedete Pläne für die Zukunft des Landes, das dank seines Zutuns auf dem richtigen Weg war.

Kleinere Steine mussten jedoch noch von dieser Route entfernt werden. Sie könnten den Karren Tarpol, den er zu steuern gedachte, aus der ruhigen Fahrt bringen. Oder sogar den Esel scheu machen, der momentan vom gnädigen Schicksal vor den Karren gespannt stand und ihm immer mehr aus der Hand fraß.

Den alten Vertrauten hatte er mit mäßigem Erfolg aus dem Verkehr gezogen, da würde er bei Gelegenheit nachsetzen müssen. Die Cerêler waren gerade dabei, den Mann wieder vollständig herzustellen, die letzte der drei Pfeilspitzen war entfernt worden. Nun kam es nur auf die Genesung an, für die sie ihn weiterhin in einem magischen Heilschlaf versetzt hielten.

Und immer noch waren Mortva zu viel warnende Stimmen um den Kabcar herum, die sich gegen den Konsultanten aussprachen.

»Waljakov und Norina, der Ordensritter und die Kensustrianerin«, zählte er flüsternd diejenigen auf, die er aus dem Kreis des jungen Herrschers zu entfernen gedachte. Die Zahl der aufsässigen tarpolischen Brojaken gedachte er ebenfalls zu stutzen. »Viel Arbeit für einen einfachen Mann wie mich.«

Wenn er die Sache richtig beobachtet hatte, waren dieser eingebildete Krieger und die Priesterin ein Paar. Daraus konnte er einen Vorteil ziehen und zwei Fliegen mit einer Klappe schlagen. Es dauerte auch nicht lange, dann kam ihm ein glorreicher Einfall.

Ruckartig erhob sich der Konsultant, durchschritt zielstrebig den Raum und wechselte in den Großen Festsaal, wo noch immer unberührt der Panzerhandschuh des Ritters auf dem Marmorboden lag, den er damals in die Runde geworfen hatte, um seine Unterstützung zu symbolisieren. Niemand hatte es gewagt, den stählernen Fingerschutz aufzuheben.

»Und die Ehre eines Kämpfers zählt so viel.« Mortva grinste, bückte sich und nahm das schwere Rüstungsteil auf. Abschätzend wog er es in der Hand. »O weh. Jetzt habe ich wohl eine Forderung angenommen. Warum hat mich denn niemand davor gewarnt? Ich bin doch nur ein schwacher Gelehrter.«

»Hemeròc, ich habe einen Auftrag für dich«, sagte er laut in die Dunkelheit des Audienzzimmers.

Einer seiner geheimnisvollen Begleiter, die bisher nur Lodrik erschienen waren, tauchte völlig lautlos aus der schwärzesten Ecke des Raumes auf, ließ sich auf ein Knie herab und beugte sein Haupt.

»Ich glaube, mir ist da ein kleines Malheur passiert.« Der Konsultant hob zur Erklärung, was er meinte, den Handschuh. »Hiermit benenne ich dich als meinen Recken im Kampf um meine Ehre. Verteidige sie wohl, denn ich lege großen Wert auf sie. Schmutzige Tricks seien dir erlaubt, aber keine Magie, wenn ich bitten darf. Ich rufe dich, wenn es so weit ist. In der Zwischenzeit, bereite dich auf einen starken Gegner vor und hüte dich vor seinem Schwert.« Er betrachtete die kunstvoll gefertigten Fingergelenke des Handschutzes. »Es ist eine aldoreelische Klinge. Sie hat unter Umständen die Macht, selbst dich zu vernichten. Darauf wollte ich dich rechtzeitig hinweisen. Ich würde dich nur ungern verlieren.«

Hemeròc nickte, erhob sich und verschwand wieder im Schatten.

Mortva schlenderte zufrieden hinaus und stattete dem Zimmer der Kabcara einen Besuch ab, um einen weiteren Teil seines Plans in die Tat umzusetzen.

Eigentlich versperrte Türen öffneten sich gehorsam und gaben dem Mann mit den silbernen Haaren den Weg frei. Ohne einen verräterischen Ton zu erzeugen, durchforstete er die Räume des Palasttraktes. Dass die Frau sich darin befand und schlief, störte ihn nicht. Sie würde ihn nicht hören.

Sein Blick fiel auf ein kleines Schränkchen neben dem Schminktisch, in dem die schlafende Herrscherin ihre Duftwässerchen, Puder und Cremes aufbewahrte.

Er klappte die Türen auf, untersuchte die aufgereihten Flakons flüchtig, bis ein Lächeln über sein Gesicht huschte. Der Konsultant war fündig geworden. Er hatte das Verhütungsmittel, dass ein Cerêler heimlich für die

Kabcara herstellte, aufgespürt. Die Magie der kleinen Menschen strahlte für ihn sichtbar ab und hüllte das Fläschchen in grünes Schimmern.

Vorsichtig nahm er den kleinen, unbeschrifteten Behälter hervor. Er schloss die Augen und konzentrierte sich.

Ein blassrotes Flimmern legte sich um die Flasche, trat durch die dünne Glaswand ein und schien das Grün zu bekämpfen. Die Flüssigkeit kochte wenige Sekunden, dann endete der Vorgang.

Zufrieden positionierte Mortva das Gefäß an seinem alten Platz und verließ den Raum so lautlos, wie er ihn betreten hatte. Mit dieser winzig kleinen Veränderung der Rezeptur waren alle Vorbereitungen getroffen, dass der vorgesehene Thronfolger in einigen Monaten eintraf. Mit seiner Überredungskunst würde er dem jungen Herrscher die dringend notwendige, längst überfällige Liebesnacht mit seiner Cousine schmackhaft machen.

»Natürlich«, entfuhr es ihm freudig überrascht. Eben war ihm eingefallen, was er gegen die Kensustrianerin unternehmen konnte.

Danach würde er sich um Norina kümmern. Hier musste er aber wesentlich gewiefter vorgehen. »Noch stehst du hoch in der Herzensgunst unseres Kabcar. Aber mit der Hilfe der entzückenden Aljascha werde ich das schon bald ändern.«

Vor einem übergroßen Porträt Lodriks, das in einem Gang an der Wand hing, blieb er stehen.

»Und Ihr, Hoher Herr, werdet noch innerhalb dieses Jahres der mächtigste Herrscher Ulldarts sein. Sinured und ich sorgen dafür. Ob Ihr nun wollt oder nicht.«

Äußerst zufrieden setzte er den Weg durch den dunklen Korridor in seine Gemächer fort.

Von Markus Heitz liegen in der Serie Piper vor:
Schatten über Ulldart. Ulldart – Die Dunkle Zeit 1
Der Orden der Schwerter. Ulldart – Die Dunkle Zeit 2
Das Zeichen des Dunklen Gottes. Ulldart – Die Dunkle Zeit 3
Unter den Augen Tzulans. Ulldart – Die Dunkle Zeit 4
Die Magie des Herrschers. Ulldart – Die Dunkle Zeit 5
Die Quellen des Bösen. Ulldart – Die Dunkle Zeit 6

Trügerischer Friede. Ulldart – Zeit des Neuen 1
Brennende Kontinente. Ulldart – Zeit des Neuen 2
Fatales Vermächtnis. Ulldart – Zeit des Neuen 3

Als Hardcover-Broschur bei Piper:
Die Zwerge
Der Krieg der Zwerge
Die Rache der Zwerge

Als Hardcover bei Piper:
Die Mächte des Feuers
(auch in der Serie Piper)